BRUNNER - SUDDAR

# SOINS INFIRMIERS

## MÉDECINE ET CHIRURGIE

## FONCTION
## RESPIRATOIRE

*Brunner/Suddarth*

# Soins infirmiers – Médecine et chirurgie

(EN 6 VOLUMES)

BRUNNER - SUDDARTH

# SOINS INFIRMIERS

## MÉDECINE ET CHIRURGIE

FONCTION
RESPIRATOIRE

**Suzanne Smeltzer**
**Brenda Bare**

**3ᴱ ÉDITION**

ÉDITIONS
DU RENOUVEAU
PÉDAGOGIQUE INC.

5757, RUE CYPIHOT, SAINT-LAURENT (QUÉBEC) H4S 1X4
TÉLÉPHONE : (514) 334-2690 TÉLÉCOPIEUR : (514) 334-4720

J. B. LIPPINCOTT
A WOLTERS KLUWER COMPANY

VOLUME 1 DE 6

Ce volume est une version française des parties 1, 2 et 6 de la septième édition de *Brunner & Suddarth's Textbook of Medical-Surgical Nursing* de Suzanne Smeltzer et Brenda Bare, publiée et vendue à travers le monde avec l'autorisation de J.B. Lippincott Company

**Traduction:** Sylvie Beaupré, Marie-Annick Bernier, France Boudreault, Pierre-Yves Demers, Annie Desbiens, les traductions l'encrier, Jocelyne Marquis, Véra Pollak
**Révision et supervision éditoriale:** Jocelyne Marquis et Suzie Toutant
**Correction d'épreuves:** France Boudreault, Pauline Coulombe-Côté, Corinne Kraschewski, Diane Provost
**Coordination de la réalisation graphique:** Micheline Roy
**Conception de la page couverture:** Denis Duquet
**Photocomposition et montage:** Compo Alphatek Inc.

Les médicaments et leur posologie respectent les recommandations et la pratique en vigueur lors de la publication du présent ouvrage. Cependant, étant donné l'évolution constante des recherches, les modifications apportées aux règlements gouvernementaux et les informations nouvelles au sujet des médicaments, nous prions le lecteur de lire attentivement l'étiquette-fiche de chaque médicament afin de s'assurer de l'exactitude de la posologie et de vérifier les contre-indications ainsi que les précautions à prendre. Cela est particulièrement important dans le cas des nouveaux médicaments ou des médicaments peu utilisés.

Les méthodes et les plans de soins présentés dans le présent ouvrage doivent être appliqués sous la supervision d'une personne qualifiée, conformément aux normes de compétence en vigueur et en tenant compte des circonstances particulières de chaque situation clinique. Les auteurs, les adaptateurs et l'éditeur se sont efforcés de présenter des informations exactes et de rendre compte des pratiques les plus courantes. Cependant, ils ne peuvent être tenus responsables des erreurs ou des omissions qui auraient pu se glisser ni des conséquences que pourrait entraîner l'utilisation des informations contenues dans cet ouvrage.

© Éditions du Renouveau Pédagogique Inc., 1994
5757, rue Cypihot
Saint-Laurent, Québec (Canada) H4S 1X4
Tous droits réservés.

Dépôt légal: 2ᵉ trimestre 1994
Bibliothèque nationale du Québec
Bibliothèque nationale du Canada
Imprimé au Canada

ISBN 2-7613-0888-3 (Volume 1)
13001 ABCD
ISBN 2-7613-0696-1 (L'ensemble)
2245

2 3 4 5 6 7 8 9 0 II 9 8 7 6 5
FM9

# CONSULTANTS

PARTIE 1

*Version anglaise*
Chapitres 1, 2 et 4
Anne Gallagher Peach, RN, MSN
> Directrice de la formation en soins de santé et de la formation médicale permanente, Orlando Regional Medical Center, Orlando, Florida

Chapitre 3
Ann N. Hotter, RN, MSN, CCRN, CS
> Infirmière clinicienne spécialisée en soins intensifs, St.Mary's Hospital, Rochester, Minnesota

*Version française*
Chapitres 1, 2, 3 et 4
Francine Mitchell, inf., M.Sc.
> Adjointe clinique au service régional des soins à domicile pour malades pulmonaires chroniques, Montréal

Marielle Gauthier, inf., M.Sc.
> Infirmière, service des soins à domicile, Centre hospitalier Maisonneuve-Rosemont, Montréal

PARTIE 2

*Version anglaise*
Chapitre 8
Patricia Ann Cady, PhD, RN, MSM
> Infirmière clinicienne III, Beth Israel Hospital, Boston, Massachusetts

*Version française*
Chapitres 5, 6, 7, 8 et 9
Danielle Fleury, inf., M.Sc.
> Adjointe à la vice-doyenne aux études de premier cycle, faculté des sciences infirmières, Université de Montréal

PARTIE 3

*Version française*
Chapitres 10 et 11
Danielle Fleury, inf., M.Sc.
> Adjointe à la vice-doyenne aux études de premier cycle, faculté des sciences infirmières, Université de Montréal

# AVANT-PROPOS

Les six premières éditions anglaises de *Soins infirmiers — médecine et chirurgie* ont été le fruit d'une collaboration qui a trouvé son expression dans un partenariat *efficace*. Le soutien inébranlable des enseignantes, des praticiennes et des étudiantes nous a donné la plus grande des joies en nous amenant à nous pencher sur la quintessence des soins infirmiers, les réactions humaines aux problèmes de santé.

Nous sommes heureuses que Suzanne Smeltzer et Brenda Bare aient accepté d'être les auteures et les directrices de la septième édition de cet ouvrage. Elles nous ont déjà prêté main forte lors des éditions précédentes, et nous pouvons attester qu'elles ont l'intégrité, l'intelligence et la détermination nécessaires à la publication d'un ouvrage d'une telle envergure. Elles savent à quel point il est important de lire tout ce qui est publié sur le sujet, de voir comment les découvertes de la recherche en sciences infirmières peuvent être mises à profit dans la pratique, de choisir des collaborateurs *qualifiés* et d'analyser à fond les chapitres pour s'assurer que leur contenu est exact et d'actualité.

Nous tenons à remercier les infirmières qui ont utilisé notre ouvrage pour leur fidélité et leur encouragement. Nous passons maintenant le flambeau à Suzanne et à Brenda, avec la certitude qu'elles consacreront tout leur talent à la recherche de l'excellence qui constitue la marque de ce volume.

Lillian Sholtis Brunner, RN, MSN, ScD, *Litt*D, FAAN
Doris Smith Suddarth, RN, BSNE, MSN

# PRÉFACE

Quand on passe d'une décennie à une autre, les prévisions et les prédictions abondent. Quand c'est dans un nouveau siècle que l'on s'engage, elles déferlent. À l'aube du XXI<sup>e</sup> siècle, la documentation spécialisée dans les soins de santé regorge donc de prédictions sur l'avenir de notre monde, et plus particulièrement sur l'avenir des systèmes de soins de santé. Les titres des ouvrages et des articles sur le sujet contiennent souvent des mots comme «perspectives démographiques au XXI<sup>e</sup> siècle», «prospectives en matière de soins de santé» ou «les systèmes de soins de santé en mutation».

Selon ceux et celles qui ont tenté de prédire ce que seront les soins infirmiers au XXI<sup>e</sup> siècle, les infirmières doivent se préparer à faire face à des changements et à relever de nouveaux défis. Il leur faudra donc anticiper les courants et les orientations de leur profession si elles ne veulent pas se laisser distancer. Les nouveaux enjeux leur ouvriront des perspectives inédites sur leur profession, tant dans la théorie que dans la pratique, et cela ne pourra se faire que dans un souci constant d'excellence.

Dans la septième édition de *Soins infirmiers en médecine et en chirurgie* de Brunner et Suddarth, nous nous sommes donné pour but de favoriser l'excellence dans la pratique des soins infirmiers. Nous avons continué de mettre l'accent sur ce qui a fait notre marque dans les éditions précédentes: notions de physiopathologie, explications scientifiques, résultats de la recherche et état des connaissances actuelles sur les principes et la pratique des soins infirmiers cliniques. Pour décrire le vaste champ d'application des soins infirmiers en médecine et en chirurgie, nous avons eu recours à des principes de physique, de biologie, de biotechnologie médicale et de sciences sociales, combinés à la théorie des sciences infirmières et à l'art de prodiguer les soins.

La démarche de soins infirmiers constitue le centre, la structure du présent ouvrage. À l'intérieur de cette structure, nous avons mis en évidence les aspects gérontologiques des soins, les traitements médicamenteux, l'enseignement au patient, les soins à domicile et la prévention. Le maintien et la promotion de la santé, de même que les autosoins, occupent aussi une place importante. Cet ouvrage est axé sur les soins aux adultes qui présentent un problème de santé aigu ou chronique et sur les rôles de l'infirmière qui leur prodigue des soins: soignante, enseignante, conseillère, porte-parole, coordonnatrice des soins, des services et des ressources.

Nous avons accordé plus d'espace que dans les éditions précédentes aux questions d'actualité en matière de soins de santé. Dans cet esprit, nous avons consacré un chapitre aux problèmes d'éthique qui se posent le plus dans la pratique des soins infirmiers. Nous avons aussi traité en détail des besoins en matière de santé des personnes âgées (dont le nombre augmente sans cesse), des sans-abri, des personnes atteintes du sida ou d'autres maladies immunitaires et des personnes atteintes d'une maladie chronique dont la vie est prolongée grâce aux progrès de la médecine.

Nous avons accordé une importance particulière à la recherche en sciences infirmières en consacrant une section aux progrès de la recherche à la fin de chaque partie de l'ouvrage. Dans cette section, nous présentons une analyse des résultats de différentes recherches, suivie de leur application possible en soins infirmiers. Dans les bibliographies, nous avons marqué d'un astérisque les articles de recherche en sciences infirmières. Nous avons choisi avec soin les références les plus représentatives de l'état actuel des connaissances et de la pratique.

De plus, nous avons voulu dans l'édition française faciliter la consultation d'un ouvrage aussi exhaustif en le séparant en volumes plus petits et plus faciles à transporter dans les cours ou sur les unités de soins. Pour ce faire, nous avons divisé la matière en six grandes fonctions, auxquelles nous avons ajouté divers éléments de théorie plus générale: le **volume 1** traite de la fonction respiratoire, du maintien de la santé et de la collecte de données; le **volume 2** couvre les fonctions cardiovasculaire et hématologique ainsi que les notions biopsychosociales reliées à la santé et à la maladie; le **volume 3** traite des fonctions digestive, métabolique et endocrinienne ainsi que des soins aux opérés; le **volume 4** explique la fonction génito-urinaire ainsi que les principes et les difficultés de la prise en charge du patient; le **volume 5** couvre les fonctions immunitaire et tégumentaire, les maladies infectieuses et les soins d'urgence; et enfin, le **volume 6** traite des fonctions sensorielle et locomotrice.

Afin de faciliter la lecture du texte, nous avons utilisé le terme «infirmière» et avons féminisé les titres de quelques professions. Il est entendu que cette désignation n'est nullement restrictive et englobe les infirmiers et les membres masculins des autres professions. De même, tous les termes masculins désignant des personnes englobent le féminin. Nous avons choisi de désigner par le terme «patient» la personne qui reçoit les soins parce que, dans le contexte du présent ouvrage, il correspond bien à la définition donnée par les dictionnaires: Personne qui subit ou va subir une opération chirurgicale; malade qui est l'objet d'un traitement, d'un examen médical (*Petit Robert*). Dans tous les autres contextes, les infirmières peuvent utiliser un autre terme de leur choix: client, bénéficiaire, etc.

Nous avons conservé notre perspective éclectique des soins au patient, parce qu'elle permet aux étudiantes et aux infirmières soignantes d'adapter ce qu'elles apprennent à leur propre conception des soins infirmiers. La matière du présent ouvrage peut être utilisée avec tous les modèles conceptuels de soins infirmiers.

Nous considérons la personne qui reçoit les soins comme un être qui aspire à l'autonomie, et nous croyons qu'il incombe à l'infirmière de respecter et d'entretenir cette volonté d'indépendance.

À l'aube du XXI<sup>e</sup> siècle, dans l'évolution rapide de la société et des soins de santé, une chose n'a pas changé: l'infirmière a toujours pour rôle d'humaniser les soins. La septième édition de *Soins infirmiers – médecine et chirurgie* de Brunner et Suddarth, avec sa perspective holistique des soins au patient, fait écho à ce souci d'humanisation.

# TABLE DES MATIÈRES

**VOLUME 1**

## partie 1

### Échange gaz carbonique-oxygène et fonction respiratoire

**VOLUME 2**

## partie 4

## Fonctions cardiovasculaire et hématologique

## partie 5

## Notions biopsychosociales reliées à la santé et à la maladie

**VOLUME 3**

## partie 6

## Fonctions digestive et gastro-intestinale

## partie 7
### Fonctions métabolique et endocrinienne

## partie 8
### Soins aux opérés

**VOLUME 4**

## partie 9
### Fonctions rénale et urinaire

# *partie* 1

## *Échange gaz carbonique-oxygène et fonction respiratoire*

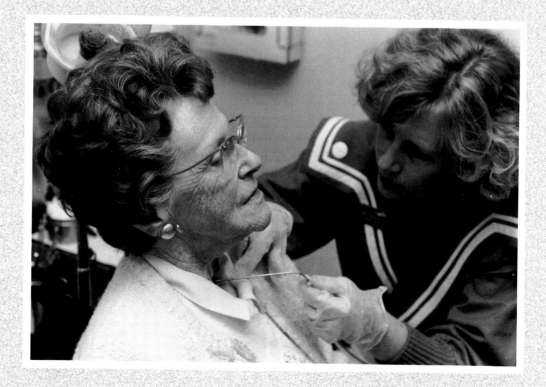

# 1
# TRAITEMENT DES PATIENTS SOUFFRANT D'UNE AFFECTION DES VOIES RESPIRATOIRES SUPÉRIEURES

*OBJECTIFS D'APPRENTISSAGE*

*Après avoir étudié ce chapitre, vous devriez être en mesure de:*

*1. Décrire la collecte des données auprès des patients souffrant d'une affection des voies respiratoires supérieures et expliquer la conduite thérapeutique.*

*2. Comparer les différentes infections des voies respiratoires supérieures: leurs causes, leur incidence, leurs manifestations cliniques, leur traitement et le rôle des soins préventifs.*

*3. Appliquer la démarche de soins infirmiers pour intervenir auprès des patients souffrant d'une infection des voies respiratoires supérieures.*

*4. Décrire les soins infirmiers à prodiguer aux patients souffrant d'épistaxis.*

*5. Appliquer la démarche de soins infirmiers pour intervenir auprès des laryngectomisés.*

---

## ANATOMIE DES VOIES RESPIRATOIRES SUPÉRIEURES

### NEZ

Le nez comprend deux parties, l'une interne et l'autre externe. La partie externe, qui fait saillie sur le visage, est soutenue par des os et du cartilage. Les deux orifices antérieurs (narines) forment l'ouverture extérieure des fosses nasales.

La partie interne du nez est une cavité séparée par un septum en deux parties, appelées fosses nasales. Chaque fosse nasale est séparée en trois voies par les cornets qui saillissent des parois latérales. Les parois des fosses nasales sont tapissées d'une muqueuse ciliée fortement vascularisée, appelée muqueuse nasale. Le mucus qui recouvre la muqueuse nasale est sécrété de façon continue par les cellules caliciformes et repoussé vers le rhinopharynx par le mouvement des cils.

Le nez assure le passage de l'air vers les poumons (inspiration) et hors des poumons (expiration). En plus d'humidifier et de réchauffer l'air qui va aux poumons, il en filtre les impuretés. C'est l'organe de l'olfaction (odorat), car les récepteurs olfactifs sont situés dans la muqueuse nasale. La fonction olfactive diminue avec l'âge.

### SINUS DE LA FACE

Les sinus de la face comprennent quatre paires de cavités osseuses tapissées de muqueuse nasale et d'épithélium prismatique pseudostratifié et cilié. Ces cavités pneumatiques

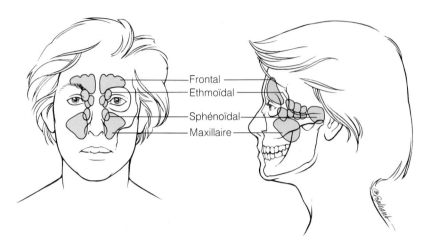

**Figure 1-1.** Sinus de la face

sont reliées entre elles par une série de canaux qui s'ouvrent dans les fosses nasales. Les sinus sont nommés d'après la partie du visage où ils se trouvent : frontal, ethmoïdal, sphénoïdal et maxillaire.

Les sinus servent principalement de caisse de résonance pour l'émission de la voix. Ils sont souvent le siège d'infections (figure 1-1).

## CORNETS

Par leur forme de lamelle osseuse recourbée et leur position, les cornets des fosses nasales augmentent la surface de la membrane muqueuse dans les voies nasales et obstruent légèrement le courant de l'air sur son passage.

L'air qui pénètre par les narines antérieures est dévié vers le toit du nez et suit un trajet détourné avant d'atteindre le rhinopharynx. Lors de son passage, l'air entre en contact avec une grande surface de muqueuse, humide et chaude, qui retient pratiquement toute la poussière et tous les germes inhalés. L'air inspiré est humidifié, réchauffé à la température du corps et mis en contact avec des nerfs sensitifs. Certains de ces nerfs détectent les odeurs, alors que d'autres provoquent les éternuements qui expulsent la poussière irritante.

## PHARYNX, AMYGDALES ET VÉGÉTATIONS ADÉNOÏDES (AMYGDALES PHARYNGIENNES)

Le pharynx (gorge) est une structure tubulaire qui relie les fosses nasales et la cavité buccale au larynx. La cavité pharyngienne se divise en trois parties : nasale, buccale et laryngienne.

La partie nasale, appelée rhinopharynx, est située à l'arrière du nez et au-dessus du voile du palais. La partie buccale, ou oropharynx, contient l'amygdale palatine. La partie laryngienne, appelée laryngopharynx, s'étend de l'os hyoïde jusqu'au cartilage cricoïde. L'épiglotte sépare du larynx cette dernière partie.

Les végétations adénoïdes (amygdale pharyngienne) sont situées sur la paroi supérieure du rhinopharynx. La gorge est encerclée par les amygdales, les végétations adénoïdes et d'autre tissu lymphoïde. Ces structures constituent des maillons importants de la chaîne des ganglions lymphatiques qui

protègent contre l'invasion des microorganismes qui se logent dans le nez et la gorge. Le pharynx est le carrefour des voies respiratoires et digestives.

## LARYNX

Organe cartilagineux tapissé d'épithélium, le larynx relie le pharynx et la trachée (figure 1-2).

Il est l'organe de la phonation (voix), servant tout d'abord à produire les sons. En outre, il protège les voies respiratoires inférieures des corps étrangers et facilite la toux. Il se compose des parties suivantes :

- *Épiglotte :* lame cartilagineuse qui ferme le larynx au moment de la déglutition ;
- *Glotte :* orifice compris entre les cordes vocales, situé dans la partie moyenne du larynx ;
- *Cartilage thyroïde :* le plus grand cartilage du larynx, dont une partie forme la pomme d'Adam ;
- *Cartilage cricoïde :* le seul anneau cartilagineux complet du larynx (situé sous le cartilage thyroïde) ;
- *Cartilage aryténoïde :* détermine le mouvement des cordes vocales avec le cartilage thyroïde ;

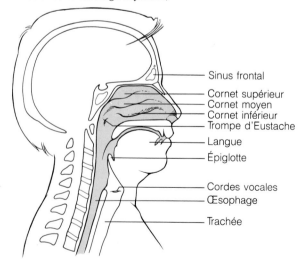

Sinus frontal
Cornet supérieur
Cornet moyen
Cornet inférieur
Trompe d'Eustache
Langue
Épiglotte
Cordes vocales
Œsophage
Trachée

**Figure 1-2.** Vue sagittale du visage et du cou. La cloison des fosses nasales n'apparaissant pas, on peut mieux voir la paroi latérale des fosses nasales. Noter la position des cornets.

- *Cordes vocales:* ligaments commandés par des mouvements musculaires qui produisent les sons (les cordes vocales sont fixées dans l'ouverture du larynx).

## EXAMEN DES VOIES RESPIRATOIRES SUPÉRIEURES

### NEZ ET SINUS

L'examen du nez et des sinus se fait par inspection et palpation. S'il s'agit d'un examen courant, une inspection à l'aide d'un crayon lumineux suffit. Pour un examen plus approfondi, il faut utiliser un spéculum nasal.

Il faut d'abord inspecter la partie externe du nez pour voir s'il y a des lésions, une asymétrie ou une inflammation. Après avoir demandé au patient de pencher la tête vers l'arrière, on relève doucement le bout de son nez pour examiner la structure interne. On procède alors à l'inspection de la muqueuse et on note les aspects suivants: couleur, œdème, exsudat ou saignement. La muqueuse nasale est habituellement plus rouge que la muqueuse buccale, mais elle peut être œdémateuse et hyperhémiée si le patient souffre d'un rhume. Une muqueuse pâle et œdémateuse peut indiquer une rhinite allergique.

Il faut ensuite examiner le septum nasal pour voir s'il y a une déviation, une perforation ou un saignement. La plupart des gens présentent une légère déviation du septum. Une véritable déviation du cartilage vers l'une ou l'autre des fosses nasales entraîne parfois une obstruction nasale, mais celle-ci est souvent asymptomatique.

L'infirmière demande au patient de pencher la tête vers l'arrière, et essaie de voir les cornets inférieurs et moyens. Si le patient souffre d'une rhinite chronique, des polypes nasaux peuvent se former entre ces deux cornets. On les distingue des cornets par leur teinte grise, leur texture gélatineuse et leur mobilité. Les sinus frontaux et maxillaires peuvent être examinés par diasphanoscopie (examen des cavités sinusales permettant d'en évaluer le degré de transparence grâce à un éclairage qui les traverse).

On palpe ensuite les sinus frontaux et maxillaires pour déceler la présence de points douloureux. Avec les pouces, l'infirmière exerce une légère pression vers le haut sur les arcades sourcilières (sinus frontaux) et les régions malaires près du nez (sinus maxillaires). Une sensibilité de ces régions peut indiquer une inflammation localisée.

### PHARYNX

On peut se servir d'un abaisse-langue pour bien voir le pharynx, mais ce n'est pas toujours nécessaire. On peut demander au patient d'ouvrir grand la bouche et de prendre une respiration profonde. De cette façon, la partie postérieure de la langue s'aplatit, et on peut voir brièvement mais entièrement les piliers antérieurs et postérieurs, les amygdales, la luette et la partie postérieure du pharynx. On peut alors évaluer la couleur et la symétrie de ces différentes structures et vérifier s'il y a présence d'un exsudat, ulcération ou hypertrophie. Si l'on utilise un abaisse-langue, il faut l'appuyer fermement sur la moitié postérieure de la langue. Il est important de bien placer l'abaisse-langue si l'on veut éviter que le patient n'ait une réaction nauséeuse qui lui rende cet examen désagréable.

### TRACHÉE

Habituellement, on vérifie la position et la mobilité de la trachée par palpation directe. Pour ce faire, on place le pouce et l'index d'une main de chaque côté de la trachée, juste au-dessus de la fourchette sternale. Comme la trachée est une région très sensible, une palpation trop ferme peut provoquer de la toux ou une réaction nauséeuse. Normalement, la trachée est en position médiane à l'endroit où elle pénètre dans la cavité thoracique, derrière le sternum. Cependant, des masses dans le cou ou le médiastin peuvent la faire dévier latéralement. Des troubles pleuraux ou pulmonaires, comme un pneumothorax volumineux, peuvent aussi entraîner une déviation de la trachée.

## INFECTIONS DES VOIES RESPIRATOIRES SUPÉRIEURES

La plupart des gens souffrent de temps à autre d'une infection des voies respiratoires supérieures. Il peut s'agir d'une infection aiguë, dont les symptômes ne durent que quelques jours, ou encore d'une infection chronique, dont les symptômes durent longtemps ou reviennent périodiquement. L'hospitalisation est rarement nécessaire; néanmoins, l'infirmière doit savoir reconnaître les signes et les symptômes de ces infections chez des patients hospitalisés pour une autre raison ou rencontrés dans d'autres milieux de soins, afin d'être en mesure de leur prodiguer les soins infirmiers appropriés.

### RHUME

Le terme *rhume* est habituellement employé pour désigner les symptômes liés à une infection des voies respiratoires supérieures. Le rhume est très contagieux, car la personne qui en est affectée propage le virus pendant environ deux jours avant l'apparition des symptômes ainsi que pendant la première partie de la phase symptomatique. Tout au cours de l'hiver, le rhume touche 15 % de la population active; on lui attribue près de 50 % de toutes les absences au travail et 25 % de toutes les heures de travail perdues.

Chaque année, en Amérique du Nord, on observe trois vagues de rhume: en septembre (juste après la rentrée scolaire), à la fin de janvier et vers la fin d'avril. L'immunité après le rétablissement varie d'une personne à l'autre et dépend de plusieurs facteurs, dont la résistance naturelle de l'hôte et du virus en cause.

***Manifestations cliniques.*** Les signes et symptômes du rhume sont les suivants: écoulement et obstruction du nez, mal de gorge, éternuements, malaise, fièvre, frissons et, souvent, mal de tête et courbatures. Une toux apparaît habituellement en cours d'évolution. Le *rhume* se définit au sens strict comme une inflammation aiguë, infectieuse et apyrétique de la muqueuse nasale, et au sens large comme une infection aiguë des voies respiratoires supérieures. Des termes comme *rhinite, pharyngite, laryngite* et *trachéite* permettent de distinguer le siège des principaux symptômes.

Les symptômes du rhume durent de cinq jours à deux semaines. Si une personne souffre d'une fièvre marquée ou si elle présente, outre des symptômes respiratoires, une atteinte plus grave de l'état général, il ne s'agit plus d'un rhume mais d'une autre infection aiguë des voies respiratoires supérieures. On sait que de nombreux virus (plus de 100) provoquent les signes et symptômes du rhume. Environ 10 % des rhumes semblent être causés par plus d'un virus. En outre, certains troubles allergiques provoquent des symptômes semblables à ceux du rhume.

**Traitement.**    Il n'existe aucun traitement spécifique contre le rhume. Il faut boire beaucoup de liquide, se reposer, prévenir les frissons sans se tenir trop au chaud, ce qui pourrait faire augmenter la fièvre. L'utilisation d'un décongestionnant nasal aqueux, d'un antitussif ou d'un expectorant peut soulager les symptômes, au besoin. Un gargarisme à l'eau tiède salée apaise le mal de gorge; l'aspirine ou l'acétaminophène soulagent les symptômes généraux. Les antibiotiques ne détruisent pas le virus et ne réduisent pas la fréquence des complications bactériennes. Ils peuvent être utilisés à titre préventif par les patients qui présentent des risques élevés de troubles respiratoires.

Pour prévenir la propagation d'une infection des voies respiratoires supérieures, certaines mesures s'imposent : utiliser des mouchoirs de papier que l'on jette de façon hygiénique après usage, se couvrir la bouche quand on tousse, se laver les mains fréquemment et éviter les endroits où il y a foule.

# INFECTION PAR LE VIRUS DE L'HERPÈS SIMPLEX

Le virus de l'herpès simplex (HSV-1) provoque le plus souvent une affection courante appelée *herpès labial* (bouton de fièvre, feu sauvage ou herpès simple). De petites vésicules séparées ou groupées peuvent apparaître sur les lèvres, la langue, les joues et le pharynx. Ces vésicules se rompent plus ou moins rapidement, laissant des ulcères superficiels et douloureux recouverts d'une membrane grise.

Les infections causées par le virus de l'herpès simplex apparaissent souvent en même temps que d'autres infections fébriles telles que la pneumopathie à streptocoques, la méningite méningococcique et le paludisme. Le virus reste à l'état latent dans les cellules des lèvres ou du nez et s'active lors d'une maladie fébrile.

**Traitement.**    L'infection peut se résorber spontanément après 10 à 14 jours. Si elle persiste, on peut administrer de l'acyclovir, un agent antiviral qui réduit la gravité des symptômes ainsi que la durée ou l'étendue de la poussée. Des analgésiques, comme Tylenol avec codéine, ou de l'aspirine avec codéine peuvent aider à soulager la douleur et les malaises. Pour diminuer la douleur buccale, on peut appliquer un anesthésique topique comme la lidocaïne (Xylocaïne) ou un émollient comme Orabase. Enfin, l'application de lotions ou de liquides dessiccatifs peut contribuer à assécher les lésions.

# SINUSITE

Les infections des voies respiratoires supérieures entraînent souvent une sinusite. Si les orifices qui relient les sinus aux fosses nasales ne sont pas obstrués, l'infection disparaît rapidement. Par contre, si les conduits sont bloqués par une cloison déviée, des cornets hypertrophiés, des éperons ou des polypes, la sinusite peut persister à l'état latent ou se transformer subitement en sinusite suppurée aiguë.

## Sinusite aiguë

Les symptômes de la sinusite aiguë comprennent une sensation de pression, une douleur dans la région des sinus et un écoulement de sécrétions nasales purulentes.

La sinusite aiguë est souvent déclenchée par un rhume, surtout si elle est d'origine virale. La congestion causée par l'inflammation, l'œdème et les sécrétions entraîne l'obstruction des fosses nasales, ce qui favorise la prolifération bactérienne. Plus de 60 % des cas de sinusite aiguë sont dus à des bactéries, dont *Streptococcus pneumoniæ, Hæmophilus influenzæ* et *Staphylococcus aureus*. Les infections dentaires sont parfois associées à une sinusite aiguë.

Il faut procéder à un examen diagnostique et établir un profil détaillé du patient pour écarter la possibilité d'autres troubles locaux ou généraux comme une tumeur, une fistule et une allergie. Les complications de la sinusite sont rares, mais elles existent : ce sont notamment une cellulite orbitaire grave, un abcès sous-périostique, une thrombose du sinus caverneux, une méningite ou un abcès cérébral.

**Traitement médical.**    Le traitement de la sinusite aiguë vise à juguler l'infection, à réduire l'inflammation de la muqueuse nasale et à soulager la douleur. Les antibiotiques de prédilection sont l'amoxicilline et l'ampicilline. Pour les patients allergiques à la pénicilline, on peut utiliser du triméthoprime ou du sulfaméthoxazole. On peut aussi administrer des décongestionnants oraux et topiques. De la vapeur tiède et des irrigations salines peuvent aussi décongestionner efficacement les cavités obstruées et favoriser l'écoulement des sécrétions purulentes. Les décongestionnants oraux ou topiques sont couramment employés. Lorsqu'on administre un décongestionnant topique, on demande au patient de pencher la tête vers l'arrière afin de favoriser l'écoulement.

**Interventions infirmières.**    Les interventions infirmières visent à faciliter l'évacuation des sécrétions. Pour ce faire, l'infirmière augmente le taux d'humidité, fait inhaler de la vapeur au patient, accroît son apport liquidien et procède à une application locale de chaleur (applications humides chaudes).

Elle explique au patient les premiers signes de sinusite et lui recommande certaines mesures de prévention :

- Éviter les allergènes si l'on soupçonne des allergies.
- Se maintenir en bonne santé pour conserver la résistance naturelle de l'organisme (bien manger, se reposer beaucoup et faire de l'exercice).
- Éviter d'être en contact avec des personnes souffrant d'une infection des voies respiratoires supérieures.
- Consulter un médecin si la douleur sinusale persiste ou s'il y a un écoulement nasal de couleur anormale.

## *Sinusite chronique*

**Manifestions cliniques.**    La sinusite chronique est généralement causée par une obstruction nasale due à des écoulements et à l'oedème de la membrane muqueuse. Le patient tousse à cause des sécrétions qui s'écoulent de façon constante dans le rhinopharynx. Il présente en outre une céphalée périorbitaire chronique et une douleur faciale, qui sont habituellement plus prononcées le matin au réveil. La fatigue et l'embarras de la respiration nasale sont également des symptômes courants.

**Traitement.**    Le traitement médical et les interventions infirmières sont les mêmes que pour la sinusite aiguë. Si une déformation structurale obstrue les orifices des sinus, une intervention chirurgicale peut être indiquée: excision ou cautérisation de polypes, correction d'une déviation de la cloison nasale, incision et drainage des sinus, etc.

Dans certains cas de sinusite chronique grave, la seule solution consiste à aller vivre dans un climat sec.

# RHINITE

La rhinite est une inflammation de la membrane muqueuse du nez. Elle peut être d'origine bactérienne ou virale. Elle est aussi une manifestation de certaines maladies comme la rougeole, la tuberculose et la diphtérie nasale. La présence de corps étrangers dans le nez et l'usage constant de médicaments vasoconstricteurs peuvent également provoquer une rhinite. En outre, elle peut avoir pour cause une allergie (voir le chapitre 49): on parle alors de «rhinite allergique». Au Québec, 8 % des enfants (1 à 15 ans), 18 % des adolescents (15 à 24 ans), 11 % des personnes de 25 à 44 ans et 4 % des personnes de 45 à 64 ans souffrent de rhinite allergique. La rhinite peut être aiguë ou chronique (figure 1-3).

**Manifestations cliniques.**    Les signes et symptômes de la rhinite sont la congestion nasale, l'écoulement nasal (purulent dans le cas de la rhinite bactérienne), les démangeaisons nasales et les éternuements. La rhinite peut s'accompagner de maux de tête, surtout quand elle se complique d'une sinusite.

**Traitement médical.**    Le traitement médical de la rhinite dépend du diagnostic différentiel. Il est très important de dresser un bilan de santé complet du patient et de vérifier soigneusement s'il est exposé à des allergènes à son domicile, dans son quartier ou à son travail. Lorsqu'on soupçonne une rhinite allergique, on peut soumettre le patient à un bilan allergologique. Le traitement médicamenteux peut comprendre des antihistaminiques, des décongestionnants, des corticostéroïdes locaux et du chromoglicate sodique. Ces médicaments sont généralement prescrits en association, selon les symptômes du patient.

**Interventions infirmières.**    L'infirmière doit recommander au patient souffrant de rhinite allergique d'éviter les agents allergènes et irritants comme la poussière, les gaz, les odeurs, les poudres, les aérosols et la fumée du tabac. La pulvérisation d'une solution salée dans le nez peut aider à soulager la membrane muqueuse, à ramollir les sécrétions croûteuses et à déloger les substances irritantes. L'infirmière

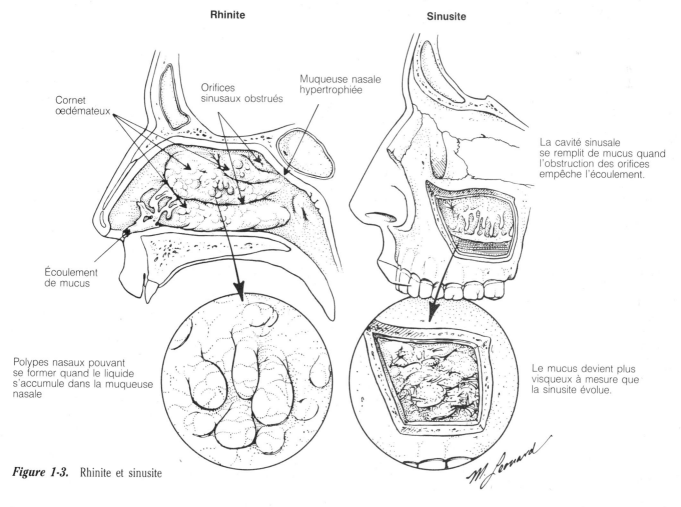

**Rhinite**

**Sinusite**

Cornet œdémateux

Orifices sinusaux obstrués

Muqueuse nasale hypertrophiée

La cavité sinusale se remplit de mucus quand l'obstruction des orifices empêche l'écoulement.

Écoulement de mucus

Polypes nasaux pouvant se former quand le liquide s'accumule dans la muqueuse nasale

Le mucus devient plus visqueux à mesure que la sinusite évolue.

**Figure 1-3.**    Rhinite et sinusite

doit montrer au patient comment utiliser et s'administrer correctement les médicaments, surtout dans le cas des aérosols. Pour que le patient bénéficie d'un soulagement maximum, il est important de lui recommander de se moucher avant de s'administrer un médicament dans les fosses nasales.

## PHARYNGITE AIGUË

La pharyngite aiguë (angine streptococcique) est une inflammation fébrile de la gorge. Dans 70 % des cas, elle est causée par un virus. Le streptocoque du groupe A est la bactérie la plus souvent associée à la pharyngite aiguë.

**Manifestations cliniques.** Les signes et symptômes de la pharyngite aiguë sont les suivants : membrane pharyngienne rouge vif, amygdales et follicules lymphoïdes œdémateux et tachetés d'exsudat, ganglions du cou hypertrophiés et sensibles. On peut également observer de la fièvre, un malaise et un mal de gorge. Il n'est pas rare non plus que la pharyngite aiguë s'accompagne d'une raucité de la voix, d'une toux ou d'une rhinite.

Habituellement, les pharyngites virales sans complications disparaissent rapidement, soit 3 à 10 jours après leur apparition. Les pharyngites bactériennes sont plus graves durant la phase aiguë, et présentent des risques de complications majeures : sinusite, otite moyenne, mastoïdite, adénopathie cervicale, rhumatisme articulaire aigu et néphrite. Le meilleur moyen de déterminer l'agent pathogène en cause consiste à faire un prélèvement des sécrétions de la gorge pour culture.

**Traitement médical.** Quand on sait ou que l'on soupçonne que la pharyngite est d'origine bactérienne, le traitement peut comprendre l'administration d'antibiotiques. Si la pharyngite est causée par un streptocoque du groupe A, la pénicilline est le médicament de choix. Pour les patients allergiques à la pénicilline et résistants à l'érythromycine (20 % des streptocoques du groupe A et la plupart des *Streptococcus aureus* résistent à la pénicilline et à l'érythromycine), la tétracycline est le traitement de prédilection. Pour éliminer les streptocoques du groupe A de l'oropharynx, le patient doit prendre les antibiotiques pendant au moins 10 jours.

Au stade aigu de la maladie, le patient doit suivre une diète liquide ou de consistance molle, selon son appétit et la douleur qu'il ressent au moment de la déglutition. Quand le patient est incapable de boire parce que sa gorge est trop douloureuse, il faut lui administrer des liquides par voie intraveineuse. Si ce n'est pas le cas, il faut l'inciter à boire autant qu'il le peut, c'est-à-dire plus de 2500 mL par jour durant le stade fébrile. Le patient acceptera plus facilement de boire une telle quantité de liquide si on lui explique l'importance de l'apport liquidien dans son traitement. On doit tenir compte des goûts personnels du patient et lui donner les boissons qu'il préfère, dans la mesure du possible.

**Interventions infirmières.** Le patient doit garder le lit pendant le stade fébrile de la maladie. Quand il commence à se lever et à marcher, il doit s'accorder des périodes de repos. Pour prévenir la propagation de l'infection, il faut appliquer les mesures de précaution relatives aux sécrétions. En outre, l'infirmière doit examiner la peau du patient une ou deux fois par jour pour déceler tout signe d'éruption cutanée, car la pharyngite aiguë peut précéder une autre maladie transmissible.

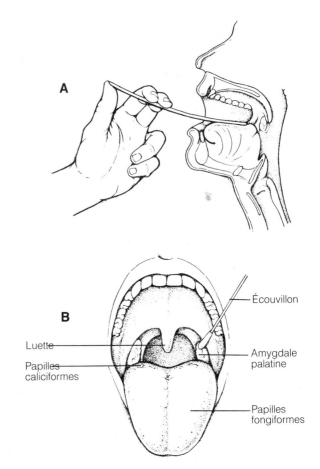

**Figure 1-4.** Prélèvement pour culture de la gorge. Quand on fait un prélèvement des sécrétions de la gorge chez un patient sujet à une réaction nauséeuse, on peut lui demander de fermer les yeux. Son appréhension diminue et le prélèvement ne provoque qu'un léger haut-le-cœur. (**A**) Tenir l'abaisse-langue de façon que le pouce pousse le bout de la palette vers le haut (comme point d'appui) pendant que les autres doigts poussent le milieu de la palette vers le bas. (**B**) Frotter un écouvillon sur chaque amygdale et sur le pharynx postérieur.

Les prélèvements de gorge (figure 1-4) ne suffisent pas toujours à déterminer la nature de l'agent pathogène ; il faut alors faire un écouvillonnage du nez et un prélèvement de sang pour hémoculture.

Selon la gravité de la lésion et l'intensité de la douleur, on peut soulager le patient à l'aide de gargarismes ou d'irrigations salines chaudes. Pour que le traitement soit efficace, la température de la solution doit être au seuil de tolérance, soit entre 40,6 et 43,3 °C selon les personnes. Une irrigation de la gorge effectuée correctement permet de diminuer efficacement les spasmes des muscles pharyngiens et de soulager la douleur. Les résultats de ce traitement seront loin d'être satisfaisants si le patient n'en comprend pas le but et la façon dont il est effectué. Par conséquent, si celui-ci n'a jamais subi une irrigation de la gorge, l'infirmière doit lui expliquer l'intervention et son but avant de commencer.

On peut soulager les symptômes d'un gros mal de gorge par l'application d'un collet réfrigérant et l'administration d'analgésiques. Par exemple, le médecin peut prescrire de l'aspirine ou de l'acétaminophène toutes les trois à six heures et, si nécessaire, de l'acétaminophène avec codéine trois ou quatre fois par jour. Il faut parfois administrer un médicament antitussif à base de codéine, de dextrométhorphane ou de bitartrate d'hydrocodone pour enrayer la toux persistante et douloureuse qui accompagne souvent la pharyngite aiguë.

Enfin, les soins de la bouche peuvent accroître considérablement le bien-être du patient. Ils contribuent également à prévenir la gerçure des lèvres et l'inflammation péribuccale qu'entraîne l'infection bactérienne.

**Enseignement au patient et soins à domicile.** La reprise des activités doit se faire progressivement. Si la pharyngite est due à des streptocoques hémolytiques, une ligne de conduite prudente doit être adoptée à cause des complications qui peuvent apparaître deux ou trois semaines après la disparition de la pharyngite (néphrite et rhumatisme articulaire aigu, par exemple). Une pharyngite qui semble en phase de repos peut s'étendre et entraîner une sinusite, une otite moyenne, une mastoïdite ou une adénopathie cervicale. Il faut continuer à prendre la température du patient matin et soir jusqu'à la fin de sa convalescence. On doit également avertir le patient et les membres de sa famille qu'un traitement complet est essentiel, et il faut leur indiquer les symptômes à surveiller pour éviter les complications.

# PHARYNGITE CHRONIQUE

La pharyngite chronique est courante chez les adultes qui travaillent ou vivent dans un milieu poussiéreux, qui forcent leur voix, qui souffrent de toux chronique ou qui boivent de l'alcool et fument de façon régulière.

Il existe trois types de pharyngite chronique : (1) la pharyngite hypertrophique, caractérisée par un épaississement et une congestion généralisés de la membrane pharyngienne ; (2) la pharyngite atrophique, probablement un stade avancé du premier type (la membrane est mince, blanchâtre, brillante et parfois plissée) ; et (3) la pharyngite granuleuse (folliculaire), caractérisée par la présence de nombreux follicules lymphoïdes tuméfiés sur les parois pharyngiennes.

**Manifestations cliniques.** Les patients souffrant d'une pharyngite chronique se plaignent d'une constante sensation d'irritation ou de plénitude dans la gorge, d'une accumulation de mucus que la toux peut expulser et de troubles de déglutition.

**Traitement médical.** On traite la pharyngite chronique en soulageant les symptômes, en recommandant au patient d'éviter les substances irritantes et en corrigeant les problèmes des voies respiratoires supérieures, et les troubles pulmonaires ou cardiaques qui pourraient être à l'origine de la toux chronique.

On peut soulager la congestion nasale par des instillations ou des pulvérisations nasales contenant du sulfate d'éphédrine ou du chlorhydrate de phényléphrine. Si le patient fait des allergies, un antihistaminique est administré par la bouche toutes les quatre à six heures. L'administration d'aspirine ou d'acétaminophène soulage efficacement le malaise concomitant. Pour empêcher la propagation de l'infection, il est préférable que le patient évite tout contact avec d'autres personnes, au moins jusqu'à la fin du stade fébrile (voir aussi le chapitre 53).

**Interventions infirmières.** L'infirmière doit donc recommander au patient d'éviter tout contact avec les autres jusqu'à ce que la fièvre ait disparu. Elle doit également lui conseiller de ne pas boire d'alcool, de ne pas fumer, d'éviter la fumée secondaire, et de se protéger contre le froid. Le patient devrait aussi éviter les polluants à l'extérieur, à la maison et au travail ou se prémunir contre ceux-ci en portant un masque jetable ou un foulard. Il devrait également boire beaucoup de liquides. Les gargarismes salins tièdes peuvent soulager le mal de gorge et les pastilles peuvent procurer une sensation de fraîcheur.

# AMYGDALITE ET ADÉNOÏDITE

Les amygdales se composent de tissu lymphoïde et sont situées de chaque côté de l'oropharynx. Elles deviennent souvent le siège d'une infection aiguë. L'amygdalite chronique est moins courante que l'amygdalite aiguë et on la confond parfois avec d'autres affections comme l'allergie, l'asthme et la sinusite.

Les végétations adénoïdes forment un amas de tissu lymphoïde hypertrophié près du centre de la paroi postérieure du rhinopharynx. Une infection des végétations adénoïdes accompagne souvent l'amygdalite aiguë.

**Manifestations cliniques.** Les symptômes de l'amygdalite sont les suivants : irritation de la gorge, fièvre, ronflement et difficulté à avaler. L'hypertrophie des végétations adénoïdes peut empêcher de respirer par le nez et causer une otalgie, un écoulement de l'oreille, des rhumes fréquents, une bronchite, une mauvaise haleine, une voix nasillarde et une respiration bruyante. Des végétations de grosseur anormale peuvent entraîner une obstruction nasale. L'infection peut se propager dans l'oreille moyenne en empruntant la trompe d'Eustache, provoquant une otite moyenne aiguë (dont les complications sont les suivantes : rupture spontanée des tympans et propagation de l'infection dans les cellules mastoïdiennes entraînant une mastoïdite aiguë). L'infection peut également demeurer dans l'oreille moyenne de façon chronique et évoluer de façon insidieuse jusqu'à la surdité permanente.

**Examens diagnostiques.** Il faut d'abord procéder à un examen physique complet et à une vérification minutieuse des antécédents du patient afin d'écarter la possibilité de troubles connexes ou d'affections générales. On doit également faire un prélèvement pour culture dans la région des amygdales afin de déterminer s'il s'agit d'une infection bactérienne. Si le patient atteint d'adénoïdite a souffert d'otites moyennes suppurées récidivantes ayant entraîné une perte auditive, il est important de lui faire passer un examen audiométrique complet (voir le chapitre 56).

## Amygdalectomie et adénoïdectomie

Pour l'amygdalite comme pour l'adénoïdite, il faut administrer l'antibiothérapie appropriée. Habituellement, on ne pratique une amygdalectomie que si le traitement médical ne réussit pas et si une hypertrophie importante ou un abcès périamygdalien bloque le pharynx, rend la déglutition difficile et risque d'obstruer les voies respiratoires. L'amygdalectomie est rarement indiquée dans le cas d'une simple tuméfaction des amygdales ; d'ailleurs, les amygdales sont généralement grosses chez les enfants, et leur volume diminue avec l'âge. Malgré la controverse entourant l'efficacité de l'amygdalectomie, cette intervention chirurgicale continue d'être pratiquée de façon courante.

On ne doit pratiquer une amygdalectomie ou une adénoïdectomie que dans les cas suivants : accès répétés d'amygdalites; hypertrophie des amygdales et des végétations adénoïdes qui pourrait obstruer les voies respiratoires; otites moyennes purulentes à répétition; perte auditive possible causée par une otite moyenne séreuse associée à une hypertrophie des amygdales et des végétations adénoïdes; certains autres troubles comme l'exacerbation de l'asthme ou du rhumatisme articulaire aigu. Des interventions au laser ont été tentées mais elles exigent une anesthésie prolongée et entraînent des complications associées au laser. Leur utilisation doit donc être judicieuse.

***Soins infirmiers postopératoires.***    Immédiatement après l'opération et pendant la période de récupération, l'infirmière doit garder le patient en observation constante en raison du risque important d'hémorragie. La position dans laquelle le patient est le plus à l'aise est le décubitus ventral, la tête tournée sur le côté pour faciliter l'écoulement des sécrétions de la bouche et du pharynx. Il faut laisser la canule buccale en place jusqu'à ce que l'on soit certain que le réflexe de déglutition est revenu. L'infirmière doit par ailleurs placer un collet de glace autour du cou du patient et lui fournir un haricot et des mouchoirs pour les expectorations de sang et de mucus.

Le sang est rouge vif s'il est expectoré tout de suite. Cependant, il est souvent avalé d'abord et brunit sous l'effet de l'acidité du suc gastrique.

- Si l'opéré vomit beaucoup de sang altéré ou crache du sang rouge clair à intervalles rapprochés, ou si la fréquence de son pouls et sa température augmentent et qu'il est agité, l'infirmière doit avertir le chirurgien immédiatement et préparer les accessoires suivants, avec lesquels le chirurgien examinera la région opérée pour trouver l'origine des saignements: une lampe, un miroir frontal, des compresses, des pinces hémostatiques courbées et un bassin.

Il est parfois nécessaire de suturer ou de ligaturer le vaisseau qui saigne. Il faut alors ramener le patient à la salle d'opération et l'anesthésier. Après la ligature, le patient doit être gardé en observation constante et recevoir les mêmes soins postopératoires qu'après l'intervention initiale.

S'il n'y a pas de saignements, on peut donner au patient de l'eau et de la glace concassée aussitôt qu'il le désire. L'infirmière doit lui recommander de ne pas trop parler ni tousser pour éviter la douleur à la gorge. S'il a du mucus épais dans la bouche et la gorge, des gargarismes de solution salée tiède l'aideront à s'en débarrasser. Il doit suivre une diète liquide ou semiliquide pendant quelques jours. Il peut manger des sorbets, du Jello et du yogourt, mais il doit éviter les aliments épicés, chauds, froids, acides ou durs. Certains conseillent de restreindre le lait et les produits laitiers (crème glacée) car ces aliments ont tendance à augmenter la sécrétion de mucus.

***Enseignement au patient et soins à domicile.***
Une fois de retour à la maison, le patient doit se reposer beaucoup, manger des aliments mous, boire beaucoup de liquides et reprendre ses activités graduellement. Il doit avertir son médecin en cas de saignements, car il y a un risque d'hémorragie durant toute la semaine qui suit l'opération.

## ABCÈS PÉRIAMYGDALIEN (ANGINE PHLEGMONEUSE)

L'abcès périamygdalien est une inflammation qui se forme au-dessus de l'amygdale dans les tissus du pilier antérieur et du voile du palais. Apparaissant généralement quelques jours après une amygdalite aiguë, l'abcès périamygdalien est habituellement causé par un streptocoque du groupe A.

***Manifestations cliniques.***    Le patient présente les symptômes habituels d'une infection, en plus de certains symptômes locaux: difficulté à avaler autre chose que des liquides (dysphagie), voix voilée, difficulté à retenir la salive dans la bouche et douleur locale. À l'examen, on constate une tuméfaction prononcée du voile du palais, souvent si importante qu'elle obstrue la moitié de l'orifice allant de la bouche au pharynx.

***Traitement médical.***    Les antibiotiques (habituellement la pénicilline) sont extrêmement efficaces pour maîtriser l'infection causée par l'abcès périamygdalien. Si on commence l'antibiothérapie dès le début de l'infection, on évite la formation de l'abcès. Si on ne la commence que plus tard, il faudra vider l'abcès. La réaction inflammatoire diminue toutefois rapidement.

Il faut vider l'abcès aussitôt que possible. On peut le faire par des aspirations à l'aiguille après avoir pulvérisé un anesthésique topique sur la muqueuse recouvrant la tuméfaction, puis injecté un anesthésique local. On peut aussi procéder à une incision et drainage. Il est préférable que le patient soit en position assise pendant l'une ou l'autre de ces interventions, car il lui est alors plus facile de cracher le pus et le sang qui s'accumulent dans le pharynx. L'intervention le soulage presque immédiatement.

Certains laryngologistes préconisent une amygdalectomie bilatérale dans le cas d'un abcès périamygdalien aigu. Ils estiment qu'on peut ainsi prévenir les rechutes et supprimer les foyers infectieux asymptomatiques non détectés.

***Interventions infirmières.***    On peut soulager très efficacement le patient par des irrigations de la gorge ou des gargarismes fréquents avec des solutions salées ou alcalines à une température de 40,6 à 43,3 °C. L'infirmière doit recommander au patient de se gargariser toutes les heures ou toutes les 2 heures pendant 24 à 36 heures.

## LARYNGITE

La laryngite est souvent causée par le fait de forcer sa voix, par l'exposition à la poussière, à des produits chimiques, à la fumée et autres polluants, ou par une infection des voies respiratoires supérieures. Elle peut également être provoquée par une infection isolée qui ne touche que les cordes vocales.

L'inflammation est presque toujours d'origine virale. L'invasion bactérienne peut être secondaire. La laryngite est habituellement associée à une rhinite aiguë ou à une rhinopharyngite. Le déclenchement de l'infection peut être dû à divers facteurs: changement soudain de température, carences alimentaires, malnutrition et déficit immunitaire. Fréquente en hiver, la laryngite se transmet facilement.

***Manifestations cliniques.***    Les signes et symptômes de la laryngite aiguë sont les suivants: enrouement ou perte complète de la voix (aphonie) et toux importante. La laryngite chronique se caractérise par un enrouement persistant. La laryngite peut être une complication de la sinusite chronique et de la bronchite chronique.

**Traitement médical.** On traite la laryngite aiguë par le repos de la voix (éviter de parler), l'abstention du tabac, l'alitement, l'inhalation de vapeur froide ou l'aérosolthérapie. Si la laryngite est grave ou si elle est due à une infection respiratoire étendue causée par une bactérie, le patient doit suivre une antibiothérapie. La plupart du temps, un traitement conservateur suffit à guérir la laryngite ; chez les patients âgés, cependant, la laryngite est souvent plus grave et peut se compliquer d'une pneumonie.

Quant à la laryngite chronique, le traitement se fait par le repos de la voix, l'abstention du tabac et la suppression de toute infection primaire des voies respiratoires supérieures. On préconise depuis peu l'inhalation de préparations de corticostéroïdes comme le dipropionate de béclométhasone (Beclovent, Vanceril). Ces préparations n'ont pas d'effets généraux ou prolongés et peuvent réduire les réactions inflammatoires locales. Il est important de bien humidifier la pièce où se trouve le patient et de lui faire boire quotidiennement 3 L de liquides pour fluidifier les sécrétions. L'administration d'un expectorant peut également aider à réduire les sécrétions laryngiennes durant la phase aiguë de la maladie.

## ▶ DÉMARCHE DE SOINS INFIRMIERS
## PATIENTS SOUFFRANT D'UNE INFECTION DES VOIES RESPIRATOIRES SUPÉRIEURES

### ▷ Collecte des données

L'infirmière dresse un bilan complet du problème dont souffre le patient. Les signes et symptômes peuvent être divers : céphalée, mal de gorge, douleur autour des yeux et de chaque côté du nez, difficulté à avaler, toux, enrouement, fièvre, obstruction nasale, malaise généralisé et fatigue. L'infirmière doit déterminer à quel moment les symptômes sont apparus, quels facteurs les ont déclenchés, qu'est-ce qui les soulage (le cas échéant) et qu'est-ce qui les exacerbe. Elle doit également établir si le patient a des antécédents d'allergies et s'il souffre d'une maladie concomitante.

Lors de l'inspection du nez, l'infirmière vérifie si le patient présente un œdème, des lésions, une asymétrie, des saignements ou des écoulements. Elle examine la muqueuse nasale afin de déceler les anomalies comme les rougeurs, l'œdème, la présence d'un exsudat et les polypes nasaux, lesquels accompagnent parfois la rhinite chronique.

L'infirmière palpe ensuite les sinus frontaux et maxillaires pour vérifier s'il y a des points douloureux indiquant une inflammation. Pour observer la gorge, elle demande au patient d'ouvrir grand la bouche et de prendre une respiration profonde. Elle inspecte alors les amygdales et le pharynx pour déceler des anomalies : rougeurs, asymétrie, écoulements, ulcération ou hypertrophie.

Il faut également palper la trachée pour s'assurer qu'elle se situe bien en position médiane dans le cou et vérifier s'il y a des masses ou des déformations. Enfin, l'infirmière palpe les ganglions du cou pour voir s'ils sont hypertrophiés ou sensibles.

### ▷ Analyse et interprétation des données

Selon les données recueillies, voici les principaux diagnostics infirmiers possibles :

- Dégagement inefficace des voies respiratoires relié à une accumulation de sécrétions due à une inflammation
- Douleur reliée à une irritation des voies respiratoires supérieures due à une infection
- Altération de la communication verbale reliée à une irritation des voies respiratoires supérieures due à une infection
- Déficit de volume liquidien relié à une perte liquidienne due à la diaphorèse accompagnant la fièvre
- Manque de connaissances sur la prévention des infections des voies respiratoires supérieures

### ▷ Planification et exécution

▷ **Objectifs de soins :** Dégagement des voies respiratoires ; soulagement de la douleur ; maintien de moyens de communication efficaces ; prévention du déficit de volume liquidien ; acquisition de connaissances sur les mesures de prévention des infections des voies respiratoires supérieures.

### ▷ Interventions infirmières

▷ **Dégagement des voies respiratoires.** Chez le patient qui souffre d'une infection des voies respiratoires supérieures, l'accumulation de sécrétions bloque souvent les voies respiratoires. Le mode de respiration s'en trouve changé, et un plus grand effort est nécessaire pour respirer. Il existe plusieurs façons d'éclaircir les sécrétions épaisses ou de les garder humides pour que le patient puisse les expectorer facilement. On peut tout d'abord augmenter l'apport liquidien pour hydrater tout l'organisme, ce qui favorise efficacement l'expectoration. On peut aussi humidifier la pièce à l'aide d'un humidificateur (humidité chaude) ou administrer des inhalations de vapeur pour dégager les sécrétions et réduire l'inflammation des muqueuses. On peut également recommander au patient d'adopter une position qui facilite le drainage. Cette position dépend du siège de l'infection ou de l'inflammation. Par exemple, la position assise le dos droit est recommandée pour le patient souffrant d'une sinusite ou d'une rhinite. Dans certains cas, le médecin prescrit des médicaments topiques ou généraux pour soulager la congestion du nez ou de la gorge.

▷ **Mesures de bien-être.** L'infection des voies respiratoires supérieures entraîne souvent une douleur localisée. S'il s'agit d'une sinusite, le patient pourra présenter une douleur dans la région des sinus ou une céphalée. S'il s'agit d'une pharyngite, d'une laryngite ou d'une amygdalite, le patient aura mal à la gorge. L'infirmière peut soulager le patient en lui administrant des analgésiques, par exemple de l'acétaminophène ou du Tylenol avec codéine, selon l'ordonnance du médecin. On peut aussi administrer des anesthésiques topiques pour soulager la douleur causée par le mal de gorge et les vésicules de l'herpès simplex. Les applications chaudes soulagent la congestion des sinus et favorisent l'écoulement. Les gargarismes ou irrigations d'eau tiède soulagent le mal de gorge. Quant au collet de glace, il faut l'appliquer immédiatement après une amygdalectomie ou une adénoïdectomie pour réduire l'œdème et diminuer les saignements. Pour soulager le malaise généralisé ou la fièvre qui accompagne souvent une infection des voies respiratoires supérieures (surtout la rhinite, la pharyngite et la laryngite), le patient doit se reposer. L'infirmière doit aussi enseigner au patient des mesures générales d'hygiène buccodentaire et nasale, qui contribuent à soulager les malaises et à prévenir la propagation de l'infection.

▷ *Communication.*    L'infection des voies respiratoires supérieures peut entraîner un enrouement ou une perte de la voix. L'infirmière doit conseiller au patient de ne pas parler et de communiquer plutôt par écrit, si possible, car le repos des cordes vocales accélère le retour de la voix. Elle peut placer les différents objets dont le patient a besoin à portée de la main afin qu'il n'ait pas à les demander.

▷ *Apport liquidien.*    L'infection des voies respiratoires augmente le travail respiratoire et la fréquence respiratoire au fur et à mesure que l'inflammation évolue et que les sécrétions se forment. Cet effort respiratoire peut accroître les pertes hydriques insensibles. La fièvre qui accompagne parfois l'infection augmente la vitesse du métabolisme, entraînant une diaphorèse et, par le fait même, une perte accrue de liquide.

En raison du mal de gorge, des malaises et de la fièvre, le patient peut refuser de manger. À moins de contre-indications, il faut toutefois l'encourager à boire 2 à 3 L de liquides par jour pendant la phase infectieuse afin d'éclaircir les sécrétions et d'en faciliter le drainage. L'ingestion de liquides (chauds ou froids) peut dans certains cas soulager le patient.

▷ *Enseignement au patient.*    La prévention de la plupart des infections des voies respiratoires supérieures est difficile, car leurs causes sont nombreuses. En général, on ne peut pas déterminer l'agent pathogène en cause et, sauf en de rares exceptions, il n'y a pas de vaccins. Les allergies, les pathologies de la cloison et des cornets des fosses nasales, les troubles émotionnels et diverses maladies générales peuvent constituer des facteurs prédisposants.

L'infirmière doit néanmoins enseigner au patient certaines mesures d'hygiène qui protègent les défenses de l'organisme et augmentent la résistance aux infections respiratoires:

- Avoir une bonne hygiène de vie (avoir une bonne alimentation, faire de l'exercice, se reposer et dormir suffisamment, et se laver les mains régulièrement).
- Éviter les excès d'alcool et de tabac.
- Combattre la sécheresse de l'air en humidifiant correctement la maison, surtout durant l'hiver.
- Éviter les agents irritants (poussière, produits chimiques, tabac, fumée) et les allergènes, dans la mesure du possible.
- Éviter de frissonner inutilement et surtout d'avoir froid aux pieds; les frissons diminuent la résistance de l'organisme.
- Se faire vacciner contre l'influenza si un médecin le recommande. Ce vaccin est généralement conseillé aux personnes âgées et aux personnes souffrant d'une maladie chronique ainsi qu'aux professionnels de la santé en contact avec les groupes à risque.
- Éviter les endroits où il y a foule pendant la saison de l'influenza.
- Maintenir une bonne hygiène dentaire.

▷ *Évaluation*

*Résultats escomptés*
1. Le patient maintient ses voies respiratoires libres en réduisant les sécrétions.
   a) Il se dit moins congestionné.
   b) Il utilise un humidificateur ou un vaporisateur.
   c) Il adopte la position qui facilite le mieux le drainage des sécrétions.
   d) Il dit bien savoir comment utiliser les médicaments destinés à soulager la congestion nasale (par voie orale ou nasale).
2. Le patient se sent bien.
   a) Il dit que les analgésiques contribuent à soulager la douleur localisée ou la céphalée.
   b) Il sait comment utiliser les applications chaudes s'il souffre d'une sinusite, les gargarismes et irrigations d'eau tiède s'il a mal à la gorge; et le collet de glace s'il vient de subir une amygdalectomie ou une adénoïdectomie.
   c) Il dit bien comprendre l'importance du repos pendant la maladie.
   d) Il connaît les mesures d'hygiène buccale.
3. Le patient est capable de communiquer.
   a) Il est capable de communiquer ses besoins, ses désirs et son degré de bien-être.
   b) Il utilise l'écriture comme moyen de communication.
   c) Il utilise sa voix le moins possible.
4. Le patient maintient un bon équilibre hydrique.
   a) Il explique pourquoi il doit boire beaucoup de liquides.
   b) Il ne présente pas de perte de poids importante.
   c) Il n'est pas déshydraté.
5. Le patient énumère les stratégies visant à prévenir les infections des voies respiratoires supérieures et les réactions allergiques.
   a) Il prend des repas équilibrés chaque jour.
   b) Il se lave régulièrement les mains.
   c) Il ne fume pas.
   d) Il évite les endroits fermés et enfumés.
   e) Il se tient loin des endroits bondés (centres commerciaux, restaurants, cinémas) pendant la saison de la grippe.
   f) Il communique avec son médecin ou un centre de consultation externe pour recevoir le vaccin antigrippal.
   g) Il se sert d'un humidificateur au besoin.
   h) Il s'habille chaudement (chapeau, foulard, gants et bottes) pour se protéger du froid et éviter les frissons.
   i) Il dit connaître le rôle des agents irritants ou des allergènes dans les infections des voies respiratoires supérieures.

Résumé: Même si elles mettent rarement la vie en danger, les infections des voies respiratoires supérieures sont des affections importantes car elles entraînent une incapacité temporaire et un taux d'absentéisme élevé au travail et à l'école. Les personnes âgées et celles qui souffrent d'une maladie sont particulièrement exposées aux complications de ces infections. Il faut donc les suivre de près quand elles contractent une infection des voies respiratoires. Toutes les mesures préventives et particulièrement l'administration du vaccin antigrippal sont indiquées dans leur cas.

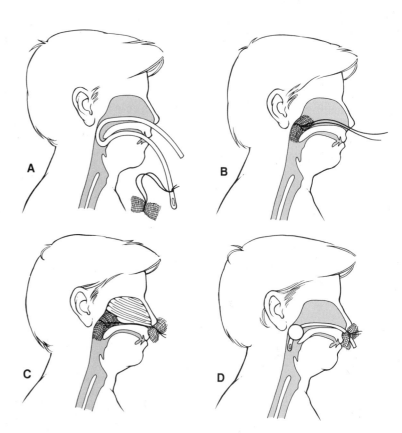

**Figure 1-5.** Tamponnement servant à réprimer un saignement provenant de la partie postérieure du nez. (**A**) On insère la sonde et on attache le tampon. (**B**) On enlève la sonde, ce qui amène le tampon à l'endroit souhaité. (**C**) On noue les bandelettes autour d'un coussinet pour maintenir le tampon en place ; ce coussinet est fait d'une compresse pliée à la manière d'un accordéon. (**D**) Autre méthode, qui consiste à utiliser une sonde à ballonnet à la place d'un tampon de gaze.

(Source : L. W. Way, *Current Surgical Diagnosis and Treatment*, 8ᵉ éd., Norwalk, Appleton & Lange, 1988)

# OBSTRUCTION ET TRAUMA DES VOIES RESPIRATOIRES SUPÉRIEURES

## ÉPISTAXIS (SAIGNEMENT DE NEZ)

L'*épitaxis* (saignement de nez) est causé par la rupture de très petits vaisseaux dilatés de la muqueuse nasale de n'importe quelle région du nez. Il se produit rarement dans le tissu richement vascularisé situé au-dessus des cornets. La plupart du temps, le saignement provient de la partie antérieure de la cloison nasale, là où trois importants vaisseaux sanguins pénètrent dans les fosses nasales : (1) l'artère ethmoïdale antérieure, située dans la partie antérieure de la paroi supérieure (zone de Kisselbach) ; (2) l'artère sphénopalatine, située dans la partie postérosupérieure ; et (3) les branches de la maxillaire interne (un réseau de veines situé dans la partie postérieure de la paroi latérale sous le cornet inférieur).

Les causes de l'épistaxis sont nombreuses : trauma, infection, drogues, maladie cardiovasculaire, dyscrasie sanguine, tumeur nasale, sécheresse de l'air, corps étranger et déviation de la cloison du nez. Le fait de se moucher trop fort ou de se mettre les doigts dans le nez peut également entraîner des saignements de nez.

***Traitement médical.*** Le traitement de l'épistaxis dépend du point de saignement. Pour examiner les fosses nasales et déterminer le point de saignement, on utilise un spéculum nasal ajusté à un otoscope. Le plus souvent, le saignement provient de la partie antérieure du nez. Le premier traitement peut consister à exercer une pression directement sur le nez. Le patient s'assoit le dos droit et penche la tête vers l'avant pour éviter d'avaler ou d'inhaler du sang. Avec le pouce et l'index, il se pince le nez en comprimant sa partie molle contre le milieu de la cloison, sans arrêt pendant 5 à 10 minutes. Si cette pression ne fait pas cesser les saignements, il faut essayer un autre traitement. Pour les saignements provenant de la partie antérieure du nez, une cautérisation chimique avec le nitrate d'argent ou une cautérisation électrique (avec un galvanocautère) peuvent être pratiquées. On peut également prescrire des vasoconstricteurs topiques comme l'adrénaline (1:1000), la cocaïne (0,5 %) et la phényléphrine.

Si le saignement provient de la région postérieure du nez, on peut insérer dans la narine un tampon de coton imbibé de médicament pour réprimer l'hémorragie et avoir une meilleure vue lors de l'examen. On peut pratiquer une aspiration pour retirer le sang et les caillots de la région à inspecter. L'examen doit se faire du quadrant antéro-inférieur au quadrant antérosupérieur, puis du quadrant postéro-inférieur au quadrant postéro-inférieur. Pour ne pas que le sang gêne l'examen, on continue de pratiquer des aspirations et on change les tampons de coton. Cependant, on ne peut voir qu'environ 60 % de toute la fosse nasale.

Quand il ne parvient pas à déterminer l'origine du saignement, le médecin peut introduire de la gaze imbibée de vaseline dans la narine. Pour préparer le patient à ce tamponnement, il peut utiliser un pulvérisateur anesthésique topique et un décongestionnant. On peut par ailleurs tamponner la partie postérieure du nez à l'aide d'une sonde à ballonnet. La figure 1-5 présente d'autres méthodes de tamponnement. On peut laisser le tampon dans le nez pendant 48 heures ou jusqu'à 5 ou 6 jours si on n'arrive pas à réprimer le saignement autrement.

***Interventions infirmières.*** L'infirmière mesure régulièrement les signes vitaux et aide le patient à réprimer les saignements. Elle lui laisse également des mouchoirs et un haricot pour expectorer le sang accumulé.

L'épistaxis provoque parfois une réaction d'anxiété chez le patient. Non seulement a-t-il peur à la vue du sang sur ses vêtements et ses mouchoirs, mais l'examen et le traitement sont désagréables. L'infirmière doit donc rassurer le patient et la personne qui l'accompagne, et leur dire que le saignement peut être réprimé. Elle doit se montrer calme, aimable et efficace.

Avant de renvoyer le patient à la maison, l'infirmière lui enseigne les différents moyens de prévenir l'épistaxis : éviter de se moucher trop fort, de forcer, d'aller en altitude et de provoquer des lésions dans la muqueuse (en se mettant les doigts dans le nez, par exemple). De plus, une bonne humidification de la maison peut prévenir l'assèchement des fosses nasales. Si le patient souffre d'épistaxis à répétition, l'infirmière doit lui montrer comment se pincer le nez avec le pouce et l'index pendant 15 minutes. Les saignements à répétition exigent une consultation auprès d'un médecin.

## OBSTRUCTION NASALE

Il arrive fréquemment que la respiration nasale soit obstruée par une cloison déviée, des cornets hypertrophiés ou des polypes saillants (bosses en forme de grappe qui se développent sur la muqueuse des sinus, surtout les sinus ethmoïdes). En plus d'entraver la respiration, ces anomalies peuvent entraîner une infection chronique du nez et causer des accès répétés de rhinopharyngite. Très souvent, l'infection se propage dans les sinus (cavités tapissées de muqueuse et remplies d'air, qui s'écoulent normalement dans le nez). Dans les cas de

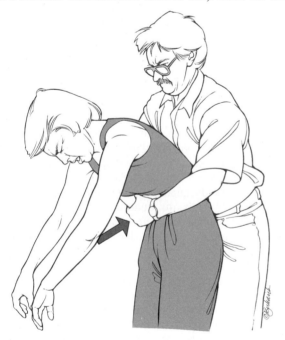

**Figure 1-6.** Poussée abdominale sous-diaphragmatique (manœuvre de Heimlich) effectuée sur une victime consciente (debout) qui a aspiré un corps étranger.

(Source : American Heart Association, *Instructor's Manual for Basic Life Support,* Copyright 1987, American Heart Association)

sinusite et d'obstruction de l'écoulement des sinus due à une déformation du nez ou à un œdème de la muqueuse nasale, on observe une douleur dans la région du sinus atteint.

***Traitement.*** Il faut d'abord éliminer l'obstruction, puis traiter l'infection chronique s'il y a lieu. Dans de nombreux cas, il faut traiter une allergie sous-jacente. Il est parfois nécessaire de procéder à une opération pour drainer les sinus. L'intervention chirurgicale requise dépend du type d'obstruction. En général, elle se fait sous anesthésie locale.

Si l'obstruction est causée par une déviation de la cloison des fosses nasales, le chirurgien doit pratiquer une incision dans la muqueuse nasale, soulever celle-ci et retirer l'os et le cartilage déviés à l'aide d'un davier. La muqueuse est ensuite replacée et maintenue en place à l'aide d'un tamponnement serré. En général, des tampons enduits de vaseline sont utilisés, car ils sont plus faciles à retirer 24 à 36 heures plus tard. Cette intervention chirurgicale s'appelle *résection sous-muqueuse* ou *septoplastie*.

Quant aux polypes nasaux, on peut les enlever en les coupant à la base avec un collet de fil métallique. Les cornets hypertrophiés peuvent être traités par l'application d'un astringent, qui les resserre contre les parois des fosses nasales.

Après avoir procédé à ces interventions, on élève la tête du lit pour faciliter l'écoulement et réduire les malaises causés par l'œdème. Comme le patient doit respirer par la bouche, il a besoin de soins d'hygiène buccodentaire fréquents.

## FRACTURES DU NEZ

À cause de sa position, le nez est très vulnérable. En fait, les fractures de l'os du nez sont les plus fréquentes de toutes les fractures. Elles sont causées habituellement par un trauma direct. En général, elles n'ont pas d'effets graves, mais elles peuvent causer une déformation entraînant une obstruction des voies nasales et une atteinte esthétique.

***Manifestations cliniques.*** Les signes et symptômes de la fracture du nez sont les suivants : saignement de nez vers l'extérieur des narines et vers l'intérieur dans le pharynx, tuméfaction des tissus mous autour du nez et déformation.

***Collecte des données.*** Il faut d'abord examiner l'intérieur du nez pour voir si la fracture est compliquée par une fracture de la cloison et un hématome septal sous-muqueux. Si un hématome apparaît et n'est pas drainé, il peut se transformer en abcès et provoquer la dégénérescence du cartilage septal. L'affaissement de la portion osseuse de l'arête nasale entraîne alors une déformation de la pyramide du nez appelée «nez en selle».

Immédiatement après le trauma, le saignement vers l'extérieur des fosses et dans le pharynx est habituellement considérable. On peut également constater une tuméfaction marquée des tissus mous près du nez et, souvent, une déformation prononcée. À cause de l'œdème et du saignement, on ne peut poser un diagnostic qu'une fois l'œdème diminué.

Si un liquide transparent s'écoule d'une narine, il peut s'agir d'une fuite de liquide céphalorachidien causée par une fracture de la *lame criblée*. Comme le liquide céphalorachidien contient du glucose, on peut facilement le distinguer du mucus nasal en utilisant une bandelette réactive (Dextrostix). Pour vérifier s'il y a déviation de l'os ou rupture des cartilages, il suffit habituellement d'inspecter ou de palper doucement le nez. Les radiographies permettent d'évaluer le déplacement des os fracturés et d'éliminer la possibilité d'une fracture du crâne.

***Traitement médical.*** En général, on réprime les saignements en appliquant des compresses froides. Pour évaluer la symétrie du nez, on doit l'examiner avant l'apparition de l'oedème ou après sa disparition. Trois à cinq jours après l'accident, on adresse le patient à un spécialiste qui décidera s'il faut procéder à une remise en place des os. On peut réduire une fracture du nez 7 à 10 jours après l'accident.

***Interventions infirmières.*** L'infirmière doit recommander au patient d'appliquer des sacs de glace pendant 20 minutes 4 fois par jour pour réduire l'oedème.

Résumé: Le patient qui souffre d'un saignement de nez (épistaxis) à cause d'un accident ou pour une raison inexpliquée éprouve habituellement de la peur et de l'anxiété. Le tamponnement nécessaire pour réprimer les saignements peut être désagréable, car il bloque les voies nasales et oblige le patient à respirer par la bouche. La respiration par la bouche assèche la muqueuse de la bouche et exige par conséquent certaines mesures de bien-être. Il faut humidifier la muqueuse de la bouche, appliquer des mesures d'hygiène pour réduire l'odeur et le goût du sang séché dans l'oropharynx et le rhino-pharynx, et rassurer le patient au sujet des saignements.

## OBSTRUCTION LARYNGIENNE

L'*oedème laryngé* est une affection grave et souvent mortelle. Le larynx est une boîte rigide dépourvue d'élasticité, et l'espace qui le sépare des cordes vocales (glotte), là où l'air doit absolument passer, est restreint. Par conséquent, l'oedème de la muqueuse du larynx peut fermer l'ouverture hermétiquement et provoquer la suffocation. Il est associé rarement à la laryngite aiguë, parfois à l'urticaire et plus fréquemment à une inflammation grave de la gorge (par exemple lors d'un érysipèle ou d'une scarlatine). Il peut entraîner la mort s'il y a anaphylaxie grave (oedème angioneurotique).

Quand l'oedème laryngé est causé par une réaction allergique, le traitement repose sur l'administration sous-cutanée d'épinéphrine ou d'un corticostéroïde et l'application d'un sac de glace sur la gorge.

Il arrive souvent qu'un *corps étranger* soit aspiré dans le pharynx, le larynx ou la trachée. Ce genre d'accident pose un double problème. Tout d'abord, le corps étranger bloque les voies respiratoires, rend la respiration difficile et peut provoquer l'asphyxie. Ensuite, il peut être aspiré plus profondément, pénétrer dans les bronches et causer des symptômes d'irritation tels qu'une toux croupale, des expectorations de sang ou de mucus et une dyspnée paroxystique. Ces signes physiques et les résultats des radiographies permettent de confirmer le diagnostic.

Quand il s'agit d'une urgence et que les signes d'asphyxie sont évidents, il faut traiter immédiatement la victime. Si le corps étranger s'est logé dans le pharynx et qu'on peut le voir, il est souvent possible de le retirer avec le doigt. Si par contre il a été aspiré dans le larynx ou la trachée, il faut pratiquer la manoeuvre de Heimlich (poussée abdominale sous-diaphragmatique). Si cette manoeuvre n'est pas efficace, il faut pratiquer immédiatement une trachéostomie.

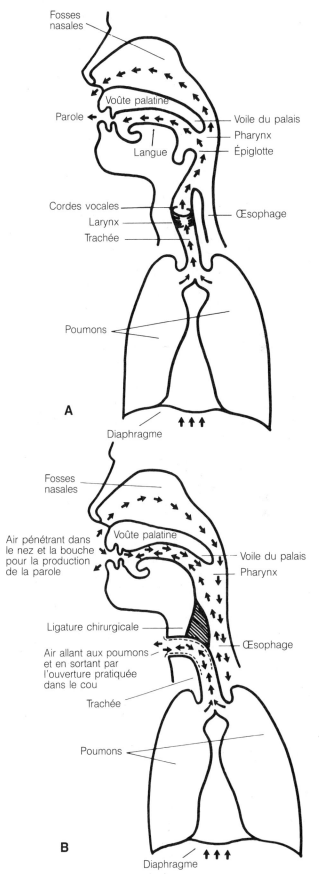

***Figure 1-7.*** Direction du déplacement de l'air avant (**A**) et après (**B**) une laryngectomie totale.
(Source: American Cancer Society)

- Pour pratiquer la manœuvre de Heimlich, on se place derrière la victime et on lui entoure la taille avec les bras. On forme un poing et on place ce poing, le pouce vers l'intérieur contre l'abdomen, au-dessus du nombril et bien en deçà du sternum. On prend ce poing de l'autre main et on donne des poussées rapides vers le haut sur l'abdomen. On comprime ainsi le diaphragme 6 à 10 fois ou jusqu'à ce que les voies respiratoires soient dégagées (figure 1-6).

La pression ainsi exercée comprime les poumons et expulse le corps étranger. Il faut poursuivre la manœuvre jusqu'à ce que le corps étranger soit expulsé.

# CANCER DU LARYNX

S'il est dépisté rapidement, le cancer du larynx peut être guéri. Il compte pour 1 % de tous les cancers et apparaît 8 fois plus souvent chez les hommes que chez les femmes, surtout chez les hommes de 50 à 65 ans.

Environ 12 500 nouveaux cas de cancer du larynx sont diagnostiqués chaque année en Amérique du Nord et à peu près 3600 décès lui sont attribuables. Certains facteurs contribuent au cancer du larynx: les substances irritantes comme la fumée de cigarette et l'alcool (et leurs effets combinés), l'effort vocal, la laryngite chronique, l'exposition à certains polluants industriels, les carences alimentaires et la prédisposition familiale.

***Manifestations cliniques.*** La tumeur maligne peut se former sur les cordes vocales (cancer intrinsèque) ou sur une autre partie du larynx (cancer extrinsèque). Chez le patient souffrant de cancer intrinsèque, on constate dès le début une raucité de la voix étant donné que la tumeur empêche les cordes vocales de se rapprocher correctement durant la phonation. Chez le patient souffrant de cancer extrinsèque ou susglottique, les troubles de la phonation ne font pas partie des premiers signes de la maladie. Toutefois, le patient peut se plaindre de douleur ou de brûlure dans la gorge quand il boit des liquides chauds ou des jus acides. Une bosse dans le cou est parfois perceptible. D'autres symptômes apparaissent plus tard dans l'évolution de la maladie: dysphagie, dyspnée, raucité de la voix et mauvaise haleine. D'autres signes indiquent la possibilité de métastases: hypertrophie des ganglions du cou, perte pondérale, affaiblissement général, douleur irradiant jusqu'à l'oreille.

***Examens diagnostiques.*** La laryngoscopie directe sous anesthésie générale est le principal moyen d'évaluer le larynx. Elle permet d'inspecter toutes les parties du larynx et de pratiquer des biopsies. La tumeur peut se situer dans la région glottique, sus-glottique ou sous-glottique et son aspect varie. Il faut déterminer de façon précise quelle région est atteinte, car le traitement en dépend. Étant donné que les tumeurs sont souvent sous-muqueuses, il faut parfois pratiquer une dissection transversale dans la muqueuse à l'aide de techniques microlaryngiennes ou du laser pour atteindre la tumeur et pratiquer une biopsie.

On évalue ensuite la mobilité des cordes vocales. Si on constate que le mouvement normal est entravé, il se peut que la tumeur touche le muscle, d'autres tissus ou même les voies respiratoires. Enfin, on palpe les ganglions du cou et la glande thyroïde pour évaluer la propagation des cellules cancéreuses.

La scanographie et la laryngographie permettent d'évaluer efficacement l'étendue de la tumeur.

## Traitement

Le traitement dépend de l'étendue de la tumeur. Il faut aussi déterminer avec précision sa position exacte au moyen d'une laryngoscopie, d'une biopsie et d'une radiographie avant de décider si on aura recours à la radiothérapie ou à une intervention chirurgicale.

S'il faut pratiquer une intervention chirurgicale, des soins buccodentaires complets s'imposent avant l'opération. Le médecin peut aussi prescrire des antibiotiques pour réduire les risques d'infection. Si l'opéré est un homme, il faut faire un rasage préopératoire, c'est-à-dire raser la barbe, les poils du cou et les poils de la poitrine jusqu'à la ligne des mamelons.

***Radiothérapie.*** Si une seule corde vocale est atteinte et que sa mobilité est normale (si elle bouge lors de la phonation), la radiothérapie donne d'excellents résultats, et le patient garde une voix pratiquement normale. Certains patients développent une chondrite ou une sténose; dans quelques cas, une laryngectomie est nécessaire.

***Laryngectomie partielle (laryngofissure, thyrotomie).*** Si le cancer du larynx est dépisté à ses débuts, une hémilaryngectomie est recommandée, surtout s'il s'agit d'un cancer intrinsèque (limité aux cordes vocales). Le taux de réussite de cette intervention chirurgicale est élevé. L'hémilaryngectomie consiste à inciser verticalement le milieu du cartilage thyroïde du larynx pour enlever toute la partie de la corde vocale atteinte par la tumeur. On laisse parfois une canule trachéale (voir à la page 64) dans la trachée jusqu'à ce que le passage de l'air dans la glotte soit suffisant. Cette canule est habituellement enlevée au bout de quelques jours, et on laisse la stomie se refermer. Le patient qui a subi une hémilaryngectomie constate parfois un changement dans le timbre et la projection de sa voix.

***Laryngectomie partielle horizontale (sus-glottique).*** Dans le cas de certaines tumeurs extrinsèques, on pratique une laryngectomie partielle horizontale. Après avoir réséqué la partie sus-glottique du larynx, on laisse une portion suffisante de larynx sain afin que les cordes vocales restent intactes et conservent leur fonction. Pendant l'intervention chirurgicale, on pratique aussi une dissection radicale du cou au côté atteint. Il est possible que le patient ait de la difficulté à avaler pendant les deux premières semaines après l'opération. La laryngectomie sus-glottique offre surtout l'avantage de préserver la voix. Il existe toutefois une possibilité de récidive locale et il faut par conséquent choisir les candidats avec soin.

***Laryngectomie totale.*** Dans le cas d'un cancer extrinsèque du larynx (s'étendant au-delà des cordes vocales), on pratique l'ablation de tout le larynx: cartilage thyroïde, cordes vocales et épiglotte. Beaucoup de chirurgiens recommandent une dissection du cou sur le même côté que la tumeur même si aucun ganglion n'est perceptible, car de nombreux patients présentent des métastases des ganglions du cou. Le problème se complique cependant quand la tumeur chevauche la ligne médiane du cou ou touche les deux cordes vocales. Avec ou sans dissection du cou, la laryngectomie totale nécessite une stomie trachéale permanente (trachéostomie) (figure 1-7). La trachéostomie évite l'aspiration d'aliments et de liquides dans les voies respiratoires inférieures, car le larynx qui faisait office de sphincter protecteur n'est plus là.

## DÉMARCHE DE SOINS INFIRMIERS
## PATIENTS SUBISSANT
## UNE LARYNGECTOMIE

### ▷ Collecte des données

L'infirmière doit rechercher les symptômes suivants: raucité de la voix, mal de gorge, dyspnée, dysphagie, douleur et brûlure dans la gorge. Elle palpe ensuite le cou à la recherche d'un œdème.

Si le traitement comprend une intervention chirurgicale, l'infirmière doit connaître la nature de l'opération pour planifier les soins appropriés. Par exemple, si le patient perd la voix après l'opération, une évaluation préopératoire par un orthophoniste est indiquée.

L'infirmière évalue aussi la préparation psychologique du patient à l'opération. La plupart des gens sont terrifiés à l'idée d'avoir un cancer, et dans le cas du cancer du larynx, cette peur s'ajoute à celle de perdre la voix. L'infirmière doit donc évaluer les stratégies d'adaptation du patient afin de savoir comment lui apporter un soutien efficace tant avant qu'après l'opération.

### ▷ Analyse et interprétation des données

Selon les données recueillies, voici les principaux diagnostics infirmiers possibles:

- Manque de connaissances au sujet de l'intervention chirurgicale et de la phase postopératoire
- Anxiété reliée au diagnostic de cancer et à la probabilité d'une intervention chirurgicale
- Dégagement inefficace des voies respiratoires relié à une modification chirurgicale des voies respiratoires
- Altération de la communication verbale reliée à l'ablation du larynx et à l'œdème
- Déficit nutritionnel relié à la difficulté d'avaler
- Perturbation de l'image corporelle, du concept de soi et de l'estime de soi reliée à une importante opération pratiquée dans le cou
- Risque de non-observance du programme de réadaptation et d'incapacité d'organiser et d'entretenir le domicile

### ▷ Planification et exécution

▷ *Objectifs de soins:* Acquisition de connaissances sur la maladie; réduction de l'anxiété; maintien de l'ouverture des voies respiratoires; amélioration de la communication à l'aide de moyens autres que la voix; amélioration de l'apport nutritionnel et liquidien; amélioration de l'image corporelle et de l'estime de soi; observance du programme de réadaptation; capacité d'organiser et d'entretenir son domicile.

### ▷ Interventions infirmières

### ▷ Soins préopératoires

▷ *Enseignement au patient.* Le cancer du larynx est un diagnostic qu'on perçoit souvent à travers le prisme de la peur et des idées fausses. Les gens ont tendance à le considérer comme un des cancers les plus mortels et à s'attendre au pire. D'autres encore pensent qu'il entraîne systématiquement la perte de la voix et le défigurement. Une fois que le médecin a annoncé le diagnostic au patient, l'infirmière

doit s'assurer que celui-ci comprend bien la situation: elle lui explique où se trouve le larynx, le rôle de cet organe, en quoi consiste l'intervention chirurgicale qu'il subira et quels sont les effets de l'opération sur la parole.

Si le patient doit subir une laryngectomie totale, l'infirmière doit lui expliquer qu'il perdra complètement sa voix naturelle et qu'il pourra, en suivant un programme de réadaptation, réapprendre à s'exprimer de façon relativement normale. (Il ne sera toutefois plus capable de chanter, de rire ou de siffler.) Le patient doit également savoir qu'en attendant de commencer son programme de rééducation orthophonique, il pourra demander l'infirmière à l'aide d'une sonnette d'appel et pourra communiquer par écrit. L'infirmière doit répondre aux questions du patient concernant la nature de l'opération et reprendre les explications du médecin au sujet de la perte de voix. Elle doit également le rassurer et lui dire que le programme de réadaptation pourra l'aider beaucoup.

Enfin, l'infirmière décrit au patient le matériel et les traitements qui seront utilisés dans le cadre des soins postopératoires, et elle lui explique le rôle qu'il devra jouer après l'opération et au cours de la période de réadaptation.

▷ *Réduction de l'anxiété et de la dépression.* Étant donné que la laryngectomie est pratiquée le plus souvent dans les cas de tumeur maligne, le patient pose beaucoup de questions. Le chirurgien sera-t-il capable d'enlever toute la tumeur? Est-ce que j'ai un cancer? Vais-je mourir? Vais-je m'étouffer? Vais-je suffoquer? Pourrai-je jamais parler à nouveau? Serai-je défiguré? Par conséquent, la préparation psychologique du patient est tout aussi importante que sa préparation physique.

La personne qui s'apprête à se faire opérer ressent une vive appréhension. (Voir le chapitre 32 pour plus de détails à ce sujet.) Il faut donc permettre au patient d'exprimer verbalement ses sentiments et ses perceptions et corriger toute méprise. Si le patient pose des questions, l'infirmière doit lui donner des réponses complètes sans toutefois le bombarder de détails. Avant ou après l'intervention chirurgicale, il est bon que le patient reçoive la visite d'une personne qui a subi une laryngectomie, ce qui lui fera comprendre qu'on est prêt à l'aider à surmonter l'épreuve et qu'il est possible de bien s'en sortir avec la réadaptation.

### ▷ Soins postopératoires

▷ *Maintien de l'ouverture des voies respiratoires.* Une fois le patient rétabli de l'anesthésie, on peut l'aider à respirer efficacement en le plaçant en position de Fowler ou semi-Fowler. L'infirmière doit être à l'affût des signes de problèmes respiratoires ou circulatoires: agitation, respiration laborieuse, appréhension et augmentation de la fréquence du pouls. Il faut éviter les médicaments qui réduisent l'activité de l'appareil respiratoire. Afin de prévenir l'atélectasie et la pneumonie, il faut inciter le patient à se retourner, à tousser et à prendre des respirations profondes. Il peut aussi être nécessaire de procéder à des aspirations pour dégager les sécrétions. Il faut également inciter le patient à marcher le plus tôt possible après l'opération.

Si le patient a subi une laryngectomie totale, on aura probablement installé une canule à laryngectomie. (Certains patients n'ont pas de canule, d'autres ont une canule temporaire et beaucoup ont une canule permanente.) La canule de laryngectomie (plus courte que la canule trachéale mais de plus grand diamètre) est la seule voie dont le patient dispose pour respirer. Les soins de cette canule sont les mêmes que pour la canule trachéale (voir à la page 64).

Pour garder la stomie propre, on la nettoie tous les jours avec une solution physiologique ou une autre solution prescrite par le médecin. On prescrit parfois un onguent antibiotique (sans huile) qu'on applique autour de la stomie et de la ligne de suture.

On installe parfois des drains dans la plaie pour favoriser l'évacuation du liquide ou de l'air qui se trouve dans l'espace mort. On peut également utiliser un appareil d'aspiration portatif. L'infirmière doit noter les caractéristiques de l'écoulement et son volume. Habituellement, le médecin retire le drain si l'écoulement est inférieur à 50 ou 60 mL par jour.

La canule de laryngectomie peut être enlevée quand la stomie est bien cicatrisée, généralement trois à six semaines après l'opération. Dans l'intervalle, il faut montrer au patient comment nettoyer et changer la canule de laryngectomie et comment libérer les voies respiratoires des sécrétions. L'infirmière doit faire preuve de vigilance pendant toute la période postopératoire, car le patient peut présenter une complication grave, la rupture de l'artère carotide, surtout si la plaie est infectée. Si cette complication survient, il faut exercer une pression directement sur l'artère, demander de l'aide et rassurer le patient jusqu'à ce que le vaisseau soit ligaturé.

▷ *Communication et rééducation de la parole.* Avant l'opération, il faut discuter avec le patient et sa famille au sujet de la perte de la voix ou des troubles de la parole. Après l'opération, il faut établir un système de communication que le patient pourra utiliser avec l'infirmière, le médecin et sa famille.

Étant donné qu'on se sert souvent d'un «tableau magique» comme support de communication, l'infirmière doit savoir avant l'opération si le patient écrit de la main droite ou de la main gauche afin de ne pas installer la tubulure de perfusion dans le bras utilisé. Si le patient communique en écrivant des notes sur du papier, celles-ci doivent être détruites pour protéger son droit à la vie privée. Si le patient n'est pas capable d'écrire, il utilise le langage gestuel ou un tableau d'images, de mots et de phrases.

Le patient peut avoir besoin d'une sonnette d'appel spéciale comme une clochette. L'infirmière doit lui montrer comment s'en servir avant l'opération. Elle doit aussi évaluer l'ouïe, la vue et la capacité de lire et d'écrire du patient, car les troubles de perception ou l'analphabétisme fonctionnel peuvent entraîner des problèmes supplémentaires dont elle devra tenir compte. L'incapacité de parler peut être très contraignante, car il est très laborieux de devoir écrire ou mimer tout ce qu'on veut dire. Certains patients s'impatientent ou se fâchent quand on ne comprend pas ce qu'ils veulent dire. L'infirmière doit donc faire preuve de patience et de compréhension. Il faut avertir les autres membres du personnel que le patient ne peut pas utiliser le système d'interphone.

En général, l'objectif ultime de la rééducation orthophonique est de permettre au patient laryngectomisé de communiquer à nouveau. Il existe plusieurs moyens de communication: l'écriture, la lecture labiale et les planches de communication. De nos jours toutefois, les méthodes de prédilection sont la voix œsophagienne, l'électrolarynx (aussi appelé laryngophone) et la ponction trachéo-œsophagienne.

Les patients qui doivent subir une laryngectomie sont généralement traumatisés. Même si leur santé, voire leur vie, est menacée, la question qu'ils posent le plus souvent est: «Est-ce que je pourrai encore parler?» Habituellement, on demande à un orthophoniste de voir le patient avant l'intervention chirurgicale. Cette première rencontre vise à soutenir le patient et à l'informer sur les moyens utilisés pour faciliter la communication après la laryngectomie. Après l'opération, l'orthophoniste commence à travailler avec le patient et essaie de déterminer avec lui quelle serait la meilleure méthode de communication.

Comme nous venons de le mentionner, les trois principales méthodes de communication des patients laryngectomisés sont la voix œsophagienne, l'électrolarynx et la fistule ou perforation trachéo-œsophagienne (figure 1-8). On peut utiliser n'importe laquelle de ces techniques dès que le médecin a donné son autorisation. Pour communiquer au moyen de la voix œsophagienne, le patient doit être capable de comprimer l'air dans l'œsophage et de l'expulser afin de déclencher la vibration du segment œsophagopharyngien.

Le patient peut apprendre la parole œsophagienne une fois qu'il a commencé à se nourrir par la bouche ou une semaine après l'opération. Il doit tout d'abord apprendre à éructer. Une heure après le repas, l'infirmière doit lui rappeler d'éructer et il doit le faire régulièrement. Par la suite, il apprend à utiliser l'éructation volontaire pour faire sortir l'air de l'œsophage et produire un son modulé en langage. L'orthophoniste travaille alors avec lui pour que la production des sons soit intelligible et que la parole se rapproche le plus possible de la normale.

Si la parole œsophagienne ne donne pas de bons résultats ou si le patient n'en maîtrise pas la technique, l'électrolarynx peut servir de moyen de communication. Il s'agit d'un appareil qui projette le son dans la cavité buccale. Quand la bouche forme des mots (quand elle les articule), les sons provenant de l'électrolarynx se changent en mots audibles.

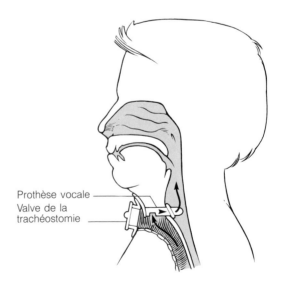

Prothèse vocale
Valve de la trachéostomie

**Figure 1-8.** Représentation schématique de la fistule trachéo-œsophagienne.

(Source: R. A. Sofferman, «Head and Neck», dans J. H. Davis et coll. *Clinical Surgery*, vol. 2, St. Louis, Mosby, 1987)

Évidemment, la voix produite n'est pas une voix normale, mais le patient peut au moins communiquer assez facilement.

La fistule ou perforation trachéo-oesophagienne est une autre méthode de communication qui aide le patient à mieux se faire comprendre. Cette méthode permet de dévier l'air expiré : l'air sort des poumons puis passe dans une fistule pratiquée dans la paroi postérieure de la trachée, entre ensuite dans l'oesophage et sort par la bouche. On pratique la fistule par intervention chirurgicale et on la laisse se cicatriser. On installe ensuite une prothèse vocale (Blom-Singer) sur la zone de la fistule. Pour prévenir l'obstruction des voies respiratoires, il faut enlever et nettoyer la prothèse quand du mucus s'accumule. L'orthophoniste enseigne au patient comment produire des sons vocaux et la parole est produite comme avant par le mouvement de la langue et des lèvres.

▷ *Nutrition.*    Au cours des 10 à 14 jours suivant l'opération, le patient ne peut pas se nourrir par la bouche. Il faut donc le nourrir et l'hydrater autrement : liquides par voie intraveineuse, alimentation entérale par sonde nasogastrique et alimentation parentérale totale.

Lorsque le patient est prêt à se nourrir par la bouche, l'infirmière lui explique qu'il doit commencer par des liquides épais, comme Ensure ou du Jello, qui sont faciles à avaler. Elle doit lui recommander de ne pas prendre d'aliments sucrés, car ils augmentent la salivation et suppriment l'appétit. L'introduction des aliments solides sera fonction de la tolérance du patient. L'infirmière doit aussi recommander au patient de se rincer la bouche avec de l'eau tiède ou un rince-bouche et de se brosser les dents fréquemment.

▷ *Amélioration de l'image corporelle et de l'estime de soi.*    Les interventions chirurgicales qui défigurent et altèrent les modes de communication peuvent perturber grandement le concept de soi, l'estime de soi et l'image corporelle du patient. De plus, celui-ci craint souvent la réaction des membres de sa famille.

Il est important que l'infirmière adopte une attitude positive avec le patient laryngectomisé. Elle doit lui permettre de participer aux soins. En outre, elle doit lui expliquer, de même qu'à sa famille, en quoi consistent les tubes, pansements et drains qui sont en place après l'intervention chirurgicale. Elle l'incite à laisser libre cours à ses sentiments, car il se sent souvent révolté, déprimé et isolé. Elle soutient et écoute la famille. Enfin, pour aider le patient et sa famille à s'adapter aux changements qui se produisent dans leur vie, l'infirmière peut également les adresser à un groupe de soutien comme l'Association des laryngectomisés de leur région.

▷ *Enseignement au patient.*    L'infirmière joue un rôle important dans la réadaptation du patient laryngectomisé. L'opération a des répercussions émotives considérables, elle entraîne des changements physiques importants et perturbe le mode de vie. L'enseignement doit couvrir les quatre domaines suivants :

*Trachéostomie et soins de la stomie.*    L'infirmière doit transmettre son optimisme au patient et l'assurer qu'il pourra reprendre la plupart des activités qu'il avait auparavant. Celui-ci doit recevoir des renseignements précis sur ce qui se passera après la trachéostomie. Il crachera souvent des quantités assez importantes de mucus par la stomie. Étant donné que l'air passe directement par la trachée sans être d'abord réchauffé et humidifié par la muqueuse des voies respiratoires supérieures, l'arbre trachéobronchique compense en sécrétant beaucoup de mucus. Le patient aura donc de fréquents accès de toux et cette toux l'inquiétera quelque peu par son timbre rauque et l'expectoration de mucus qu'elle provoque. Il doit savoir que ces problèmes s'atténueront avec le temps, au fur et à mesure que la muqueuse trachéobronchique s'adaptera aux changements physiologiques subis.

Quand le patient tousse, il faut nettoyer la stomie et retirer le mucus. Il faut également laver la peau entourant la stomie deux fois par jour. Si des croûtes se forment, il faut lubrifier le pourtour de la stomie avec un onguent sans huile (prescrit par le médecin) et retirer les croûtes avec de petites pinces stériles. Il se peut que le patient doive porter un «bavoir» sur la trachéostomie pour que le mucus ne souille pas ses vêtements. En guise de bavoir, on peut utiliser un simple pansement de gaze fixé au cou avec du sparadrap ou un morceau de tissu poreux.

Pour réduire la toux et la production de mucus et prévenir la formation de croûtes autour de la stomie, il est important que l'atmosphère soit bien humidifiée. Les humidificateurs mécaniques et les atomiseurs (nébuliseurs) sont d'excellentes méthodes d'humidification et sont absolument essentiels au bien-être du patient. Son domicile doit être doté d'un système d'humidification prêt à fonctionner lorsqu'il quittera le centre hospitalier. L'air climatisé peut être mauvais pour le patient récemment opéré, car l'air devient parfois trop froid ou trop sec et, par conséquent, trop irritant.

*Changements dans le goût et l'odorat.*    Le patient doit s'attendre à percevoir moins bien les goûts et les odeurs pendant un certain temps après l'opération. Étant donné que l'air inspiré va directement dans la trachée et ne se rend plus par le nez jusqu'aux terminaisons nerveuses des récepteurs olfactifs, le patient perçoit moins nettement les odeurs. Et comme l'odorat est étroitement relié au goût, il perçoit moins bien les saveurs. Avec le temps, toutefois, l'odorat s'adapte et s'améliore.

*Hygiène et loisirs.*    Quand il prend une douche, le patient doit veiller à ce que l'eau ne pénètre pas dans la stomie. Il peut porter un bavoir de plastique pas trop serré ou simplement protéger l'ouverture avec sa main. La baignade n'est toutefois pas recommandée, car la personne laryngectomisée peut se noyer sans même s'être mouillé le visage. Chez le coiffeur ou l'esthéticienne, elle doit demander de veiller à ce que les aérosols, les cheveux ou poils coupés et les poudres n'entrent pas en contact avec la région de la stomie, car cela peut provoquer une irritation et même une infection.

Les loisirs et l'exercice sont importants pour le patient laryngectomisé. Il peut sans problème marcher et jouer au golf, aux quilles ou au bridge, aller voir des spectacles ou des compétitions sportives. Il doit cependant éviter la fatigue car il a plus de difficulté à parler quand il est fatigué. C'est souvent dans ces moments-là qu'il risque de se décourager et d'être déprimé.

*Soins de suivi et d'urgence.*    L'infirmière doit recommander au patient laryngectomisé de voir régulièrement son médecin pour passer des examens physiques et pour demander conseil au sujet des problèmes qu'il rencontre pendant sa convalescence. Le patient doit porter sur lui une carte indiquant les soins de réanimation appropriés en cas d'urgence. Le nom et les coordonnées de la personne à rejoindre en cas d'urgence doivent apparaître au verso de la carte.

▷ *Évaluation*

### Résultats escomptés

1. Le patient acquiert suffisamment de connaissances sur sa situation.
   a) Il dit comprendre l'intervention chirurgicale qu'il subira.
   b) Il explique le rôle qu'il aura à jouer dans ses propres soins.
   c) Il se montre capable de bien exécuter ses autosoins.
2. Le patient se sent moins anxieux et dépressif.
   a) Il décrit les raisons de son opération et se montre désireux de collaborer avec le personnel.
   b) Il se dit assuré que le personnel soignant lui prodiguera les soins dont il a besoin.
   c) Il reprend espoir.
   d) Il se dit à l'aise dans son groupe de soutien.
   e) Il rencontre un membre de l'Association des laryngectomisés.
3. Le patient maintient ses voies respiratoires libres et il expectore ou dégage ses sécrétions.
   a) Il démontre qu'il maîtrise bien la méthode de nettoyage et de changement de la canule de laryngectomie.
   b) Il démontre qu'il sait comment déloger les sécrétions de la stomie ou de la canule en toussant ou en utilisant un appareil d'aspiration.
   c) Il est afébrile et eupnéique (fréquence respiratoire normale) ; ses bruits respiratoires sont normaux.
   d) Il explique pourquoi il est important d'appliquer de bonnes mesures d'hygiène pour la bouche et de maintenir la stomie propre.
   e) Il protège correctement l'ouverture de la stomie quand il se rase ou prend sa douche.
4. Le patient apprend des méthodes de communication efficaces.
   a) Il utilise un «tableau magique» jusqu'à ce qu'il puisse chuchoter.
   b) Quand sa voix est inaudible, il utilise un autre moyen de communication : sonnette d'appel, tableau illustré, langage gestuel, lecture labiale, ordinateur.
   c) Il sait qu'il peut améliorer sa voix en suivant un programme de rééducation orthophonique et qu'il peut parvenir à maîtriser la méthode choisie, qu'il s'agisse de la voix œsophagienne ou de l'électrolarynx.
   d) Il communique avec sa famille en utilisant les méthodes de communication apprises.
   e) Il pratique les techniques enseignées par l'orthophoniste.
5. Le patient maintient une alimentation équilibrée.
   a) Il demande des liquides épais à boire quand il a de la difficulté à avaler.
   b) Il évite les aliments sucrés.
   c) Il tolère bien les aliments solides.
   d) Il se rince la bouche et se brosse les dents régulièrement.
6. Le patient améliore son image corporelle, son estime de soi et son concept de soi.
   a) Il exprime ses sentiments et ses inquiétudes au sujet de la période postopératoire et des changements qui risquent d'affecter son image corporelle.
   b) Il participe à ses autosoins et à la prise de décisions.
   c) Il accepte qu'on l'informe au sujet des groupes de soutien.
7. Le patient suit un programme de réadaptation et de soins à domicile.
   a) Il ne fume plus.
   b) Il pratique les exercices de rééducation orthophonique qu'on lui a recommandés et voit régulièrement son orthophoniste.
   c) Il démontre qu'il comprend bien les principes d'hygiène relatifs aux soins de la stomie et de la canule de laryngectomie (le cas échéant).
   d) Il fait participer sa conjointe (ou son conjoint) à ses soins.
   e) Il prévoit humidifier son domicile.
   f) Il peut énumérer les symptômes à signaler au médecin.
   g) Il prend des rendez-vous pour le suivi postopératoire avec le personnel soignant approprié.
   h) Il porte sur lui une carte indiquant quoi faire et qui rejoindre en cas d'urgence.

Résumé : Le cancer du larynx peut être guéri s'il est diagnostiqué et traité à temps et on peut le prévenir dans de nombreux cas. Le traitement dépend de l'étendue du cancer. Si l'intervention chirurgicale comprend une résection importante et l'ablation des cordes vocales, le patient perdra la voix de façon permanente. Il devra subir une trachéostomie permanente avec laryngectomie totale. Comme les changements causés par cette intervention ont des répercussions considérables pour le patient, tous les membres de l'équipe soignante doivent collaborer aux soins préopératoires et postopératoires. Lorsque le patient retourne à la maison, c'est lui et sa famille qui doivent assumer la responsabilité des soins. Il est donc capital de bien les informer sur les conséquences de l'opération et de les considérer comme partie intégrante de «l'équipe» quand des décisions concernant le traitement sont prises.

# RÉSUMÉ

Divers troubles peuvent affecter les voies respiratoires supérieures, dont les infections, les obstructions et les traumatismes, ou encore le cancer du larynx. Certains de ces troubles, les infections par exemple, sont plus incommodants que dangereux. Toutefois, à cause de leur forte incidence et de l'absentéisme élevé qu'ils entraînent, ils sont importants sur le plan clinique. Le cancer du larynx ainsi que l'obstruction et les lésions des voies respiratoires supérieures sont moins courants que les infections, mais ils peuvent avoir de graves répercussions sur la santé et le bien-être. Le patient atteint d'un cancer du larynx, par exemple, doit parfois faire face à des changements considérables qui affectent sa capacité de parler et son mode de vie, et doit subir une longue réadaptation. La collecte des données et les soins infirmiers sont importants avant l'opération, après l'opération et pendant la réadaptation. Ils doivent être axés sur certaines priorités : l'administration du traitement nécessaire, l'application de mesures de bien-être, le soutien et l'enseignement au patient.

## *Bibliographie*

### *Ouvrages*

Braunwald E et al (eds). Harrison's Principles of Internal Medicine, 12th ed. New York, McGraw-Hill, 1991.

Davis JH et al. Clinical Surgery, Vol 2. St Louis, CV Mosby, 1987.

Fishman AP. Pulmonary Diseases and Disorders, 2nd ed, Vol 1. New York: McGraw-Hill, 1988.

Habal MB and Ariyan S. Facial Fractures. Philadelphia, BC Decker, 1989.

Jacobs C (ed). Cancers of the Head and Neck. Boston, Martinus Nijhoff, 1987.

Kitt S and Kaiser J. Emergency Nursing. Philadelphia, WB Saunders, 1990.

Murray JF and Nadel JA. The Textbook of Respiratory Medicine, 2nd ed. Vols 1 & 2. Philadelphia, WB Saunders, 1988.

Myers EN and Suen JY (eds). Cancer of the Head and Neck, 2nd ed. New York, Churchill Livingstone, 1989.

Pennington JE (ed). Respiratory Infections: Diagnosis and Management, 2nd ed. New York: Raven Press, 1989.

Schultz RC. Facial Injuries, 3rd ed. Chicago, Yearbook Medical Pub, 1988.

Tintinalli JE et al (eds). Emergency Medicine: A Comprehensive Study Guide, 2nd ed. New York, McGraw-Hill, 1988.

*Revues*

Altreuter RW. Nasal trauma. Emerg Med Clin North Am 1987 May; 5(2): 293–300.

Baker KH and Feldman JE. Cancers of the head and neck. Cancer Nurs 1987 Jun; 10(6): 293–299.

Berman BA. Allergic rhinitis: Mechanisms and management. J Allergy Clin Immunol 1988 May; 81(5): 980–983.

Biggs C. The cancer that can cost a patient his voice. RN 1987 Apr; 50(4): 44–51.

Cancer Facts and Figures—1991. American Cancer Society.

Feinstein D. What to teach the patient who's had a total laryngectomy. RN 1987 Apr; 50(4): 53–57.

Ganz NM et al. Questions and answers on sinusitis. Patient Care 1988 22(13): 53–60, 71–75.

Gray WC and Blanchard CL. Sinusitis and its complications. Am Fam Physician 1987 Mar; 35(3): 232–243.

Kulick MI. Craniofacial trauma (Part 2). Hosp Med 1990 Jan; 26(1): 41–56.

Loch WE et al. Sinusitis. Primary Care 1990 Jun; 17(2): 323–334.

Loos GD. Pharyngitis, croup and epiglottitis. Primary Care 1990 Jun; 17(2): 335–345.

Middleton E. Chronic rhinitis in adults. J Allergy Clin Immunol 1988 May; 81(5): 971–975.

Perretta LJ et al. Emergency evaluation and management of epistaxis. Emerg Med Clin North Am 1987 May; 5(2): 265–277.

Romm S. Cancer of the larynx: Current concepts of diagnosis and treatment. Surg Clin North Am 1986 Feb; 66(1): 109–118.

Simmons FER and Simmons KJH. Receptor antagonist treatment of chronic rhinitis. J Allergy Clin Immunol 1988 May; 81(5): 975–979.

Spofford B et al. An improved method for creating tracheoesophageal fistulas for Blom–Singer or Panje voice prostheses. Laryngoscope 1984, 94: 257–258.

Tanz RR and Shulman ST. Streptococcal pharyngitis: What's new. Postgrad Med 1988 Jan; 84(1): 203–206, 211–214.

Vogt HB. Rhinitis. Prim Care 1990 Jun; 17(2): 309–322.

Wilson EB and Malley N. Discharge planning for the patient with a new trachestomy. Crit Care Nurs 1990 Jul/Aug; 10(7): 73–79.

## *Information/Ressources*

### *Organismes*

American Laryngectomee Association, Inc.
   American Cancer Society, Inc., 1599 Clifton Rd NE, Atlanta, GA 30329
"I Can Cope"
   American Cancer Society, Inc. (see above)

# 2
# ÉVALUATION DE LA FONCTION RESPIRATOIRE

*OBJECTIFS D'APPRENTISSAGE*

*Après avoir étudié ce chapitre, vous devriez être en mesure de:*

1. *Décrire les phénomènes de la ventilation, de la diffusion, de la perfusion et du shunt en relation avec la circulation pulmonaire.*

2. *Faire la distinction entre les bruits respiratoires normaux et anormaux.*

3. *Utiliser les paramètres d'évaluation servant à déterminer les caractéristiques et la gravité des principaux symptômes de dysfonctionnement respiratoire.*

4. *Déterminer le rôle de l'infirmière dans les différentes interventions servant à l'examen diagnostique de la fonction respiratoire.*

## PHYSIOLOGIE

Les cellules du corps humain reçoivent l'énergie dont elles ont besoin grâce à l'oxydation des glucides, des lipides et des protéines. Comme toute autre forme de combustion, l'oxydation exige la présence d'oxygène. Certains tissus vitaux, ceux du cerveau et du cœur par exemple, ne peuvent survivre longtemps sans un apport continu d'oxygène. L'oxydation des tissus de l'organisme produit du gaz carbonique que les cellules doivent éliminer pour prévenir l'accumulation de déchets acides.

C'est par le sang circulant que l'oxygène nourrit les cellules et que le gaz carbonique est rejeté des cellules. Les cellules sont en contact étroit avec les capillaires, dont les minces parois facilitent le passage ou l'échange d'oxygène et de gaz carbonique. L'oxygène se diffuse à travers la paroi des capillaires dans le liquide interstitiel, puis à travers la membrane des cellules tissulaires où les mitochondries l'utilisent pour la respiration cellulaire. Le gaz carbonique se déplace aussi par diffusion, mais dans le sens inverse, c'est-à-dire de la cellule au sang.

Après ces échanges entre les tissus et les capillaires, le sang pénètre dans les veines de la grande circulation (où il devient le *sang veineux*) pour se diriger vers la circulation pulmonaire. Dans les poumons, la concentration sanguine d'oxygène des capillaires est inférieure à la concentration sanguine d'oxygène des espaces gazeux, appelés *alvéoles*. Par conséquent, la diffusion de l'oxygène se fait des alvéoles au sang. À l'inverse, le gaz carbonique se diffuse du sang aux alvéoles car sa concentration est plus grande dans le sang que dans les alvéoles. Le mouvement par lequel l'air entre dans les voies respiratoires et en sort (mouvement appelé *ventilation*) est continu; il sert à faire entrer l'oxygène et à faire sortir le gaz carbonique des espaces gazeux des poumons. Ce processus d'échange gazeux entre l'air atmosphérique et le sang ainsi qu'entre le sang et les cellules de l'organisme s'appelle la *respiration*.

## Anatomie du poumon

Les poumons sont des organes élastiques contenus dans le thorax, une cavité étanche aux parois extensibles. La ventilation fait appel aux mouvements de la paroi du thorax et de son plancher, le diaphragme. Les mouvements de la paroi thoracique et du diaphragme produisent alternativement une augmentation et une diminution de la capacité thoracique. Quand la ventilation augmente la capacité du thorax, l'air entre dans la trachée (car la pression y est alors plus faible) et gonfle les poumons. Quand la paroi thoracique et le diaphragme reprennent leur position antérieure, il se produit une rétraction des poumons qui chasse l'air vers l'extérieur par les bronches et la trachée.

L'extérieur des poumons est recouvert d'une membrane lisse et glissante appelée *plèvre*, qui tapisse la paroi intérieure du thorax et la face supérieure du diaphragme. La *plèvre pariétale* tapisse le thorax et la *plèvre viscérale* (ou pulmonaire) recouvre les poumons. Entre les deux surfaces de la plèvre se trouve une petite quantité de liquide qui les lubrifie et leur permet de glisser librement l'une contre l'autre lors de la ventilation.

Le *médiastin* est la paroi qui sépare la cavité thoracique en deux parties. Il se compose de deux couches de plèvre entre lesquelles se trouvent toutes les structures thoraciques, à l'exception des poumons.

Chaque poumon se divise en lobes. Le poumon gauche a deux lobes, soit le lobe supérieur et le lobe inférieur, alors que le poumon droit a trois lobes, soit le lobe supérieur, le lobe moyen et le lobe inférieur. Chaque lobe se divise à son tour en deux à cinq segments séparés par des sillons (scissures). Ces scissures sont des prolongements de la plèvre. La figure 2-1 illustre les voies respiratoires et les lobes pulmonaires.

Dans chaque lobe pulmonaire, les bronches se ramifient plusieurs fois. On a tout d'abord les bronches lobaires (trois dans le poumon droit et deux dans le poumon gauche) qui se divisent en bronches segmentaires (10 dans le poumon droit et 8 dans le poumon gauche). Les bronches segmentaires déterminent la meilleure position de drainage postural pour un patient. Les bronches segmentaires se ramifient à leur tour en bronches sous-segmentaires, qui sont entourées de tissu conjonctif contenant des artères, des vaisseaux lymphatiques et des nerfs. Les bronches sous-segmentaires se divisent en *bronchioles,* dont les parois sont dépourvues de cartilage. La perméabilité d'une bronchiole dépend entièrement de la rétraction élastique du muscle lisse qui l'entoure et de la pression alvéolaire. Les bronchioles contiennent des glandes sous-muqueuses. Ces glandes produisent du mucus qui recouvre en tout temps la paroi intérieure des voies respiratoires. Les bronches et les bronchioles sont tapissées également de cellules dont la surface est recouverte de petits «poils» appelés *cils.* Ces cils exercent un mouvement constant de balayage qui sert à propulser le mucus et les substances étrangères loin du poumon vers le larynx.

Les bronchioles se divisent ensuite en *ramifications terminales,* lesquelles n'ont ni glandes muqueuses ni cils et se séparent en *bronchioles respiratoires.* Les bronchioles respiratoires constituent la zone de transition entre la zone de conduction et la zone respiratoire (zone des échanges gazeux).

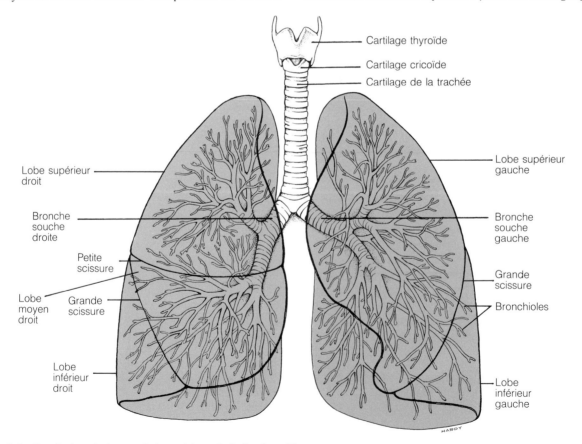

**Figure 2-1.** Vue de face du larynx, de la trachée et de l'arbre bronchique

(Source: E. E. Chaffee, et E. M. Greisheimer, *Basic Physiology and Anatomy*, Philadelphia, J. B. Lippincott)

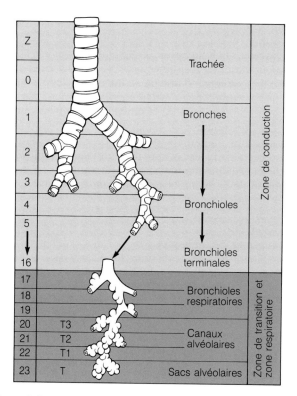

**Figure 2-2.** Ramification des voies aériennes des poumons humains par dichotomie régularisée depuis la trachée (génération z = 0) jusqu'aux canaux et sacs alvéolaires (20 à 23 générations). Les 16 premières générations sont purement conductrices; les voies aériennes de transition mènent à la zone respiratoire des alvéoles.

(Source: A. P. Fishman, *Pulmonary Diseases and Disorders,* 2ᵉ éd., vol. 1, New York, McGraw-Hill, 1988)

Jusqu'à cette zone de transition, les voies aériennes de la zone de conduction contiennent environ 150 mL d'air enfermé dans l'arbre trachéobronchique et qui ne participe pas aux échanges gazeux. Les bronchioles respiratoires mènent ensuite aux canaux alvéolaires et aux sacs alvéolaires, puis aux alvéoles pulmonaires, où se fait l'échange oxygène-gaz carbonique (figure 2-2).

Le poumon contient environ 300 millions d'alvéoles disposées en groupes de 15 à 20. Les alvéoles sont si nombreuses que si on les ouvrait et qu'on les plaçait côte à côte elles couvriraient une superficie de 70 m² (les dimensions d'un court de tennis).

Il existe trois types de cellules alvéolaires. Les pneumocytes de type I (ou pneumocytes membraneux) sont des cellules épithéliales qui forment les parois alvéolaires. Les pneumocytes de type II (ou pneumocytes granuleux) sont des cellules ayant une fonction métabolique; elles sécrètent le *surfactant,* un phospholipide tapissant l'intérieur des alvéoles. Enfin, les cellules de type III sont des cellules alvéolaires macrophages; les macrophages sont de grandes cellules phagocytaires qui ingèrent les substances étrangères (comme le mucus et les bactéries) et constituent un important mécanisme de défense.

## Mécanique de la ventilation

Lors de l'inspiration, l'air du milieu ambiant entre dans la trachée, puis dans les bronches, puis dans les bronchioles et enfin dans les alvéoles. Lors de l'expiration, le gaz alvéolaire refait le même trajet en sens inverse.

On peut regrouper sous le terme «mécanique de la ventilation» les phénomènes physiques qui sont à l'origine du déplacement de l'air dans les voies respiratoires. La ventilation repose sur une loi de la physique: l'air se déplace d'un milieu à haute pression vers un milieu à basse pression. Lors de l'inspiration, la contraction du diaphragme et des autres muscles de la respiration provoque l'expansion de la cavité thoracique, ce qui réduit la pression intrathoracique à un niveau inférieur à celui de la pression atmosphérique. L'air entre alors dans la trachée et les bronches, puis dans les alvéoles.

Lors d'une expiration normale, le diaphragme se décontracte et les poumons se rétractent, rapetissant ainsi la cavité thoracique. La pression alvéolaire devient alors supérieure à la pression atmosphérique, et l'air passe des poumons à l'atmosphère.

La résistance dépend principalement du rayon du conduit aérien par lequel l'air passe. Par conséquent, tout ce qui change le diamètre des bronches change également la résistance des voies respiratoires ainsi que le débit d'air pour un gradient de pression donné durant la respiration. Divers facteurs peuvent changer le diamètre des bronches, dont la contraction du muscle lisse bronchique comme dans l'asthme; l'épaississement de la muqueuse bronchique comme dans la bronchite chronique; ou l'obstruction des conduits aériens due à l'accumulation de mucosités, à l'apparition d'une tumeur ou à la présence d'un corps étranger. Le diamètre des bronches peut aussi être altéré par une perte d'élasticité des poumons, ce qui se produit dans l'emphysème, par exemple, car le tissu conjonctif des poumons entoure les bronches et les aide à rester ouvertes tant lors de l'inspiration que lors de l'expiration. Lorsque la résistance des voies respiratoires est augmentée, le patient doit fournir un travail respiratoire plus grand que la normale pour parvenir à un niveau de ventilation normal.

Le gradient de pression qui existe entre la cavité thoracique et l'atmosphère attire l'air dans les poumons et l'en expulse, en plus d'étirer les tissus pulmonaires eux-mêmes. La pression nécessaire à l'expansion des poumons dépend de l'élasticité des tissus pulmonaires. La *compliance pulmonaire* est la mesure de cette élasticité. On mesure habituellement la compliance dans des conditions statiques.

Quand la compliance pulmonaire est élevée, les poumons se distendent facilement et quand elle est faible, les poumons ont besoin d'une pression plus forte que la normale pour se distendre. Les principaux facteurs qui agissent sur la compliance pulmonaire sont le tissu conjonctif (collagène et élastine) et la tension de surface dans les alvéoles. Normalement, la tension de surface des alvéoles reste faible grâce au surfactant qui les tapisse. L'augmentation de la tension de surface et la prolifération du tissu conjonctif diminuent la compliance pulmonaire. Ainsi, dans le syndrome de détresse respiratoire aiguë de l'adulte, on constate une baisse du surfactant et une rigidité des poumons. Dans la fibrose interstitielle diffuse pulmonaire, le tissu conjonctif prolifère et la compliance est diminuée. Une baisse de la compliance pulmonaire exige une dépense énergétique plus grande que la normale pour arriver à un niveau de ventilation normal.

On peut mesurer la mécanique ventilatoire pour évaluer la fonction pulmonaire (figure 2-3). Voir le tableau 2-1 pour une description des volumes respiratoires et des capacités pulmonaires.

VOLUMES PULMONAIRES STATIQUES

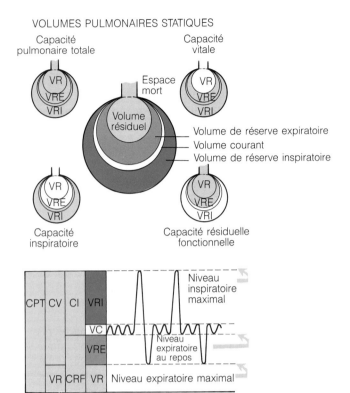

***Figure 2-3.*** **(En haut)** Le diagramme du centre illustre les quatre principaux *volumes* respiratoires et leur ampleur approximative. Le plus grand cercle indique l'expansion maximale des poumons; le plus petit cercle (volume résiduel), le volume de gaz demeurant dans les poumons à la fin d'une expiration forcée. Quatre petits diagrammes entourent le diagramme central; les zones ombragées représentent les quatre *capacités* pulmonaires. Le volume gazeux de l'espace mort est inclus dans le volume résiduel, la capacité résiduelle fonctionnelle et la capacité pulmonaire totale quand les mesures sont faites par les techniques courantes. **(En bas)** Volumes respiratoires enregistrés sur un spirographe; les zones ombragées près du tracé correspondent aux zones du diagramme central ci-dessus.

(Source: J. H. Comroe, *et coll.*, *The Lung: Clinical Physiology and Pulmonary Function Tests*, 2ᵉ éd., Chicago, Yearbook Medical Publishers, 1977)

Dans des poumons sains en position verticale, la ventilation est à son maximum à la base et diminue à mesure qu'on monte vers les apex. Elle varie aussi dans les alvéoles, afin de permettre à l'air de se répartir plus également entre elles.

## Diffusion et perfusion

La *diffusion* est le processus par lequel l'oxygène et le gaz carbonique sont échangés à la barrière hématogazeuse. Grâce à sa grande surface et à sa faible épaisseur, la membrane alvéolocapillaire convient parfaitement bien à la diffusion. Dans les poumons sains, l'oxygène et le gaz carbonique la traversent sans difficulté.

La *perfusion pulmonaire* désigne l'irrigation sanguine. Le sang est transporté vers les poumons par l'artère pulmonaire, depuis le ventricule droit jusqu'aux branches de bifurcation droite et gauche de l'artère pulmonaire. La branche de bifurcation droite rejoint le poumon droit et la branche gauche, le poumon gauche. Ces deux branches se séparent ensuite pour approvisionner toutes les parties de chaque poumon. La circulation pulmonaire est dite à basse pression car la

pression artérielle systolique dans l'artère pulmonaire est de 20 à 30 mm Hg et la pression diastolique, de 5 à 15 mm Hg. Grâce à cette faible pression, le système vasculaire pulmonaire peut varier sa résistance pour s'adapter au débit sanguin qu'il reçoit. Quand une personne est en station debout, cependant, la pression de l'artère pulmonaire n'est pas assez forte pour vaincre l'effet de la gravité et approvisionner en sang l'apex des poumons. On peut diviser alors les poumons en trois parties: la partie supérieure, peu irriguée; la partie inférieure, très irriguée; et la partie intermédiaire, moyennement irriguée. Quand une personne est tournée sur un côté, le poumon de ce même côté est davantage irrigué.

La perfusion est aussi influencée par la pression alvéolaire. Comme les capillaires pulmonaires sont intercalés entre les alvéoles, une pression alvéolaire suffisamment élevée peut les comprimer. Selon la pression, certains capillaires seront complètement écrasés et d'autres rétrécis.

La pression de l'artère pulmonaire, la gravité et la pression alvéolaire déterminent le profil de la perfusion. Dans les maladies pulmonaires, ces facteurs varient et la perfusion des poumons peut s'écarter considérablement de la normale.

## Perturbations du rapport ventilation-perfusion

On parle de déséquilibre du rapport ventilation-perfusion ($V_A / Q$) quand l'*espace mort physiologique* augmente (ventilation adéquate mais absence de perfusion, comme dans l'embolie pulmonaire) ou quand il se produit un «court-circuit» ou *shunt* (perfusion adéquate mais absence de ventilation, comme dans l'oedème pulmonaire, l'atélectasie ou la bronchopneumopathie chronique obstructive). Le shunt est la plus grave de ces deux perturbations.

Normalement, environ 2 % du sang pompé par le ventricule droit ne perfuse pas les capillaires alvéolaires. Ce sang est dévié dans le côté gauche du coeur sans participer à l'échange gazeux au niveau des alvéoles. Dans certaines anomalies du coeur et des gros vaisseaux (communication interventriculaire, persistance du canal artériel) et dans certaines maladies pulmonaires (oedème pulmonaire, atélectasie), la quantité de sang dévié excède le pourcentage normal (2 %).

Le sang dévié contient la même quantité d'oxygène que le sang veineux et se mélange avec le sang qui revient des alvéoles pour former le sang artériel. La quantité d'oxygène contenu dans le sang artériel dépend à la fois de la teneur en oxygène et du volume des fractions qui le composent. L'hypoxie grave correspond à un shunt de plus de 20 % de sang. Même l'administration d'oxygène pur à 100 % n'améliore pas beaucoup l'hypoxie grave, car l'oxygène aspiré n'entre pas en contact avec le sang dévié.

### Distribution de la ventilation et de la perfusion
La ventilation est le mouvement des gaz qui vont aux poumons et en sortent, et la perfusion est le remplissage des capillaires pulmonaires par le sang. Pour que les échanges gazeux se fassent correctement, le rapport ventilation-perfusion doit être adéquat. Ce rapport peut varier selon la région du poumon.

La perfusion pulmonaire peut être perturbée par une altération de la pression de l'artère pulmonaire et de la pression

TABLEAU 2-1.   *Volumes respiratoires et capacités pulmonaires*

| Terme | Symbole | Description | Remarques |
|---|---|---|---|
| **VOLUMES RESPIRATOIRES** | | | |
| Volume courant | VC ou $V_T$ | Volume d'air inspiré et expiré à chaque respiration | Le volume courant peut ne pas varier, même en présence d'une maladie grave. |
| Volume de réserve inspiratoire | VRI | Volume maximal d'air qu'on peut encore inspirer après une inspiration normale | |
| Volume de réserve expiratoire | VRE | Volume maximal d'air qu'on peut encore expirer après une expiration normale | Le volume de réserve expiratoire diminue quand il y a restriction, comme dans l'obésité, la grossesse et l'ascite. |
| Volume résiduel | VR | Volume d'air qui reste dans les poumons après une expiration maximale | Le volume résiduel peut augmenter dans les maladies obstructives. |
| **CAPACITÉS PULMONAIRES** | | | |
| Capacité vitale | CV | Volume maximal d'air pouvant être expiré après une inspiration maximale | On peut constater une diminution de la capacité vitale dans les troubles neuromusculaires, la fatigue corporelle, l'atélectasie, l'œdème pulmonaire et la bronchopneumopathie chronique obstructive. |
| Capacité inspiratoire | CI | Volume maximal d'air inspiré après une expiration normale | Une diminution de la capacité inspiratoire peut être le signe d'un trouble restrictif. |
| Capacité résiduelle fonctionnelle | CRF | Volume d'air qui reste dans les poumons après une expiration normale | La capacité résiduelle fonctionnelle peut augmenter dans les troubles obstructifs (bronchopneumopathie chronique obstructive) et diminuer dans le syndrome de détresse respiratoire de l'adulte. |
| Capacité pulmonaire totale | CPT | Volume d'air se trouvant dans les poumons après une inspiration maximale; correspond à la somme des quatre volumes (VC, VRI, VRE et VR) | La capacité pulmonaire totale peut diminuer dans les troubles restrictifs (atélectasie, pneumonie) et augmenter dans les troubles obstructifs (bronchopneumopathie chronique obstructive). |

alvéolaire et par la gravité. La ventilation peut être perturbée par une obstruction des voies aériennes, par des modifications locales dans la compliance pulmonaire ou par des changements dans la gravité.

Il est important que l'infirmière connaisse les quatre rapports ventilation-perfusion possibles (figure 2-4).

- Rapport normal : équilibre ventilation-perfusion

  Dans le poumon normal, une quantité donnée de sang traverse une alvéole et est associée avec une quantité égale de gaz. Le rapport est de 1 / 1 (ventilation égale à la perfusion).

- Rapport faible : troubles entraînant un shunt

  Quand la perfusion excède la ventilation, on observe un shunt. Le sang traverse les alvéoles mais aucun échange gazeux ne se produit. Le shunt apparaît dans les troubles obstructifs des voies respiratoires distales (pneumonie, atélectasie, tumeur ou bouchon de mucus).

- Rapport élevé : troubles entraînant l'effet espace mort

  Quand la ventilation excède la perfusion, un espace mort physiologique se produit. Les alvéoles ne reçoivent pas suffisamment de sang pour qu'il se produise des échanges gazeux. L'espace mort est associé à plusieurs troubles, dont l'embolie pulmonaire, l'infarctus pulmonaire et le choc cardiogénique.

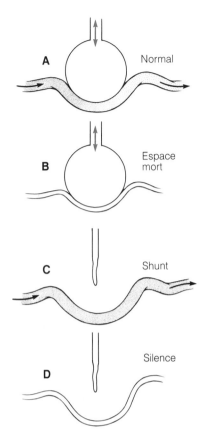

***Figure 2-4.*** Rapports théoriques ventilation-perfusion
(**A**) Ventilation normale, perfusion normale (**B**) Ventilation normale, absence de perfusion (**C**) Absence de ventilation, perfusion normale (**D**) Absence de ventilation, absence de perfusion
(Source : B. A. Shapiro, R. A. Harrison, et J. R. Walton, *Clinical Application of Blood Gases*, 3ᵉ éd., Chicago, Mosby-Year Book, 1989)

- Rapport inexistant : absence de ventilation et de perfusion
   Quand la ventilation et la perfusion sont réduites, il se produit un silence. On peut observer un silence dans le pneumothorax et les cas graves de syndrome de détresse respiratoire de l'adulte (poumon de choc).

Quand une altération du rapport ventilation-perfusion provoque un shunt, une hypoxie apparaît. Il semble que le déséquilibre du rapport ventilation-perfusion soit la principale cause de l'hypoxie après une intervention chirurgicale thoracique ou abdominale et dans la plupart des cas d'insuffisance respiratoire.

## Pression partielle

La pression partielle est la pression exercée par chaque gaz dans un mélange gazeux. La pression partielle d'un gaz est proportionnelle à la concentration du gaz dans le mélange. La pression totale exercée par un mélange gazeux est égale à la somme des pressions partielles.

L'air qu'on respire est un mélange gazeux comprenant principalement de l'azote (78,62 %) et de l'oxygène (20,84 %). Il contient également des traces de gaz carbonique (0,04 %), de vapeur d'eau (0,05 %), d'hélium, d'argon, etc. La pression atmosphérique est d'environ 760 mm Hg au niveau de la mer. À partir de ces données, on peut calculer la pression partielle

de l'azote et de l'oxygène. La pression partielle de l'azote correspond à 79 % de 760 (0,79 × 760), soit 600 mm Hg, et celle de l'oxygène correspond à 21 % de 760 (0,21 × 760), soit 160 mm Hg.

En guise de référence, voici une liste des abréviations des pressions partielles :

P    = pression
$PO_2$  = pression partielle de l'oxygène
$PCO_2$ = pression partielle du gaz carbonique
$PAO_2$ = pression partielle de l'oxygène alvéolaire
$PACO_2$ = pression partielle du gaz carbonique alvéolaire
$PaO_2$ = pression partielle de l'oxygène artériel
$PaCO_2$ = pression partielle du gaz carbonique artériel
$PvO_2$ = pression partielle de l'oxygène veineux
$PvCO_2$ = pression partielle du gaz carbonique veineux
$P_{50}$ = pression partielle de l'oxygène quand l'hémoglobine est saturée à 50 %

Quand l'air pénètre dans la trachée, il se sature complètement de vapeur d'eau. La vapeur d'eau déplace certains gaz de sorte que la pression de l'air à l'intérieur des poumons reste égale à la pression atmosphérique (760 mm Hg). Elle exerce une pression de 47 mm Hg quand elle sature complètement un mélange gazeux à la température corporelle (37 °C). Par conséquent, l'azote et l'oxygène comptent à ce moment pour les 713 mm Hg restants (760 - 47). Quand l'air arrive dans les alvéoles, il subit une autre dilution, cette fois par le gaz carbonique. La vapeur d'eau continue d'exercer une pression de 47 mm Hg. Des 713 mm Hg qui restent, 569 mm Hg sont attribuables à l'azote (74,9 %), 104 mm Hg à l'oxygène (13,6 %) et 40 mm Hg au gaz carbonique (5,3 %).

Quand un gaz est exposé à un liquide, il se dissout dans le liquide jusqu'à un point d'équilibre. Le gaz dissous exerce aussi une pression partielle. Au point d'équilibre, la pression partielle du gaz dans le liquide est égale à sa pression partielle dans un mélange gazeux. L'oxygénation du sang veineux dans les poumons illustre bien ce phénomène. Dans le poumon, le sang veineux et l'oxygène alvéolaire sont séparés par une membrane alvéolaire très mince. L'oxygène traverse cette membrane pour se dissoudre dans le sang jusqu'à ce que sa pression partielle soit la même que dans les alvéoles (104 mm Hg). Cependant, comme le gaz carbonique est fabriqué dans les cellules, sa pression partielle dans le sang veineux est plus élevée que dans l'air alvéolaire. Sa diffusion dans les poumons se fait donc du sang veineux à l'air alvéolaire. Au point d'équilibre, sa pression partielle dans le sang est la même que dans l'air alvéolaire (40 mm Hg).

On peut résumer comme suit les changements séquentiels que l'on constate dans la pression partielle (en milligrammes) :

|  | *Air atmosphérique* | *Air trachéal* | *Air alvéolaire* |
|---|---|---|---|
| $PH_2O$ | 3,7 | 47,0 | 47,0 |
| $PN_2$ | 597,0 | 563,4 | 569,0 |
| $PO_2$ | 159,0 | 149,3 | 104,0 |
| $PCO_2$ | 0,3 | 0,3 | 40,0 |
| Total | 760,0 | 760,0 | 760,0 |

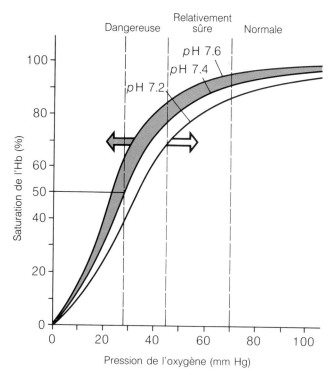

***Figure 2-5.*** Courbe de dissociation de l'oxyhémoglobine (courbe de Barcroft). Quand l'affinité de l'oxygène pour l'hémoglobine est augmentée (déplacement de la courbe vers la gauche), l'oxygène peut se fixer à l'hémoglobine plus facilement ($SaO_2$ plus élevée par rapport à la $PO_2$), mais il a plus de difficulté à s'en dissocier au niveau des tissus (oxygénation tissulaire réduite). Quand, au contraire, l'affinité de l'oxygène pour l'hémoglobine est diminuée (déplacement de la courbe vers la droite), l'oxygène a plus de difficulté à se fixer à l'hémoglobine ($SaO_2$ plus faible par rapport à la $PO_2$), mais il s'en dissocie plus facilement. La $P_{50}$ est normalement de 27 mm Hg. Un déplacement de la courbe vers la droite donne une $P_{50}$ plus élevée et un déplacement vers la gauche, une $P_{50}$ moins élevée.

## Transport de l'oxygène

L'oxygène et le gaz carbonique sont transportés simultanément grâce à leur capacité de se dissoudre dans le sang ou de se combiner à certains éléments du sang. L'oxygène est transporté dans le sang sous deux formes : (1) physiquement dissous dans le plasma et (2) combiné à l'hémoglobine des globules rouges. Chaque 100 mL de sang artériel normal transporte 0,3 mL d'oxygène *dissous physiquement* dans le plasma et 20 mL d'oxygène combiné à l'hémoglobine. Le sang peut transporter une grande quantité d'oxygène parce que l'oxygène peut se combiner de façon réversible à l'hémoglobine pour former l'oxyhémoglobine :

$$O_2 + Hb \rightleftarrows HbO_2$$

Le volume de l'oxygène physiquement dissous dans le plasma dépend directement de la $PaO_2$ (pression partielle de l'oxygène artériel). Plus la $PaO_2$ est élevée, plus la quantité d'oxygène dissous est élevée. Par exemple, si la $PaO_2$ est à 10 mm Hg, la dissolution de l'oxygène sera de 0,03 mL dans 100 mL de plasma. À 20 mm Hg, la dissolution sera 2 fois plus grande et à 100 mm Hg, 10 fois plus grande. La quantité d'oxygène dissous est donc directement proportionnelle à la

pression partielle, peu importe l'augmentation de la pression de l'oxygène. Par exemple, dans un caisson hyperbare où on respire de l'oxygène à 3 atmosphères de pression, la $PaO_2$ serait de 2000 mm Hg. La quantité d'oxygène dissous serait donc de 6 mL par 100 mL de sang.

Le volume de l'oxygène qui se combine à l'hémoglobine dépend également de la pression partielle de l'oxygène artériel, mais seulement si celle-ci ne dépasse pas 150 mm Hg. À une $PaO_2$ supérieure à 150 mm Hg, l'hémoglobine est saturée à 100 %, c'est-à-dire qu'elle ne peut plus se combiner avec l'oxygène. Au point de saturation maximal (100 %), 1 g d'hémoglobine se combine avec 1,34 mL d'oxygène. Par conséquent, chez une personne dont l'hémoglobine est à 140 g/L, 100 mL de sang contient environ 19 mL d'oxygène combinée. Si la $PaO_2$ est inférieure à 150 mm Hg, le pourcentage de l'hémoglobine saturée en oxygène est moins élevé. Par exemple, à une $PaO_2$ de 100 mm Hg (valeur normale), l'hémoglobine est saturée à 97 % ; à une $PaO_2$ de 40 mm Hg, la saturation est de 70 %.

La courbe de dissociation de l'oxyhémoglobine ou courbe de Barcroft (figure 2-5) montre clairement la relation entre la pression partielle de l'oxygène du sang et le pourcentage de saturation de l'hémoglobine ($SaO_2$). Grâce à sa forme, la courbe de dissociation de l'hémoglobine protège les tissus de l'hypoxie de deux façons :

1. Si la $PO_2$ artérielle passe de 100 à 80 mm Hg à cause d'une maladie pulmonaire ou d'une cardiopathie, l'hémoglobine du sang artériel sera encore presque totalement saturée (94 %) et les tissus ne manqueront pas d'oxygène.

2. Quand le sang artériel passe dans les capillaires des tissus et subit la pression tissulaire de l'oxygène (environ 40 mm Hg), l'hémoglobine libère une grande quantité d'oxygène vers les tissus.

## Courbe de dissociation de l'oxyhémoglobine

La courbe de dissociation de l'oxyhémoglobine exprime la relation entre la $PaO_2$ et l'affinité de l'hémoglobine pour l'oxygène. Elle reflète l'efficacité du transport de l'oxygène vers les tissus. Dans la courbe de dissociation de l'oxyhémoglobine de la figure 2-5, on indique trois niveaux de saturation : (1) le niveau normal, soit quand la $PaO_2$ est supérieure à 70 mm Hg ; (2) le niveau relativement sûr, soit quand la $PaO_2$ se situe entre 45 et 70 mm Hg ; et (3) le niveau dangereux, soit quand la $PaO_2$ est inférieure à 40 mm Hg.

La figure 2-5 illustre également qu'à un pH normal de 7,40, la partie fortement inclinée de la courbe se situe entre une $PaO_2$ de 40 mm Hg (hémoglobine saturée à 75 %) et une $PaO_2$ de 20 mm Hg (hémoglobine saturée à 33 %). La $P_{50}$ est la pression de demi-saturation en oxygène (27 mm Hg), c'est-à-dire la pression à laquelle l'hémoglobine est saturée à 50 %. Des variations de la $PaO_2$ et de la saturation entraînent des variations de la $P_{50}$.

La courbe de dissociation de l'oxyhémoglobine se déplace vers la gauche ou la droite en fonction de certains facteurs : le $CO_2$, la concentration en ions hydrogène (l'acidité), la température et le 2,3 diphosphoglycérate.

Si ces facteurs augmentent, la courbe se déplacera vers la droite, ce qui signifie que pour une même $PaO_2$, les tissus recevront une plus grande quantité d'oxygène. S'il y a diminution de ces facteurs, la courbe se déplacera vers la gauche et la liaison de l'oxygène et de l'hémoglobine sera plus forte : pour une même $PaO_2$, les tissus recevront moins d'oxygène. Si on se rapporte à la courbe normale de la figure 2-5 (celle du milieu), on constate que l'hémoglobine est saturée à 75 % quand la $PaO_2$ est à 40 mm Hg. Si la courbe se déplace vers la droite, l'hémoglobine est saturée à 75 % à une $PaO_2$ plus élevée, soit à 57 mm Hg. Si la courbe se déplace vers la gauche, l'hémoglobine est saturée à 75 % à une $PaO_2$ de 25 mm Hg seulement.

### Signification clinique

Avec une hémoglobine normale de 150 g/L et une $PaO_2$ de 40 mm Hg (saturation d'oxygène à 75 %), les tissus disposent de suffisamment d'oxygène, mais l'organisme n'a pas de réserves. S'il se produit un trouble grave (bronchospasme, aspiration, hypotension ou arythmies cardiaques, par exemple) qui diminue l'apport d'oxygène aux poumons, une hypoxie tissulaire survient. La valeur normale de la $PaO_2$ se situe entre 80 et 100 mm Hg (saturation entre 95 et 98 %). À ce niveau d'oxygénation, les tissus disposent d'une marge de réserve de 15 %.

Le débit cardiaque est un facteur important dans le transport de l'oxygène, car il détermine la quantité d'oxygène fournie à l'organisme. Un débit cardiaque normal (5 L/min) reflète une oxygénation tissulaire normale. Quand le débit cardiaque baisse, l'apport d'oxygène aux tissus baisse aussi. C'est pourquoi la mesure du débit cardiaque est si importante. L'oxygène qui va aux tissus n'est utilisé qu'à raison de 250 mL par minute. Le reste de l'oxygène retourne au cœur droit, et la $PO_2$ du sang veineux tombe à environ 40 mm Hg.

### Transport du gaz carbonique

L'oxygène se diffuse du sang aux tissus et le gaz carbonique se diffuse dans le sens inverse (c'est-à-dire des cellules tissulaires au sang) et est transporté jusqu'aux poumons pour être rejeté. La quantité de gaz carbonique en circulation est l'un des facteurs qui influent le plus sur l'équilibre acidobasique de l'organisme. Normalement, seulement 6 % du gaz carbonique veineux est rejeté, et il en reste suffisamment dans le sang artériel pour exercer une pression de 40 mm Hg. La plus grande partie du gaz carbonique (90 %) pénètre dans les globules rouges et la portion qui reste (5 %) est dissoute dans le plasma ($PCO_2$) et est un facteur crucial dans le déplacement du gaz carbonique dans le sang ou hors du sang.

Il est important de retenir que les différents mécanismes de transport des gaz respiratoires ne se manifestent pas de façon intermittente, mais rapidement, simultanément et de façon continue.

### Régulation neurologique de la ventilation

La rythmicité de la respiration est régie par les centres respiratoires situés dans le cerveau. Les centres inspiratoires et expiratoires situés dans le bulbe rachidien et la protubérance annulaire régissent la fréquence et l'amplitude de la ventilation afin de répondre aux besoins métaboliques de l'organisme.

On pense que le *centre apneustique*, situé dans la protubérance annulaire inférieure, stimule le centre bulbaire inspirateur pour permettre des inspirations profondes et prolongées. Le *centre pneumotaxique*, qui se trouve dans la protubérance annulaire supérieure, régirait le cycle respiratoire.

Plusieurs groupes de récepteurs participent à la régulation par le cerveau de la fonction respiratoire. Les *chémorécepteurs centraux* sont situés dans le bulbe rachidien et réagissent aux changements chimiques qui se produisent dans le liquide céphalorachidien, changements eux-mêmes causés par les changements chimiques qui se produisent dans le sang. Les chémorécepteurs centraux sont sensibles aux variations du pH : si le pH augmente ou diminue, ils envoient aux poumons un message leur demandant de changer l'amplitude et ensuite la fréquence de la ventilation afin de corriger le déséquilibre. Les *chémorécepteurs périphériques*, situés dans la crosse aortique et les artères carotides, réagissent tout d'abord aux variations de la $PaO_2$, puis à celles de la $PaCO_2$ et du pH. Le *réflexe de Hering-Breuer* (ou réflexe de distension pulmonaire) est déclenché par des tensorécepteurs situés dans les alvéoles, quand les poumons sont distendus. Il inhibe l'inspiration pour éviter une distension exagérée des poumons. Il existe également dans les muscles et les articulations des *propriocepteurs* qui réagissent aux mouvements du corps (l'exercice par exemple) en augmentant la ventilation. Par conséquent, les exercices d'amplitude des mouvements chez les patients alités stimulent la respiration. Enfin, les *barorécepteurs*, eux aussi situés dans les zones chémoréceptrices de l'aorte et des carotides, réagissent à une hausse ou à une baisse de la pression artérielle en déclenchant une hypoventilation ou une hyperventilation.

### Gérontologie

Entre le début et le milieu de l'âge adulte, la fonction respiratoire décline graduellement ; la structure tout autant que le fonctionnement de l'appareil respiratoire s'en trouvent changés. À partir de 40 ans, des changements dans les alvéoles réduisent la surface qui sert aux échanges d'oxygène et de gaz carbonique. Vers 50 ans, les alvéoles commencent à perdre de leur élasticité et les glandes bronchiques s'épaississent. La capacité vitale des poumons atteint son maximum entre 20 et 25 ans, et décroît ensuite avec les années. Cette diminution de la capacité vitale accompagne la perte de mobilité de la paroi thoracique, ce qui limite le volume d'air courant. L'espace mort respiratoire augmente avec l'âge. Ces changements reliés au vieillissement diminuent la capacité de diffusion de l'oxygène entraînant une baisse de la concentration d'oxygène dans la circulation artérielle. Malgré ces changements, les personnes âgées (celles qui ne souffrent pas d'une maladie pulmonaire chronique) sont capables d'accomplir les tâches de la vie quotidienne ; cependant, elles peuvent tolérer moins bien l'activité prolongée ou l'effort intense.

Résumé : Les poumons sont constitués d'une série de voies aériennes qui se ramifient à partir de la trachée et se divisent en conduits toujours plus étroits et plus courts jusqu'aux alvéoles. Le sang arrive aux poumons par le ventricule droit, lequel se ramifie en une série de capillaires qui entourent les alvéoles. L'échange de l'oxygène et du gaz carbonique se fait à la barrière alvéolocapillaire.

Le bon déroulement des échanges gazeux dépend entre autres de l'intégrité des appareils respiratoire et cardiovasculaire. La perturbation de l'un de ces deux appareils peut causer un déséquilibre ventilation-perfusion et perturber les échanges gazeux.

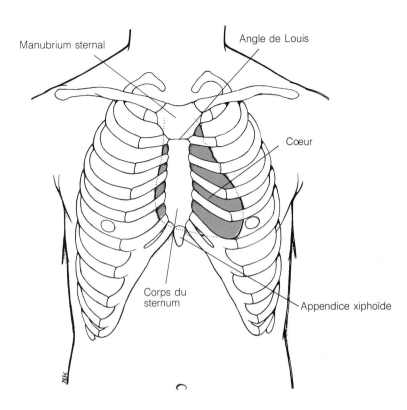

**Figure 2-6.**  Topographie du thorax vu de face

# ÉVALUATION DU PATIENT ATTEINT D'UNE MALADIE PULMONAIRE

## ÉVALUATION INITIALE

L'évaluation initiale porte d'abord sur les problèmes physiques et fonctionnels du patient ainsi que sur les répercussions de ces problèmes sur sa vie. Les principaux motifs de consultation sont : la dyspnée, la douleur, l'accumulation de mucus, la respiration sifflante, l'hémoptysie, l'oedème des chevilles et des pieds, la toux et la fatigue ou la faiblesse générale. Il faut demander au patient la raison qui l'amène à consulter, puis lui demander quand le problème est apparu, combien de temps il a duré, s'il a pu le soulager et comment il a pu le soulager. Il faut recueillir des données sur les facteurs déclenchants, la durée, la gravité et les facteurs ou symptômes associés. Il faut aussi noter les facteurs qui peuvent avoir des effets sur la fonction respiratoire :

* Tabagisme (le plus important facteur de la maladie pulmonaire)
* Antécédents personnels ou familiaux de maladie pulmonaire
* Antécédents professionnels
* Allergènes et polluants ambiants
* Loisirs

Il faut aussi évaluer les facteurs psychosociaux qui peuvent perturber la vie du patient : anxiété, perturbation de l'exercice du rôle, relations familiales difficiles, problèmes financiers, problèmes professionnels. Quels sont les mécanismes d'adaptation du patient ? Que montre-t-il par son comportement (anxiété, colère, hostilité, dépendance, repli sur soi, isolement, évitement, acceptation, déni) ? Enfin, quels réseaux de soutien le patient utilise-t-il pour faire face à sa maladie ? Peut-il compter sur le soutien de sa famille et de ses amis ? A-t-il accès à des services communautaires ?

## EXAMEN PHYSIQUE

Il faut évaluer la fonction respiratoire chez tous les patients atteints ou que l'on présume atteints d'une maladie pulmonaire.

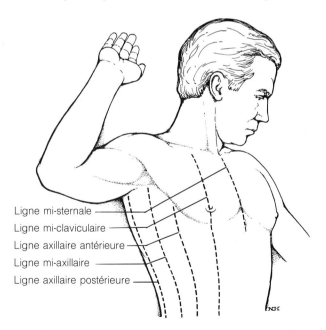

Ligne mi-sternale
Ligne mi-claviculaire
Ligne axillaire antérieure
Ligne mi-axillaire
Ligne axillaire postérieure

**Figure 2-7.**  Lignes précisant la configuration du thorax. Ces lignes «longitudinales» imaginaires permettent de formuler la position d'une anomalie sur la paroi thoracique.

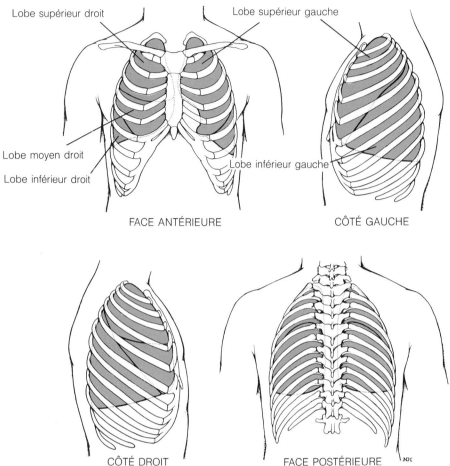

Lobe supérieur droit

Lobe supérieur gauche

Lobe moyen droit

Lobe inférieur droit

Lobe inférieur gauche

FACE ANTÉRIEURE

CÔTÉ GAUCHE

CÔTÉ DROIT

FACE POSTÉRIEURE

***Figure 2-8.*** Situation des lobes des poumons par rapport à la paroi thoracique

Pour examiner le thorax et les poumons, on doit appliquer les techniques d'inspection, de palpation, de percussion et d'auscultation. Quand elle utilise correctement ces techniques et interprète les résultats de façon logique, l'infirmière obtient de précieux renseignements pour établir son plan de soins. Pour formuler les résultats de l'examen physique, on utilise habituellement les repères anatomiques connus comme points de référence.

Pour situer des données sur le thorax, on se sert de points de repère verticaux et horizontaux. Ainsi, pour situer une donnée sur le plan horizontal, on fait référence à la côte ou à l'espace intercostal qui se trouve au niveau des doigts de la personne qui fait l'examen (figure 2-6). Sur la face antérieure du thorax, on peut situer les côtes à partir de l'*angle de Louis,* un angle saillant qui se trouve au point de rencontre du manubrium sternal et de l'extrémité supérieure du corps du sternum, soit au niveau de la deuxième côte. On peut donc situer les autres côtes en comptant à partir de la deuxième côte. Pour situer un espace intercostal, on fait référence à la côte qui se situe immédiatement au-dessus.

Il est plus difficile de localiser les côtes sur la face postérieure du thorax. On doit tout d'abord situer les apophyses épineuses en trouvant l'apophyse la plus saillante, généralement la septième vertèbre cervicale. Quand le cou est légèrement fléchi, la septième vertèbre cervicale fait saillie.

On peut alors repérer les autres vertèbres en comptant à partir de la septième vertèbre.

Pour situer sur le plan vertical les données d'un examen thoracique, on fait référence à des lignes imaginaires (figure 2-7). La *ligne mi-sternale* est la ligne fictive qui descend le long du sternum, en son milieu. La *ligne mi-claviculaire* est la ligne verticale qui part du milieu de la clavicule. Habituellement, le choc apexien du cœur se situe le long de cette ligne sur la face gauche du thorax. Quand le bras est en abduction à 90° par rapport au corps, on peut tracer trois lignes verticales imaginaires: depuis le pli axillaire antérieur, depuis le milieu de l'aisselle et depuis le pli axillaire postérieur. Ces lignes sont respectivement appelées *ligne axillaire antérieure, ligne axillaire médiane* et *ligne axillaire postérieure.* La ligne imaginaire tracée verticalement au travers les pôles supérieur et inférieur de l'omoplate s'appelle *ligne scapulaire,* tandis que la ligne qui descend le long de la colonne vertébrale est appelée *ligne vertébrale.*

En utilisant les points de repère connus, on peut formuler les données de façon claire. Par exemple, on peut parler d'une «zone de matité qui s'étend de la ligne vertébrale à la ligne scapulaire entre la 7e et la 10e côte sur la droite».

On peut situer les lobes du poumon sur la paroi thoracique de la façon suivante (figure 2-8): du côté gauche, la ligne séparant les lobes supérieur et inférieur commence à la quatrième apophyse épineuse du thorax postérieur, contourne le thorax et suit la cinquième côte dans la ligne mi-axillaire pour ensuite rejoindre la sixième côte au niveau du sternum. Du côté droit, cette ligne sépare le lobe moyen du lobe inférieur. La ligne qui sépare le lobe supérieur droit du lobe moyen droit est une ligne incomplète qui commence à la cinquième côte sur la ligne mi-axillaire, où elle croise la ligne séparant les lobes supérieur et inférieur et continue horizontalement jusqu'au sternum. Par conséquent, les lobes supérieurs sont dominants à la face antérieure du thorax alors que les lobes inférieurs sont dominants à la face postérieure. Le lobe moyen du poumon droit ne se présente pas à la face postérieure du thorax.

## Inspection du thorax

L'inspection du thorax renseigne sur la structure musculo-squelettique, l'alimentation et l'état de l'appareil respiratoire. On évalue la couleur et l'élasticité de la peau recouvrant le thorax et on recherche les signes indiquant une perte de tissu sous-cutané. S'il existe une asymétrie, il faut la noter.

### Configuration du thorax
Normalement, le rapport des diamètres antéropostérieur et transversal du thorax est de 1:2. Il existe toutefois quatre déformations thoraciques associées aux maladies respiratoires : le thorax en tonneau, le thorax en entonnoir (*pectus excavatum*), le thorax en carène ou en bréchet (*pectus carinatum*) et la cyphoscoliose.

*Thorax en tonneau.* Le thorax en tonneau est dû à une surdistension des poumons et se manifeste par une augmentation du diamètre antéropostérieur du thorax. Chez le patient atteint d'emphysème, les côtes sont plus espacées les unes des autres et les espaces intercostaux ont tendance à bomber lors de l'expiration. L'aspect du patient souffrant d'emphysème avancé est donc assez caractéristique et on peut le remarquer facilement, même de loin.

*Thorax en entonnoir.* Le thorax en entonnoir se traduit par une dépression de la partie inférieure du sternum. Cette dépression peut comprimer le cœur et les gros vaisseaux et entraîner des souffles. Le thorax en entonnoir peut apparaître chez les personnes souffrant de rachitisme, du syndrome de Marfan ou de certaines maladies professionnelles.

*Thorax en carène (ou en bréchet).* Le thorax en carène se caractérise par un déplacement du sternum et par une augmentation du diamètre antéropostérieur. Cette anomalie peut accompagner le rachitisme, le syndrome de Marfan ou la cyphoscoliose grave.

*Cyphoscoliose.* La cyphoscoliose se caractérise par une élévation de l'omoplate associée à une incurvation en S de la colonne. Cette anomalie restreint le mouvement des poumons dans le thorax. Elle peut accompagner l'ostéoporose ou d'autres affections osseuses touchant le thorax.

### Types de respiration
Il importe également d'observer la fréquence et l'amplitude de la respiration. Chez l'adulte, la fréquence respiratoire normale se situe entre 12 et 18 respirations par minute ; l'amplitude et le rythme sont réguliers. La *tachypnée* est une augmentation de la fréquence respiratoire, alors que l'*hyperpnée* est une augmentation de l'amplitude de la respiration. L'*hyperventilation alvéolaire* est une augmentation de l'amplitude et de la fréquence de la respiration, et elle se traduit par une diminution de la $PaCO_2$. On appelle respiration de Kussmaul une très grave hyperventilation avec une augmentation prononcée de la fréquence et de l'amplitude respiratoires associée à une acidose d'origine diabétique ou rénale. La respiration de Cheyne-Stokes se manifeste par une alternance d'apnée (arrêt respiratoire) et de respiration profonde. Elle est le plus souvent associée à une insuffisance cardiaque ou à une atteinte du centre respiratoire (causée par des médicaments, une tumeur ou un trauma).

Normalement, seule la phase inspiratoire de la respiration exige une dépense d'énergie ; l'expiration est passive. L'inspiration occupe le premier tiers du cycle ventilatoire et l'expiration les deux autres tiers. Si la respiration est rapide, toutefois, l'inspiration et l'expiration sont presque d'égale longueur.

Chez les personnes minces, il est normal de constater une légère rétraction des espaces intercostaux à l'inspiration. Une voussure pendant l'expiration indique que l'écoulement du gaz expiratoire est obstrué (c'est ce qui se passe dans l'emphysème par exemple). Une rétraction prononcée lors de l'inspiration évoque l'obstruction d'un conduit de l'arbre bronchique, surtout si la rétraction est asymétrique. Une asymétrie dans la voussure des espaces intercostaux droit et gauche est due à une augmentation de la pression dans l'hémithorax. Cette augmentation peut être due à la pression exercée par un épanchement d'air (pneumothorax) ou de liquide (pleurésie) dans l'espace compris entre la plèvre viscérale et la plèvre pariétale.

La forte douleur qui accompagne la pleurésie provoque un spasme des muscles intercostaux et un temps mort dans la respiration du côté atteint.

Certains rythmes respiratoires sont caractéristiques de certains états pathologiques. On ne s'attend pas à ce que l'infirmière reconnaisse un rythme donné ou l'état pathologique qui y est associé, mais on lui demande d'être capable de décrire les anomalies qu'elle observe.

## Palpation du thorax

Après l'étape de l'inspection, on passe à la palpation du thorax afin de déceler les zones douloureuses et la présence de masses ou de lésions, d'évaluer les mouvements et l'excursion de la cage thoracique et de mettre en évidence les vibrations vocales. Si le patient signale une zone douloureuse ou si des lésions sont apparentes (lésions cutanées ou masse sous-cutanée), on palpe directement avec le bout des doigts. On palpe avec la paume de la main pour dépister les masses profondes ou dans les cas de douleur lombaire ou costale généralisée.

*Mouvements de la cage thoracique.* Les mouvements de la cage thoracique permettent d'évaluer l'amplitude thoracique et de recueillir des données souvent précieuses sur la symétrie de la respiration. Les différences d'amplitude sont plus faciles à détecter sur la face antérieure du thorax, là où les mouvements de la respiration sont plus complets. On place les pouces le long des rebords costaux situés en-dessous de la pointe du sternum, en laissant les mains sur les côtés de la cage thoracique. On fait ensuite glisser les pouces vers le centre, sur environ 2,5 cm, pour soulever un pli de peau. On demande alors au patient d'inspirer profondément et on observe le mouvement des pouces durant l'inspiration et l'expiration. Normalement, ce mouvement est symétrique.

Pour examiner les mouvements de la face postérieure du thorax, on place les pouces près de la colonne vertébrale à la hauteur de la 10ᵉ côte. Ses mains reposent sur les côtés de la cage thoracique. Ici encore, on glisse les pouces vers le centre de façon à former un pli avec la peau du dos. On demande ensuite au patient de respirer profondément et on vérifie si le pli cutané disparaît normalement et si le thorax se déplace symétriquement. La présence d'un temps mort ou d'une insuffisance respiratoire est souvent due à une pleurésie, à une fracture des côtes ou à un trauma de la paroi thoracique.

**Vibrations vocales.** Les sons produits par le larynx se déplacent en aval le long de l'arbre bronchique et provoquent des vibrations dans la paroi thoracique, surtout quand il s'agit de sons comprenant une consonne. Les frémissements *perçus* dans la paroi thoracique s'appellent *vibrations vocales.*

Les vibrations vocales normales varient beaucoup. Évidemment, elles sont influencées par l'épaisseur de la paroi thoracique, plus précisément par l'épaisseur des muscles. L'excès de tissus sous-cutanés qui caractérise l'obésité a également une certaine influence sur les vibrations vocales. Les sons graves se transmettent mieux que les sons aigus au poumon normal et produisent plus de vibrations dans la paroi thoracique. Les vibrations vocales sont donc plus prononcées chez l'homme, dont la voix est grave, que chez la femme.

Normalement, les vibrations vocales sont plus prononcées là où les grosses bronches se trouvent tout près de la paroi thoracique, et elles sont de moins en moins perceptibles à mesure que l'on descend et que l'on s'éloigne des grosses bronches. Par conséquent, elles sont davantage palpables dans la partie supérieure des faces antérieure et postérieure du thorax. Pour provoquer des vibrations vocales, le patient doit répéter «quarante-quatre» ou «un-deux-trois» à chaque

mouvement des mains de la personne qui fait l'examen. On peut détecter les vibrations en plaçant la partie charnue des doigts et des mains (la face interne des mains ouvertes) sur le thorax. Pour faciliter la comparaison, on palpe le thorax d'une seule main, de haut en bas. On compare les zones correspondantes des côtés gauche et droit du thorax (figure 2-9). Les régions osseuses ne sont pas palpées.

Il convient d'expliquer les lois physiques de la transmission du son aux poumons. L'air propage mal le son, mais les matières solides (les tissus par exemple) le transmettent bien, à condition qu'elles soient élastiques et non agglomérées en une masse non résonante. Par conséquent, une augmentation du tissu solide par unité de volume pulmonaire accentue les vibrations vocales, tandis qu'une augmentation de l'air par unité de volume pulmonaire bloque les vibrations vocales. Ainsi, les vibrations vocales seront presque absentes chez le patient atteint d'emphysème, alors que chez le patient souffrant d'une consolidation d'un lobe pulmonaire consécutive à une pneumonie, les vibrations vocales seront plus fortes que la normale du côté atteint. L'air qui peut se trouver dans la cavité pleurale ne transmet pas le son.

## Percussion du thorax

La percussion fait bouger la paroi thoracique et les organes intrathoraciques et produit ainsi des vibrations audibles et tactiles. L'examinateur utilise la percussion pour déterminer si les tissus sous-jacents sont remplis d'air, de liquide ou de tissu dense. On peut également se servir de la percussion pour évaluer les dimensions et la position de certaines structures intrathoraciques (diaphragme, cœur, foie).

Habituellement, on commence la percussion sur la face postérieure du thorax. Il est préférable que le patient soit

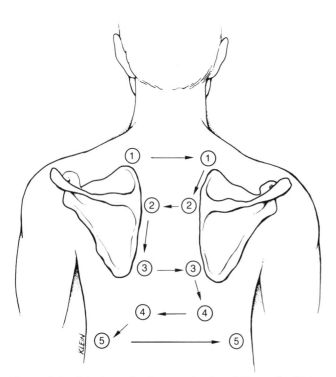

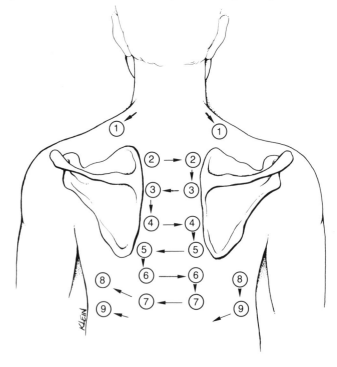

**Figure 2-9.**    Palpation : vibrations vocales. Les chiffres et les flèches indiquent l'ordre dans lequel s'effectue l'examen.

(Source : B. Bates, *Guide de l'examen clinique,* Saint-Hyacinthe, Edisem, 1980)

**Figure 2-10.**    Percussion de la face postérieure du thorax. Le patient est en position assise. On percute des zones symétriques des poumons à des intervalles de 5 cm. La percussion commence à l'apex des poumons et se termine sur les deux côtés de la paroi thoracique.

(Source : B. Bates, *Guide de l'examen physique,* Saint-Hyacinthe, Edisem, 1980)

assis, la tête penchée vers l'avant et les bras croisés sur les genoux. De cette façon, les omoplates sont largement séparées et dégagent une bonne partie des poumons. La percussion se fait selon un ordre précis. Premièrement, on percute au niveau des omoplates en localisant les 5 cm de sonorité au-dessus des apex des poumons (figure 2-10). On continue ensuite de haut en bas en percutant des zones symétriques à intervalles de 5 à 6 cm. On place d'abord le majeur sur un espace intercostal parallèlement aux côtes, en appuyant fermement contre la paroi thoracique, puis on percute à l'aide du majeur de l'autre main. Si on percute une omoplate ou une côte, on obtient un bruit sourd qui ne fait qu'embrouiller les résultats. Pour percuter la face antérieure du thorax, on demande au patient de s'asseoir, de tirer les épaules vers l'arrière et de placer les bras de chaque côté du corps. On commence par la région sus-claviculaire et on descend d'un espace intercostal à l'autre. Chez la femme, il est souvent nécessaire de déplacer les seins pour bien examiner la face antérieure du thorax. Il est normal de constater une submatité à gauche du sternum entre les troisième et cinquième espaces intercostaux ; cette submatité correspond au cœur. Il est normal aussi de noter une zone de submatité au niveau du foie, c'est-à-dire à droite du thorax depuis le cinquième espace intercostal jusqu'au rebord costal droit sur la ligne mi-claviculaire.

Pour l'examen des régions antérieure et latérale du thorax, le patient doit être couché sur le dos. Si le patient est trop malade ou est incapable de s'asseoir, on peut faire la percussion de la face postérieure du thorax en le plaçant sur le côté.

***Signes de maladie.*** On décèle une zone de submatité lorsque du liquide ou du tissu dense remplace l'air des poumons. Le patient peut par exemple souffrir d'une pneumonie lobaire (dans laquelle les alvéoles sont agglomérées par des cellules) ou présenter une accumulation de liquide pleural, de sang, de pus, de tissu fibreux ou d'une tumeur dans la cavité pleurale. Chez le patient atteint de pneumothorax, on perçoit un tympanisme (son analogue à celui qu'on produit en frappant un tambour), et chez le patient atteint d'emphysème, on perçoit une hypersonorité (tableau 2-2).

***Excursion diaphragmatique.*** La sonorité normale des poumons s'arrête au diaphragme. La position du diaphragme est différente pendant l'inspiration et l'expiration. Pour évaluer la position et l'excursion du diaphragme, on demande au patient d'inspirer profondément et de retenir son souffle pendant que l'on percute la descente maximale du diaphragme. La percussion se fait sur les lignes mi-claviculaires droite et gauche. On note le point où le bruit passe de la résonance à la submatité. On peut marquer ce point avec un stylo. Le patient doit ensuite expirer à fond et retenir sa respiration pendant que l'on percute jusqu'au point de submatité du diaphragme. On marque également ce point. La distance entre les deux marques indique l'amplitude du mouvement du diaphragme.

L'excursion maximale du diaphragme peut atteindre 8 à 10 cm chez un homme jeune, grand et en santé. Chez la plupart des gens, toutefois, elle est de 5 à 7 cm. Le diaphragme est plus haut de 2 cm sur le côté droit à cause de la position du cœur et du foie (respectivement au-dessus et en dessous des segments gauche et droit du diaphragme). L'excursion diaphragmatique est parfois réduite chez les patients atteints de pleurésie ou d'emphysème. Par ailleurs, en présence d'une augmentation de la pression intrathoracique (chez une femme enceinte ou une personne souffrant d'ascite), le diaphragme peut être anormalement haut dans le thorax.

## Auscultation du thorax

L'auscultation sert à évaluer l'écoulement de l'air dans l'arbre bronchique et à déceler la présence d'une obstruction solide ou liquide dans les tissus pulmonaires. Pour évaluer l'état des poumons, l'examinateur ausculte les bruits normaux, les bruits anormaux ou adventices et les bruits de la voix.

Un examen approfondi comprend l'auscultation des faces antérieure, postérieure et latérales du thorax, et se fait de la façon suivante. On appuie le diaphragme du stéthoscope fermement contre la paroi thoracique pendant que le patient respire lentement et profondément par la bouche. On ausculte alors des zones correspondantes de façon symétrique, depuis l'apex des poumons jusqu'à leur base, le long des lignes mi-axillaires. L'ordre d'auscultation et la position du patient sont les mêmes que pour la percussion. Il est souvent nécessaire d'écouter deux inspirations et expirations complètes dans chaque zone pour être certain de bien interpréter les bruits perçus. À force de respirer profondément pour les besoins de l'auscultation, le patient peut présenter des symptômes d'hyperventilation (sensation ébrieuse par exemple), ce que l'on peut éviter en le laissant se reposer et respirer normalement une ou deux fois durant l'examen.

TABLEAU 2-2. *Bruits perçus à la percussion*

| Note | Tonalité | Intensité | Qualité | Durée | Densité | Emplacement possible |
|------|----------|-----------|---------|-------|---------|----------------------|
| Tympanisme | Très haute | Élevée | Musical | Longue | Plus d'air que de tissu dense | Bulle d'air gastrique |
| Hypersonorité | Basse | Moyennement élevée | Légèrement musical | Moyennement longue | Plus d'air que de tissu dense | Poumon emphysémateux |
| Sonorité | Moyennement basse | Moyenne | Non musical | Moyenne | Rapport air-tissu normal | Poumon normal |
| Submatité | Moyennement haute | Faible | Non musical, assourdi | Courte | Liquide plus tissu dense | Foie, cœur |
| Matité | Haute | Faible | Doux et sourd | Courte | Tissu dense | Os, cuisse |

(Source : M. R. Kinney et coll., (éd.) *AACN's Clinical Reference for Critical Care Nursing*, New York, McGraw-Hill, 1981, copyright CV Mosby, St. Louis)

TABLEAU 2-3.    *Bruits respiratoires normaux*

| Type de bruit | Emplacement normal | Tonalité | Intensité | Rapport inspiration-expiration | Description | Illustration graphique |
|---|---|---|---|---|---|---|
| Murmure vésiculaire | Dans presque tout le thorax | Faible | Moyenne | 3:1 | Bruit ressemblant au sifflement du vent dans les arbres | |
| Bronchique | Au niveau des grandes voies aériennes centrales | Élevée | Forte | 2:3 | Creux, tubaire | |
| Bronchovésiculaire | Au niveau des principales voies aériennes centrales | Moyenne | Moyennement forte | 1:1 | Bruit ressemblant au sifflement du vent dans les arbres, tubaire, en forme de V inversé | |

**Bruits respiratoires.** Les bruits respiratoires normaux se distinguent par leur emplacement sur une zone précise du poumon. On les appelle murmures vésiculaires, bruits bronchiques et bruits bronchovésiculaires.

Les murmures vésiculaires sont des sons graves et faibles ayant une longue phase inspiratoire et une courte phase expiratoire. Habituellement, ils sont perçus dans tout le poumon, sauf dans le haut du sternum et entre les omoplates. Les bruits bronchiques sont généralement plus forts et plus aigus que les murmures vésiculaires. Leur phase expiratoire est plus longue que leur phase inspiratoire.

Les bruits bronchiques sont perçus au niveau de la trachée. Les bruits bronchovésiculaires sont perçus dans la région des grosses bronches, plus précisément entre les omoplates et des deux côtés du sternum. Ils ont une tonalité moyenne et leurs phases expiratoire et inspiratoire sont d'égale longueur.

La perception de bruits bronchiques et bronchovésiculaires ailleurs dans les poumons indique un état pathologique, souvent une consolidation due à une pneumonie ou à une insuffisance cardiaque par exemple. Il faut alors consulter un médecin (tableau 2-3).

L'auscultation permet de déterminer la qualité et l'intensité des bruits respiratoires. Quand l'écoulement de l'air est entravé par une obstruction bronchique ou quand du liquide (épanchement pleural) ou un excès de tissu (obésité) éloignent le stéthoscope des voies aériennes, les bruits respiratoires sont atténués ou inexistants. Chez le patient emphysémateux, par exemple, les bruits respiratoires sont faibles et souvent inaudibles.

Lorsqu'on la perçoit à l'auscultation, la phase expiratoire se prolonge et peut produire un son sifflant et aigu appelé *sibilance* (wheezing). On perçoit également des sibilances chez les asthmatiques ou chez les personnes souffrant d'une affection produisant une bronchoconstriction ou un bronchospasme.

**Bruits adventices.** En présence d'une anomalie touchant l'arbre bronchique et les alvéoles, on peut percevoir des bruits surajoutés, les bruits adventices. Ces bruits se classent en deux catégories: les bruits discrets non continus, et les bruits musicaux continus. La durée du bruit détermine si le bruit est continu ou non. Les *râles fins ou crépitants* sont des bruits discrets dus à la réouverture tardive de voies aériennes privées d'air. Ils sont habituellement audibles à la fin de l'inspiration et proviennent des alvéoles. On peut simuler le son de ces râles en roulant entre les doigts une mèche de cheveux près de l'oreille. Ils sont le signe d'une inflammation ou d'une congestion sous-jacente et sont souvent présents dans la pneumonie, la bronchite, l'insuffisance cardiaque, ou la fibrose pulmonaire interstitielle diffuse. Les *gros râles ou râles grossiers* produisent un son humide et plus intense. Produits dans les grosses bronches, ils sont audibles entre le début et le milieu de l'inspiration. La toux fait parfois disparaître les râles.

Les sibilances sont des bruits musicaux continus qui durent plus longtemps que les râles crépitants. Elles se font entendre durant l'inspiration, durant l'expiration ou les deux. Elles sont causées par le passage de l'air dans des voies aériennes rétrécies ou partiellement obstruées. Comme l'obstruction est souvent due à une accumulation de sécrétions ou à un œdème, la toux peut les faire disparaître. Elles proviennent des petites bronches et des bronchioles; elles sont sifflantes et de tonalité élevée. Les râles continus (ronchus) prennent naissance dans les plus grosses bronches ou dans la trachée; ils donnent un son plus grave et plus sonore. On peut les entendre chez les patients qui ont beaucoup de sécrétions. Quant aux sibilances, elles sont souvent perceptibles chez les personnes atteintes d'asthme ou d'emphysème.

L'inflammation des surfaces pleurales produit un bruit de crépitement et de raclement qui s'entend aux deux temps de la respiration. Ce bruit s'appelle *frottement pleural.* Il semble assez près de l'oreille et est accentué quand on appuie sur la tête du stéthoscope. On peut le simuler en frottant le pouce contre l'index près de l'oreille. Il n'est pas modifié par la toux. Quand il est perceptible uniquement durant l'inspiration, il est difficile à différencier des râles fins qui, s'ils sont multiples et fréquents, se fondent en un bruit continu.

**Bruits de la voix.** On appelle *transmission de la voix haute* le son que l'on perçoit à l'auscultation quand le patient parle. Les vibrations produites dans le larynx sont transmises à la paroi thoracique quand elles passent dans les bronches et le tissu alvéolaire. Pendant le trajet, les sons diminuent en intensité et sont altérés, de sorte qu'on ne peut distinguer les syllabes. En général, on évalue les bruits de la voix en demandant au patient de répéter continuellement «trente-trois» pendant qu'on ausculte avec un stéthoscope les zones du thorax, depuis l'apex des poumons jusqu'à leur base.

TABLEAU 2-4.    *Types de bruits adventices*

| Type | Situation générale | Problème(s) associé(s) | Caractéristiques | Illustration graphique |
|---|---|---|---|---|
| Râles fins ou crépitants | Voies aériennes périphériques et alvéoles | Atélectasie<br>Inflammation<br>Excès de liquide<br>Excès de mucus | Groupe de crépitations discrètes ou bruits d'éclatement; discontinus; apparaissent habituellement pendant l'inspiration, mais peuvent être perçus à l'inspiration et au début de l'expiration. | fins    crépitants |
| Ronchus | Grosses voies aériennes | Inflammation<br>Excès de liquide<br>Excès de mucus | Bruits sonores, de basse tonalité et continus; apparaissent habituellement pendant l'expiration, mais peuvent être perçus aux deux temps de la respiration; la toux en modifie le timbre et le moment où ils surviennent. | |
| Sibilances | Grosses ou petites voies aériennes | Bronchoconstriction (rétrécissement des voies aériennes) consécutive à un bronchospasme, à une accumulation de liquide ou de mucus, à une inflammation ou à une lésion obstructive; instabilité des voies respiratoires | Bruit musical aigu (parfois grave); continu; apparaît habituellement pendant l'expiration, mais peut se produire aux deux temps de la respiration. | |
| Frottement pleural | Surfaces pleurales | Surfaces pleurales enflammées ou rugueuses (pleurésie) | Bruit de raclement à caractère continu et discontinu; peut se manifester de façon intermittente; durée variable, apparaît habituellement pendant l'inspiration, mais peut se produire aux deux temps de la respiration; peut être intensifié par la toux. | |

(Source: L. D. Kersten, *Comprehensive Respiratory Nursing: A Decision-Making Approach*, Philadelphia, W. B. Saunders, 1989)

TABLEAU 2-5.    *Tableau clinique de quelques maladies respiratoires courantes*

| Maladie/trouble | Vibrations vocales | Percussion | Auscultation |
|---|---|---|---|
| Condensation (pneumonie, par exemple) | Augmentées | Submatité | Bruits bronchiques, râles fins, bronchophonie, égophonie, pectoriloquie aphone |
| Bronchite | Normales | Sonorité | Bruits respiratoires normaux ou diminués, sibilances et ronchus |
| Emphysème | Diminuées | Hypersonorité | Murmures vésiculaires et bruits bronchiques faibles, généralement avec expiration prolongée |
| Asthme (crise aiguë) | Normales à diminuées | Sonorité à hyperso-norité | Sibilances et ronchus |
| Œdème pulmonaire | Normales | Sonorité | Râles fins ou crépitants à la base des poumons, sibilances dans plusieurs cas |
| Pleurésie | Absentes | Submatité à matité | Bruits respiratoires faibles ou absents, bruits bronchiques et bronchophonie, égophonie et pectoriloquie aphone au-dessus de l'épanchement au niveau de la zone de compression pulmonaire |
| Pneumothorax | Diminuées | Hypersonorité | Absence de bruits respiratoires |
| Atélectasie | Absentes | Matité | Bruits respiratoires faibles ou absents |

(Source: M. R. Kinney, et coll., *AACN's Clinical Reference for Critical Care Nursing*, New York, McGraw-Hill, 1981, copyright CV Mosby, St. Louis)

Si les bruits de la voix sont plus intenses et plus nets que d'habitude, on parle de *bronchophonie*. Pour dépister l'*égophonie*, on doit demander au patient de répéter le son «i». Il y a égophonie si une consolidation transforme le son en un «é» très clairement perceptible.

La bronchophonie et l'égophonie ont exactement la même connotation que la respiration bronchique et l'augmentation des vibrations vocales. Les changements dans les vibrations vocales sont plus subtils et peuvent passer inaperçus. Par contre, on percevra très clairement la respiration bronchique et la bronchophonie.

La *pectoriloquie aphone* est un phénomène très subtil, qu'on ne perçoit que dans les cas de consolidation très dense. La transmission des sons aigus est tellement intensifiée que même les mots chuchotés sont perçus à l'auscultation. Comme la bronchophonie, la pectoriloquie aphone est signe de consolidation.

L'examen courant du thorax et des poumons se fait en trois temps : inspection du thorax et de la respiration, percussion de la face postérieure du thorax et, enfin, auscultation des bruits respiratoires et recherche de bruits adventices. On omet la palpation des vibrations vocales et l'auscultation des sons de la voix, à moins qu'elles ne soient justifiées par les antécédents du patient ou des observations effectuées lors d'un examen physique antérieur.

Le tableau 2-5 résume les anomalies physiques qui caractérisent les maladies respiratoires les plus courantes.

# ÉVALUATION DES SIGNES ET SYMPTÔMES RESPIRATOIRES

Les principaux signes et symptômes de la maladie respiratoire sont les suivants : dyspnée, toux, expectorations, douleur thoracique, respiration sifflante, hippocratisme digital, hémoptysie et cyanose. Ces manifestations cliniques sont reliées à la durée et à la gravité de la maladie.

## Dyspnée

La dyspnée est une sensation d'essoufflement ou de respiration laborieuse et constitue un symptôme courant de plusieurs maladies pulmonaires et cardiaques, surtout quand il y a diminution de la compliance pulmonaire et augmentation de la résistance des voies aériennes. La maladie pulmonaire finit par affecter le ventricule droit du cœur, car ce ventricule doit envoyer le sang aux poumons. L'apparition soudaine d'une dyspnée chez une personne en santé peut être le signe d'un pneumothorax (air dans la cavité pleurale). Un essoufflement soudain chez un patient malade ou venant d'être opéré peut évoquer une embolie pulmonaire. Quant à l'*orthopnée* (incapacité de respirer en position couchée), elle peut se manifester chez les patients souffrant d'une cardiopathie et, parfois, chez les patients atteints d'une bronchopneumopathie chronique obstructive (BPCO). La dyspnée accompagnée d'expirations sifflantes est également un signe de BPCO (asthme, bronchite et emphysème). La respiration bruyante peut être causée par le rétrécissement d'une voie aérienne ou par l'obstruction localisée (tumeur ou corps étranger) d'une grosse bronche. Une respiration sifflante à l'inspiration et à l'expiration est généralement due à l'asthme ou à l'insuffisance cardiaque. La dyspnée peut être un signe clinique très révélateur. En général, les maladies pulmonaires aiguës provoquent une dyspnée

plus marquée que les maladies pulmonaires chroniques. Pour évaluer le patient, on doit d'abord déterminer les circonstances dans lesquelles il ressent de la dyspnée. Il importe de lui poser certaines questions :

- Quel degré d'effort déclenche l'essoufflement?
- La dyspnée s'accompagne-t-elle d'une toux?
- Est-elle accompagnée d'autres symptômes?
- Est-elle apparue soudainement ou graduellement?
- À quel moment du jour ou de la nuit apparaît-elle?
- S'aggrave-t-elle en position couchée?
- Apparaît-elle au repos? À l'effort? En courant? Quand le patient court ou monte un escalier?
- Est-elle empirée par la marche? Si oui, après avoir parcouru quelle distance?

On peut traiter la dyspnée dans la mesure où on peut en atténuer la cause. On peut parfois la soulager en couchant le patient la tête surélevée. Dans les cas graves, on administre de l'oxygène.

## Toux

La toux est due à une irritation de la muqueuse de n'importe quel segment des voies respiratoires. Elle peut être déclenchée par une infection ou par l'exposition à un agent irritant aérogène comme la fumée, la pollution atmosphérique, la poussière ou un gaz. Il s'agit du principal réflexe de protection contre l'accumulation de sécrétions dans les bronches et les bronchioles.

La toux peut toutefois être le signe d'une maladie pulmonaire grave. Ses caractéristiques ont beaucoup d'importance. Une toux sèche et irritante traduit une infection virale des voies respiratoires supérieures. La laryngotrachéite entraîne une toux irritante et aiguë. Les lésions trachéales, elles, provoquent une toux rauque. Une toux grave ou *changeante* peut être un signe de cancer bronchopulmonaire. Une toux accompagnée de douleur thoracique de type pleurétique peut indiquer une atteinte de la paroi pleurale ou thoracique.

On doit donc noter les caractéristiques de la toux. S'agit-il d'une toux sèche? D'un toussotement? D'une toux rauque? Sifflante? Grasse? Forte? On note également le moment où la toux apparaît. La toux nocturne peut être un signe précoce d'insuffisance cardiaque gauche ou d'asthme bronchique. La toux matinale accompagnée d'expectorations est un signe de bronchite. Si la toux est aggravée quand le patient est couché sur le dos, elle peut être due à un écoulement dans l'arrière-nez (sinusite). Si elle apparaît après un repas, elle peut être due à l'aspiration d'un corps étranger dans l'arbre trachéo-bronchique. Une toux récente est habituellement due à une infection aiguë.

## Expectorations

Si le patient tousse suffisamment longtemps, il en vient presque toujours à expulser des expectorations. Une toux violente provoque un spasme bronchique et une obstruction en plus d'aggraver l'irritation des bronches, ce qui peut entraîner une syncope. Quand une toux forte, répétée et incontrôlable est improductive, elle peut devenir épuisante et pernicieuse. L'expectoration est la réaction des poumons à une irritation. Elle peut également être reliée à un écoulement nasal. Si le patient expulse une quantité importante d'expectorations purulentes (épaisses et jaunes ou vertes) ou dont la couleur change, il souffre probablement d'une infection d'origine bactérienne. Les expectorations rouillées sont un signe de pneumonie bactérienne si le patient n'a pas reçu d'antibiotiques. Les expectorations claires et mucoïdes sont souvent caractéristiques d'une bronchite d'origine virale. Des expectorations qui augmentent graduellement peuvent traduire une bronchite chronique ou une bronchectasie (dilatation des bronches). Les expectorations mucoïdes rosées sont un signe de tumeur pulmonaire, tandis que les expectorations rosées, spumeuses et abondantes qui remontent souvent dans la gorge peuvent indiquer la présence d'un œdème pulmonaire. Les expectorations nauséabondes et la mauvaise haleine peuvent être le signe d'un abcès du poumon, d'une bronchectasie ou d'une infection causée par un fusospirochète ou une autre bactérie anaérobie.

Si les sécrétions sont trop épaisses pour monter dans les voies respiratoires et être rejetées, il faut les éclaircir par l'hydratation et l'inhalation de solutions en aérosol (à l'aide de n'importe quel type de nébuliseur). On décrit à la page 78 les mesures utilisées pour rendre la toux productive.

Il est absolument contre-indiqué de fumer, car l'inhalation de la fumée nuit aux mouvements ciliaires, augmente les sécrétions bronchiques, provoque une inflammation et une hyperplasie des muqueuses, et entrave la production de surfactant, ce qui perturbe le drainage bronchique. Si le patient cesse de fumer, le volume des expectorations diminuera et sa résistance aux infections bronchiques s'améliorera.

L'appétit du patient est parfois diminué à cause de l'odeur des expectorations et du goût qu'elles laissent dans la bouche. Pour stimuler son appétit, on doit lui prodiguer de bons soins d'hygiène buccodentaire, bien choisir ses aliments et faire en sorte qu'il prenne ses repas dans une ambiance agréable. Avant les repas, on doit nettoyer et rincer soigneusement la bouche du patient, et enlever les haricots. On peut servir au patient un jus d'agrumes au début du repas pour qu'il se sente la bouche fraîche.

## Douleur thoracique

La douleur thoracique peut être associée à des maladies pulmonaires ou à des cardiopathies.

La douleur thoracique reliée à une maladie pulmonaire peut être vive, en coup de poignard et intermittente, ou alors sourde et persistante. Elle est habituellement ressentie du côté atteint, mais elle peut irradier ailleurs, comme dans le cou, le dos ou le ventre. Elle est un signe fréquent de pneumonie, d'embolie pulmonaire avec infarctus pulmonaire ou de pleurésie et un signe tardif de cancer bronchopulmonaire; elle est alors sourde et persistante à cause de l'envahissement par les cellules cancéreuses de la paroi thoracique, du médiastin ou de la colonne vertébrale.

La maladie pulmonaire n'entraîne pas toujours une douleur thoracique, car les poumons et la plèvre viscérale sont dépourvus de nerfs sensitifs et sont donc insensibles aux

Hippocratisme digital

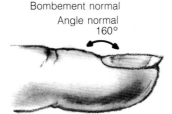

Bombement normal
Angle normal
160°

L'angle entre l'ongle du doigt normal et la base de l'ongle est d'environ 160°. À la palpation, la base de l'ongle est ferme.

Début du bombement
Flottement élastique
Angle ouvert (180°)

Au début du bombement, l'angle entre l'ongle et sa base s'ouvre. La base de l'ongle donne une sensation élastique ou de flottement à la palpation. On peut simuler cette sensation en serrant le médius de chaque côté entre le pouce et l'annulaire de la même main, juste en arrière de l'ongle. On palpe ensuite la base de l'ongle avec l'autre main.

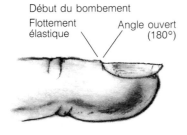

Bombement établi
Gonflement, flottement élastique
Angle plus grand que 180°

Dans le bombement établi, la base de l'ongle est nettement gonflée et l'angle entre l'ongle et la base de l'ongle dépasse 180°.

L'hippocratisme digital a plusieurs causes, notamment l'hypoxie et le cancer du poumon.

***Figure 2-11.*** Hippocratisme digital
(Source: B. Bates, *Guide de l'examen clinique*, 2ᵉ éd., Paris, MEDSI, 1985)

stimuli douloureux. La plèvre pariétale, par contre, est riche en nerfs sensitifs qui réagissent aux inflammations et à l'étirement de la membrane. La douleur pleurétique causée par l'irritation de la plèvre pariétale est vive et semble surprendre le patient lors de l'inspiration; les personnes qui en souffrent la comparent souvent à un «coup de poignard». Le patient se sent mieux quand il est couché sur le côté atteint, car cette position a tendance à exercer une pression sur la paroi thoracique, à restreindre l'expansion et la contraction du poumon et à atténuer le frottement entre les plèvres atteintes. On peut soulager la douleur reliée à la toux en exerçant une pression avec les mains sur la cage thoracique.

Il faut évaluer le caractère, l'intensité et l'irradiation de la douleur et déterminer les facteurs déclenchants. Il faut également vérifier s'il y a un lien entre la douleur et la position du patient. Enfin, on doit évaluer les phases inspiratoire et expiratoire de la respiration ainsi que leurs effets sur la douleur.

Les analgésiques soulagent efficacement la douleur thoracique, mais il faut veiller à ce qu'ils n'inhibent pas le centre respiratoire ou la «productivité» de la toux. Dans le cas d'une douleur intolérable, le médecin peut pratiquer une anesthésie régionale en injectant de la procaïne le long des nerfs intercostaux qui innervent la région douloureuse.

### Respiration sifflante (wheezing)

La respiration sifflante est souvent le principal symptôme de la bronchoconstriction et du rétrécissement d'une voie aérienne. On peut entendre les sifflements avec ou sans stéthoscope, selon leur point d'origine. Ils produisent un son aigu et musical que l'on entend surtout à l'expiration (les techniques d'examen sont décrites aux pages 31 à 38).

### Hippocratisme digital

L'hippocratisme digital se manifeste chez les patients souffrant d'une maladie hypoxique chronique, d'une infection pulmonaire chronique ou d'une tumeur maligne au poumon. À ses débuts, il peut se manifester par une texture spongieuse du lit unguéal et un aplatissement de l'angle du lit unguéal (figure 2-11).

### Hémoptysie

L'hémoptysie (expectoration de sang provenant des voies respiratoires) est un symptôme de certaines maladies pulmonaires et de certaines cardiopathies. L'expectoration peut être simplement sanguinolente; à l'autre extrême, il peut s'agir d'une hémorragie soudaine et abondante. L'hémoptysie justifie toujours un examen attentif. Ses causes les plus courantes sont: (1) une infection pulmonaire; (2) le cancer du poumon; (3) des anomalies du cœur ou des gros vaisseaux; (4) des anomalies de l'artère pulmonaire ou d'une veine pulmonaire; et (5) une embolie pulmonaire ou un infarctus du poumon. En général, elle apparaît soudainement et peut être intermittente ou continue. Il faut habituellement procéder à plusieurs examens pour en connaître la cause: analyses hématologiques, angiographie pulmonaire, radiographie du thorax et bronchoscopie. Pour poser le diagnostic, il est essentiel de procéder à un interrogatoire approfondi et de faire un examen physique complet, peu importe l'abondance de l'hémorragie, car la quantité de sang expectoré n'est pas toujours révélatrice de la gravité de la maladie.

Il importe tout d'abord de déterminer l'origine du saignement: il peut provenir des gencives, du rhinopharynx, des poumons ou de l'estomac. L'infirmière est parfois la seule personne à observer les saignements. Elle doit donc tenir compte des points suivants. Quand les saignements proviennent du nez ou du rhinopharynx, le patient commence par renifler beaucoup et du sang peut apparaître dans ses narines. Le sang provenant des poumons est habituellement rouge vif, écumeux et mêlé de sécrétions. Les premiers symptômes sont les suivants: léger picotement dans la gorge, goût salé dans la bouche, sensation de brûlure ou de bouillonnement dans la poitrine et, parfois, douleur thoracique (dans ce dernier cas, le patient a tendance à exercer une pression sur le côté atteint). Le terme *hémoptysie* s'applique uniquement aux expectorations de sang provenant des voies respiratoires. Le sang craché a un pH alcalin (supérieur à 7,0).

Si l'hémorragie provient de l'estomac, le sang est vomi (hématémèse) et non expectoré. Le sang qui a été en contact avec du suc gastrique est parfois si foncé qu'on parle d'un «aspect marc de café». Le sang vomi a un pH acide (inférieur à 7,0).

### Cyanose

La *cyanose* (coloration bleutée de la peau) est un signe très tardif d'*hypoxie*. Elle apparaît quand le sang contient au moins 50 g/L d'hémoglobine réduite (non oxygénée). Un patient dont le taux d'hémoglobine est de 150 g/L n'est pas cyanosé tant que 50 g/L de cette hémoglobine n'a pas perdu son oxygène, ce qui descend le taux efficace d'hémoglobine circulante aux deux tiers de la concentration normale. C'est le taux d'hémoglobine non oxygénée (50 g/L) qui détermine la cyanose, que la concentration d'hémoglobine soit faible ou élevée (le patient anémique présente rarement une cyanose, et le patient polycythémique a l'air cyanosé même s'il est bien oxygéné). La cyanose n'est donc *pas* un signe fiable.

La cyanose sera plus ou moins facile à évaluer selon l'éclairage de la pièce, la couleur de la peau du patient et la distance entre les vaisseaux et la surface de la peau. Si le patient souffre d'une maladie pulmonaire, on évalue la cyanose centrale en examinant la couleur de la langue et des lèvres. Une coloration bleutée de la langue et des lèvres indique une diminution de la pression de l'oxygène dans le sang. La cyanose est dite périphérique quand elle est due à une diminution de l'apport sanguin dans une région externe du corps (comme lorsque le froid provoque une vasoconstriction des lits unguéaux ou des lobes des oreilles). La cyanose périphérique n'est pas nécessairement le signe d'un problème d'ordre général.

## ÉVALUATION DE LA CAPACITÉ RESPIRATOIRE

L'évaluation de la capacité respiratoire peut aisément se faire au chevet du patient par la mesure de la fréquence respiratoire, du volume courant, de la ventilation-minute, de la capacité vitale, de la force inspiratoire et de la compliance pulmonaire. Ces mesures sont tout particulièrement importantes chez les patients qui présentent des risques de complications pulmonaires, notamment ceux qui ont subi une opération thoracique ou abdominale, qui ont été soumis à une anesthésie prolongée ou qui souffrent déjà d'une maladie pulmonaire, de même que les personnes âgées.

Chez les patients dont l'expansion thoracique est restreinte (à cause de l'obésité ou d'un ballonnement abdominal, par exemple) ou qui sont incapables de respirer profondément à cause de douleurs ou de l'usage de sédatifs, les volumes courants sont faibles. Quand les volumes courants sont faibles et qu'aucun soupir ne comble le manque d'air, la ventilation peut entraîner un affaissement des alvéoles (atélectasie). La capacité résiduelle fonctionnelle chute, la compliance pulmonaire baisse et le patient doit respirer plus vite pour maintenir le même degré d'oxygénation tissulaire. Ces changements peuvent être plus graves si le patient souffre déjà d'une maladie pulmonaire ou est une personne âgée dont la compliance des voies respiratoires est réduite à cause de la fermeture prématurée des petites voies aériennes durant l'expiration.

### Fréquence respiratoire

Chez un adulte en santé, au repos et installé confortablement, la fréquence respiratoire est de 12 à 18 respirations par minute. À part un soupir de temps à autre, la respiration est régulière.

- La *bradypnée* (diminution de la fréquence respiratoire) peut être associée à une augmentation de la pression intracrânienne, à une lésion cérébrale ou à une intoxication médicamenteuse.
- La *tachypnée* (augmentation de la fréquence respiratoire) survient fréquemment lors d'une pneumonie, d'un œdème pulmonaire, d'une acidose métabolique, d'une septicémie et d'une fracture des côtes.

### Volume courant

On appelle volume courant le volume d'air mobilisé à chaque respiration. Le «spiromètre de Wright» est le plus simple des appareils utilisés pour mesurer les volumes au chevet du patient.

Si le patient respire par une sonde endotrachéale ou une trachéostomie, on fixe le spiromètre directement sur la sonde ou la canule. Dans d'autres cas, le spiromètre est rattaché à un masque facial que l'on fixe hermétiquement sur le nez et la bouche. La lecture du volume expiré se fait sur un cadran. On peut également utiliser des spiromètres électroniques que l'on doit tenir avec la main et qui sont dotés d'un affichage numérique.

Le volume courant peut varier d'une respiration à l'autre. Pour que les données recueillies soient fiables, il faut donc mesurer le volume courant de plusieurs respirations. On note ensuite l'écart entre les valeurs obtenues ainsi que le volume courant moyen. Le volume courant normal se situe entre 5 et 8 mL par kg de masse corporelle.

### Ventilation-minute

Pris séparément, le volume courant et la fréquence respiratoire n'indiquent pas de façon fiable si la ventilation est adéquate, car ils varient trop d'une respiration à l'autre. Considérés ensemble, cependant, ils permettent d'obtenir la ventilation-minute, qui peut refléter une insuffisance respiratoire. La ventilation-minute ($V_E$) est le volume d'air expiré par minute. Elle est le produit du volume courant ($V_t$) multiplié par la fréquence respiratoire (f):

$$V_E = V_t \times f$$

Dans la pratique, on ne calcule pas la ventilation-minute, mais on la mesure directement à l'aide d'un spirographe. Plusieurs troubles peuvent réduire la ventilation-minute :

- Les troubles qui réduisent les influx nerveux transmis par le cerveau aux muscles respiratoires (lésion de la moelle épinière, accident vasculaire cérébral, tumeur, myasthénie grave, syndrome de Guillain-Barré, poliomyélite, intoxication médicamenteuse).
- L'inhibition des centres respiratoires dans le bulbe rachidien due à l'anesthésie ou à une intoxication médicamenteuse.
- Les troubles qui affectent les poumons :
  en restreignant les mouvements thoraciques (cyphoscoliose);
  en restreignant les mouvements pulmonaires (épanchement pleural, pneumothorax);
  en réduisant les tissus pulmonaires fonctionnels (maladies pulmonaires chroniques, œdème pulmonaire grave).

Quand la ventilation-minute baisse, la ventilation alvéolaire diminue aussi, et la $PaCO_2$ augmente.

- Pour déterminer si la ventilation est adéquate, on ne doit pas se fier à une simple inspection visuelle de la fréquence et de l'amplitude des mouvements respiratoires. Les mouvements respiratoires peuvent en effet sembler normaux ou exagérés alors qu'en fait ils mobilisent tout juste assez d'air pour ventiler l'espace mort.

### Capacité vitale

On mesure la capacité vitale en demandant au patient d'inspirer et d'expirer complètement dans un spirographe. La valeur normale dépend de l'âge, du sexe, de la constitution morphologique et du poids du patient.

- La plupart des patients peuvent produire une capacité vitale deux fois plus élevée que leur volume courant prévu. Si la capacité vitale est inférieure à 10 mL par kg de masse corporelle, le patient sera trop faible pour maintenir une ventilation spontanée et aura besoin d'une assistance ventilatoire.

Lorsque la capacité vitale est expirée à un débit maximum, c'est la capacité vitale «forcée» (CVF) que l'on mesure. La plupart des patients peuvent expirer au moins 75 % de leur capacité vitale en une seconde (volume expiratoire maximum/seconde ou $VEMS_1$) et presque toute leur capacité vitale en 3 secondes ($VEMS_3$). Une diminution du $VEMS_1$ indique une anomalie dans l'écoulement gazeux pulmonaire. Si le $VEMS_1$ et la CVF sont abaissées proportionnellement, c'est que la distension maximale des poumons est réduite. Si la diminution du $VEMS_1$ est beaucoup plus importante que la diminution de la CVF, il se peut que les voies aériennes soient plus ou moins obstruées.

### Force inspiratoire

La mesure de la force inspiratoire permet d'évaluer l'effort exercé par le patient pendant l'inspiration. Comme cette mesure ne nécessite pas la coopération du patient, elle est utile chez les patients inconscients. Pour mesurer la force inspiratoire, on a besoin de deux dispositifs: (1) un manomètre qui mesure la pression négative et (2) des raccords pour relier le manomètre à un masque anesthésique ou à une sonde endotrachéale avec ballonnet. On fixe le manomètre et les voies respiratoires s'en trouvent complètement obstruées.

On laisse le manomètre en place de 10 à 20 secondes, pendant lesquelles les efforts inspiratoires du patient sont enregistrés. La pression inspiratoire normale est de $-100$ cm $H_2O$. Si la pression négative enregistrée après 15 secondes est inférieure à $-25$ cm $H_2O$, il faut habituellement recourir à la ventilation artificielle, car le patient n'a pas la force musculaire nécessaire pour respirer profondément ou tousser efficacement.

## Compliance pulmonaire

La compliance pulmonaire est la capacité de distension ou d'expansion du poumon. Un poumon sain a une bonne compliance. On peut évaluer la compliance au chevet du patient en mesurant le volume courant et la pression des conduits aériens durant l'inspiration. On peut également la mesurer en laboratoire à l'aide d'appareils spéciaux. Lorsqu'un patient est sous ventilation artificielle, on peut aisément et rapidement évaluer sa facilité à respirer en mesurant sa compliance pulmonaire. Pour ce faire, on divise le volume courant (fourni par le respirateur) par la pression statique (pression obtenue lors du temps mort inspiratoire, aussi appelée pression statique) moins la pression expiratoire positive (PEP).

Par exemple, si le volume courant est de 450 mL et que la pression est de 15 cm $H_2O$, on estime que la compliance est égale à 450 divisé par 15, soit 0,30 L/cm $H_2O$. S'il faut 20 cm $H_2O$ pour fournir le même volume courant, la compliance est diminuée ($450 \div 20 = 0,225$ L/cm $H_2O$).

Si on mesure la pression au moment où l'air s'écoule dans les poumons, la valeur obtenue traduira les changements dans la résistance au passage de l'air ainsi que la compliance des poumons et de la paroi thoracique (rigidité pulmonaire). Cette mesure s'appelle *compliance dynamique*. La diminution de la compliance est caractéristique de certains troubles comme le pneumothorax, l'hémothorax, la pleurésie, l'œdème pulmonaire, l'atélectasie et la plupart des maladies pulmonaires aiguës. La compliance est aussi un bon indicateur de l'évolution du syndrome de détresse respiratoire de l'adulte.

- En général, une baisse rapide de la compliance statique est un signe de pneumothorax. Une diminution progressive est plutôt due à des troubles qui restreignent l'expansion des poumons (épanchement pleural ou atélectasie, par exemple). Une baisse rapide de la compliance pulmonaire dynamique indique une résistance au passage de l'air (due à l'accumulation de sécrétions, par exemple).

## Atélectasie

L'atélectasie est l'affaissement des alvéoles, d'un lobule pulmonaire ou d'une région plus grande des poumons. Elle peut être causée par l'obstruction d'une bronche, qui empêche l'air de se rendre aux alvéoles, de sorte que l'air se trouvant dans les alvéoles ne peut plus retourner vers l'extérieur. L'air qui se trouve bloqué dans les alvéoles finit par être absorbé par la circulation sanguine et ne peut être remplacé par de l'air de l'extérieur à cause de l'obstruction bronchique. Par conséquent, la partie isolée du poumon devient dépourvue d'air et rapetisse, et le reste du poumon doit alors compenser par une expansion excessive. L'obstruction bronchique causant l'atélectasie peut être due à un corps étranger ou à un épais bouchon de sécrétions. La présence de certains facteurs augmente également les risques d'atélectasie: décubitus dorsal, compression du thorax pour apaiser la douleur, dépression respiratoire causée par des narcotiques ou des relaxants musculaires, ballonnement abdominal. Le «collapsus aigu massif du poumon» survient habituellement quand l'obstruction bronchique à l'origine de l'atélectasie est due à une accumulation de sécrétions. Ce collapsus peut survenir après une intervention chirurgicale et chez les patients alités qui sont affaiblis. Ces patients sont susceptibles de présenter une dépression respiratoire prolongée et continue, de même qu'une insuffisance de l'expansion thoracique et une rétention de sécrétions bronchiques.

L'atélectasie peut aussi être causée par une compression des tissus pulmonaires qui empêche l'expansion normale des poumons lors de l'inspiration. Cette compression peut avoir différentes causes: accumulation de liquide dans le thorax (épanchement pleural), accumulation d'air dans la cavité pleurale (pneumothorax), cœur anormalement gros, accumulation de liquide dans le péricarde (épanchement péricardique), tumeur dans le thorax ou déplacement vers le haut du diaphragme dû à une pression abdominale. L'atélectasie causée par une compression survient souvent chez les patients qui présentent un épanchement pleural dû à une insuffisance cardiaque ou à une infection pleurale. Elle est aussi l'un des premiers signes de tumeur bronchique.

***Évaluation.*** Si l'atélectasie apparaît soudainement et touche une quantité importante de tissu pulmonaire, elle se manifeste généralement par de la dyspnée, une cyanose, de l'épuisement et une douleur pleurale. Une tachycardie et de la fièvre peuvent aussi apparaître. Très souvent, le patient atteint s'assoit très droit sur son lit, se montre anxieux et respire difficilement. La paroi thoracique bouge très peu ou pas du tout du côté atteint, alors que les mouvements respiratoires du côté indemne semblent excessifs.

***Traitement.*** Le traitement vise à améliorer la ventilation et à éliminer les sécrétions. Si l'atélectasie est causée par un épanchement pleural ou par un pneumothorax sous pression, on peut aspirer le liquide ou l'air à l'aide d'une aiguille. Si elle est causée par une obstruction bronchique, il faut éliminer l'obstruction pour que l'air puisse ventiler à nouveau la partie atteinte. Si on n'arrive pas à éliminer l'obstruction, il faut pratiquer une bronchoscopie. L'intubation endotrachéale et la ventilation artificielle peuvent s'avérer nécessaires. En administrant le traitement le plus tôt possible, on diminue les risques de pneumonie et d'abcès pulmonaire.

***Interventions infirmières.*** Pour soulager une obstruction bronchique, il faut aspirer les sécrétions et inciter le patient à tousser et à utiliser un nébuliseur en aérosol. Par la suite, on procède à un drainage postural et à la percussion du thorax. Il faut tourner le patient régulièrement pour stimuler la toux. Si possible, il faut inciter le patient à se lever et à marcher, ce qui favorise la mobilisation et le drainage des sécrétions.

L'infirmière doit retourner régulièrement le patient stuporeux, affaibli ou sous l'effet de sédatifs. La toux et la respiration profonde (au moins toutes les deux heures) permettent de prévenir ou de traiter l'atélectasie. Pour faciliter l'inspiration et diminuer les risques d'occlusion des voies aériennes, on peut utiliser un spiromètre de stimulation ou demander au patient de respirer profondément. Il peut également être utile de procéder à une aspiration rhinopharyngienne et nasotrachéale pour stimuler la toux et favoriser l'expectoration des sécrétions tenaces.

# EXAMENS DIAGNOSTIQUES DE LA FONCTION RESPIRATOIRE

Dans la section suivante, on trouvera une description des nombreuses épreuves diagnostiques qui peuvent être utilisées chez les patients présentant une affection pulmonaire.

## RADIOGRAPHIES DU THORAX

Étant donné que les tissus pulmonaires normaux sont moyennement transparents aux rayons X, les opacités dues aux tumeurs, aux corps étrangers et à d'autres facteurs pathologiques peuvent être détectées par radiographie. Une radiographie thoracique peut révéler un grave état pathologique avant que les symptômes ne se manifestent. On prend généralement deux radiographies : une vue postéroantérieure et une vue de profil. Habituellement, on prend les radiographies après une grande inspiration (respiration profonde), parce qu'on voit mieux les poumons quand ils sont remplis d'air et que le diaphragme est à sa position la plus basse. Les radiographies prises au moment de l'expiration peuvent mettre en relief un pneumothorax jusqu'alors passé inaperçu ou l'obstruction d'une grosse artère.

**Tomographie.** La tomographie est une technique qui permet d'obtenir des clichés d'une partie des poumons selon divers plans de coupe. Elle est très utile pour déceler la tuberculose pulmonaire, la compression pulmonaire ou l'abcès pulmonaire. Elle peut mettre en évidence les cavités, les infiltrats nodulaires et la bronchiectasie associés à la tuberculose pulmonaire, de même que les lésions denses qui caractérisent le cancer bronchopulmonaire, les calcifications et les occlusions bronchiques.

**Tomodensitométrie (TDM).** La tomodensitométrie est un procédé radiologique qui permet d'explorer les poumons en couches successives à l'aide de rayons X émis en faisceaux très fins. Les images obtenues donnent une vue en coupe de la poitrine. Avec une radiographie thoracique ordinaire, l'image obtenue met en évidence les gros contrastes de densité entre les os, les tissus mous et l'air. La tomodensitométrie permet de distinguer les contrastes de densité subtils des tissus.

On peut utiliser la tomodensitométrie pour localiser des nodules pulmonaires ou des petites tumeurs situées près des surfaces pleurales qui ne sont pas visibles par radiographie ordinaire. On s'en sert aussi pour mettre en évidence les anomalies médiastinales et l'adénopathie hilaire, qui sont rarement révélées par les autres méthodes radiologiques.

L'injection de produits de contraste est surtout utile pour mettre en évidence le médiastin et son contenu. L'ordinateur auquel le tomodensitomètre est relié permet d'obtenir une sortie imprimée des coefficients d'absorption des tissus du plan examiné.

**Tomographie par émission de positons.** La tomographie par émission de positons est une technique qui allie la physique des hautes énergies avec des techniques informatiques avancées. Elle permet d'étudier le fonctionnement des cellules *in vivo*. Le patient inhale ou reçoit en injection un isotope radioactif à vie courte d'un élément déjà présent dans l'organisme (oxygène, azote, carbone, fluor). L'isotope radioactif émet des particules subatomiques appelées *positons* (électrons portant une charge positive). Chaque fois qu'un positon rencontre un électron, ce qui se produit juste après l'émission, les deux sont détruits et deux rayons gamma sont libérés. Ces explosions d'énergie sont enregistrées par le tomographe, et un ordinateur détermine l'endroit où se trouvent les éléments radioactifs dans l'organisme. La tomographie par émission de positons est surtout utile pour mesurer quantitativement la perfusion d'une région des poumons ou pour étudier le rapport ventilation-perfusion.

**Radioscopie.** La radioscopie est utilisée de concert avec des interventions exploratrices, telles la ponction-biopsie thoracique ou la biopsie transbronchique, pour localiser des lésions. On s'en sert également pour étudier le déplacement du diaphragme et les variations régionales de la ventilation.

**Repas baryté.** Le repas baryté met en relief l'oesophage. Il permet de voir le déplacement de l'oesophage et l'empiétement du coeur, des poumons ou des structures médiastinales dans la lumière de l'oesophage.

**Bronchographie.** La bronchographie n'est presque plus utilisée depuis l'avènement de la bronchoscopie fibroscopique.

### Examens angiographiques des vaisseaux pulmonaires

Les principaux examens angiographiques sont l'angiographie pulmonaire, l'angiocardiographie, l'aortographie, l'artériographie bronchique, l'angiographie de la veine cave supérieure et l'azygographie. L'angiographie pulmonaire est le plus souvent utilisée pour étudier les thrombo-embolies pulmonaires et les anomalies congénitales de l'arbre vasculaire pulmonaire, ainsi que pour détecter les anomalies du système vasculaire dues à des tumeurs.

L'*angiographie pulmonaire* est l'examen radiologique des vaisseaux pulmonaires après injection d'une substance opaque aux rayons X. Elle peut se faire de différentes façons : par une injection dans une veine d'un bras, ou des deux bras (simultanément) ou dans la veine fémorale à l'aide d'une aiguille ou d'une sonde ; par l'insertion d'une sonde dans le tronc de l'artère pulmonaire ou ses branches ; ou par l'insertion d'une sonde dans les grosses veines ou le coeur en amont de l'artère pulmonaire.

### Techniques endoscopiques

**Bronchoscopie.** La bronchoscopie permet l'inspection et l'examen direct du larynx, de la trachée et des bronches à l'aide d'un bronchoscope flexible (fibrobronchoscope) ou rigide. Dans la pratique actuelle, on utilise plus fréquemment le bronchoscope flexible.

Sur le plan *diagnostique*, la bronchoscopie sert à : (1) examiner des tissus ou prélever des sécrétions ; (2) déterminer le point d'origine et l'étendue du processus pathologique et prélever un échantillon de tissu pour examen (biopsies par brossage, par curetage ou à la pince) ; (3) vérifier si on peut faire la résection chirurgicale d'une tumeur ; et (4) diagnostiquer les zones hémorragiques (source d'une hémoptysie).

Sur le plan *thérapeutique*, elle sert à : (1) retirer un corps étranger de l'arbre trachéobronchique ; (2) évacuer les sécrétions qui bloquent l'arbre trachéobronchique quand le patient est incapable de les expectorer lui-même; (3) effectuer le traitement postopératoire de l'atélectasie; et (4) détruire et exciser des lésions.

Le fibroscope souple (ou fibrobronchoscope) est un bronchoscope flexible et étroit qu'on peut introduire jusque dans les bronches segmentaires (figure 2-12). Grâce à son petit diamètre, à sa flexibilité et à son excellent système optique, il permet de mieux voir les conduits aériens périphériques et constitue l'instrument idéal pour diagnostiquer les lésions pulmonaires. Il permet également de procéder à une biopsie pour examen cytologique, ce qui évite le recours à une incision chirurgicale. Il offre plusieurs autres avantages: il est mieux toléré par les patients que le bronchoscope rigide; il permet d'obtenir une biopsie de tumeurs autrement inaccessibles; on peut l'utiliser sans danger chez les patients gravement malades; et on peut s'en servir au chevet du patient ou encore le passer par la sonde endotrachéale ou l'orifice de trachéostomie chez les patients reliés à un respirateur. En outre, il permet l'intubation directe du lobe supérieur droit, une intervention qu'il est impossible d'effectuer avec un bronchoscope rigide.

Le *bronchoscope rigide* est un tube de métal creux muni d'une lumière à son extrémité. On l'utilise principalement pour retirer des corps étrangers, pour aspirer des sécrétions épaisses, pour rechercher la source d'une hémoptysie abondante, ou dans le cadre d'opérations endobronchiques.

Les complications possibles de la bronchoscopie sont les réactions allergiques à l'anesthésique local, les infections, l'aspiration, le bronchospasme, l'hypoxémie, le pneumothorax, les hémorragies et les perforations.

***Interventions infirmières.*** Il faut obtenir le consentement éclairé du patient avant l'intervention. Étant donné que la bronchoscopie inhibe les réflexes, il faut mettre le patient au jeûne complet dans les six heures précédant l'intervention pour prévenir les risques d'aspiration. Pour rassurer le patient et corriger ses idées fausses, l'infirmière doit lui expliquer en quoi consiste la bronchoscopie. Elle administre les médicaments préopératoires prescrits (habituellement de l'atropine et un sédatif ou un narcotique) pour inhiber la stimulation vagale (ce qui prévient la bradycardie, les arythmies et l'hypotension), pour inhiber le réflexe tussigène, calmer le patient et réduire son anxiété.

- Mise en garde: l'administration de sédatifs aux patients souffrant d'insuffisance respiratoire peut déclencher un arrêt respiratoire.

Il faut retirer avant l'intervention les lentilles cornéennes, les prothèses dentaires ou toute autre orthèse ou prothèse. La bronchoscopie se fait habituellement sous anesthésie locale, mais on peut aussi la pratiquer sous anesthésie générale.

On peut vaporiser sur le pharynx un anesthésique de contact comme la lidocaïne (Xylocaïne) ou le laisser tomber en gouttes sur l'épiglotte et les cordes vocales ainsi que dans la trachée afin d'atténuer le réflexe tussigène et la douleur. Pour obtenir une sédation plus forte, on administre du diazépam (Valium) par voie intraveineuse selon l'ordonnance.

Après la bronchoscopie, le patient ne doit rien prendre par la bouche tant que le réflexe tussigène n'est pas revenu, car la sédation préopératoire et l'anesthésie locale entravent pendant quelques heures les réflexes de la toux et de la déglutition. Quand le patient peut tousser, on peut lui donner des morceaux de glace et par la suite des liquides. S'il s'agit d'un patient âgé, l'infirmière doit être à l'affût des signes de confusion et de léthargie qui peuvent apparaître après l'administration de fortes doses de lidocaïne. Elle doit aussi vérifier si le patient a de la difficulté à respirer et en informer tout de suite le médecin, le cas échéant. Enfin, elle doit observer le patient à la recherche de cyanose, d'hypotension, d'arythmies, d'hémoptysie et de dyspnée.

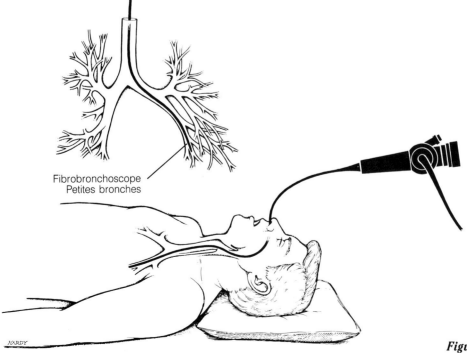

Fibrobronchoscope
Petites bronches

***Figure 2-12.*** Bronchoscopie par fibroscope souple

**Œsophagoscopie.** L'œsophagoscopie est l'examen de l'intérieur de l'œsophage à l'aide d'un tube muni d'un dispositif d'éclairage (endoscope). On a recours à l'œsophagoscopie pour retirer des corps étrangers, pour examiner des lésions dans l'œsophage (comme des ulcères, des diverticules ou des tumeurs) et pour procéder à des prélèvements de tissus pour examen microscopique (biopsies). Les soins à prodiguer avant et après une œsophagoscopie sont les mêmes que pour la bronchoscopie.

**Thoracoscopie.** La thoracoscopie (ou pleuroscopie) est l'examen diagnostique de la cavité pleurale à l'aide d'un endoscope. Pour effectuer cette intervention, on pratique une petite incision dans la cavité pleurale au niveau d'un espace intercostal. Le point d'incision dépend des données cliniques et radiologiques. S'il y a du liquide dans la cavité pleurale, on commence par le retirer en l'aspirant. Ensuite, on insère un médiastinoscope souple dans la cavité pleurale pour en examiner les deux feuillets. On peut alors prélever une biopsie des lésions sous exploration visuelle directe. Après la thoracoscopie, on insère un tube thoracique et on draine la cavité pleurale par drainage à dépression d'eau.

**Médiastinoscopie.** Voir plus loin.

## Examen des expectorations

L'examen des expectorations sert à identifier les agents pathogènes et à dépister les cellules malignes. Il peut également servir à évaluer une hypersensibilité (laquelle s'accompagne d'une augmentation des granulocytes éosinophiles). Il est parfois nécessaire d'examiner périodiquement les expectorations des patients qui prennent des antibiotiques, des corticostéroïdes ou des immunosuppresseurs pendant une période prolongée, car ces médicaments ouvrent la porte aux infections opportunistes. En général, la culture des expectorations sert à poser un diagnostic, à évaluer la sensibilité à un médicament et à orienter le traitement. On recueille des sécrétions en demandant au patient d'expectorer. S'il est incapable de le faire spontanément, on peut souvent provoquer une toux profonde en lui faisant inhaler une solution salée sursaturée ou un autre agent irritant pulvérisé à l'aide d'un nébuliseur ultrasonique. On peut obtenir des échantillons d'expectorations par d'autres méthodes: aspiration endotrachéale, bronchoscopie, brossage bronchique, aspiration transtrachéale. Pour la recherche du bacille de la tuberculose, on peut utiliser le tubage gastrique (voir le chapitre 24). Habituellement, les échantillons provenant des régions les plus profondes sont prélevés tôt le matin.

Pour recueillir des expectorations, il faut d'abord demander au patient de se moucher, de se racler la gorge et de se rincer la bouche pour éliminer la flore buccale. Le patient doit ensuite prendre quelques respirations profondes, tousser (et non cracher) en se servant de son diaphragme, et expectorer dans un contenant stérile.

Il est important de faire parvenir l'échantillon au laboratoire immédiatement après le prélèvement; si on le laisse trop longtemps à la température ambiante, il se produira une prolifération excessive de contaminants qui peut compliquer inutilement l'interprétation de la culture (surtout dans le cas de *Mycobacterium tuberculosis*).

Souvent, on procède à un examen macroscopique pour déterminer si les sécrétions sont constituées de salive, de mucus ou de pus. Quand on utilise un contenant en verre de forme conique, on peut habituellement voir facilement les différentes couches de sécrétions. En général, une coloration jaune-vert est un signe d'infection (de pneumonie, par exemple).

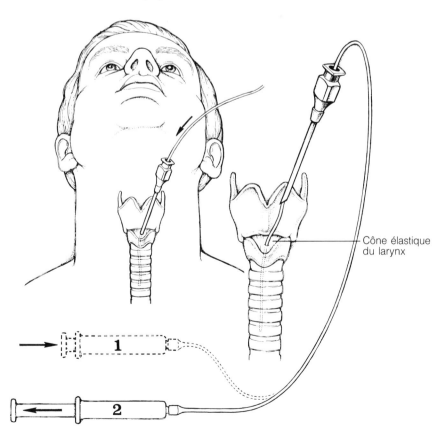

Cône élastique du larynx

***Figure 2-13.*** Aspiration transtrachéale. Après avoir introduit le cathéter dans la trachée, on retire l'aiguille en laissant le cathéter en place. On injecte 2 à 5 mL de solution saline stérile dans le cathéter (1) pour éclaircir les sécrétions et provoquer la toux. On attache ensuite une seringue au cathéter pour aspirer les expectorations (2).

Pour les études quantitatives des expectorations, le patient doit recueillir ses sécrétions pendant 24 heures dans un contenant spécial. L'échantillon de ce genre doit être manipulé comme un produit biologiquement dangereux et éliminé comme il se doit. Pour prévenir les odeurs, l'infirmière doit couvrir tous les contenants servant aux expectorations. Il faut aussi se débarrasser rapidement des mouchoirs malodorants et veiller à ce que la chambre soit bien aérée. L'administration de soins d'hygiène buccodentaire fréquents est dans ces cas une intervention infirmière prioritaire.

Pour procéder à une *aspiration transtrachéale* d'expectorations, on pratique une ponction transtrachéale à travers le cône élastique du larynx et on insère dans l'aiguille un cathéter de petit calibre jusque dans la trachée (figure 2-13). Ensuite, on retire l'aiguille en laissant le cathéter en place et on instille un peu de solution salée stérile (2 à 5 mL) dans le cathéter pour éclaircir les sécrétions et stimuler la toux. On peut alors aspirer des sécrétions par le cathéter à l'aide d'une seringue et exprimer le contenu de la seringue dans un flacon stérile. Enfin, on retire le cathéter et on exerce une pression sur le point de ponction pendant 5 à 10 minutes pour réduire les saignements et prévenir l'emphysème sous-cutané.

L'aspiration transtrachéale sert également à favoriser la toux et l'expectoration chez les patients qui ont subi une thoracotomie et qui n'ont pas de réflexe tussigène. Dans ce cas, on laisse le cathéter en place de façon à pouvoir instiller périodiquement de la solution salée pour provoquer la toux.

L'aspiration transtrachéale ne passe pas par le rhinopharynx, ce qui évite la contamination de l'échantillon par la flore buccale, surtout par les anaérobies. Cette méthode est particulièrement utile dans le cas des patients immunodéprimés qui souffrent de pneumonie et qui n'expectorent pas.

Pendant les quelques heures qui suivent l'aspiration transtrachéale, il faut garder le patient en observation. Le saignement intratrachéal, l'hypoxémie, les arythmies cardiaques, le pneumomédiastin, l'emphysème sous-cutané et l'infection comptent parmi les complications possibles.

### Thoracocentèse

La cavité pleurale contient normalement une mince couche de liquide pleural. On peut prélever un échantillon de ce liquide par thoracocentèse ou par drainage à thorax fermé. La thoracocentèse est l'aspiration de liquide pleural pour des fins diagnostiques ou thérapeutiques (figure 2-14).

On peut faire une ponction-biopsie de la plèvre en même temps que la thoracocentèse. L'encadré 2-1 décrit la conduite à tenir auprès du patient qui subit une thoracocentèse. On peut effectuer plusieurs analyses sur le liquide pleural : coloration de Gram et culture et antibiogramme, coloration de Ziehl et culture sur milieu de Loewenstein, formule leucocytaire, cytologie, mesure du pH, de la densité, des protéines totales et de la lacticodéshydrogénase (LDH).

### Biopsie pleurale

La biopsie pleurale se fait soit par ponction-biopsie de la plèvre, soit par pleuroscopie (thoracoscopie). Comme nous l'avons vu précédemment, la pleuroscopie est l'exploration visuelle de la cavité pleurale à l'aide d'un fibroscope souple introduit dans l'espace pleural. On fait une biopsie pleurale quand on constate la présence d'un exsudat pleural d'origine inconnue ou quand il faut faire une coloration et une culture de tissus pathologiques dans des cas de tuberculose ou de mycose.

### Exploration fonctionnelle respiratoire

L'exploration fonctionnelle respiratoire sert à évaluer la fonction respiratoire, de même qu'à dépister les anomalies et à en déterminer la gravité. Ces tests comprennent la mesure des volumes pulmonaires, de la fonction ventilatoire, de la mécanique ventilatoire, de la capacité de diffusion et des échanges gazeux.

Les tests d'exploration fonctionnelle respiratoire sont utiles pour suivre l'évolution d'une maladie respiratoire établie et pour évaluer la réaction du patient au traitement. Ils permettent également de dépister les maladies respiratoires professionnelles, par exemple chez les personnes qui travaillent dans les mines de charbon ou dans les lieux où elles sont exposées à l'amiante ou à d'autres émanations, à des poussières ou à des gaz nocifs. Ils sont également utiles en période préopératoire chez les patients qui doivent subir une opération thoracique ou abdominale haute, les patients qui ont des antécédents de tabagisme et de toux, les personnes obèses, les personnes âgées et les patients souffrant d'une maladie pulmonaire.

Le plus souvent, ces tests sont effectués par un technicien ou une technicienne. Ils se font à l'aide d'un spiromètre muni d'un dispositif qui enregistre simultanément les volumes

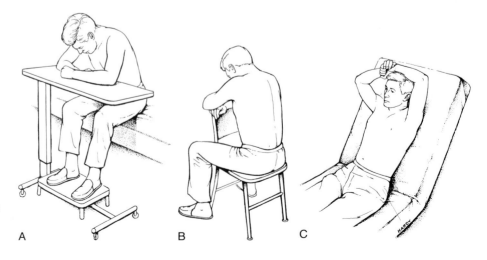

***Figure 2-14.*** Position du patient pour une thoracocentèse. L'infirmière aide le patient à se placer dans l'une des trois positions possibles. Elle le réconforte et lui apporte son soutien tout au long de l'intervention. (**A**) Le patient est assis sur le bord du lit, les bras reposant sur une table et la tête penchée. (**B**) Le patient est assis à califourchon sur une chaise, les bras reposant sur le dossier de la chaise et la tête penchée. (**C**) Le patient est couché et la tête du lit est surélevée de 30 à 45 degrés.

(Source : D. S. Suddarth, *The Lippincott Manual of Nursing Practice*, 5e éd., Philadelphia, J. B. Lippincott, 1991)

A    B    C

## Encadré 2-1
## Conduite à tenir auprès du patient subissant une thoracocentèse

La thoracocentèse (aspiration de liquide ou d'air dans la cavité pleurale) est pratiquée chez des patients qui présentent divers problèmes cliniques. On peut la pratiquer pour:
1. retirer du liquide ou de l'air de la cavité pleurale;
2. aspirer du liquide pleural à des fins diagnostiques;
3. prélever une biopsie;
4. instiller un médicament dans la cavité pleurale.

Voici un résumé des soins que l'infirmière doit prodiguer au patient subissant une thoracocentèse et les raisons justifiant l'administration de ces soins:

### Soins infirmiers

1. Vérifier avant l'intervention si les radiographies ont été prescrites et si le formulaire de consentement a été signé.

2. Déterminer si le patient est allergique à l'anesthésique local utilisé. Administrer le sédatif prescrit, le cas échéant.

3. Prodiguer au patient de l'enseignement:
   a) Lui expliquer la nature de l'intervention.
   b) Lui expliquer qu'il est important de rester immobile.
   c) L'avertir qu'il ressentira une pression thoracique.
   d) Lui dire qu'il ne ressentira aucun malaise après l'intervention.

4. Aider le patient à s'installer et voir à ce qu'il soit à l'aise (voir la figure 2-14). Si possible, l'installer dans l'une des positions suivantes:
   a) assis sur le bord du lit, les pieds contre un appui, les bras et la tête sur une table haute sur laquelle on aura placé un coussin ou une serviette pliée;
   b) assis à califourchon sur une chaise, les bras et la tête reposant sur le dossier;
   c) couché sur le côté indemne; la tête du lit est surélevée de 30 à 45 degrés, si le patient est incapable de s'asseoir.

5. Apporter son soutien au patient et le rassurer pendant l'intervention.
   a) L'avertir que la solution germicide appliquée sur sa peau produira une sensation de froid et que l'infiltration de l'anesthésique local provoquera une sensation d'oppression.
   b) Lui recommander de se retenir de tousser.

6. Dégager tout le thorax. On choisit un point de ponction d'après les clichés radiographiques et les bruits de percussion. S'il y a du liquide dans la cavité pleurale, on choisit le point de ponction en fonction des radiographies, de l'échographie et des résultats de l'examen physique (particulièrement de la région où on a observé la plus forte matité à la percussion).

7. On pratique l'intervention dans des conditions d'asepsie. Après le nettoyage de la peau, le médecin injecte lentement dans l'espace intercostal un anesthésique local à l'aide d'une aiguille de petit calibre.

### Commentaires/justification

1. On utilise les clichés radiographiques des faces antéropostérieure et latérales du thorax pour repérer le liquide et l'air dans la cavité pleurale et choisir le point de ponction. On a recours à l'échographie quand le liquide est loculé (poche de liquide pleural).

3. Ces explications aideront le patient à comprendre l'intervention et à mobiliser ses ressources; elles lui fournissent également l'occasion de poser des questions et de verbaliser son anxiété.

4. La position assise facilite le retrait du liquide qui se trouve habituellement à la base du thorax. Le patient est plus susceptible de se détendre s'il est à l'aise.

5. Un mouvement brusque ou inattendu du patient peut provoquer une lésion dans la plèvre viscérale et, par conséquent, un traumatisme au poumon.

6. S'il y a de l'air dans la cavité pleurale, on choisit habituellement de faire la ponction dans le deuxième ou le troisième espace intercostal sur la ligne médioclaviculaire. L'air monte dans le thorax parce que la densité de l'air est beaucoup moindre que celle du liquide.

7. L'anesthésique est injecté lentement jusqu'à ce qu'une papule se forme; une injection trop rapide est douloureuse. La plèvre pariétale étant très sensible, il faut attendre qu'elle soit bien infiltrée d'anesthésique avant d'enfoncer l'aiguille à thoracocentèse. Pour prévenir la lacération d'une artère intercostale, on introduit l'aiguille dans l'espace intercostal juste au-dessus de la côte inférieure.

## *Encadré 2-1* (suite)

| **Soins infirmiers** | **Commentaires/justification** |
|---|---|
| 8. Le médecin enfonce l'aiguille à laquelle on a fixé une seringue. Lorsque l'aiguille atteint la cavité pleurale, il commence l'aspiration à l'aide de la seringue. | |
| a) Une seringue de 20 mL munie d'un robinet à trois voies (robinet d'arrêt) est fixée à l'aiguille (une extrémité du robinet est reliée à l'aiguille et l'autre extrémité au tube menant au contenant qui reçoit le liquide aspiré). | a) Quand on retire beaucoup de liquide, on se sert d'un robinet à trois voies pour empêcher l'air de pénétrer dans la cavité pleurale. |
| b) Si on retire une grande quantité de liquide, on maintient l'aiguille en place dans la paroi thoracique à l'aide d'une petite pince hémostatique. | b) La pince hémostatique retient l'aiguille dans la paroi thoracique. Si le patient ressent soudainement une douleur pleurétique ou une douleur à l'épaule, il se peut que la pointe de l'aiguille irrite la plèvre viscérale ou diaphragmatique. |
| 9. Après avoir retiré l'aiguille, on exerce une pression sur le point de ponction et on applique un petit pansement stérile. | |
| 10. Le patient doit se reposer au lit. On prend une radiographie après la thoracocentèse. | 10. Une radiographie permet de s'assurer que le patient ne présente pas de pneumothorax. |
| 11. Noter la quantité totale de liquide aspiré ainsi que la nature du liquide, sa couleur et sa viscosité. Au besoin, préparer des échantillons de liquide pour un examen en laboratoire. Si on doit faire une biopsie pleurale, il faut préparer un contenant rempli de formol pour recevoir l'échantillon prélevé. | 11. Le liquide peut être clair, séreux, sanguinolent, purulent, etc. |
| 12. Évaluer le patient périodiquement en recherchant les signes suivants: augmentation de la fréquence respiratoire, asymétrie des mouvements de la respiration, étourdissement, vertige, oppression thoracique, toux incontrôlable, mucus spumeux strié de sang, pouls rapide, signes d'hypoxémie. | 12. La thoracocentèse peut causer un pneumothorax, un pneumothorax à soupape, un emphysème sous-cutané ou une infection pyrogène. Quand on retire une grande quantité de liquide, un déplacement soudain du contenu du médiastin peut produire un œdème pulmonaire ou une détresse cardiaque. |

respiratoires et le temps. L'exploration fonctionnelle respiratoire est de plus en plus informatisée; certains systèmes mesurent plusieurs paramètres à la fois. Les petits centres hospitaliers peuvent transmettre leurs données au système informatique d'un grand centre hospitalier pour les faire analyser.

Il faut toujours effectuer plusieurs tests, car la mesure d'un seul paramètre ne peut donner un tableau complet de l'état de la fonction pulmonaire. Habituellement, on interprète les résultats des tests en les comparant aux valeurs normales compte tenu de la taille, du poids, de l'âge et du sexe du patient. Des listes de valeurs normales sont fournies par les fabricants des appareils d'exploration fonctionnelle respiratoire.

Étant donné qu'il existe des écarts considérables dans les valeurs normales, les résultats des tests d'exploration fonctionnelle respiratoire ne permettent pas toujours de déceler une anomalie localisée à ses débuts. Par conséquent, on fait passer des examens diagnostiques complets aux patients qui présentent des symptômes respiratoires (dyspnée, respiration sifflante, toux, expectorations) même si les résultats des tests d'exploration fonctionnelle respiratoire sont normaux.

Voir les tableaux 2-1 et 2-6 pour les tests d'exploration fonctionnelle respiratoire les plus utilisés.

### *Mesure des gaz du sang artériel*

Pour orienter le traitement des patients souffrant de problèmes respiratoires et pour adapter l'oxygénothérapie à leurs besoins, on mesure le pH du sang ainsi que la pression partielle d'oxygène et de gaz carbonique dans le sang artériel. La pression partielle d'oxygène dans le sang artériel ($PaO_2$) indique le degré d'oxygénation du sang, tandis que la pression partielle de gaz carbonique dans le sang artériel ($PaCO_2$) indique l'efficacité de la ventilation alvéolaire. L'analyse des gaz du sang artériel aide notamment à évaluer la capacité des poumons de fournir suffisamment d'oxygène et d'excréter le gaz carbonique et la capacité des reins de réabsorber ou d'excréter les ions pour maintenir un pH normal. Des analyses répétées des gaz sanguins peuvent également indiquer avec précision si le poumon a été atteint après un traumatisme thoracique. Le prélèvement de l'échantillon pour l'analyse des gaz du sang artériel se fait par ponction de l'artère radiale, humérale ou fémorale, ou à partir d'un cathéter artériel à demeure.

### *Examens diagnostiques radio-isotopiques (scintigraphie pulmonaire)*

Il existe trois types de scintigraphies pulmonaires: la scintigraphie de perfusion, la scintigraphie de ventilation et la scintigraphie d'inhalation. On les utilise pour évaluer le fonctionnement des poumons, l'irrigation du système vasculaire pulmonaire et les échanges gazeux.

Pour effectuer une *scintigraphie de perfusion pulmonaire,* on injecte du technétium radioactif dans une veine

**TABLEAU 2-6.** *Exploration fonctionnelle respiratoire*

| Terme utilisé | Symbole | Description | Remarques |
|---|---|---|---|
| Capacité vitale forcée | CVF | Capacité vitale réalisée lors d'une expiration forcée maximale | La capacité vitale forcée est souvent réduite en présence d'une bronchopneumopathie chronique obstructive (BPCO) à cause de la rétention d'air. |
| Volume expiratoire maximal (exprimé par un indice donnant l'intervalle en secondes) | VEM | Volume d'air expiré en un temps déterminé pendant la mesure de la capacité vitale forcée | Ce paramètre donne une très bonne idée de la gravité de l'obstruction des voies aériennes à l'expiration. |
| Volume expiratoire maximal en pourcentage de la capacité vitale (rapport de Tiffeneau) | VEMS % CVF | Le rapport de Tiffeneau est exprimé en pourcentage de la capacité vitale forcée. | Permet aussi de dépister les obstructions des voies aériennes. |
| Débit expiratoire de pointe | DEP | Le débit médian expiratoire représente 200 à 1200 mL de la capacité vitale forcée. | Peut indiquer une obstruction des grosses voies aériennes. |
| Débit médian expiratoire (25 à 75 %) de la CVF (25 à 75 %) | DME 25 à 75 % | Débit maximal expiratoire moyen durant la première moitié de la capacité vitale forcée | Ce débit est diminué lors d'une obstruction des petites voies aériennes. |
| Débit maximal expiratoire | DME 75 à 85 % | Débit maximal expiratoire moyen durant la dernière partie de la capacité vitale forcée | Ce débit est diminué en présence d'une obstruction des petites voies aériennes. |
| Ventilation maximale volontaire | VMX | Volume d'air expiré en un temps déterminé (12 secondes) pendant un effort maximal répété | La ventilation maximale volontaire est un important facteur dans la tolérance à l'effort. |

périphérique, puis on examine par scintigraphie le thorax et le corps pour détecter les radiations. Les particules isotopiques passent à travers le cœur droit et se répartissent dans les poumons en quantités proportionnelles au débit sanguin local ; on peut ainsi suivre et mesurer le débit sanguin dans tout le poumon. La scintigraphie de perfusion est utilisée en clinique pour mesurer l'intégrité des vaisseaux pulmonaires et pour évaluer les anomalies de la circulation sanguine (comme l'embolie pulmonaire). L'infirmière explique au patient que l'exploration durera de 20 à 40 minutes, qu'il devra rester couché sous l'appareil et qu'un masque couvrira sa bouche et son nez.

La *scintigraphie de ventilation* se fait après la scintigraphie de perfusion. Le patient respire profondément un mélange d'oxygène et de gaz radioactifs (xénon, krypton) qui diffuse dans ses poumons. On détecte ensuite par scintigraphie les anomalies de la ventilation, en particulier les différences de ventilation d'une région pulmonaire à une autre. La scintigraphie de ventilation peut être utile pour diagnostiquer la bronchite, l'asthme, la fibrose inflammatoire, la pneumonie, l'emphysème et le cancer du poumon.

Pour faire une *scintigraphie d'inhalation,* on fait inhaler au patient des gouttelettes de produit radioactif à l'aide d'un respirateur à pression positive. La scintigraphie d'inhalation sert surtout à l'exploration visuelle de la trachée et des principales voies aériennes.

La *scintigraphie au gallium* est une scintigraphie pulmonaire radio-isotopique utilisée pour détecter les affections inflammatoires, les abcès et les adhérences, ainsi que pour déceler, repérer et mesurer les tumeurs. Elle sert également à la classification des cancers bronchopulmonaires et à l'évaluation de la régression d'une tumeur après la chimiothérapie ou la radiothérapie.

### Biopsie du poumon

Quand les radiographies du thorax ne sont pas concluantes ou révèlent une opacité pulmonaire (indiquant un infiltrat ou une lésion), il est préférable de prélever du tissu pulmonaire pour déterminer la nature exacte de la lésion. Certaines techniques de biopsie pulmonaire non chirurgicale peuvent fournir des données précises et comportent un faible taux de morbidité : (1) le brossage bronchique par bronchoscopie, (2) la ponction-biopsie percutanée à l'aiguille ou (3) la biopsie transbronchique.

Pour faire un *brossage bronchique par bronchoscopie,* on introduit un fibrobronchoscope dans la bronche sous contrôle radioscopique. On attache ensuite une petite brosse au bout d'un fil métallique flexible, et on introduit ce fil dans le fibrobronchoscope. Sous visualisation directe, on brosse la zone suspecte dans un mouvement de va-et-vient; des cellules se détachent alors et se collent à la brosse. Si on désire pratiquer plusieurs biopsies, on peut irriguer le fibrobronchoscope avec une solution salée après chaque prélèvement pour le nettoyer. On retire ensuite le fil et la brosse du fibrobronchoscope, puis on prépare une lame pour examen microscopique. On peut aussi détacher la brosse du fil métallique et l'envoyer au laboratoire pour des analyses histopathologiques.

Le brossage bronchique par bronchoscopie est utilisé pour obtenir des échantillons pour examen cytologique de lésions pulmonaires et pour identification d'agents pathogènes (*Nocardia, Aspergillus, Pneumocystis carinii* et autres). Le brossage est une technique particulièrement utile chez les patients immunodéprimés.

Avant le brossage, le patient doit signer un formulaire de consentement éclairé. L'infirmière lui explique l'intervention et répond à ses questions. Après l'intervention, le patient peut avoir mal à la gorge et souffrir d'hémoptysie passagère. Il ne peut ni boire ni manger pendant plusieurs heures. Les principales complications de cette intervention sont les réactions à l'anesthésique, le laryngospasme, l'hémoptysie et, plus rarement, le pneumothorax.

On peut aussi pratiquer un brossage bronchique en introduisant le cathéter dans le cône élastique du larynx par ponction à l'aiguille. Après cette intervention, il faut montrer au patient comment fermer le point de ponction avec son pouce quand il tousse pour empêcher l'air de s'infiltrer dans les tissus adjacents.

La *ponction-biopsie percutanée à l'aiguille* se fait à l'aide d'une aiguille tranchante ou par aspiration à l'aide d'une aiguille à ponction lombaire. Elle permet de prélever du tissu pour examen histologique. Pour faire une *biopsie transbronchique*, on introduit des pinces tranchantes dans les bronches à l'aide d'un fibrobronchoscope. Cet examen est indiqué quand on soupçonne la présence d'une lésion pulmonaire et que l'examen courant des expectorations et les lavages bronchoscopiques sont négatifs.

Un analgésique narcotique est parfois prescrit avant l'intervention. La peau recouvrant le point de ponction est nettoyée et anesthésiée. On pratique ensuite une petite incision et on y introduit l'aiguille à biopsie jusqu'à la plèvre pendant que le patient retient son souffle à mi-chemin d'une expiration. Sous contrôle radioscopique, on amène l'aiguille près de la lésion et on prélève un échantillon de tissu tumoral. Le pneumothorax, l'hémorragie pulmonaire et l'empyème comptent parmi les complications possibles de cette intervention.

## Biopsie des ganglions

Les ganglions préscaléniques sont emprisonnés dans le fond de la lame graisseuse cervicale qui surplombe le muscle scalène antérieur. Ces ganglions drainent les poumons et le médiastin et peuvent présenter des anomalies histologiques en présence d'une maladie intrathoracique. Quand ces ganglions sont palpables à l'examen physique, il peut être indiqué de faire une biopsie. Cette intervention peut servir à établir la gravité d'une maladie pulmonaire et à poser le diagnostic de certaines maladies (maladie de Hodgkin, sarcoïdose, maladie fongique, tuberculose et carcinome) et d'en évaluer le pronostic.

La *médiastinoscopie* est l'examen endoscopique du médiastin. Elle permet d'explorer les ganglions médiastinaux qui drainent les poumons et de pratiquer une biopsie sans recourir à la thoracotomie. Habituellement, on prélève la biopsie par incision sus-sternale. La médiastinoscopie sert à évaluer l'atteinte médiastinale due à une tumeur maligne au poumon et à prélever du tissu pour diagnostiquer d'autres maladies (par exemple la sarcoïdose).

On estime que la *médiastinotomie antérieure* offre une meilleure vue et de plus grandes possibilités diagnostiques que la médiastinoscopie. On pratique la médiastinotomie en faisant une incision dans la région du deuxième ou troisième cartilage costal. Elle sert à explorer le médiastin et à prélever des biopsies de tous les ganglions lymphatiques trouvés. Après l'intervention, il faut effectuer un drainage à thorax fermé. La médiastinotomie est tout particulièrement utile pour déterminer si une lésion pulmonaire peut être réséquée.

## Détection au laser

On utilise présentement le laser à titre expérimental pour la détection et la photoradiation des cancers bronchopulmonaires dans leurs premiers stades. Le laser à l'argon ou au krypton permet de dépister les cancers bronchopulmonaires à leur premier stade deux à trois jours après l'injection d'un dérivé de l'hématoporphyrine.

---

# RÉSUMÉ

On pose le diagnostic des maladies respiratoires après avoir fait un bilan de santé complet du patient, un examen physique et des examens diagnostiques. Plusieurs examens diagnostiques peuvent contribuer au diagnostic des maladies respiratoires: radiographies du thorax, tomodensitométrie (TDM), tomographie par émission de positons, angiographie pulmonaire, bronchoscopie, thoracocentèse, examen des expectorations, mesure des gaz du sang artériel, scintigraphie pulmonaire et biopsie des ganglions. Après avoir repéré les points importants du bilan de santé, et analysé les altérations révélées par l'examen physique ainsi que les anomalies décelées lors des examens diagnostiques, le médecin pourra déterminer la maladie respiratoire en cause.

Le patient qui subit des examens diagnostiques complets relativement à un trouble respiratoire est souvent essoufflé et fatigué, en plus d'être anxieux au sujet des résultats de ces examens. L'infirmière peut souvent atténuer sa peur et son anxiété en lui apportant son soutien et en le préparant psychologiquement aux examens. Si les examens doivent être répétés, le patient sera encore plus fatigué et incommodé, et il aura davantage besoin qu'on l'aide à s'acquitter de certaines tâches quotidiennes.

## Bibliographie

### Ouvrages

Bates B. A Guide to Physical Examination and History-Taking, 5th ed. Philadelphia, JB Lippincott, 1991.

Baum GL and Wolinsky E (eds). Textbook of Pulmonary Diseases, 4th ed. Boston, Little, Brown, 1983.

Burton GG and Hodgkin JE (eds). Respiratory Care: A Guide to Clinical Practice, 2nd ed. Philadelphia, JB Lippincott, 1984.

Comroe JH et al. The Lung, Clinical Physiology and Pulmonary Function Tests. 2nd ed. Chicago, Yearbook Medical Publishers, 1977.

Fishman AP. Pulmonary Diseases and Disorders, 2nd ed, Vol 1. New York, McGraw-Hill, 1988.

Guyton AC. Textbook of Medical Physiology, 7th ed. Philadelphia, WB Saunders, 1986.

Kersten LD. Comprehensive Respiratory Nursing. Philadelphia, WB Saunders, 1989.

Kinney MR et al. AACN's Clinical Reference for Critical Care Nursing, 2nd ed. New York, McGraw-Hill, 1988.

Murray JF and Nadel JA. The Textbook of Respiratory Medicine, 2nd ed. Vols 1 & 2. Philadelphia, WB Saunders, 1988.

Pennington JE (ed). Respiratory Infections: Diagnosis and Management, 2nd ed. New York, Raven Press, 1989.

Putman CE (ed). Lung Biology in Health & Disease: Diagnostic Imaging of the Lung, Vol 46. New York, Marcel Dekker, 1990.

Shapiro BA et al. Clinical Application of Respiratory Care, 3rd ed. Chicago, Year Book Medical Publishers, 1985.

Shapiro BA et al. Clinical Application of Blood Gases, 3rd ed. Chicago, Mosby-Year Book, 1989.

Thibodeau GA and Anthony CP. Structure and Function of the Body. St Louis, Times Mirror/Mosby College Publishing. 1988.

West JB. Respiratory Physiology, 4th ed. Baltimore, Williams & Wilkins, 1990.

## *Revues*

Barbee RA. The medical history in pulmonary disease. Respir Care 1984 Jan; 29(1): 68-75.

Carrieri VK et al. The sensation of dyspnea: A review. Heart Lung 1984 Jul; 13(4): 436-447.

Clausen JL. Clinical interpretation of pulmonary function tests. Respir Care 1989 Jul; 34(7): 638-645.

Crapo RO. Reference values for lung function tests. Respir Care 1989 Jul; 34 (7) 626-633.

Gardner RM et al. Spirometry and flow volume curves. Clin Chest Med 1989 Jun; 10(2): 145-154.

Gift AG. Clinical measurement of dyspnea. Dimens Crit Care Nurs 1989 Apr; 8(4): 210-214.

Gift AG. Dyspnea. Nurs Clin North Am 1990 Dec; 25(4): 955-965.

Leitman BS and Naidich DP. Computerized tomography of the chest: Indications and basic interpretation (Part 1). Hosp Med 1990 Aug; 26(8) 114-128.

Leitman BS and Naidich DP. Computerized tomography of the chest: Indications and basic interpretation (Part 2). Hosp Med 1990 Sep; 26(9) 75-88.

Marini JJ. Lung mechanics determinations at the bedside: Instrumentation and clinical application. Respir Care 1990 Jul; 35(7): 669-696.

Mehta AC et al. Transbronchial needle aspiration for histology specimens. Chest 1989 Jun; 96(6): 1228-1332.

Munro NC et al. Chest pain in chronic sputum production: A neglected symptom. Respir Med 1989 Jul; 83(4): 339-341.

Pierson DJ. Measuring and monitoring lung volumes outside the pulmonary function laboratory. Respir Care 1990 Jul; 35(7): 660-668.

Raffin TA. Shortness of breath: Differential diagnosis. Hosp Med 1989 May; 25(5): 98-127.

Ries AL. Measurement of lung volumes. Clin Chest Med 1989 Jun; 10(2): 177-186.

Stevens RP. Flexible fiberoptic bronchoscopy. Hosp Med 1990 Jun; 26(6): 43-49.

Stoller JK. Pulmonary function-testing as a screening technique. Respir Care 1989 Jul; 34(7): 611-621.

Wilkins RL et al. Lung-sound terminology used by respiratory care practitioners. Respir Care 1989 Jan; 34(1): 36-41.

Wolkore N et al. The relationship between pulmonary function and dyspnea in obstructive lung disease. Chest 1989 Dec; 96(6): 1247-1251.

## *Information/Ressources*

### *Organismes gouvernementaux*

National Heart, Lung and Blood Institute
   National Institutes of Health, 900 Rockville Pike, Bldg 31, Bethesda, MD 20892, (301) 496-5166

### *Organismes bénévoles*

American Association for Respiratory Care
   1720 Regal Row, Dallas, TX 75235, (214) 630-3540
American Lung Association
   1740 Broadway, New York, NY 10019, (212) 315-8700
American Thoracic Society
   1740 Broadway, New York, NY 10019, (212) 315-8700

# 3
# MODALITÉS DU TRAITEMENT ET DES SOINS RESPIRATOIRES

*OBJECTIFS D'APPRENTISSAGE*

*Après avoir étudié ce chapitre, vous devriez être en mesure de réaliser ce qui suit:*

1. *Décrire les soins infirmiers à prodiguer aux patients qui reçoivent les traitements suivants: oxygénothérapie, ventilation en pression positive intermittente, mininébuliseur, spirométrie de stimulation, physiothérapie respiratoire et rééducation respiratoire.*

2. *Décrire les soins infirmiers à prodiguer au patient portant une sonde endotrachéale ou une canule trachéale.*

3. *Décrire la technique d'aspiration trachéale.*

4. *Appliquer la démarche de soins infirmiers pour intervenir auprès des patients sous ventilateur.*

5. *Expliquer le but de la collecte de données et de l'enseignement préopératoires auprès du patient qui s'apprête à subir une opération thoracique.*

6. *Expliquer les principes du drainage thoracique ainsi que les tâches de l'infirmière dans les soins au patient relié au système d'aspiration par dépression d'eau.*

7. *Décrire l'enseignement à donner au patient qui a subi une opération thoracique ainsi que les soins à domicile dont il aura besoin.*

## PATIENTS AYANT BESOIN D'UN TRAITEMENT PARTICULIER POUR DES AFFECTIONS RESPIRATOIRES

Il existe une vaste gamme de traitements destinés aux patients qui souffrent de troubles respiratoires. Le choix du traitement est fonction du problème d'oxygénation, et diffère selon qu'il s'agit d'un dérèglement de la ventilation, de la diffusion ou des deux. L'éventail des traitements est large, allant d'interventions simples et non effractives (oxygénothérapie, traitement au nébuliseur, physiothérapie respiratoire, rééducation respiratoire) à des interventions complexes et effractives (intubation, ventilation artificielle, intervention chirurgicale). Pour que l'évaluation et le traitement du patient se fassent dans les meilleures conditions, il faut travailler en équipe multidisciplinaire dans un esprit de collaboration.

# OXYGÉNOTHÉRAPIE

L'oxygénothérapie consiste à administrer de l'oxygène à une pression plus élevée que celle de l'atmosphère. Dans l'air ambiant au niveau de la mer, la concentration de l'oxygène est de 21 %. L'oxygénothérapie vise à favoriser le transport de l'oxygène vers le sang tout en diminuant le travail ventilatoire et la sollicitation du myocarde.

Le transport de l'oxygène vers les tissus dépend de facteurs tels que le débit cardiaque, la teneur en oxygène du sang artériel, le taux d'hémoglobine et les besoins métaboliques. Il faut tenir compte de tous ces facteurs quand on envisage une oxygénothérapie. (La physiologie de la respiration et le transport de l'oxygène sont traités au chapitre 2.)

***Collecte des données.*** La modification de la fréquence respiratoire et du mode de respiration peut constituer l'une des premières indications de l'oxygénothérapie. Les signes cliniques de l'*hypoxémie* (diminution de la pression artérielle d'oxygène dans le *sang*) sont divers: changements évolutifs dans l'état de conscience (jugement altéré, agitation, désorientation, confusion, léthargie et coma); dyspnée; augmentation de la pression artérielle; changements dans la fréquence cardiaque; troubles du rythme cardiaque; cyanose centrale (signe tardif); diaphorèse; membres froids. L'hypoxémie mène souvent à l'*hypoxie* (diminution de l'apport d'oxygène aux *tissus*). L'hypoxie grave peut mettre en danger la vie du patient.

Les signes et symptômes du manque d'oxygène dépendent de la rapidité à laquelle ce trouble apparaît. Lorsque l'hypoxie évolue rapidement, il se produit des changements dans le système nerveux central parce que les centres supérieurs sont plus sensibles au manque d'oxygène. Le tableau clinique peut évoquer l'état d'ébriété, car le patient manque de coordination et son jugement est altéré. L'hypoxie de longue date (courante dans la bronchopneumathie chronique obstructive [BPCO] et l'insuffisance cardiaque chronique) peut entraîner de la fatigue, de la somnolence, de l'apathie, une diminution de l'attention et une augmentation du temps de réaction. L'évaluation du besoin en oxygène se fait au moyen d'une analyse des gaz du sang artériel (page 48) et d'un examen clinique.

***Types d'hypoxie et traitement*** L'hypoxie peut être causée par une maladie pulmonaire grave (irrigation inadéquate) ou par une maladie extrapulmonaire (distribution inadéquate) qui entrave les échanges gazeux au niveau cellulaire. Il existe quatre grands types d'hypoxie: (1) l'hypoxie hypoxémique, (2) l'hypoxie d'origine respiratoire, (3) l'hypoxie des anémies et (4) l'hypoxie histotoxique.

L'*hypoxie hypoxémique* est une diminution du taux d'oxygène sanguin qui provoque une diminution de la diffusion de l'oxygène dans les tissus. Ce type d'hypoxie peut être causé par l'hypoventilation, l'altitude ou un défaut de diffusion pulmonaire. On la traite en augmentant la ventilation alvéolaire ou en administrant une oxygénothérapie complémentaire.

L'*hypoxie d'origine respiratoire* (ou hypoxie par trouble de la ventilation) apparaît à la suite d'une diminution de la circulation capillaire. Elle peut être causée par une diminution du débit cardiaque, par une obstruction locale des vaisseaux, par un ralentissement de la circulation (choc) ou par un arrêt cardiaque. Bien que la pression partielle de l'oxygène ($PO_2$) dans les tissus soit diminuée, la pression partielle de l'oxygène artériel demeure normale. Pour traiter l'hypoxie d'origine respiratoire, on décèle et on soigne le trouble sous-jacent.

L'*hypoxie des anémies* est due à une inefficacité de l'hémoglobine entraînant une baisse de la capacité de fixation de l'oxygène. Ce type d'hypoxie s'accompagne rarement d'hypoxémie. L'intoxication par le monoxyde de carbone ressemble à l'hypoxie des anémies parce qu'il diminue le transport de l'oxygène par l'hémoglobine; il ne s'agit toutefois pas strictement d'une hypoxie des anémies, car la concentration d'hémoglobine peut être normale.

L'*hypoxie histotoxique* apparaît quand une substance toxique (comme le cyanure) empêche les tissus d'utiliser tout l'oxygène disponible.

***Considérations d'ordre clinique.*** L'oxygène est un médicament; il faut donc l'administrer avec prudence et en évaluer attentivement les effets sur le patient. Sauf en situation d'urgence, il doit être prescrit par un médecin.

En général, l'oxygénothérapie n'est administrée au patient souffrant d'une maladie respiratoire que pour ramener la pression partielle de l'oxygène artériel ($PaO_2$) à la normale, soit entre 60 et 95 mm Hg. Si on se rapporte à la courbe de dissociation de l'oxyhémoglobine (page 29), à ces pressions, la saturation de l'hémoglobine se situe entre 80 et 98 % (0,80 — 0,98); l'augmentation de la fraction inspirée d'oxygène ($FIO_2$) n'augmentera pas la teneur en oxygène des globules rouges ou du plasma. Au contraire, elle pourrait supprimer la ventilation chez certains patients.

L'excès d'oxygène peut entraîner des effets toxiques sur les poumons et le système nerveux central ou provoquer l'inhibition de la ventilation. Par exemple, chez un patient souffrant de BPCO, le stimulus déclencheur de la respiration est une diminution de l'oxygène sanguin plutôt qu'une augmentation du taux de gaz carbonique. Par conséquent, si on administre rapidement une forte concentration d'oxygène, on supprime ce stimulus, ce qui entraîne une diminution de la ventilation alvéolaire pouvant provoquer une augmentation progressive de la pression du gaz carbonique artériel ($PaCO_2$). La mort par narcose au gaz carbonique et acidose respiratoire peut s'ensuivre (voir au chapitre 46).

Quel que soit le mode d'administration de l'oxygène, il faut procéder à des évaluations fréquentes afin de déceler les signes souvent subtils d'oxygénation inadéquate: confusion, agitation évoluant vers la léthargie, diaphorèse, pâleur, tachycardie, tachypnée et hypertension.

Lorsqu'on administre de l'oxygène, il faut également prendre les précautions qui s'imposent pour la manipulation du matériel. Étant donné que l'oxygène est très combustible, l'oxygénothérapie comporte toujours un danger d'incendie. Il faut donc poser des affiches indiquant qu'il est interdit de fumer. L'appareil d'oxygénothérapie peut également être une source d'infection nosocomiale; on doit donc changer souvent la tubulure, en respectant le protocole de prévention des infections de l'établissement et les directives s'appliquant au type d'appareil utilisé.

***Toxicité de l'oxygène.*** L'oxygène étant un médicament, il peut entraîner de graves effets indésirables, notamment une hypoventilation par excès d'oxygène (qu'on peut prévenir en administrant l'oxygène à un faible débit, soit entre 1 et 2 L/min) et l'atélectasie. Le risque le plus grave et le plus insidieux est celui de l'intoxication par l'oxygène, qui peut survenir quand on administre une trop forte concentration

TABLEAU 3-1. *Appareils d'oxygénothérapie*

| Appareil | Rythme d'administration suggéré (L/min) | Réglage du pourcentage d'oxygène | Avantages | Inconvénients |
|---|---|---|---|---|
| Canule | 1-2<br>3-5<br>6 | 23-30<br>30-40<br>42 | Légère, confortable, peu coûteuse, utilisation ininterrompue même pendant les repas ou les activités | Assèche la muqueuse nasale, $FIO_2$ variable. |
| Sonde | 1-6 | 23-42 | Peu coûteuse | $FIO_2$ variable, doit être changée souvent (toutes les 8 heures), ballonnement abdominal. |
| Masque simple | 6-8 | 40-60 | Simple à utiliser, peu coûteux | S'ajuste mal, $FIO_2$ variable, doit être enlevé à l'heure des repas. |
| Masque à réinspiration partielle de l'air expiré | 8-11 | 50-75 | Pour concentration d'oxygène moyenne | Chaud, s'ajuste mal, doit être enlevé à l'heure des repas. |
| Masque sans réinspiration de l'air expiré | 12 | 80-100 | Pour concentration d'oxygène élevée | S'ajuste mal. |
| Masque Venturi | 4-6<br>6-8 | 24, 26, 28<br>30, 35, 40 | Pour oxygénothérapie complémentaire à faible concentration, $FIO_2$ précise, possibilité d'humidifier davantage | Doit être enlevé à l'heure des repas. |
| Masque aérosol | 8-10 | 30-100 | Bonne humidité, $FIO_2$ précise | Certains patients le trouvent inconfortable. |
| Collerette à trachéostomie | 8-10 | 30-100 | Bonne humidité, confortable, $FIO_2$ assez précise | |
| Pièce en T, Briggs | 8-10 | 30-100 | Les mêmes que pour la collerette à trachéostomie | Tubulure lourde |
| Tente faciale | 8-10 | 30-100 | Bonne humidité, $FIO_2$ assez précise | Volumineuse et encombrante |

d'oxygène (plus de 50 %) pendant une période prolongée (plus de 48 heures).

On ne comprend pas encore très bien la physiopathologie de la toxicité de l'oxygène, mais on sait qu'elle est reliée à une déperdition et à une diminution du surfactant, à la formation d'une membrane hyaline tapissant le poumon et à l'apparition d'un oedème pulmonaire qui n'est pas d'origine cardiaque. Les signes et symptômes de l'intoxication par l'oxygène sont les douleurs sous-sternales, la paresthésie (dysesthésie), la dyspnée, l'agitation, la fatigue, le malaise, une difficulté de plus en plus grande à respirer et une configuration alvéolaire sur les radiographies.

Pour prévenir l'intoxication, il faut utiliser l'oxygène conformément à l'ordonnance. Si le patient a besoin de fortes concentrations d'oxygène, il faut éviter de prolonger inutilement la durée d'administration et réduire la concentration dès que possible.

## Méthodes d'administration de l'oxygène

L'oxygène parvient au patient à partir d'un réservoir ou à partir d'un système intégré. Ce réservoir ou ce système intégré est muni d'un régulateur de pression pour abaisser la pression au niveau désiré et d'un débitmètre qui règle la quantité d'oxygène en litres par minute. Lorsqu'on administre de l'oxygène à un rythme élevé, on peut l'humidifier pour prévenir l'assèchement des muqueuses des voies respiratoires.

Il existe plusieurs types d'appareils d'oxygénothérapie; ils doivent tous être utilisés conformément à l'ordonnance du médecin et entretenus selon les directives du fabricant (tableau 3-1). La quantité d'oxygène fournie est exprimée sous forme de pourcentage (70 % par exemple). Comme l'analyse des gaz du sang artériel indique l'état d'oxygénation du patient, elle constitue la meilleure façon de déterminer les modalités de l'oxygénothérapie.

Quand le patient a besoin d'une concentration faible ou moyenne d'oxygène et qu'il n'est pas essentiel de mesurer très exactement cette concentration, on utilise une *canule nasale*. La canule est relativement simple à utiliser et elle permet au patient de changer de position dans son lit, de parler, de tousser et de manger tout en recevant de l'oxygène. Toutefois, si le débit d'administration dépasse 6 à 8 L/min, le patient peut avaler de l'air, ce qui provoque une irritation et un assèchement des muqueuses nasale et pharyngienne.

Rarement utilisée, la *sonde oropharyngée* est surtout prescrite pour les traitements de courte durée avec concentrations faibles à moyennes d'oxygène. Elle peut à la longue irriter la muqueuse nasale. Quand on administre de l'oxygène par voie nasale (à l'aide d'une canule ou d'une sonde), le pourcentage d'oxygène qui se rend aux poumons dépend de l'amplitude et de la fréquence respiratoires, surtout si la muqueuse nasale est tuméfiée ou si le patient est habitué à respirer principalement par la bouche.

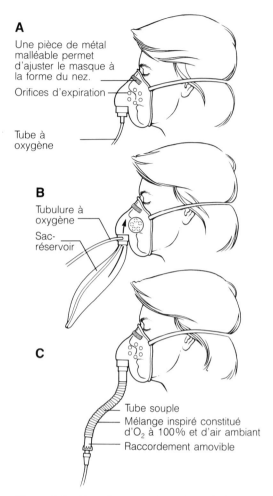

**A**

Une pièce de métal malléable permet d'ajuster le masque à la forme du nez.

Orifices d'expiration

Tube à oxygène

**B**

Tubulure à oxygène

Sac-réservoir

**C**

Tube souple

Mélange inspiré constitué d'O₂ à 100% et d'air ambiant

Raccordement amovible

***Figure 3-1.*** Types de masques à oxygène utilisés pour administrer diverses concentrations d'oxygène (**A**) Masque facial simple. (**B**) Masque à réinspiration partielle de l'air expiré. On peut boucher les orifices d'expiration pour obtenir des concentrations d'oxygène plus élevées. (**C**) Masque Venturi.

Le *masque simple* est utilisé pour l'administration de concentrations faibles à moyennes d'oxygène, alors que le *masque partiel* (c'est-à-dire avec réinspiration partielle de l'air expiré) et le *masque sans réinspiration* servent à l'administration de concentrations moyennes à fortes. Ces masques sont très appréciés, mais on ne peut pas les utiliser pour administrer des concentrations précises d'oxygène et ils doivent être ajustés. Il ne faut pas que le masque soit pressé contre le visage du patient, car celui-ci risque de se sentir enfermé. Des bandes élastiques ajustables sont d'ailleurs fournies avec le masque pour permettre un bon ajustement. Le sac-réservoir qui est fixé au masque à réinspiration partielle et au masque sans réinspiration doit rester gonflé tant à l'inspiration qu'à l'expiration. Pour le garder gonflé, on règle le débit d'administration de façon que le sac-réservoir ne s'affaisse pas durant l'inspiration.

Le *masque Venturi* (figure 3-1) offre la méthode d'oxygénothérapie la plus fiable et la plus précise. Il est conçu de façon à laisser passer un débit continu d'air ambiant en même temps qu'un débit fixe d'oxygène. On l'utilise surtout chez les patients souffrant de BPCO, car il peut fournir une oxygénothérapie

complémentaire à des concentrations peu élevées et prévenir ainsi le risque de suppression du stimulus déclencheur.

Le masque Venturi fonctionne selon le principe de l'aération du béton (vides aménagés pour emprisonner l'air) et peut ainsi fournir un débit élevé d'air enrichi d'une quantité déterminée d'oxygène. Le gaz en excès sort du masque par les perforations et entraîne avec lui le gaz carbonique expiré. Le masque Venturi permet d'administrer une concentration constante d'oxygène quelles que soient l'amplitude ou la fréquence respiratoire.

Il faut que le masque soit assez serré pour que le patient ne reçoive pas d'oxygène dans les yeux. On doit également examiner le visage du patient pour voir si la peau est irritée. Le masque doit être enlevé quand le patient mange, boit ou prend des médicaments.

Le *masque aérosol*, la *collerette à trachéostomie* et la *tente faciale* sont utilisés de concert avec des appareils aérosol (nébuliseurs) qu'on peut régler pour obtenir des concentrations d'oxygène allant de 27 à 100 % (0,27 à 1,00). Si le débit du mélange gazeux est inférieur aux besoins du patient, l'air ambiant entrera dans le masque et diluera la concentration. La buée doit être pulvérisée de façon continue durant toute la phase inspiratoire.

Le concentrateur d'oxygène est un autre appareil qui permet d'administrer différentes quantités d'oxygène ; il est surtout utilisé pour les soins à domicile. Il est relativement portatif et facile à utiliser ; il offre de plus un bon rapport qualité-prix. Il exige cependant plus d'entretien que les réservoirs d'oxygène ou les bombonnes d'oxygène liquide, et ne peut probablement pas fournir avec précision des débits supérieurs à 4 L / min (ce qui donne une FIO₂ d'environ 36 %).

**Soins à domicile.**    Certains patients ont besoin d'une oxygénothérapie à domicile. Dans ce cas, il faut enseigner au patient ou à sa famille comment administrer l'oxygène et leur expliquer que l'oxygène existe sous forme liquide, gazeuse ou concentrée. L'oxygène liquide ou gazeux s'utilise avec des appareils portatifs, ce qui permet au patient sous oxygénothérapie de sortir de chez lui. Il faut fournir suffisamment d'humidité pendant l'oxygénothérapie (sauf avec les appareils portatifs) afin de contrecarrer l'effet d'assèchement et d'irritation de l'oxygène comprimé dans les voies respiratoires.

Pour s'assurer de la qualité des soins à domicile et pour que le patient ou l'organisme de soins puisse se faire rembourser l'oxygénothérapie s'il y a lieu, l'infirmière doit veiller à ce que l'ordonnance médicale fasse mention de la maladie du patient, de la concentration d'O₂ ou du débit prescrit et des conditions d'utilisation (utilisation continue ou durant la nuit seulement, par exemple).

## VENTILATION EN PRESSION POSITIVE INTERMITTENTE

La ventilation en pression positive intermittente (VPPI) permet à l'air de s'écouler dans les poumons durant l'inspiration par l'insufflation d'air ou d'oxygène (ou les deux) à une pression supérieure à la pression atmosphérique. La VPPI se fait à l'aide d'un appareil qui gonfle les poumons par pression positive et y distribue l'air ou l'oxygène. Quand le patient inspire, la force inspiratoire négative qu'il produit déclenche l'appareil de ventilation, qui fournit alors une insufflation en pression positive. Lorsque l'appareil atteint la pression

***Figure 3-2.*** Mesure des volumes pulmonaires par spirométrie de stimulation. On demande au patient d'inspirer profondément pour soulever les billes et les faire flotter dans l'air aussi longtemps que possible. Le volume inspiré est estimé; il est variable.

préréglée selon l'ordonnance, il s'arrête pour permettre une expiration passive. L'appareil de ventilation en pression positive intermittente peut fonctionner à l'électricité ou au gaz; on peut y relier un embout buccal, un masque ou un raccord à trachéostomie.

***Indications.*** La VPPI est moins utilisée depuis quelques années en raison des dangers qu'elle présente. Les indications générales sont, notamment: difficulté d'expectorer les sécrétions respiratoires, capacité vitale (CV) réduite accompagnée de respiration profonde inefficace et de toux non productive. Le traitement par VPPI peut également être prescrit après l'essai infructueux d'autres méthodes plus simples et moins coûteuses (mobilisation des sécrétions, administration d'aérosol et expansion thoracique).

***Complications de la VPPI.*** La ventilation en pression positive intermittente peut causer un pneumothorax, un assèchement des muqueuses, une augmentation de la pression intracrânienne, une hémoptysie, un ballonnement abdominal, des vomissements (avec risque d'aspiration), une dépendance psychologique (surtout s'il y a utilisation prolongée comme dans les cas de BPCO), une hyperventilation, une administration excessive d'oxygène et des problèmes cardio-vasculaires.

## *Traitement au mininébuliseur*

Le mininébuliseur est un appareil à main qui transforme un médicament liquide en particules microscopiques et le pulvérise dans les poumons lors de l'inspiration. Il fonctionne habituellement à l'aide d'un compresseur d'air auquel il est relié par des tubes. Certains nébuliseurs fonctionnent à l'oxygène plutôt qu'à l'air. Pour être efficace, le nébuliseur doit produire une buée que le patient peut voir et inhaler.

***Indications.*** Les indications du traitement au mininébuliseur sont les mêmes que celles de la VPPI, sauf que le patient doit être capable de respirer profondément sans l'aide d'un appareil de ventilation en pression positive. Le patient doit s'exercer à la respiration diaphragmatique pour se préparer à utiliser correctement le mininébuliseur. Les patients souffrant d'une BPCO utilisent souvent les mininébuliseurs pour l'administration de médicaments à inhaler. Les mininébuliseurs sont couramment utilisés à domicile pour de longues périodes.

***Soins infirmiers.*** Le patient doit respirer par la bouche et prendre des respirations lentes et profondes. L'infirmière lui explique qu'il doit retenir son souffle pendant quelques secondes en fin d'inspiration pour augmenter la pression intrapleurale et rouvrir les alvéoles affaissées, ce qui augmentera sa capacité résiduelle fonctionnelle (voir le chapitre 2). L'infirmière incite le patient à tousser et lui conseille d'évaluer les progrès apportés par le traitement. Enfin, quand le patient compte se servir du mininébuliseur à la maison, l'infirmière lui explique comment le nettoyer correctement et où le ranger.

## *Spirométrie de stimulation (inspiration maximale soutenue)*

Le spiromètre de stimulation fournit au patient un repère visuel qui lui enseigne comment inspirer lentement et profondément pour maximiser la distension des poumons (figure 3-2). Le patient s'installe en position assise ou semi-Fowler, ce qui facilite le déplacement du diaphragme. Il peut toutefois utiliser l'appareil dans n'importe quelle position. Il existe deux types de spiromètres de stimulation: le spiromètre de volume et le spiromètre de débit. Avec un spiromètre de volume,

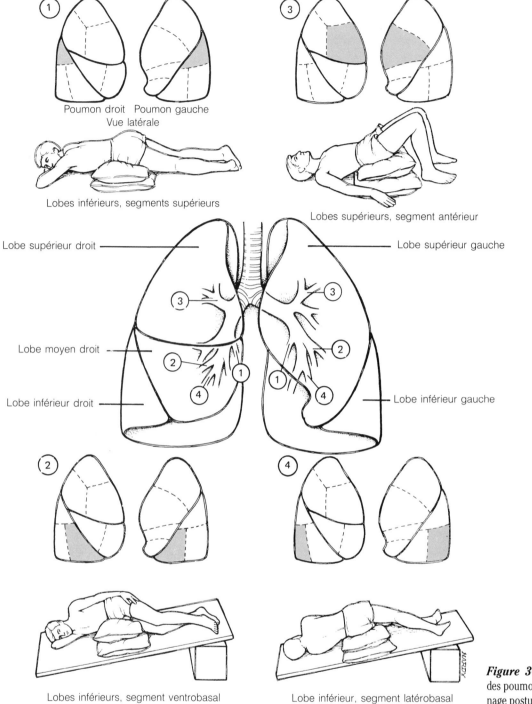

Poumon droit    Poumon gauche
Vue latérale

Lobes inférieurs, segments supérieurs

Lobes supérieurs, segment antérieur

Lobe supérieur droit ———

——— Lobe supérieur gauche

Lobe moyen droit —

Lobe inférieur droit ———

——— Lobe inférieur gauche

Lobes inférieurs, segment ventrobasal

Lobe inférieur, segment latérobasal

**Figure 3-3.** Segments anatomiques des poumons et quatre positions de drainage postural. Les chiffres des positions renvoient aux segments anatomiques correspondants.

on règle le volume courant selon les directives du fabricant. Le spiromètre mesure le volume inspiratoire que le patient augmente peu à peu en prenant des inspirations de plus en plus profondes. Pour utiliser le spiromètre, le patient prend une inspiration profonde par l'embout buccal, il retient son souffle quand le gonflement de ses poumons atteint son maximum, puis il se détend et expire. Pour réduire la fatigue, il doit prendre quelques respirations normales entre chaque inspiration dans le spiromètre. On augmente le volume à

intervalles réguliers selon la tolérance du patient. Le spiromètre de débit a la même fonction que le spiromètre de volume, mais le volume n'est pas préréglé. Le volume et le débit sont évalués approximativement par le nombre de billes soulevées et par le temps pendant lequel elles flottent dans l'air.

**Indications.**    La spirométrie est utilisée pendant la période postopératoire, surtout après une intervention thoracique ou abdominale, pour prévenir ou traiter l'atélectasie. Comme traitement prophylactique, elle est parfois plus efficace que la VPPI, car elle maximise le débit inspiratoire tout en maintenant peu élevées les pressions sur les voies aériennes.

**Soins infirmiers.** Les soins infirmiers à prodiguer aux patients qui utilisent la spirométrie de stimulation sont, notamment:

- Expliquer les raisons du traitement.
- Évaluer la douleur et administrer des analgésiques au besoin, avant le traitement.
- Placer le patient en position semi-Fowler ou verticale (n'importe quelle position peut toutefois être acceptable).
- Lui enseigner comment pratiquer la respiration diaphragmatique (p. 61).
- Lui demander de retenir son souffle en fin d'inspiration (durant 3 secondes), et ensuite d'expirer lentement.
- L'inciter à tousser pendant et après chaque séance.
- Aider le patient qui vient d'être opéré à exercer une légère pression sur son incision quand il tousse.
- Régler le volume à un niveau raisonnable et fixer des objectifs réalistes de façon à ne pas décourager le patient.
- Placer le spiromètre à portée du patient.
- Commencer le traitement immédiatement après l'intervention chirurgicale (une atélectasie peut apparaître une heure après le début d'une hypoventilation).
- Inciter le patient à prendre environ 10 respirations toutes les heures avec le spiromètre lorsqu'il est éveillé.
- Toutes les deux heures, noter le nombre de respirations avec le spiromètre et évaluer l'efficacité de ces respirations.

## PHYSIOTHÉRAPIE RESPIRATOIRE

La physiothérapie respiratoire comprend plusieurs types de traitements: le drainage postural, la percussion et la vibration du thorax, les exercices de respiration, la rééducation respiratoire, et les exercices de toux. Elle vise à évacuer les sécrétions bronchiques, à améliorer la ventilation et à accroître l'efficacité des muscles respiratoires.

### Drainage postural (drainage d'un segment pulmonaire jusqu'à la bronche souche)

Le drainage postural est l'utilisation de différentes positions pour évacuer les sécrétions bronchiques par gravité. Il permet d'évacuer les sécrétions des bronchioles obstruées et de les diriger vers les bronches et la trachée, où elles peuvent alors être expectorées par le patient ou retirées par aspiration. Le drainage postural est indiqué pour prévenir ou traiter les obstructions bronchiques causées par une accumulation de sécrétions.

Comme le patient est le plus souvent assis le dos droit, les sécrétions ont tendance à s'accumuler dans les segments inférieurs des poumons. Quand on le soumet au drainage postural, on le place dans une série de positions différentes (figure 3-3) de façon à ce que la force de gravité déplace les sécrétions depuis les petites bronches vers les bronches souches et la trachée. Le patient peut alors évacuer les sécrétions en toussant. Pour faciliter le drainage de l'arbre bronchique, le médecin peut prescrire au préalable l'inhalation de bronchodilatateurs ou de fluidifiants.

On peut se servir des positions de drainage postural pour évacuer n'importe quel segment (bilatéral) du poumon.

Les bronches des lobes inférieurs et moyens se vident plus efficacement quand la tête est placée vers le bas, alors que les bronches des lobes supérieurs se vident plus efficacement quand la tête est relevée. Souvent, le patient est placé dans cinq positions différentes, soit une pour chaque lobe: tête baissée, sur le ventre, sur le côté droit, sur le côté gauche et assis.

**Interventions infirmières.** L'infirmière doit disposer de certaines données avant de prodiguer des soins: diagnostic, lobes ou segments pulmonaires atteints, état de la fonction cardiaque et tout défaut structural de la paroi thoracique ou de la colonne vertébrale. Pour déterminer les régions pulmonaires à drainer et évaluer l'efficacité du traitement, il faut ausculter le thorax avant et après le traitement. L'auscultation permet de savoir tout de suite après le traitement si celui-ci a été efficace.

Habituellement, on pratique le drainage postural deux à quatre fois par jour, avant les repas (pour prévenir les nausées, les vomissements et l'aspiration) et au coucher. Si le médecin le prescrit, le patient peut se servir d'un nébuliseur pour inhaler des bronchodilatateurs, de l'eau ou une solution salée avant le drainage postural. Cette inhalation dilate les bronches, diminue le bronchospasme, éclaircit le mucus et les expectorations et prévient l'oedème des parois bronchiques. Pendant la séance de drainage postural, l'infirmière veille à ce que le patient soit aussi à l'aise que possible dans chaque position. Elle met à sa portée un haricot, un crachoir et des mouchoirs de papier. Le patient doit garder chaque position pendant 10 à 15 minutes. Il inspire lentement par le nez, puis expire lentement par la bouche avec les lèvres pincées afin de garder ses voies aériennes ouvertes; de cette façon, les sécrétions remontent peu à peu l'arbre bronchique. Si le patient est incapable de rester dans une position donnée, l'infirmière doit l'aider à la modifier. Lorsque le patient passe à une autre position, on lui demande de tousser et d'expectorer les sécrétions de la façon suivante:

1. S'asseoir et se pencher un peu vers l'avant pour favoriser la toux.
2. Garder les genoux et les hanches fléchis pour favoriser la relaxation et réduire la tension que la toux impose aux muscles abdominaux.
3. À plusieurs reprises, inspirer lentement par le nez et expirer par la bouche avec les lèvres pincées.
4. Tousser deux fois à chaque expiration tout en contractant (en rentrant) l'abdomen rapidement à chaque toux.
5. Au besoin, maintenir légèrement l'incision à l'aide d'un oreiller.

Si le patient est incapable de tousser, on doit retirer les sécrétions par aspiration mécanique. Parfois, on doit aussi pratiquer une percussion et une vibration du thorax pour détacher les sécrétions bronchiques et les bouchons de mucus qui adhèrent aux bronchioles et aux bronches et pour les faire s'écouler vers la trachée.

Après la séance de drainage postural, il faut noter la quantité, la couleur, la viscosité et les caractéristiques des expectorations. On évalue également la couleur de la peau et le pouls du patient pendant les premières minutes du drainage. Certains patients ont besoin d'une oxygénothérapie pendant le drainage postural.

Si les expectorations dégagent une odeur nauséabonde, il faut faire le drainage postural dans une chambre isolée loin des autres patients. On peut également utiliser des désodorisants. Après le drainage, on peut offrir au patient de se rafraîchir

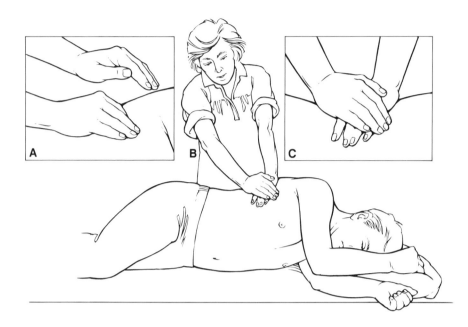

**Figure 3-4.** Percussion et vibration (**A**) Position des mains pour la percussion. (**B**) Technique de vibration. Il est à noter que les poignets et les coudes restent en extension et que les mouvements de vibration sont produits par les muscles des épaules. (**C**) Position des mains pour la vibration.

la bouche en se brossant les dents et en se gargarisant avant d'aller se reposer dans son lit.

## Percussion et vibration du thorax

Pour favoriser le décollement des sécrétions épaisses qui adhèrent aux bronchioles et aux bronches, le thérapeute ou l'infirmière peut percuter le thorax du patient et lui imprimer des vibrations.

Pour la percussion, on met ses mains en coupe et on frappe doucement la paroi thoracique en cadence, au-dessus du segment pulmonaire qui a besoin d'être drainé. Les poignets sont tour à tour fléchis et en extension pour que la percussion soit indolore (figure 3-4). On peut placer un linge doux ou une serviette sur la partie percutée pour protéger la peau des irritations.

La vibration consiste à presser manuellement le thorax et à lui imprimer un tremblement pendant la phase expiratoire de la respiration (figure 3-4). Elle permet de faire sortir plus rapidement le volume courant des petites voies aériennes, ce qui libère les mucosités. Après trois ou quatre vibrations, on demande au patient de tousser en se servant de ses muscles abdominaux. (La contraction des abdominaux accroît l'efficacité de la toux.)

Pour chaque position de drainage, on alterne la percussion et la vibration pendant trois à cinq minutes. Pendant ce temps, le patient pratique la respiration diaphragmatique pour se détendre (voir la section portant sur la rééducation respiratoire). Le nombre de répétitions des cycles de percussion et de vibration dépendra de la tolérance du patient et de sa réaction clinique. Avant et après les interventions, il faut évaluer les bruits respiratoires. Par mesure de précaution, il ne faut pas percuter le sternum, la colonne vertébrale, le foie, les reins, la rate et les seins (chez la femme). En raison de la fréquence de l'ostéoporose et des fractures des côtes chez les personnes

âgées, il faut faire preuve d'une grande prudence quand on pratique une percussion chez un patient âgé.

Dans la majorité des cas, un programme régulier d'exercices de toux et d'expectoration associé à une bonne hydratation permettent de réduire les expectorations.

## Soins infirmiers

L'infirmière qui travaille en physiothérapie respiratoire doit s'assurer que le patient est installé confortablement, qu'il porte des vêtements amples et qu'il ne vient pas de manger. On traite d'abord les régions supérieures des poumons. L'infirmière administre les médicaments prescrits contre la douleur avant la séance de percussion et de vibration, elle assure le maintien de l'incision et elle installe le patient sur des oreillers pour le soutenir, au besoin. Les positions varient, mais il faut se concentrer sur les régions atteintes. Après le traitement, le thérapeute aide le patient à reprendre une position confortable. Il faut interrompre le traitement si un des effets indésirables suivants apparaît : douleur accrue, essoufflement accru, faiblesse, étourdissement ou hémoptysie. On poursuit le traitement jusqu'à ce que le patient retrouve une respiration normale et qu'il mobilise ses sécrétions et jusqu'à ce que les bruits respiratoires et les clichés radiographiques soient normaux.

## Enseignement au patient et soins à domicile

La physiothérapie respiratoire est souvent indiquée pour les patients souffrant de BPCO, de bronchectasie ou de fibrose kystique qui reçoivent des soins à domicile. Les techniques utilisées sont les mêmes que celles décrites précédemment, sauf que le patient se surélève les hanches pour le drainage postural à l'aide d'une pile de magazines, de journaux ou d'oreillers (à moins qu'il n'ait un lit d'hôpital). On enseigne au patient ou à sa famille les positions et les techniques de vibration et de percussion.

# RÉÉDUCATION RESPIRATOIRE

La rééducation respiratoire se fait au moyen d'exercices et de techniques visant à augmenter l'efficacité de la ventilation pour diminuer le travail ventilatoire. Elle est indiquée pour les patients souffrant de bronchopneumathie chronique obstructive et de dyspnée. Les exercices de rééducation respiratoire ont plusieurs avantages : ils favorisent la dilatation des alvéoles, procurent une détente musculaire, diminuent l'anxiété, coordonnent l'activité des muscles respiratoires et en améliorent l'efficacité, ralentissent la fréquence respiratoire et réduisent le travail ventilatoire. Nous décrivons ci-dessous deux exercices caractéristiques, la respiration diaphragmatique et la respiration avec les lèvres pincées.

Le patient peut faire des exercices respiratoires dans différentes positions, car la distribution de l'air et la circulation pulmonaire varient selon la position du thorax. Pendant les exercices, il arrive souvent qu'une oxygénothérapie complémentaire à faible débit soit nécessaire. Avec l'âge, les poumons subissent des changements semblables à ceux causés par l'emphysème ; les exercices respiratoires sont donc indiqués pour toutes les personnes âgées hospitalisées, même en l'absence de maladie pulmonaire.

## Enseignement au patient et soins à domicile

Le patient doit apprendre à respirer lentement, de façon rythmée et détendue afin de maximiser l'expiration et de vider le plus possible ses poumons. Il doit également apprendre à toujours inspirer par le nez, car l'air inspiré est alors filtré, humidifié et réchauffé. S'il s'essouffle, il doit se concentrer et essayer de respirer lentement et en cadence.

## Respiration diaphragmatique

Les exercices de respiration diaphragmatique permettent d'utiliser et de renforcer le diaphragme pendant la respiration. La respiration diaphragmatique peut devenir automatique si le patient la pratique assez souvent et avec suffisamment de concentration. L'infirmière donne au patient les directives suivantes :

1. Placer une main sur l'abdomen (juste en-dessous des côtes) et l'autre main au milieu du thorax. Cela permet de sentir le diaphragme et de bien comprendre son rôle dans la respiration.
2. Inspirer lentement et profondément par le nez en laissant l'abdomen se gonfler le plus possible.
3. Expirer par la bouche avec les lèvres pincées tout en contractant les muscles abdominaux. Pendant l'expiration, exercer une pression ferme sur l'abdomen, vers le haut.
4. Répéter les étapes précédentes pendant une minute, puis se reposer pendant deux minutes. Faire l'exercice pendant cinq minutes plusieurs fois par jour (avant les repas et au coucher).

## Respiration avec les lèvres pincées

La respiration avec les lèvres pincées améliore le transport de l'oxygène, incite le patient à respirer lentement et profondément et l'aide à maîtriser sa respiration, même pendant les périodes de stress physique. Elle contribue également à prévenir l'affaissement alvéolaire secondaire à la perte d'élasticité pulmonaire chez les patients emphysémateux.

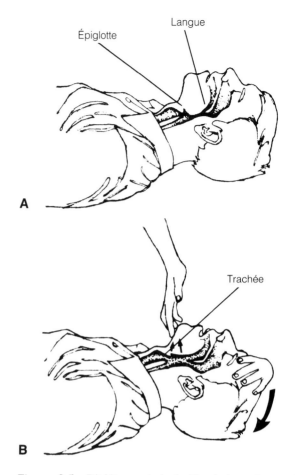

**Figure 3-5.** Rétablissement de la liberté des voies respiratoires. **(A)** Obstruction causée par la langue et l'épiglotte. **(B)** Technique tête inclinée / menton relevé.

Elle exerce les muscles sollicités durant l'expiration à prolonger l'expiration et à augmenter la pression dans les voies aériennes, ce qui diminue la rétention d'air et la résistance des voies respiratoires.

L'infirmière donne au patient les directives suivantes :

1. Inspirer par le nez en comptant jusqu'à 3, puis expirer lentement et régulièrement avec les lèvres pincées tout en contractant les abdominaux. (Le pincement des lèvres offre une résistance à l'air expiré et permet d'augmenter la pression intratrachéale).
2. Compter jusqu'à 7 en continuant à expirer avec les lèvres pincées.
3. Assis sur une chaise, replier les bras sur le ventre :
   • Inspirer par le nez et compter jusqu'à 3. Expirer lentement avec les lèvres pincées en se penchant vers l'avant et compter jusqu'à 7.
4. En marchant :
   • Inspirer en avançant de deux pas.
   • Expirer avec les lèvres pincées en faisant quatre ou cinq pas.

Le patient peut pratiquer l'exercice précédent en même temps qu'il fait ses exercices de respiration diaphragmatique.

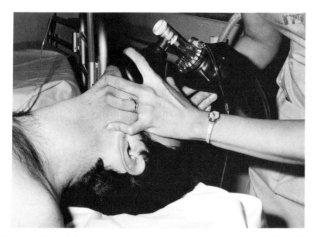

**Figure 3-6.**    Ventilation par masque et ballon. On met la tête du patient en extension et on «scelle» le masque sur le visage en appuyant le pouce gauche contre l'arête du nez et l'index contre le menton. Les trois autres doigts de la main gauche soulèvent le menton pour maintenir le cou en extension. La main droite peut alors comprimer le ballon. La ventilation par masque et ballon ne doit être effectuée que par des personnes dûment formées ou autorisées.

# PATIENTS AYANT BESOIN DE TRAITEMENTS PARTICULIERS DES VOIES RESPIRATOIRES SUPÉRIEURES

Pour que la ventilation se fasse bien, l'air doit pouvoir se déplacer librement dans les voies respiratoires inférieures et supérieures. Le rétrécissement ou l'obstruction des voies respiratoires peut être causé par un processus morbide, une bronchoconstriction (diminution du calibre des bronches due à la contraction des fibres musculaires), la présence d'un corps étranger ou une accumulation de sécrétions. Le maintien ou le rétablissement de la perméabilité des voies respiratoires se fait selon des règles précises, qu'il s'agisse d'une situation d'urgence (obstruction) ou de soins prolongés (patient portant une sonde endotrachéale ou une canule trachéale.

## TRAITEMENT D'URGENCE D'UNE OBSTRUCTION DES VOIES RESPIRATOIRES SUPÉRIEURES

L'obstruction aiguë des voies respiratoires supérieures peut avoir différentes causes. Elle peut être due à la pénétration dans le larynx ou la trachée de morceaux de nourriture, de vomissures, de caillots de sang. Elle peut également être causée par la tuméfaction de la paroi d'une voie aérienne (comme dans l'épiglottite, l'œdème laryngé, le cancer du larynx ou l'angine phlegmoneuse) ou par une accumulation de sécrétions épaisses. Enfin, elle peut être due à un affaissement des parois d'une voie aérienne (comme dans le goitre plongeant), à une tuméfaction des ganglions médiastinaux, à la présence d'un hématome autour des voies supérieures ou à un anévrisme de l'aorte thoracique.

Quand un patient présente une perte partielle de conscience, quelle qu'en soit la cause, il est exposé à une obstruction des voies respiratoires supérieures. En effet, comme il n'a plus ses réflexes de protection (les réflexes tussigène et palatin) et que ses muscles pharyngiens ont perdu leur tonus, sa langue peut glisser vers l'arrière et bloquer les voies respiratoires.

Pour évaluer les signes et symptômes d'une obstruction des voies respiratoires supérieures, l'infirmière doit recueillir les données suivantes.

*À l'inspection:*    Le patient est-il conscient? Fait-il un quelconque effort pour inspirer? Son thorax se gonfle-t-il de façon symétrique? Utilise-t-il ses muscles respiratoires accessoires? Y a-t-il tirage? La coloration de la peau est-elle normale? Présente-t-il des signes évidents de déformation ou d'obstruction? La trachée se trouve-t-elle dans l'axe médian?

*À la palpation:*    Les deux côtés du thorax se soulèvent-ils de façon égale à l'inspiration? Y a-t-il des zones douloureuses, une fracture ou un emphysème sous-cutané (crépitation)?

*À l'auscultation:*    Peut-on entendre un déplacement d'air, un stridor (bruit inspiratoire) ou un sifflement (bruit expiratoire)? Les bruits respiratoires sont-ils perceptibles dans les deux poumons et dans tous les lobes?

Dès qu'elle décèle une obstruction, l'infirmière doit prendre les mesures d'urgence suivantes:

- Sans trop étirer le cou du patient, placer une main sur son front et l'autre sous son menton, derrière le maxillaire inférieur, et soulever le menton afin d'éloigner la langue de la paroi postérieure du pharynx (figure 3-5).
- Regarder, sentir et écouter pour établir si le patient respire.
- À l'aide de la méthode des doigts croisés, ouvrir la bouche du patient et vérifier s'il y a obstruction par des sécrétions, un caillot de sang ou un morceau de nourriture.
- Si l'air ne passe toujours pas, effectuer 6 à 10 poussées abdominales brusques et rapides, juste sous l'appendice xiphoïde, afin d'expulser le corps étranger (manœuvre de Heimlich). Refaire la manœuvre jusqu'à ce que l'obstacle soit expulsé.
- Si on réussit à expulser le corps étranger qui obstruait les voies respiratoires et si le patient est capable de respirer spontanément mais incapable de protéger ses voies aériennes au moyen des réflexes tussigène, palatin et nauséeux, introduire une canule buccale ou oropharyngée.
- Si le patient a besoin de ventilation assistée, utiliser d'abord le ballon et le masque de réanimation avant de procéder à l'intubation et à la ventilation artificielle. Sceller le masque sur le visage du patient en le plaçant sur l'arête du nez avec le pouce de la main gauche et en le pressant fermement autour de la bouche. En même temps, soulever le menton avec les autres doigts de la main gauche afin de maintenir le cou en extension (figure 3-6). Avec la main droite, presser complètement le ballon à intervalles réguliers pour dilater les poumons.
- Si le patient ne respire pas spontanément ou si l'obstruction se situe plus loin que la bouche ou le pharynx, il faut recourir à la ventilation assistée avec ballon de réanimation manuel, à une intubation endotrachéale ou à une cricothyroïdotomie. L'intubation endotrachéale rétablit la perméabilité des voies respiratoires et prévient l'aspiration.

Après l'intubation, on peut utiliser un ballon autogonflable ou un ballon de réanimation. Si on utilise un ballon de réanimation, on le comprime complètement de la façon décrite précédemment, après en avoir retiré le masque. Il n'est pas nécessaire de maintenir le cou du patient en extension,

## Encadré 3-1
# Soins infirmiers à prodiguer au patient portant une sonde endotrachéale

### *Immédiatement après l'intubation*

1. Vérifier la symétrie de l'amplitude thoracique.
   a) Ausculter les bruits respiratoires des faces antérieure et postérieure du thorax, bilatéralement.
   b) Demander une ordonnance de radiographie pour vérifier si la sonde est bien placée.
2. Veiller à ce que le taux d'humidité soit élevé.
   On devrait voir une buée s'échapper du raccord.
3. Administrer l'oxygène à la concentration prescrite par le médecin.
4. Fixer le tube au visage du patient à l'aide d'un diachylon et marquer l'extrémité proximale pour s'assurer qu'il reste bien en place.
   a) Pour ne pas que le tube se plie, en couper l'extrémité proximale si elle excède 7,5 cm.
   b) On peut insérer une canule buccale ou un embout buccal pour ne pas que le patient morde ou obstrue la sonde.
5. Appliquer une technique d'aspiration stérile et entretenir la sonde correctement afin de prévenir la contamination iatrogène et les infections.
6. Changer le patient de position toutes les deux heures et au besoin pour prévenir l'atélectasie et favoriser la dilatation des poumons.
7. Administrer des soins d'hygiène buccodentaire et aspirer l'oropharynx au besoin.

### *Détubage (retrait de la sonde endotrachéale)*

1. Expliquer l'intervention au patient.
2. Avoir un ballon autogonflable et un masque à portée de la main au cas où le patient aurait besoin d'une assistance ventilatoire immédiatement après le détubage.
3. Aspirer l'arbre trachéobronchique et l'oropharynx, retirer le diachylon et dégonfler le ballonnet.
4. Administrer quelques bouffées d'oxygène, puis insérer dans la sonde un cathéter d'aspiration stérile qui vient d'être sorti de son emballage.
5. Demander au patient d'inspirer; au maximum de l'inspiration, retirer la sonde tout en aspirant les voies respiratoires.

### *Après le détubage*

1. Administrer de la vapeur chaude et de l'oxygène
2. Évaluer la fréquence respiratoire et la qualité des mouvements thoraciques. Vérifier si le patient présente un stridor ou un changement de coloration et s'il y a altération de la vigilance ou du comportement.
3. Ne rien donner par la bouche ou seulement des morceaux de glace au cours des heures suivant le détubage.
4. Administrer des soins d'hygiène buccodentaire.
5. Enseigner au patient les exercices de toux et de respiration profonde.

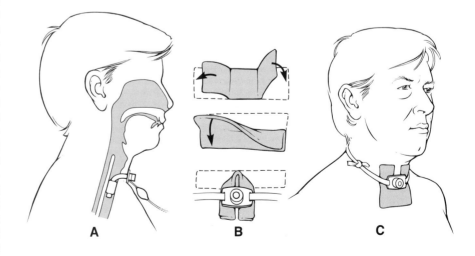

**Figure 3-7.** Canule de trachéostomie (**A**) Le ballonnet de la canule trachéale repose contre la paroi de la trachée. La pression qu'il exerce contre la paroi de la trachée doit être suffisamment élevée (supérieure à 20 cm $H_2O$) pour bien obturer le pourtour de la canule, mais pas trop élevée (inférieure à 25 cm $H_2O$), car cela entraverait la circulation. (**B**) Méthode pour plier un carré de gaze de 10 × 10 cm. Cette méthode permet de ne pas découper la gaze (ce qui prévient l'aspiration de fils coupés et d'effilochures) et d'obtenir un coussinet confortable pour le patient. (**C**) Pansement de gaze précoupé pour trachéotomie. Les pansements doivent être changés aussi souvent qu'il le faut. Notez la façon dont les cordons sont attachés aux ouvertures de la plaque cervicale de la canule trachéale. Ceux-ci doivent être noués sur le côté du cou plutôt qu'à l'arrière pour que la nuque ne soit pas appuyée sur un nœud.

car la seule présence de la sonde garde les voies respiratoires ouvertes. La ventilation au moyen d'un ballon autogonflable peut être effectuée par une seule personne. Elle n'est pas utilisée seulement dans les situations d'urgence; on y a également recours lors des aspirations, quand on procède à l'entretien du ventilateur et quand on transporte un patient sous ventilation assistée.

## INTUBATION ENDOTRACHÉALE

L'intubation endotrachéale consiste à introduire une sonde par la bouche ou le nez jusque dans la trachée. On y a recours chez les patients qui présentent une détresse respiratoire qu'on ne peut traiter par des moyens plus simples. Elle constitue l'intervention de choix pour les soins d'urgence. On l'utilise quand le patient est incapable d'assurer lui-même le passage de l'air dans ses voies respiratoires (à cause d'un coma ou d'une obstruction) ou quand il a besoin d'une ventilation artificielle. De plus, elle offre un excellent moyen d'aspirer les sécrétions de l'arbre bronchique.

Habituellement, on introduit la sonde endotrachéale à l'aide d'un laryngoscope. Cette intervention est effectuée par un médecin. Une fois la sonde dans la trachée, on gonfle le manchon qui entoure la sonde pour empêcher les fuites autour de sa partie proximale et éviter qu'elle ne bouge, ainsi que pour réduire les risques d'aspiration subséquente.

On aspire ensuite les sécrétions trachéobronchiques par la sonde. Que le patient respire spontanément ou à l'aide d'un ventilateur, on doit toujours administrer par la sonde de l'oxygène réchauffé et humidifié. La sonde endotrachéale peut rester en place jusqu'à deux semaines, après quoi il faut envisager une trachéostomie.

Comme toute autre traitement, la sonde endotrachéale et la canule à trachéostomie comportent des inconvénients. Tout d'abord, elles gênent le patient. En outre, elles inhibent le réflexe tussigène, car elles empêchent la fermeture de la glotte. Les sécrétions ont tendance à s'épaissir, étant donné que l'air n'est plus réchauffé et humidifié par son passage dans les voies supérieures. Quant au réflexe palatin (comprenant les réflexes glottique, pharyngé et laryngé), il est inhibé parce qu'il n'est pas utilisé et parce que la sonde ou la canule provoquent une lésion mécanique. Enfin, la sonde ou la canule peuvent entraîner une ulcération et un rétrécissement du larynx ou de la trachée. De plus, elles empêchent le patient de parler et de communiquer ses besoins.

L'encadré 3-1 décrit les soins infirmiers à prodiguer au patient ayant subi une intubation endotrachéale.

## TRACHÉOSTOMIE

La trachéotomie est une intervention chirurgicale qui consiste à pratiquer une ouverture dans la trachée. Quand l'intervention consiste à insérer une sonde à demeure dans la trachée, on utilise le terme *trachéostomie*. La trachéostomie peut être temporaire ou permanente.

La trachéostomie permet de rétablir la respiration quand les voies respiratoires supérieures sont obstruées, d'évacuer des sécrétions trachéobronchiques, d'utiliser la ventilation artificielle pendant une période prolongée, de prévenir l'aspiration de sécrétions buccales ou gastriques chez le patient inconscient ou paralysé (en séparant la trachée de l'œsophage). On l'utilise aussi pour remplacer la sonde endotrachéale. Elle est nécessaire dans certaines maladies et dans plusieurs situations d'urgence.

Habituellement, l'intervention se déroule dans une salle d'opération ou une unité de soins intensifs, car elle exige que l'on surveille de près la ventilation et que l'on utilise une technique aseptique rigoureuse. On pratique une ouverture dans la trachée au niveau des deuxième et troisième anneaux. Quand la trachée est exposée, on insère une canule trachéale à ballonnet de calibre approprié (figure 3-7A). Le ballonnet est un petit sac gonflable fixé à la canule trachéale ou à la sonde endotrachéale; il sert à boucher l'espace entre le tube et les parois de la trachée quand on a recours à la ventilation assistée.

La canule trachéale est maintenue en place au moyen de cordons passés autour du cou du patient. Habituellement, on met un carré de gaze stérile entre la canule et la peau pour absorber les écoulements et prévenir l'infection (voir la figure 3-7B).

***Complications.***    Des complications peuvent survenir immédiatement après la mise en place de la canule trachéale ou plus tard. Elles peuvent même se produire des années après le retrait de la canule. Les complications immédiates de la trachéotomie sont les suivantes: saignements, pneumothorax, embolie gazeuse, aspiration, emphysème sous-cutané ou médiastinal, lésion des nerfs récurrents ou perforation de la paroi postérieure de la trachée. Les principales complications tardives sont l'obstruction des voies respiratoires causée par une accumulation de sécrétions ou par l'empiétement du ballonnet sur l'ouverture de la canule, les infections, la rupture du tronc artériel brachiocéphalique, la dysphagie, la formation d'une fistule trachéo-œsophagienne, la dilatation de la trachée, l'ischémie et la nécrose de la trachée. Quant aux problèmes pouvant survenir après le détubage, citons notamment la sténose de la trachée ainsi que la paralysie des cordes vocales (causée par la lésion d'un nerf récurrent).

***Soins infirmiers postopératoires.***    L'infirmière doit garder le patient en observation constante. Elle doit également veiller à maintenir la perméabilité de l'ouverture pratiquée dans la trachée en aspirant correctement les sécrétions (voir plus loin). Dès que les signes vitaux se sont stabilisés, elle installe le patient dans la position semi-Fowler pour faciliter la ventilation, favoriser l'écoulement, réduire l'œdème et prévenir la tension sur les sutures. Comme il importe de ne pas inhiber le réflexe tussigène, les analgésiques et les sédatifs doivent être administrés avec prudence.

Les soins infirmiers viseront d'abord à apaiser les craintes du patient et à lui établir un moyen de communication efficace. Le patient a besoin d'être rassuré, car il peut craindre d'être incapable de demander de l'aide s'il suffoque.

Pour que le patient puisse communiquer plus facilement, il faut laisser à sa portée la sonnette d'appel ainsi que du papier et un crayon ou un tableau magique.

### Aspiration trachéale (avec canule trachéale ou sonde endotrachéale)

Il faut aspirer les sécrétions du patient qui porte une canule trachéale ou une sonde endotrachéale, car son réflexe tussigène est moins efficace qu'en temps normal. On pratique l'aspiration trachéale quand on ausculte des bruits adventices ou toutes les fois qu'on note la présence de sécrétions. Une aspiration inutile peut déclencher un bronchospasme et provoquer une lésion mécanique de la muqueuse trachéale.

Tout le matériel qui entre en contact direct avec les voies respiratoires inférieures du patient doit être stérile si on veut prévenir les infections pulmonaires et généralisées irrépressibles.

Matériel d'aspiration trachéale:

- cathéters d'aspiration
- gants
- seringue de 5 à 10 mL
- solution physiologique stérile versée dans un bassin pour l'irrigation du cathéter
- ballon autogonflable (appareil de réanimation manuel) avec oxygène (le ballon est changé tous les jours pour réduire les risques d'infection)
- appareil d'aspiration

Étapes de l'aspiration trachéale:

- Expliquer l'intervention au patient et le rassurer, car il peut avoir peur de suffoquer et d'être incapable de communiquer.
- Se laver les mains à fond.
- Mettre l'appareil d'aspiration en marche (la pression ne doit pas dépasser 120 mm Hg).
- Défaire l'emballage du cathéter d'aspiration.
- Remplir un bassin de solution physiologique stérile.
- Mettre des gants stériles.
- Prendre le cathéter d'aspiration avec la main gantée et le raccorder à l'appareil d'aspiration.
- Instiller 3 à 5 mL de solution physiologique dans les voies respiratoires si les sécrétions sont épaisses.
- Gonfler et oxygéner au maximum les poumons du patient pendant quelques respirations profondes à l'aide d'un ballon autogonflable.
- Insérer le cathéter d'aspiration au moins aussi profondément que l'extrémité de la canule trachéale sans aspirer. Le cathéter doit être introduit juste assez profondément pour déclencher le réflexe tussigène.
- Aspirer en retirant le cathéter et en le tournant doucement sur 360 degrés (pas plus de 10 à 15 secondes, car l'aspiration peut entraîner une hypoxie et des arythmies pouvant provoquer un arrêt cardiaque).
- Procéder encore à l'oxygénation et à la dilatation des poumons pendant quelques respirations.
- Recommencer les trois étapes précédentes jusqu'à ce que les voies respiratoires soient dégagées.
- Au besoin, rincer le cathéter dans le bassin de solution physiologique entre les aspirations.
- Une fois l'aspiration trachéale terminée, aspirer l'oropharynx.
- Rincer la tubulure.
- Jeter le cathéter d'aspiration, les gants et le bassin.

***Soins du ballonnet.*** En règle générale, le ballonnet de la sonde endotrachéale ou de la canule trachéale doit être gonflé. Il faut toutefois garder la pression à l'intérieur du ballonnet le plus bas possible pour que le patient reçoive les volumes courants adéquats et qu'il ne risque pas l'aspiration bronchique. Habituellement, on maintient la pression sous les 25 cm $H_2O$ (pour éviter les lésions) et au-dessus de 20 cm $H_2O$

(pour prévenir l'aspiration). Il faut vérifier la pression du ballonnet au moins toutes les huit heures. Pour ce faire, on fixe un manomètre manuel au ballonnet pilote de la sonde ou de la canule. Dans le cas d'une intubation prolongée, il faut parfois augmenter la pression du ballonnet pour maintenir l'effet d'obturation.

***Soins de la trachéostomie.*** Voir l'encadré 3-2 pour les soins à prodiguer au patient qui a subi une trachéostomie.

# PATIENTS AYANT BESOIN D'UNE VENTILATION ARTIFICIELLE

Le ventilateur est un appareil de respiration en pression positive ou négative qui peut maintenir la ventilation et alimenter le patient en oxygène pendant une longue période.

Les soins à donner au patient sous ventilateur font aujourd'hui partie intégrante des soins infirmiers administrés dans les unités de soins intensifs, dans les unités générales de médecine-chirurgie, dans les établissements de soins prolongés et même à domicile. Les infirmières, les médecins et les inhalothérapeutes doivent connaître les besoins respiratoires de chaque patient et travailler en collaboration pour fixer des objectifs réalistes. Pour atteindre ces objectifs, il faut connaître les principes de la ventilation artificielle ainsi que les soins à prodiguer au patient sous ventilateur.

## INDICATIONS DE LA VENTILATION ARTIFICIELLE

Une oxygénation ($PaO_2$) en baisse constante, une augmentation de la concentration de gaz carbonique artériel ($PaCO_2$) et une acidose persistante (diminution du pH) peuvent être des indications de la ventilation artificielle. Certaines situations ou maladies peuvent provoquer une insuffisance respiratoire et exiger le recours à un ventilateur: intoxications médicamenteuses, maladies neuromusculaires, lésions par inhalation, BPCO, polytraumatisme, choc, insuffisance multiorganique, coma*. Les critères présentés dans l'encadré 3-3 pourront aider l'infirmière à déterminer si le patient a besoin ou non d'une ventilation artificielle. Même si elle ne figure pas dans l'encadré, une apnée réfractaire peut également justifier l'utilisation d'un ventilateur.

## TYPES DE VENTILATEURS

Il existe plusieurs sortes de ventilateurs. On les classe selon leur mode d'action sur la ventilation. Les deux principales catégories sont les ventilateurs à pression positive et les ventilateurs à pression négative.

Les ventilateurs à pression positive sont de loin les appareils de ventilation les plus utilisés aujourd'hui. On les classe en trois catégories, selon la façon dont ils terminent la phase inspiratoire (ventilateur relaxateur de volume, ventilateur relaxateur de pression et ventilateur à débit intermittent).

---

\* Il faut aussi avoir recours au ventilateur dans la période qui suit une opération thoracique ou abdominale.

## Encadré 3-2
# Soins au patient ayant subi une trachéostomie

| **Soins** | **Justification** |
|---|---|
| **Ballonnet** | |
| 1. Il est nécessaire d'installer une canule avec ballonnet (dans lequel de l'air est injecté) au patient qui a besoin d'une ventilation assistée prolongée. | On utilise une canule avec ballonnet pour empêcher les fuites d'air pendant la ventilation en pression positive et pour prévenir l'aspiration trachéale du contenu de l'estomac. On sait que l'obturation est complète quand il n'y a aucune fuite d'air par la bouche ou la trachéostomie et quand on ne perçoit pas le gargouillement strident que fait l'air sortant de la gorge. |
| 2. Ballonnet à basse pression | Le ballonnet à basse pression exerce une pression minimale sur la muqueuse trachéale; il diminue donc les risques d'ulcération et de sténose de la trachée. |
| **Canule trachéale et soins de la peau** | |
| 1. Se laver les mains. | On doit changer le pansement de la trachéostomie aussi souvent qu'il le faut pour garder la peau propre et sèche. Il ne faut pas laisser un pansement souillé ou mouillé en contact avec la peau du patient. |
| 2. Expliquer l'intervention au patient. | Le patient trachéostomisé est craintif; il a constamment besoin d'être rassuré et soutenu. |
| 3. Mettre des gants propres, enlever le pansement souillé et le jeter. | Pour réduire les risques de d'infection nosocomiale, il est important de jeter les pansements contaminés selon les règles établies. |
| 4. Préparer le matériel stérile: eau oxygénée, solution physiologique ou eau stérile, coton-tige, pansement. | Le fait de rassembler tout le matériel nécessaire avant l'intervention permet de travailler plus efficacement. |
| 5. Mettre des gants stériles. | Le port de gants stériles réduit les risques de transmission de la flore cutanée aux voies respiratoires stériles. |
| 6. Nettoyer la plaie et la plaque de la canule à l'aide d'un coton-tige imbibé d'eau oxygénée. Rincer avec de la solution physiologique stérile. | L'eau oxygénée est efficace pour déloger les sécrétions croûteuses. Le rinçage permet d'enlever les résidus cutanés. |
| 7. Si le médecin le prescrit, appliquer un onguent bactériostatique sur la surface de la plaie. | Cet onguent fournit une protection bactériostatique locale. |
| 8. Si les cordons sont souillés, préparer de nouveaux cordons. Introduire une des extrémités du cordon dans une des ouvertures latérales de la plaque. Passer le cordon autour du cou du patient et en insérer le bout dans l'autre ouverture. Ramener les deux extrémités du cordon sur un côté pour les nouer ensemble, juste assez serré pour pouvoir passer deux doigts sous le cordon. | Quand on procède de cette façon, la plaque reste toujours attachée au cou du patient. Cette précaution est importante, car un mouvement ou une forte toux peuvent expulser la canule, ce qui peut provoquer chez le patient une détresse respiratoire, sans compter qu'il est difficile de réintroduire une canule trachéale. |
| 9. Jeter le vieux cordon. | |
| 10. Appliquer un pansement stérile pour trachéostomie et le fixer solidement sous le cordon et le bord de la canule de façon qu'il recouvre l'incision (voir la figure 3-7). | Il ne faut pas utiliser des pansements qui peuvent s'effilocher, car des fils peuvent s'introduire dans la canule et atteindre la trachée, ce qui peut provoquer une obstruction ou la formation d'un abcès. |

## Encadré 3-3
### Indications de la ventilation artificielle

- PaO$_2$ inférieure à 50 mm Hg avec une FIO$_2$ supérieure à 0,60
- PaO$_2$ supérieure à 50 mm Hg avec un pH inférieur à 7,25
- Capacité vitale inférieure à 2 fois le volume courant
- Force inspiratoire négative inférieure à 25 cm H$_2$O
- Fréquence respiratoire supérieure à 35/min

### Ventilateur à pression négative

Le ventilateur à pression négative exerce une pression négative sur la face externe du thorax et diminue la pression intrathoracique pendant l'inspiration ; l'air peut alors entrer dans les poumons et les dilater. Sur le plan physiologique, ce type de ventilation artificielle s'apparente à la ventilation spontanée. Le ventilateur à pression négative est surtout utilisé chez les patients qui souffrent d'une insuffisance respiratoire chronique accompagnée d'une affection neuromusculaire comme la poliomyélite, la dystrophie musculaire, la sclérose latérale amyotrophique et la maladie d'Erb-Goldflam. La ventilation en pression négative n'est pas indiquée chez les patients dont l'état est instable ou complexe, ou chez les patients qui ont besoin de nombreuses modifications des paramètres de ventilation.

Le ventilateur à pression négative est simple à utiliser et ne nécessite pas d'intubation. On s'en sert de plus en plus, surtout chez les patients qui présentent une légère altération de la fonction pulmonaire à cause d'une maladie neuromusculaire. Les ventilateurs à pression négative conviennent donc particulièrement bien aux soins à domicile. Il en existe différentes sortes : le poumon d'acier, le caisson thoracoabdominal et la cuirasse.

**Poumon d'acier (ventilateur de type Drinker).** Le poumon d'acier est un caisson en pression négative qui sert à augmenter la ventilation. Autrefois largement utilisé lors des épidémies de poliomyélite, il sert aujourd'hui aux survivants de cette maladie et aux autres personnes atteintes de troubles neuromusculaires.

**Caisson thoracoabdominal et cuirasse.** Ces deux appareils portables doivent être utilisés avec une cage ou une coque rigide pour créer une enceinte de pression négative autour du thorax et de l'abdomen. À cause des problèmes d'ajustement et de fuites qu'ils posent, ils sont peu utilisés.

### Ventilateur à pression positive

Le ventilateur à pression positive gonfle les poumons en exerçant une pression positive sur les voies aériennes, à la manière d'un soufflet, ce qui force les alvéoles à se dilater pendant l'inspiration. L'expiration est passive.

Pour utiliser ce type de ventilateur, il faut pratiquer une intubation endotrachéale ou une trachéotomie. Le ventilateur à pression positive est très employé dans les centres hospitaliers, et de plus en plus utilisé à domicile par les personnes souffrant d'une maladie pulmonaire primitive. Il existe trois sortes de ventilateurs à pression positive (relaxateur de pression, relaxateur de volume et ventilateur à débit intermittent).

**Relaxateur de pression.** Le relaxateur de pression est un appareil de ventilation en pression positive qui arrête l'inspiration quand un certain niveau de pression est atteint. Autrement dit, il se met en marche, insuffle de l'air jusqu'à ce que le niveau de pression préréglé soit atteint, puis s'arrête. Son principal inconvénient réside dans le fait que le volume d'air ou d'oxygène peut varier quand la résistance des voies respiratoires ou la compliance changent. On observe alors un manque de constance dans le volume courant fourni, ce qui peut compromettre la ventilation. Par conséquent, chez l'adulte, le relaxateur de pression sert uniquement aux soins de courte durée dans la salle de réveil. Le ventilateur à pression positive intermittente est le relaxateur de pression le plus utilisé.

**Ventilateur à débit intermittent.** Le ventilateur à débit intermittent arrête ou règle l'inspiration après un temps prédéterminé. Le volume d'air insufflé dépend de la durée de l'inspiration et du rythme d'administration de l'air. La plupart de ces ventilateurs sont munis d'un régulateur de débit qui détermine la fréquence respiratoire. Ils sont rarement utilisés chez les patients adultes. On les utilise plutôt chez les nouveau-nés et les nourrissons.

**Relaxateur de volume.** Le relaxateur de volume est de loin l'appareil de ventilation en pression positive le plus utilisé de nos jours. Il insuffle un volume d'air prédéterminé et s'arrête, laissant l'expiration se faire passivement. D'une respiration à l'autre, le volume d'air insufflé est assez constant ; de cette façon, la respiration est suffisante et régulière malgré les variations de pression des voies aériennes.

## CARACTÉRISTIQUES ET RÉGLAGE DES RELAXATEURS DE VOLUME

Pour traiter le patient sous ventilateur, il faut connaître les réglages de l'appareil (voir l'encadré 3-4).

**Réglage du ventilateur.** Il faut régler le ventilateur de façon que le patient soit à l'aise et en synchronisme avec l'appareil (figure 3-8). Il faut aussi perturber le moins possible la dynamique normale de la fonction cardiovasculaire et respiratoire. Si le relaxateur de volume est correctement réglé, les concentrations des gaz du sang artériel seront satisfaisantes et la fonction cardiovasculaire ne sera pas compromise. Pour savoir comment régler la ventilation artificielle de façon à répondre aux besoins du patient, il est conseillé de suivre certaines directives quant au réglage initial de l'appareil :

1. Régler l'appareil de façon à fournir le volume courant nécessaire (10 à 15 mL/kg).
2. Régler l'appareil de façon à administrer la concentration d'oxygène minimale nécessaire pour maintenir une PaO$_2$ normale (80 à 100 mm Hg). La concentration peut être élevée au début et diminuée graduellement en fonction des résultats de l'analyse des gaz du sang artériel.
3. Noter la pression inspiratoire maximale.

4. Régler le mode (ventilation assistée-contrôlée ou ventilation imposée intermittente) et le débit selon l'ordonnance du médecin. Voir la figure 25-9 pour les modes de ventilation artificielle.

5. Si le patient est en mode assisté-contrôlé, régler la sensibilité de l'appareil de façon que le patient puisse déclencher le ventilateur avec un effort minimum (habituellement avec une force inspiratoire négative de − 2 mm Hg).

6. Noter la ventilation-minute et mesurer la pression partielle du gaz carbonique ($Pco_2$), le pH et la $Po_2$ après 20 minutes de ventilation artificielle ininterrompue.

7. Régler l'appareil ($F_1O_2$ et débit) en fonction des résultats de l'analyse des gaz du sang artériel pour obtenir les valeurs normales ou les valeurs fixées par le médecin.

8. Si le patient devient soudainement confus et agité (ou si on observe une désynchronisation inexpliquée) il faut vérifier s'il présente de l'hypoxémie et le ventiler manuellement au moyen d'un ballon de réanimation et d'oxygène à 100 %.

## ▶ DÉMARCHE DE SOINS INFIRMIERS
## PATIENTS SOUS VENTILATEUR

### ▷ *Collecte des données*

Parce que c'est elle qui évalue le fonctionnement du ventilateur et l'état du patient pendant qu'il est sous ventilation, l'infirmière joue un rôle de première importance. Dans sa collecte des données, elle note les points suivants :

- Signes vitaux
- Signes d'hypoxie (agitation, anxiété, tachycardie, augmentation de la fréquence respiratoire, cyanose)
- Fréquence et rythme respiratoires

- Bruits respiratoires
- État neurologique
- Volume courant, ventilation-minute, capacité vitale forcée
- État nutritionnel
- Présence de sécrétions exigeant une aspiration
- État psychologique
- Effort ventilatoire spontané

### ▷ *Évaluation de la fonction cardiaque.*
La ventilation en pression positive peut altérer le débit cardiaque car, pendant l'inspiration, la pression positive intrathoracique comprime le cœur et les gros vaisseaux et diminue par le fait même le retour veineux et le débit cardiaque. Habituellement, la situation se corrige lors de l'expiration, quand il n'y a plus de pression positive.

Pour évaluer la fonction cardiaque, l'infirmière recherche d'abord les signes et symptômes d'hypoxémie et d'hypoxie (agitation, peur, confusion, tachycardie, tachypnée, augmentation du travail ventilatoire, pâleur évoluant vers la cyanose, diaphorèse, hypertension transitoire et diminution du débit urinaire). Si on a introduit un cathéter dans l'artère pulmonaire, on peut déterminer le débit cardiaque, l'index cardiaque et d'autres valeurs hémodynamiques.

### ▷ *Vérification du matériel.*
L'infirmière doit aussi vérifier le ventilateur pour s'assurer qu'il fonctionne bien et qu'il est réglé correctement. Même si ce n'est pas elle qui est responsable du réglage du ventilateur ou du calcul des paramètres (ces tâches incombent généralement à l'inhalothérapeute), elle est responsable du patient et se doit donc d'évaluer les effets du ventilateur. Pour ce faire, elle doit noter les points suivants :

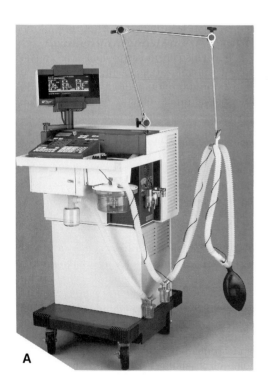

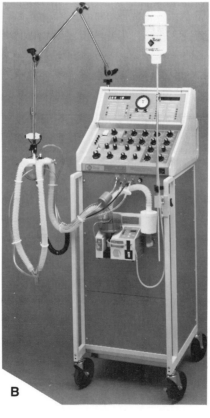

**Figure 3-8.** Deux relaxateurs de volume de marques connues : (**A**) Le « Puritan-Bennett 7200A » (Source : Puritan Bennet Corp.) et (**B**) le « Bear 3 Adult » (Source : Bear Medical Systems, Inc.)

## Encadré 3-4
# Caractéristiques et réglages d'un relaxateur de volume

Le relaxateur de volume (MAI, Bear, Servo) insuffle un volume courant déterminé, sous des pressions variables.

### Fraction d'oxygène inspiré (FIO₂)

La concentration d'oxygène fournie dépend des besoins du patient. Ces besoins sont déterminés par le médecin et évalués au moyen de l'analyse des gaz du sang artériel.

### Volume courant ($V_t$)

10 à 15 mL/kg de masse corporelle

### Fréquence respiratoire

12 à 16 respirations/min

### Réglage de la sensibilité

- Le patient ne devrait pas avoir à fournir une pression de plus de $-2$ cm $H_2O$ pour déclencher le ventilateur.

### Types de ventilation (voir la figure 25-9)

*Ventilation contrôlée.* L'appareil contrôle complètement la ventilation selon des volumes courants et une fréquence respiratoire prédéterminés. À cause des problèmes de synchronisation qu'il pose, il est rarement utilisé.

*Ventilation assistée-contrôlée.* Le ventilateur est déclenché par le patient. S'il ne respire pas, le ventilateur lui fournit une respiration contrôlée à une fréquence et un volume minimums prédéterminés.

*Ventilation imposée intermittente.* Le ventilateur permet au patient de respirer spontanément tout en fournissant une $F_1O_2$ et des insufflations qui lui assurent une bonne ventilation sans qu'il ne se fatigue.

### Rapport inspiration-expiration

- Ce rapport devrait être de 1:3, 1:2 ou plus (c'est-à-dire une seconde d'inspiration pour trois secondes d'expiration, etc.), pour maintenir un rythme respiratoire normal.

### Ventilation-minute

Volume courant × fréquence respiratoire/min

Ventilation-minute normale = 6 à 8 L/min

### Pression des voies aériennes

Pression normale: 15 à 20 cm $H_2O$ (peut toutefois varier)
Une pression trop basse peut être due à une fuite d'air.
Une pression trop élevée peut être due à divers facteurs:
- une accumulation de sécrétions
- une obstruction des voies aériennes
- des bronchospasmes
- un œdème pulmonaire
- un pneumothorax
- un volet costal
- le patient expire quand le ventilateur fonctionne

### Inspirations profondes périodiques

- Périodiquement, les poumons sont dilatés au maximum afin d'ouvrir les alvéoles collabées.
- Le volume d'air inspiré équivaut à une fois et demie le volume courant à raison d'une à trois fois par heure.
- Cette méthode n'est utilisée qu'en mode assisté-contrôlé.

### Humidité et température

- Pour éviter l'épaississement des sécrétions, il faut fournir de la vapeur chaude à tous les patients intubés ou trachéostomisés.
- Pour évaluer l'efficacité de l'humidification et de la nébulisation, on procède à une évaluation clinique quotidienne de la viscosité des sécrétions.

### Pression positive en fin d'expiration

- À la fin de la phase expiratoire, on maintient une pression positive de 5 cm, 10 cm ou 15 cm $H_2O$ plutôt qu'une pression normale de 0 cm $H_2O$.
- Cette pression augmente la capacité résiduelle fonctionnelle (elle ouvre les alvéoles collabées) et améliore l'oxygénation avec une FIO₂ plus faible.

- Type de ventilateur (relaxateur de volume, relaxateur de pression ou ventilateur à pression négative)
- Mode de ventilation (contrôlé, assisté-contrôlé, imposé intermittent)
- Réglage du volume courant et du débit
- Réglage de la FIO$_2$ (fraction d'oxygène inspiré)
- Pression inspiratoire atteinte et limite de pression
- Réglage des inspirations profondes périodiques (habituellement une fois et demie le volume courant, de une à trois fois par heure), s'il y a lieu
- Présence d'eau dans la tubulure, tubes débranchés ou coudés
- Humidification (l'humidificateur doit être rempli d'eau)
- Système d'alarme (doit fonctionner correctement)
- Niveau de pression positive expiratoire, s'il y a lieu

*Note:* Si le ventilateur fonctionne mal et qu'on n'arrive pas à trouver ou à corriger le problème immédiatement, l'infirmière doit ventiler le patient à l'aide d'un ballon de réanimation manuel jusqu'à ce que le trouble soit corrigé.

### ▷ Analyse et interprétation des données

Selon les données recueillies, voici les principaux diagnostics infirmiers possibles:

- Perturbation des échanges gazeux reliée à la maladie sous-jacente ou à un changement dans le réglage du ventilateur pendant la stabilisation du patient ou lors de son sevrage
  *Note:* De par sa complexité, ce diagnostic infirmier exige une collaboration pluridisciplinaire.
- Dégagement inefficace des voies respiratoires relié à une production accrue de mucus due à la ventilation artificielle en pression positive permanente
- Risque élevé d'accident ou d'infection relié à l'intubation endotrachéale ou à la trachéotomie
- Altération de la mobilité physique reliée à la dépendance du ventilateur
- Altération de la communication verbale reliée à la présence d'une sonde endotrachéale et d'un ventilateur
- Stratégies d'adaptation individuelle inefficaces et sentiment d'impuissance reliés à la dépendance du ventilateur

### ▷ Planification et exécution

▷ *Objectifs de soins:*  Amélioration des échanges gazeux; diminution de l'accumulation de mucus; prévention des accidents ou des infections; obtention d'une mobilité physique optimale; adaptation aux modes de communication non verbaux; acquisition de bonnes stratégies d'adaptation

### ▷ Interventions infirmières

Les soins au patient sous ventilateur exigent des compétences techniques et interpersonnelles particulières. Que le patient soit à l'unité de soins intensifs, dans une unité de médecine-chirurgie ou dans un établissement de soins prolongés, les interventions infirmières sont les mêmes. Seules varient la fréquence des soins et la stabilité du patient.

▷ *Échanges gazeux.*  La ventilation artificielle vise d'abord et avant tout à améliorer le plus possible les échanges gazeux en maintenant la ventilation alvéolaire et l'apport d'oxygène. La perturbation des échanges gazeux peut être due à la maladie sous-jacente ou à des facteurs mécaniques reliés au réglage individuel du ventilateur. L'équipe formée par l'infirmière, le médecin et l'inhalothérapeute évalue régulièrement le patient. Cette évaluation comprend la vérification des

échanges gazeux, la recherche des signes et symptômes d'hypoxie ainsi que la surveillance de la réaction du patient au traitement. Il est essentiel que les membres de l'équipe de soins maintiennent une bonne communication entre eux et visent les mêmes objectifs. Tous les objectifs de soins énumérés dans les prochains paragraphes ont un rapport direct ou indirect avec l'objectif de soins principal, soit l'amélioration des échanges gazeux.

Les soins infirmiers à prodiguer au patient sous ventilateur s'apparentent aux soins administrés aux autres patients souffrant de maladie pulmonaire, mais l'infirmière doit faire preuve de deux qualités extrêmement importantes: un excellent sens de l'observation et la capacité d'établir une relation thérapeutique avec le patient. Le choix des interventions infirmières est vaste et dépend du processus morbide sous-jacent et de la réaction du patient. Par exemple, différents facteurs peuvent être à l'origine de mauvais échanges gazeux: perte partielle de la conscience, atélectasie, surcharge liquidienne, douleur dans la région de l'incision ou maladie primitive comme la pneumonie ou la tuberculose. Pour améliorer les échanges gazeux, l'infirmière doit donc administrer

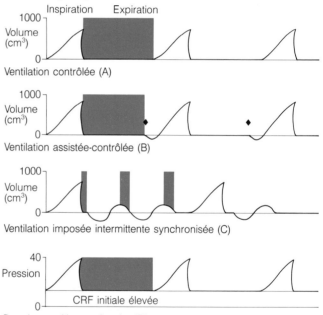

☐ Inspiration
■ Expiration
♦ Respiration déclenchée par le patient

***Figure 3-9.***   Modes de ventilation artificielle et oscillations correspondant au passage de l'air. (**A**) Passage de l'air en mode contrôlé. Le ventilateur insuffle un volume prédéterminé de gaz en pression positive tout en «bloquant» la respiration spontanée. (**B**) Passage de l'air en mode assisté-contrôlé. Quand le ventilateur est réglé sur ce mode, le volume d'air insufflé ainsi que le débit sont préréglés, mais le patient peut déclencher lui-même le ventilateur par une pression inspiratoire négative. (**C**) Passage de l'air en mode imposé intermittent. Le ventilateur émet synchroniquement un nombre minimum et prédéterminé d'insufflations, mais le patient peut également prendre des respirations spontanées de volume varié. Notez combien les pressions inspiratoires et expiratoires sont différentes selon qu'il s'agit de respirations spontanées ou d'insufflations du ventilateur. (**D**) Pression des voies aériennes à différents niveaux de pression expiratoire positive. Notez qu'à la fin de la phase expiratoire, l'appareil ne laisse pas la pression retomber à zéro.

judicieusement des analgésiques de façon à soulager la douleur sans toutefois trop diminuer l'activité respiratoire et changer souvent le patient de position pour atténuer les effets de l'immobilité sur les poumons. Elle doit également vérifier l'hydratation du patient. Pour ce faire, elle recherche les signes d'œdème périphérique, elle fait le bilan quotidien des ingesta et des excreta et pèse le patient tous les jours. Elle doit aussi administrer les médicaments visant à maîtriser la maladie primitive et observer le patient afin de déceler l'apparition d'effets indésirables. Pour évacuer les sécrétions accumulées dans les voies respiratoires, l'infirmière peut procéder à l'aspiration des voies aériennes basses par méthode aseptique en plus d'utiliser les techniques de percussion, de vibration et de lavage. On sait que l'aspiration peut léser la tunique interne de l'arbre trachéobronchique; il faut donc la pratiquer seulement quand elle est cliniquement indiquée.

L'auscultation des poumons et la vérification des résultats de la mesure des gaz du sang artériel sont deux interventions infirmières particulièrement importantes lorsqu'un patient est sous ventilation. En effet, l'infirmière est souvent la première personne à remarquer dans les résultats des examens physiques ou des mesures des gaz du sang artériel un changement qui indique l'apparition d'un problème important (pneumothorax, déplacement de la sonde ou de la canule, embolie pulmonaire).

▷ *Maintien de la liberté des voies respiratoires.* Quelle que soit la maladie sous-jacente, la ventilation en pression positive permanente augmente la production de sécrétions. Par conséquent, l'infirmière doit ausculter les poumons du patient au moins toutes les deux à quatre heures pour vérifier si des sécrétions se sont accumulées. Si besoin est, elle prend ensuite des mesures pour dégager les voies respiratoires: aspiration, physiothérapie respiratoire, changements fréquents de position et augmentation de la mobilité physique dès que possible. Si le patient est sous ventilation assistée-contrôlée, le ventilateur doit être réglé de façon à insuffler un minimum de une à trois inspirations profondes périodiques par heure à une fois et demie le volume courant. Étant donné qu'une pression trop élevée peut causer une hyperventilation et des lésions au tissu pulmonaire, ce mode de ventilation est toutefois moins utilisé qu'auparavant. Si le patient est sous ventilation imposée intermittente, les insufflations imposées agissent comme des inspirations profondes périodiques, car elles ont un volume courant plus élevé que les respirations spontanées.

Les inspirations profondes périodiques préviennent l'atélectasie et l'accumulation de sécrétions. L'infirmière doit veiller à ce que les mélanges gazeux administrés soient pleinement humidifiés pour réduire la viscosité des sécrétions et en faciliter l'évacuation. Enfin, elle doit administrer par voie intraveineuse ou par inhalation les bronchodilatateurs prescrits pour dilater les bronches et pour faciliter l'évacuation des sécrétions.

▷ *Prévention des accidents et des infections.* Les soins respiratoires incluent nécessairement l'entretien de la sonde endotrachéale ou de la canule trachéale. La tubulure du ventilateur doit être placée de façon que la sonde ou la canule ne soit pas étirée ou tordue. Quant à la pression du ballonnet de la canule trachéale, il faut la vérifier toutes les 8 heures afin de la maintenir en-dessous de 25 cm $H_2O$. L'infirmière en profite alors pour vérifier s'il y a des fuites autour du ballonnet. Les soins de trachéostomie sont donnés au moins toutes les huit heures et plus fréquemment encore si cela est indiqué à cause d'un risque accru d'infection. L'infirmière doit également administrer des soins d'hygiène buccodentaire fréquents, car la cavité buccale est une des premières sources de contamination des poumons chez le patient intubé. On sait aussi que l'intubation nasogastrique ainsi que l'utilisation d'antiacides prédisposent les patients sous ventilateur à la pneumonie par inhalation nosocomiale. Enfin, le patient doit toujours être dans une position qui lui permet de garder la tête plus haute que l'estomac afin de réduire les risques d'aspiration du contenu de l'estomac.

▷ *Mobilité physique optimale.* La tubulure qui relie le patient au ventilateur réduit sa mobilité. Si son état est stable, toutefois, il devrait dès que possible se lever du lit et s'asseoir sur une chaise. La mobilité et l'activité musculaire sont bénéfiques, car elles stimulent la respiration et réconfortent le patient. Si le patient ne peut se lever, il faut lui faire faire des exercices actifs ou passifs toutes les huit heures pour prévenir l'atrophie musculaire, les contractures et l'insuffisance veineuse.

▷ *Communication optimale.* Quand un patient est sous ventilateur, il faut l'aider à trouver de nouveaux moyens de communication. Pour ce faire, l'infirmière doit évaluer les possibilités du patient:

- Est-il conscient ou capable de communiquer (faire des signes de tête)?
- A-t-il un tube dans la bouche qui l'empêche de prononcer les mots?
- Sa main est-elle assez forte pour écrire? La main qu'il utilise pour écrire est-elle libre? (Si le patient est droitier, on place si possible la ligne intraveineuse dans le bras gauche, et vice versa.)

Une fois qu'elle connaît les possibilités du patient, l'infirmière lui propose différentes méthodes de communication:

- Lecture sur les lèvres (en utilisant des mots clés simples)
- Papier et crayon ou tableau magique
- Planche de communication
- Expression par gestes
- Électrolarynx

De plus, si le patient a besoin de lunettes, d'une prothèse auditive ou d'un interprète, il faut si possible les lui fournir.

L'infirmière doit aider le patient à trouver la méthode de communication qui lui convient le mieux. Il peut arriver que celui-ci ne soit pas à l'aise avec une des méthodes proposées. Il faut donc éviter cette méthode dans toute la mesure du possible. Un orthophoniste peut aider l'infirmière à déterminer le moyen de communication qui convient le mieux au patient.

▷ *Stratégies d'adaptation.* La dépendance du ventilateur fait peur à la fois au patient et à sa famille. Même la famille la plus stable en est perturbée. C'est pourquoi il faut aider le patient et sa famille à verbaliser leurs sentiments à l'égard du ventilateur, de la maladie et du milieu de soins en général. Chaque fois qu'elle s'apprête à effectuer une intervention, l'infirmière doit l'expliquer au patient pour réduire ses craintes et le familiariser avec les pratiques courantes du milieu hospitalier. Pour que le patient se sente davantage maître de sa situation, il faut également l'encourager à prendre part aussi souvent que possible aux décisions qui concernent ses soins, les horaires et les traitements. Les patients reliés à un ventilateur ont tendance à se replier sur eux-mêmes et sont souvent déprimés, surtout si la ventilation artificielle est de longue durée. Il est donc important de les informer de leurs progrès, le cas échéant. Pour ce qui est des distractions, le patient peut regarder la télévision, écouter de la musique ou marcher (si cela est possible). Enfin, on peut utiliser des techniques de lutte contre le stress (massage de dos, exercices de relaxation par exemple) pour aider le patient à relâcher sa tension et à maîtriser l'anxiété et la peur qu'il ressent face à son état et à sa dépendance.

## ▷ *Évaluation*

### *Résultats escomptés*

1. Les échanges gazeux sont adéquats
   a) Les bruits respiratoires sont réguliers des deux côtés.
   b) Les résultats de l'analyse des gaz du sang artériel se situent dans les limites de la normale.
   c) La fréquence cardiaque, la pression artérielle et les pressions de l'artère pulmonaire se situent dans les limites de la normale pour le patient.
2. Le patient a une bonne ventilation
   a) Ses poumons sont clairs.
   b) Ses sécrétions sont claires et blanches.
   c) Il ne fait pas de fièvre.
3. Le patient ne présente pas de lésions ni d'infection.
   a) Il participe à ses soins buccodentaires, si possible.
   b) Il tolère bien les soins de la trachéostomie toutes les quatre heures.
   c) Il ne fait pas de fièvre.
   d) Sa numération leucocytaire est normale.
4. Le patient a une mobilité optimale compte tenu des capacités.
   a) Dès qu'il le peut, il se lève et s'assoit sur une chaise.
   b) Sa peau et ses muqueuses sont intactes (surtout la muqueuse buccale) et il ne présente pas de contractures.
   c) Il fait des exercices d'amplitude de mouvement toutes les six à huit heures.
5. Le patient communique efficacement
   a) Il peut écrire des messages au besoin.
   b) Il est capable de communiquer par gestes.
6. Le patient a des stratégies d'adaptation efficaces.
   a) Il verbalise ses peurs et ses inquiétudes concernant sa maladie et les appareils utilisés.
   b) Il prend part aux décisions qui le concernent dans la mesure du possible.
   c) Il utilise des techniques de contrôle du stress au besoin.
   d) Il participe adéquatement aux soins.

## *Causes de la lutte contre le ventilateur*

Le patient et le ventilateur sont synchronisés quand la dilatation thoracique chez le patient coïncide avec la phase inspiratoire du ventilateur et que l'expiration se fait de façon passive. On dit que le patient lutte contre le ventilateur quand il n'est plus en synchronisme avec l'appareil. Cela se produit quand il essaie d'expirer pendant la phase inspiratoire mécanique du ventilateur ou quand l'activité de ses muscles abdominaux augmente ou devient saccadée. Avant d'administrer un curarisant, il faut établir la cause du problème (anxiété, hypoxie, sécrétions plus abondantes, hypercapnie, ventilation-minute inadéquate et œdème pulmonaire) et la corriger, car les curarisants ne feraient que la masquer, ce qui entraînerait une détérioration de l'état du patient.

L'administration de myorelaxants, de tranquillisants, d'analgésiques et de curarisants fait très souvent partie des soins au patient relié à un ventilateur. En réduisant l'anxiété, l'hyperventilation et l'activité musculaire excessive, ces médicaments aident le patient à rester en synchronisme avec l'appareil de ventilation. Il faut choisir avec soin le médicament qui convient au patient et déterminer la dose appropriée, en fonction des besoins du patient et de la cause de son agitation. Les curarisants (atracurium, vécuronium et pancuronium) sont toujours utilisés en dernier ressort.

## *Problèmes de la ventilation artificielle*

À cause de l'état du patient et de la nature hautement complexe et technique de la ventilation artificielle, un certain nombre de problèmes peuvent survenir. Ils proviennent du ventilateur même ou du patient. Dans un cas comme dans l'autre, il faut apporter un soutien au patient pendant qu'on essaie de trouver et de corriger le problème. Voir le tableau 3-2 pour les problèmes les plus fréquents de la ventilation artificielle, ainsi que leurs causes et solutions.

## *Sevrage*

Le sevrage du ventilateur se fait en trois étapes. Le patient est d'abord sevré du ventilateur, puis du tube ou de la canule et enfin de l'oxygène. Il faut commencer le sevrage dès qu'on peut le faire sans mettre en jeu la sécurité du patient. La décision en ce sens doit être prise en fonction de données physiologiques et non de données mécaniques, et à la lumière de l'état clinique du patient.

On commence le sevrage quand le patient se rétablit du stade aigu de sa maladie ou de son opération, et quand la cause de son insuffisance respiratoire a suffisamment rétrocédé.

Les mesures objectives de la capacité ventilatoire sont les suivantes :

1. Capacité de produire une capacité vitale minimum de 10 à 15 mL/kg de masse corporelle, ou capacité vitale deux fois plus élevée que le volume courant normal au repos prévu. Le volume minimum requis se situe aux alentours de 1000 mL chez l'adulte normal.
2. Force inspiratoire spontanée d'au moins $-20$ cm $H_2O$.
3. $PaO_2$ supérieure à 60 % avec $FIO_2$ inférieure à 40 %.
4. Signes vitaux stables.

Quand on juge que la capacité ventilatoire est suffisante, on établit les valeurs de base (1) de la capacité vitale, (2) de la force inspiratoire, (3) de la fréquence respiratoire, (4) du volume courant au repos, (5) de la ventilation-minute (fréquence × volume total, ou f × $V_t$), (6) des gaz du sang artériel et (7) de la fraction d'air inspiré ($FIO_2$). Pendant le sevrage, il faut suivre l'évolution de ces valeurs plutôt que de les considérer isolément.

Avant et pendant le sevrage, le patient doit être bien préparé sur le plan psychologique. Il doit savoir comment

**TABLEAU 3-2.** *Causes et solutions des problèmes de la ventilation artificielle*

| Problème | Cause | Solution |
|---|---|---|
| *VENTILATEUR* | | |
| Augmentation de la valeur maximum de pression des voies aériennes | Toux ou tube bouché | Procéder au lavage et à l'aspiration des sécrétions des voies respiratoires; retirer le liquide de condensation du circuit. |
| | Lutte du patient contre le ventilateur | Régler la sensibilité. Procéder à une ventilation manuelle. Rechercher les signes d'hypoxie ou de bronchospasme. Vérifier le dosage des gaz du sang artériel. Administrer un sédatif seulement si cela est nécessaire. |
| | Coudure de la tubulure | Vérifier la tubulure; changer la position du patient; introduire une sonde buccale si besoin est. |
| | Pneumothorax | Procéder à une ventilation manuelle; prévenir le médecin. |
| | Diminution des complications de l'atélectasie ou du bronchospasme | Retirer les sécrétions. |
| Baisse de la pression ou perte de volume | Augmentation de la compliance pulmonaire | Aucune. |
| | Fuite dans le ventilateur ou la tubulure; ballonnet de la sonde ou de l'humidificateur mal ajusté | Vérifier l'étanchéité de tous les raccordements du ventilateur. Corriger la fuite. |
| *PATIENT* | | |
| Atteinte cardiovasculaire | Diminution du retour veineux causée par l'application d'une pression positive sur les poumons | Vérifier si le volume est adéquat: mesurer la fréquence cardiaque, la pression artérielle, la pression veineuse centrale, la pression capillaire pulmonaire et le débit urinaire. Prévenir le médecin en cas de valeurs anormales. |
| Barotraumatisme / pneumothorax | Application d'une pression positive sur les poumons; pressions moyennes élevées provoquant une rupture alvéolaire | Prévenir le médecin. Préparer le patient pour l'introduction d'un drain thoracique. Ne pas régler la pression à un niveau trop élevé chez les patients qui souffrent d'une BPCO ou d'un poumon de choc, ou qui présentent des antécédents de pneumothorax. |
| Infection pulmonaire | Défaillance des mécanismes de défense de l'organisme; bris fréquents du ventilateur; mobilité réduite; insuffisance du réflexe tussigène | Respecter à la lettre les techniques d'aseptie. Multiplier les soins d'hygiène buccodentaire. Assurer un état nutritionnel optimal. |

se déroulera l'intervention et ce qu'on attend de lui pendant l'intervention. S'il a peur d'être incapable de respirer spontanément, comme c'est souvent le cas, il faut le rassurer, lui dire que son état s'améliore et qu'il se porte assez bien pour respirer sans assistance. L'infirmière doit insister sur le fait qu'il y aura toujours quelqu'un à ses côtés ou tout près. Elle doit aussi le laisser poser des questions et lui donner des réponses simples et concises. Le sevrage est souvent plus rapide quand le patient est bien préparé.

**Méthodes de sevrage.** On a beaucoup essayé de trouver la méthode de sevrage «idéale», mais il semble qu'elle n'existe pas. Le succès du sevrage dépend plutôt d'une combinaison de facteurs: préparation du patient, choix du médecin, protocoles en vigueur dans le service, le matériel disponible, ainsi que les connaissances et les compétences de l'équipe de soins. Les deux méthodes de sevrage les plus utilisées aujourd'hui sont décrites dans la section suivante.

**Méthode traditionnelle.** Selon la méthode de sevrage traditionnelle, on passe successivement de la ventilation assistée-contrôlée ou imposée intermittente à la respiration spontanée à l'aide d'un raccord en T fixé à la sonde endotrachéale. Habituellement, cette méthode est utilisée quand l'assistance respiratoire a été de courte durée (moins de deux jours) *et* quand le patient est éveillé, alerte, stable sur le plan hémodynamique, capable de respirer sans difficultés, et qu'il a de bons réflexes nauséeux et tussigène. Le patient respire spontanément avec l'aide d'oxygène humidifié, à une concentration égale ou supérieure à celle qu'il recevait avec le ventilateur.

Quand le patient respire à l'aide du raccord en T, il faut l'observer afin de déceler les signes et symptômes d'hypoxémie de même que les signes de fatigue excessive: (1) tachycardie, extrasystoles ventriculaires ou tout signe d'«irritabilité cardiaque»; (2) agitation; (3) fréquence respiratoire supérieure à 35/min; (4) utilisation des muscles accessoires; et (5) mouvements thoraciques paradoxaux. La fatigue se manifeste d'abord par une accélération de la fréquence respiratoire associée à une baisse graduelle du volume courant. Plus tard survient un ralentissement de la fréquence respiratoire.

Si le patient semble tolérer la respiration avec le raccord en T, on obtient une mesure des gaz du sang artériel 20 minutes après qu'il a commencé à respirer spontanément à une $FIO_2$ constante. (L'équilibration alvéolo-artérielle prend de 15 à 20 minutes.)

Si par contre le patient présente des signes de fatigue et d'hypoxémie et que la mesure des gaz du sang artériel indique une détérioration, il faut lui redonner une assistance ventilatoire. On doit le remettre sous ventilateur chaque fois qu'il présente des signes de fatigue ou de détérioration.

Habituellement, le détubage se fait deux ou trois heures après le début du sevrage; le patient peut alors respirer spontanément avec un masque à oxygène humidifié. Si toutefois il a été sous ventilateur pendant une longue période, il aura besoin d'un sevrage plus graduel échelonné sur plusieurs jours. Dans ce cas, on enlève le ventilateur pendant le jour, et on le remet pour la nuit pour permettre au patient de se reposer.

***Méthode de la ventilation imposée intermittente.*** Certains patients sont difficiles à sevrer du ventilateur. On peut dans ce cas avoir recours à la ventilation imposée intermittente. Selon ce mode ventilatoire, des insufflations s'ajoutent à un rythme préréglé à la respiration spontanée du patient. Il est indiqué chez les patients qui répondent à tous les critères de sevrage, mais ne peuvent maintenir pendant longtemps une bonne ventilation spontanée.

Avant de recourir à la ventilation imposée intermittente, il faut évaluer les critères de sevrage énumérés précédemment. Le patient doit satisfaire aux mêmes critères que pour le sevrage traditionnel. Il faut également vérifier s'il présente des symptômes d'hypoxémie et d'atteinte cardiovasculaire.

Une fois le patient en ventilation imposée intermittente, il faut effectuer et enregistrer de façon répétée les mesures suivantes: (1) fréquence respiratoire, (2) ventilation-minute ($V_E$), (3) volume courant ($V_T$), du patient et du ventilateur (4) $FIO_2$ et (5) valeur des gaz du sang artériel.

Si ces mesures n'indiquent aucune détérioration et que le patient maintient de bons volumes courants, on diminue graduellement le débit de ventilation et on allonge progressivement les périodes de respiration spontanée jusqu'à ce que le patient soit complètement sevré.

Lorsque le patient est sevré du ventilateur, il faut lui administrer des soins respiratoires intensifs, c'est-à-dire continuer (1) l'oxygénothérapie, (2) les mesures des gaz du sang artériel, (3) la nébulisation, (4) la physiothérapie respiratoire, (5) l'hydratation et l'humidification et (6) la spirométrie de stimulation.

Il ne faut pas oublier que le patient nouvellement sevré du ventilateur n'a pas encore recouvré pleinement sa fonction respiratoire.

***Sevrage de la sonde endotrachéale ou de la canule trachéale.*** On peut retirer la sonde endotrachéale ou la canule trachéale si le patient répond aux critères suivants: (1) la ventilation spontanée est adéquate; (2) les réflexes nauséeux et tussigène sont actifs; (3) les voies respiratoires sont perméables et le patient peut avaler, bouger la mâchoire ou serrer les dents; et (4) il réussit à expectorer ses sécrétions par la toux. Si le patient ne répond pas à tous ces critères, il faut garder la sonde ou la canule pour l'aspiration des sécrétions trachéobronchiques.

Avant de sevrer un patient de la canule trachéale, on procède à un essai de respiration buccale ou nasale. Pour ce faire on peut: (1) remplacer la canule par une canule de plus petit calibre pour accroître la résistance au passage de l'air et boucher la trachéotomie (dégonfler le ballonnet); (2) changer la canule pour une canule trachéale sans ballonnet; (3) changer la canule pour une canule fenestrée (avec ouverture ou fenêtre dans le coude) qui laisse l'air s'écouler autour et à travers le tube jusque dans les voies respiratoires supérieures et qui permet au patient de parler; (4) remplacer la canule par un bouton de trachéostomie; ou (5) enlever complètement la canule trachéale.

***Sevrage de l'oxygène.*** Une fois que le patient a été sevré du ventilateur, du ballonnet et de la canule, qu'on a vérifié sa fonction respiratoire et qu'on lui a administré de l'oxygène en fonction des résultats de l'étude des gaz du sang artériel, il faut réduire graduellement la $FIO_2$ jusqu'à ce que la $PO_2$ se situe entre 70 et 100 mm Hg quand le patient respire l'air ambiant. Si la $PO_2$ est inférieure à 70 mm Hg, il est recommandé d'administrer une oxygénothérapie complémentaire.

Pour assurer le succès du sevrage de la ventilation artificielle prolongée, il faut apporter au patient dès le début un soutien nutritionnel à la fois complet et judicieux. Quelques jours seulement de ventilation artificielle suffisent pour affaiblir ou atrophier la musculature respiratoire (le diaphragme et plus particulièrement les muscles intercostaux), surtout si on n'apporte pas au patient le soutien nutritionnel approprié. Un apport trop élevé en glucides augmente la production de gaz carbonique, ce qui peut accroître le travail ventilatoire chez le patient dont la fonction pulmonaire est réduite. L'idéal est de consulter une diététicienne peu après l'admission du patient afin d'établir dès le début l'apport alimentaire nécessaire. On peut ainsi diminuer la durée du traitement respiratoire et réduire les risques de complications, en particulier de septicémie.

Des recherches sont menées actuellement dans le domaine de la ventilation artificielle et des méthodes de sevrage. Les études portent surtout sur l'efficacité de la rééducation des muscles de la respiration, le soutien nutritionnel, les modes et les pressions ventilatoires, la fréquence des aspirations ainsi que l'interaction entre le patient et l'infirmière.

## Ventilation artificielle à domicile

Pour certaines raisons d'ordre physiologique, psychologique ou économique, il arrive que le patient ne soit pas complètement sevré du ventilateur, de la canule ou de l'oxygène lors de son départ du centre hospitalier. Des patients encore tributaires du ventilateur, de la canule ou de l'oxygène peuvent en effet retourner chez eux ou être mutés dans un établissement de soins prolongés. Les patients qui utilisent un ventilateur à domicile souffrent habituellement d'une BPCO ou d'une maladie neuromusculaire.

La ventilation artificielle à domicile (ou dans un établissement de soins prolongés) est de plus en plus fréquente en raison de certains facteurs :

1. Le diagnostic et le traitement rapides des maladies pulmonaires a contribué à augmenter l'espérance de vie des patients.

2. De plus en plus de professionnels de la santé possèdent les compétences nécessaires pour administrer à domicile des soins de soutien et de réadaptation aux patients reliés à un ventilateur.

3. Certaines compagnies d'assurance privées remboursent le matériel nécessaire à la ventilation artificielle. Il existe des services de soins à domicile spécialisés (un à Montréal et un à Québec) qui peuvent aider les patients à se procurer l'appareil. Certains CLSC offrent aussi de l'aide, de même que la régie régionale et les organismes d'aide aux handicapés. En France, il existe un système associatif d'envergure nationale et les coûts sont assurés par la Sécurité sociale.

4. Les familles concernées sont disposées à donner les soins de soutien nécessaires.

5. Grâce aux récents progrès techniques, les ventilateurs se sont améliorés. Ils sont faciles à utiliser, portables, polyvalents, peu encombrants.

Si certaines conditions sont présentes, il est possible d'apporter des soins de qualité au patient qui utilise un ventilateur à la maison. Tout d'abord, les membres de la famille doivent être capables, sur les plans émotif, cognitif et physique, d'assurer la plus grande partie des soins. Il faut également que le patient puisse compter sur une équipe de soins à domicile (infirmière, médecin, inhalothérapeute, travailleur social, service de maintien à domicile et fournisseur). Il faut aussi visiter le domicile du patient pour s'assurer qu'on peut sans danger utiliser tout le matériel électrique nécessaire. Voir l'encadré 3-5, pour les conditions nécessaires à des soins à domicile de qualité.

Une fois qu'on a pris la décision de procéder à la ventilation à domicile, il faut préparer le patient et sa famille aux soins à domicile. L'enseignement doit porter sur le fonctionnement du ventilateur, les techniques d'aspiration, les soins de la trachéotomie, les signes d'infection pulmonaire, le gonflage et le dégonflage du ballonnet, et la mesure des signes vitaux. L'enseignement à la famille commence au centre hospitalier et se poursuit à la maison. L'infirmière doit s'assurer que l'information est bien assimilée.

Lorsque le patient est retourné chez lui, une infirmière en santé communautaire évalue si celui-ci et sa famille s'adaptent bien à la situation. Elle vérifie la ventilation, l'oxygénation et la perméabilité des voies respiratoires du patient. Elle doit aussi trouver des solutions personnalisées aux problèmes d'adaptation que rencontre le patient. Elle incite le patient et sa famille à exprimer leurs craintes et leurs frustrations et leur offre soutien et encouragement au moment opportun. Elle doit aussi faire appel aux services communautaires qui peuvent apporter de l'aide pour les soins à domicile.

Généralement, la vérification des aspects techniques du ventilateur est assurée par le vendeur de façon régulière. Le patient reçoit également la visite fréquente d'un inhalothérapeute qui évalue son état et vérifie l'appareil.

Il faut également prévoir le transport du patient en cas d'urgence. Étant donné sa situation particulière, il faut prendre des dispositions à cet égard avant qu'une situation d'urgence se présente.

La famille doit apprendre les techniques de réanimation cardiorespiratoire, notamment la réanimation bouche à canule trachéale (au lieu du bouche-à-bouche). Elle doit aussi savoir quoi faire en cas de panne de courant. La plupart des ventilateurs conçus pour les soins à domicile passent automatiquement de l'alimentation électrique à l'alimentation par piles ; le fonctionnement des piles dure environ une heure. Enfin, la famille doit apprendre la ventilation manuelle pour le cas où on devrait y avoir recours.

Voici les interventions qu'implique la ventilation respiratoire à domicile :

### Soins à donner au patient

- Prendre les signes vitaux selon les directives.
- Noter les signes physiques tels que la couleur de la peau, le mode de respiration et l'état de conscience.
- Administrer les soins physiques comme l'aspiration des sécrétions ou le drainage postural et faire marcher le patient.
- Vérifier régulièrement le volume courant et le manomètre à pression. Prendre les mesures qui s'imposent si ces paramètres sont anormaux (par exemple, procéder à une aspiration si la pression des voies respiratoires augmente).
- Fournir au patient des moyens de communication (papier et crayon, électrolarynx).

### Fonctionnement du ventilateur

- Vérifier les réglages du ventilateur deux fois par jour et chaque fois que le patient en est retiré.
- Au besoin, régler les alarmes de volume et de pression.
- Remplir l'humidificateur au besoin et vérifier le niveau d'eau trois fois par jour.
- Vider l'eau de la tubulure au besoin.

### Entretien du ventilateur

- Utiliser un humidificateur propre quand les circuits de l'appareil sont changés.
- Garder l'extérieur de l'appareil propre et ne jamais y déposer d'objets.
- Changer les circuits externes une fois par semaine ou davantage.
- Si le ventilateur fonctionne mal ou produit des bruits inhabituels, avertir immédiatement les personnes appropriées.

Aujourd'hui, les progrès techniques permettent au patient de retourner vivre parmi les siens même s'il est tributaire d'un ventilateur, ce qui peut être une expérience enrichissante, autant pour le patient que pour sa famille. La ventilation artificielle à domicile ne vise pas seulement à prolonger la vie du patient, mais aussi à en améliorer la qualité.

Résumé : Il existe donc une grande variété d'appareils et de systèmes pour assurer la ventilation et l'oxygénation chez les patients souffrant d'insuffisance respiratoire. Ces appareils sont devenus banals aux yeux du personnel soignant et sont utilisés de façon courante chez des opérés et des patients souffrant de graves dysfonctions respiratoires, mais ils font

## Encadré 3-5
## *Conditions de base pour la prestation de soins respiratoires à domicile*

1. La famille du patient et le personnel professionnel sont compétents, fiables et disposés à prendre le temps qu'il faut pour recevoir la formation nécessaire.
2. Le patient accepte de retourner à la maison.
3. La famille comprend les conséquences du diagnostic et le pronostic de la maladie.
4. On a démontré que le patient souffre d'un trouble pulmonaire chronique.
5. L'état pulmonaire du patient est cliniquement stable.
6. La famille a suffisamment de ressources financières et de soutien.
7. Le patient et sa famille consultent un psychologue avant la sortie du centre hospitalier.
8. L'ambiance qui règne au sein de la famille favorise l'acceptation du patient.
9. Les installations électriques sont assez puissantes pour que l'on puisse brancher sans danger tout le matériel électrique.
10. On peut agir sur le milieu physique du patient, c'est-à-dire qu'on peut notamment éliminer les courants d'air durant les mois froids et assurer une bonne aération durant les mois chauds.
11. Le patient dispose des installations et de l'espace nécessaires au nettoyage et au rangement de l'appareil.

(Source: J. A. O'Ryan et D. G. Burns, *Pulmonary Rehabilitation: From Hospital to Home*, Chicago, Year Book Medical Publishers, 1984)

souvent peur aux patients et à leur famille. Les techniques de ventilation et d'oxygénation peuvent sauver la vie d'un patient, mais elles ont aussi des effets indésirables. L'infirmière doit donc travailler en étroite collaboration avec les autres membres de l'équipe de soins quand elle évalue le patient et qu'elle vérifie le fonctionnement du ventilateur ou de l'appareil d'oxygénothérapie. Elle doit aussi observer de près les réactions du patient au traitement, de même que son état psychologique et celui de sa famille. Quand le traitement d'un patient inclut l'emploi d'un ventilateur, l'enseignement au patient et à sa famille constitue une part essentielle des soins infirmiers.

# PATIENTS SUBISSANT UNE OPÉRATION THORACIQUE

L'évaluation et le traitement ont une importance toute particulière chez les patients qui subissent une opération thoracique. On pratique des interventions chirurgicales de ce type pour de nombreuses raisons, et parfois chez des patients atteints d'une maladie pulmonaire obstructive accompagnée d'insuffisance respiratoire. Les soins préopératoires sont importants car la marge de sécurité est parfois bien étroite.

Heureusement, les poumons ont une grande réserve fonctionnelle. Et avec les nouvelles techniques d'anesthésie, d'inhalothérapie, de chirurgie et de soins postopératoires intensifs, il est maintenant possible de pratiquer des opérations thoraciques plus importantes.

Les soins préopératoires servent à évaluer la réserve fonctionnelle du patient afin de déterminer ses chances de survie et de le préparer le mieux possible à l'opération.

## *Examens diagnostiques*

Pour établir l'état préopératoire du patient et évaluer ses forces et ses limites physiques, on effectue un certain nombre d'examens. On commence par noter les antécédents du patient et effectuer un examen physique (base de l'évaluation préopératoire). Par l'aspect général du patient, son comportement ainsi que son état mental, on peut savoir si l'intervention chirurgicale présente un risque élevé.

La décision de pratiquer une résection pulmonaire dépend de l'état cardiovasculaire et de la réserve pulmonaire du patient. Pour savoir si la résection envisagée laissera au patient suffisamment de tissu pulmonaire fonctionnel, on doit effectuer des explorations fonctionnelles respiratoires (surtout les volumes respiratoires et la capacité vitale). Il faut également obtenir la mesure des gaz du sang artériel pour compléter le tableau de la capacité fonctionnelle des poumons. On procède également à des épreuves d'effort, lesquelles ont une valeur prévisionnelle. Ces épreuves sont particulièrement utiles pour déterminer si un patient pourra tolérer l'exérèse totale d'un poumon.

Les examens préopératoires servent à obtenir des valeurs initiales pour comparaison au cours de la période postopératoire, et à déceler des anomalies passées inaperçues. Ils comprennent une radiographie pulmonaire, un électrocardiogramme (pour dépister les cardiopathies et les troubles de conduction), une évaluation nutritionnelle, des dosages de l'azote uréique du sang (BUN) et de la créatinine sérique (fonction rénale), une épreuve d'hyperglycémie provoquée ou un dosage de la glycémie (diabète), un ionogramme, une électrophorèse des protéines, une détermination du volume sanguin et un hémogramme.

# INTERVENTIONS CHIRURGICALES

**Lobectomie**   Quand la maladie touche seulement une partie du poumon, on pratique une lobectomie pulmonaire (exérèse d'un des lobes). Plus courante que la pneumonectomie, la lobectomie est pratiquée dans les cas de carcinome bronchogénique, de bulles d'emphysème, de tumeurs bénignes, de tumeurs malignes métastatiques, de bronchectasie et de mycoses (figure 3-10).

Pour procéder à une lobectomie, on pratique une thoracotomie dans la région qui correspond exactement au lobe qu'on veut réséquer. Quand on atteint la plèvre, le poumon est collabé; on peut alors ligaturer et diviser les vaisseaux et bronches du lobe. Une fois qu'on a retiré le lobe atteint, on dilate les lobes restants. Habituellement, on introduit deux drains thoraciques pour favoriser l'écoulement des liquides (figure 3-11).

Le drain supérieur sert à évacuer l'air, tandis que le drain inférieur sert à drainer les liquides. On utilise parfois un seul drain. Le drain thoracique reste branché à un appareil de drainage pendant quelques jours.

**Pneumonectomie.**    La pneumonectomie est la résection du poumon entier. On pratique le plus souvent cette intervention chez des patients atteints d'une lésion cancéreuse qu'on ne peut retirer par une intervention moins mutilante. On a aussi recours à la pneumonectomie dans les cas d'abcès du poumon, de bronchiectasie ou de tuberculose unilatérale étendue. L'exérèse du poumon droit est plus dangereuse que l'exérèse du poumon gauche. En effet, comme le poumon droit possède un lit vasculaire plus important, son excision impose une charge physiologique accrue.

Pour procéder à une pneumonectomie, on pratique une thoracotomie postérolatérale ou antérolatérale. Dans certains cas, on résèque une côte. L'artère pulmonaire et les veines pulmonaires sont ligaturées et sectionnées.

On divise la bronche souche et on enlève le poumon. On suture ensuite le moignon bronchique. Habituellement, on n'utilise aucun drain car l'accumulation de liquide dans l'hémithorax nouvellement vide est justement le résultat final visé.

**Segmentectomie (résection d'un segment bronchopulmonaire).**    Il arrive qu'une lésion ne touche qu'un seul segment du poumon. Les segments sont des subdivisions du poumon qui fonctionnent comme des unités individuelles (voir figure 3-3). Ils sont reliés entre eux par un fin tissu conjonctif. Quand un seul segment pulmonaire est atteint, on vise à préserver le maximum de tissu sain et fonctionnel, surtout si la réserve cardiorespiratoire est déjà limitée. Il est toujours possible de n'enlever que le segment atteint, sauf s'il s'agit d'un segment du lobe moyen droit. En effet, comme ce lobe a seulement deux petits segments, on enlève toujours le lobe en entier. Sur le côté gauche, vis-à-vis du lobe moyen, se trouve la lingula du lobe supérieur. On peut exciser la lingula par segmentectomie ou par *lingulectomie*. La lingula est souvent atteinte chez les patients souffrant de bronchiectasie.

**Résection cunéiforme périphérique.**    On peut pratiquer une résection cunéiforme pour enlever une petite lésion bien circonscrite, sans tenir compte des plans entre les segments. Il faut généralement drainer la cavité pleurale, car les fuites de sang ou d'air sont possibles. On pratique la résection cunéiforme pour obtenir des biopsies pulmonaires aléatoires et pour enlever des petits nodules périphériques.

**Résection bronchoplastique.**    La résection bronchoplastique est une intervention qui consiste à exciser une bronche lobaire avec une partie de la bronche gauche ou droite. Il faut ensuite créer une nouvelle anastomose entre la bronche distale et la bronche proximale ou la trachée.

## DÉMARCHE DE SOINS INFIRMIERS
## PATIENTS SUBISSANT UNE OPÉRATION THORACIQUE

▷ **Soins préopératoires**
▷ **Collecte des données**

L'auscultation des poumons permet d'évaluer l'intensité des bruits respiratoires dans les différentes régions des poumons (voir le chapitre 2). Quand on ausculte les poumons, il est important de vérifier si les bruits respiratoires sont normaux, c'est-à-dire si de l'air entre dans les poumons et en sort librement. (Chez le patient souffrant d'emphysème, les bruits respiratoires peuvent être très atténués ou même inaudibles à l'auscultation.) Il faut noter les râles fins, les sibilances, l'hypersonorité et la diminution des mouvements diaphragmatiques. Des bruits respiratoires atténués d'un seul côté, de même que des ronchus, peuvent indiquer une obstruction bronchique causée par des bouchons de mucus. Pour vérifier si le patient présente une rétention de sécrétions, on lui demande de tousser pendant l'auscultation et on note les ronchus ou les sibilances. La collecte de données et le profil du patient portent sur les points suivants :

- Quels signes et symptômes le patient présente-t-il (toux, expectorations [quantité], hémoptysie, douleur thoracique, dyspnée)?

- Le patient fume-t-il? Depuis combien de temps? Quelle est sa consommation de cigarettes (en paquets / jour / années)?

- Quelle est sa tolérance cardiorespiratoire au repos, quand il mange, quand il prend un bain, quand il marche?

- Quel est son rythme respiratoire? Après quel degré d'effort souffre-t-il de dyspnée?

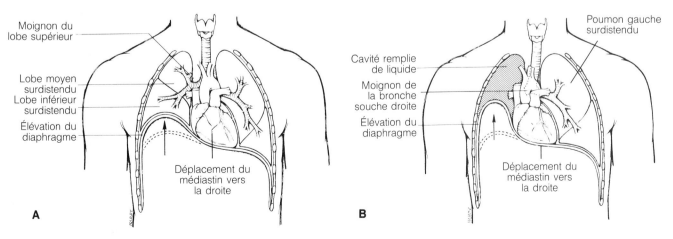

***Figure 3-10.***    Interventions chirurgicales (**A**) Lobectomie (**B**) Pneumonectomie

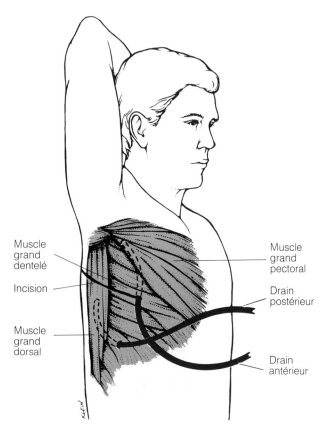

Muscle
grand
dentelé

Incision

Muscle
grand
dorsal

Muscle
grand
pectoral

Drain
postérieur

Drain
antérieur

***Figure 3-11.*** Drainage postopératoire du thorax. Le drain supérieur est utilisé pour les fuites d'air du poumon réséqué. Il part de la plèvre pariétale près de l'apex et est amené vers l'extérieur par la partie antérieure de l'incision. Le drain inférieur sert habituellement au drainage sérosanguin.

- Doit-il être assis avec le dos droit pour arriver à dormir?
- Quel est l'âge physiologique du patient (d'après, par exemple, son aspect général, son état mental, son comportement, son état nutritionnel)?
- Souffre-t-il d'un autre problème médical (allergies, troubles cardiaques, etc.)?
- Quelles sont ses préférences et ses antipathies?

## ▷ *Analyse et interprétation des données*

Selon les données recueillies, voici les principaux diagnostics infirmiers possibles:

- Perturbation des échanges gazeux reliée à une atteinte pulmonaire
- Dégagement inefficace des voies respiratoires relié à une atteinte pulmonaire
- Manque de connaissances sur l'intervention chirurgicale et les autosoins
- Anxiété reliée au diagnostic et à l'intervention chirurgicale

## ▷ *Planification et exécution*

▷ *Objectifs de soins:* Amélioration des échanges gazeux; dégagement des voies respiratoires; acquisition de connaissances sur l'intervention chirurgicale et les autosoins; soulagement de l'anxiété.

## ▷ *Interventions infirmières*

▷ *Amélioration des échanges gazeux.* Les soins préopératoires visent surtout à améliorer la ventilation alvéolaire et, par le fait même, les échanges gazeux. Les tâches de l'infirmière sont nombreuses: inciter le patient à éviter les substances irritantes pour les bronches (surtout le tabac); lui faire boire beaucoup de liquide et utiliser un humidificateur pour liquéfier les sécrétions; administrer les bronchodilatateurs prescrits pour soulager le bronchospasme; et enseigner au patient la respiration diaphragmatique pour qu'il améliore sa ventilation. L'infirmière doit également profiter de la période préopératoire pour familiariser le patient avec la spirométrie de stimulation afin qu'il soit capable de s'en servir sans problème après l'intervention.

▷ *Dégagement des voies respiratoires.* Les affections pulmonaires s'accompagnent souvent d'une production abondante de sécrétions. Avant l'intervention chirurgicale, il faut donc recourir à certaines interventions pour dégager les voies respiratoires et prévenir les complications postopératoires comme l'atélectasie ou l'infection: humidification, drainage postural et percussion thoracique après l'administration de bronchodilatateurs s'il y a lieu. L'infirmière doit aussi mesurer la quantité des expectorations si le patient évacue beaucoup de sécrétions. Enfin, il faut administrer les antibiotiques prescrits pour prévenir l'infection (les antibiotiques sont parfois la cause d'une augmentation des sécrétions).

▷ *Acquisition de connaissances sur l'intervention chirurgicale et les autosoins.* L'infirmière doit informer le patient de ce qui se passera après l'opération: présence de drains thoraciques et de flacons de drainage, administration d'oxygène pour faciliter la respiration et ventilation assistée. Elle lui explique aussi qu'on le changera souvent de position pour favoriser l'évacuation des sécrétions. Comme nous l'avons vu précédemment, le patient doit avant l'opération apprendre à utiliser la spirométrie de stimulation et se familiariser avec la respiration diaphragmatique et la respiration avec les lèvres pincées.

Après l'opération, le patient devra faire des exercices de toux selon un horaire établi afin de favoriser le dégagement de ses voies respiratoires. Il faut donc que l'infirmière lui enseigne les exercices de toux et le prévienne qu'ils seront parfois pénibles. Elle lui montre aussi comment maintenir l'incision avec les mains, un oreiller ou une serviette roulée.

L'infirmière enseigne les exercices de toux et d'expiration prolongée de la façon suivante:

1. S'asseoir le dos droit avec les genoux fléchis et le corps légèrement penché vers l'avant.
2. Exercer une pression sur l'incision en y appuyant fermement les mains, un oreiller ou une serviette roulée, et tousser. (L'infirmière peut faire une première démonstration en utilisant les mains du patient.)
3. Prendre trois respirations profondes, puis une inspiration profonde (en inspirant lentement et régulièrement par le nez).
4. Contracter (rentrer) les muscles abdominaux et tousser fortement deux fois avec la bouche ouverte et la langue sortie.
5. Si le patient est incapable de s'asseoir, il peut se coucher sur le côté avec les hanches et les genoux fléchis.

***Technique de l'expiration prolongée.*** L'expiration prolongée consiste à expulser l'air avec la glotte ouverte. Cette technique peut être utile quand les débits expiratoires sont diminués ou quand le patient refuse de tousser. Elle favorise l'expansion des poumons et la dilatation des alvéoles.

1. Prendre une respiration diaphragmatique profonde et expirer avec force avec la main appuyée sur la bouche. Expirer vigoureusement en haletant rapidement et distinctement.
2. Commencer par faire plusieurs petits halètements, puis diminuer le nombre jusqu'à un seul halètement vigoureux.

▷ *Soulagement de l'anxiété.* De plus en plus, les patients sont admis au centre hospitalier un ou deux jours seulement avant l'opération et parfois le jour même. L'infirmière n'a donc pas beaucoup de temps pour établir un contact avec eux. Pour profiter au maximum du temps dont elle dispose avant l'opération, l'infirmière commence par écouter le patient pour savoir ce qu'il ressent face à sa maladie et à l'intervention proposée. Elle essaie aussi d'établir à quel point il est déterminé à recouvrer un fonctionnement normal. Le patient peut manifester d'importantes réactions, comme la peur de souffrir d'une hémorragie parce que des expectorations sont striées de sang, la peur de souffrir de toux chronique et de douleurs thoraciques, la peur de mourir parce qu'il souffre de dyspnée et présente une tumeur.

L'infirmière doit aider le patient à surmonter ses peurs et à garder ses forces mentales pour affronter le stress de l'intervention chirurgicale. Elle doit donc s'assurer qu'il interprète bien l'information fournie, le rassurer sur la compétence de l'équipe chirurgicale, le rassurer aussi sur la «solidité» des sutures et, enfin, répondre franchement à ses questions sur la douleur et les moyens de la soulager. Elle doit entreprendre les mesures de soulagement de la douleur avant l'intervention chirurgicale et enseigner les méthodes de prévention des complications postopératoires: respiration profonde, exercices de toux, changements de position et mouvements. Comme le dispositif d'autoanalgésie est de plus en plus utilisé par les opérés, l'infirmière peut aussi enseigner au patient comment s'en servir.

▷ *Évaluation*

### Résultats escomptés
1. Le patient a de meilleurs échanges gazeux.
   a) Il cesse de fumer.
   b) Il évite les substances irritantes pour les bronches.
   c) Il sait pratiquer la respiration diaphragmatique.
   d) Il utilise correctement le spiromètre de stimulation.
2. Le patient dégage mieux ses voies respiratoires
   a) Il explique le but des mesures de dégagement des voies respiratoires (humidification, drainage postural, percussion thoracique, bronchodilatateurs).
   b) Il recueille ses expectorations pour qu'elles soient mesurées.
3. Le patient acquiert des connaissances sur l'intervention chirurgicale et les soins.
   a) Il sait ce qui se passera pendant la période postopératoire, et surtout qu'il portera des drains thoraciques.
   b) Il explique, démonstration à l'appui, les techniques de respiration et de toux, de même que le maintien de l'incision.
4. Le patient améliore ses stratégies d'adaptation.
   a) Il dit que ses idées fausses ont été corrigées.
   b) Il sait utiliser les techniques qui contribuent à soulager la douleur (respiration profonde et maintien de l'incision pendant la toux, changements de position ou mouvements).

## Soins postopératoires

### Complications
Les complications sont toujours possibles après une opération thoracique, et il faut les déceler et les traiter le plus tôt possible. L'une des complications les plus graves est l'oedème pulmonaire causé par une perfusion excessive de liquides intraveineux. Les premiers symptômes de ce problème sont la dyspnée, des râles fins, des bruits secs dans la poitrine, de la tachycardie et des expectorations roses et écumeuses. Ces signes indiquent une situation d'urgence qu'il faut signaler immédiatement. Il faut aussi observer régulièrement le patient pour déceler les signes d'hémorragie, de balancement médiastinal, de fistule bronchopulmonaire, d'infection, de choc, d'atélectasie, de pneumothorax, d'arythmies, d'épanchement pleural et de distension de l'estomac.

### Drainage thoracique
Le drainage thoracique jour un rôle déterminant dans l'amélioration des échanges gazeux et de la respiration. Après une opération thoracique, on installe des drains thoraciques et un système de drainage en circuit fermé pour que le poumon opéré puisse à nouveau se dilater et pour enlever l'excès d'air et de liquide (ou de sang).

La respiration normale fonctionne sur le principe de la pression négative (comme la pression à l'intérieur du thorax est plus basse que la pression de l'atmosphère, l'air est entraîné dans les poumons pendant l'inspiration). Or, quand on ouvre le thorax pour quelque raison que ce soit, il se produit une perte de pression négative qui peut provoquer l'affaissement des poumons. L'accumulation d'air, de liquide ou d'autres substances dans le thorax peut compromettre la fonction cardiorespiratoire et même collaber le poumon. Différentes substances peuvent s'accumuler dans la cavité pleurale: de la fibrine ou des caillots de sang; des liquides (sérosités, sang, pus, chyle); et des gaz (air provenant des poumons, de l'arbre trachéobronchique ou de l'oesophage).

L'incision chirurgicale du thorax entraîne presque toujours un certain degré de pneumothorax. En effet, l'air et le liquide s'accumulent dans la cavité intrapleurale, ce qui réduit la distension pulmonaire et entrave les échanges gazeux. Il faut donc vider constamment la cavité pleurale après l'opération et y maintenir une pression négative. Par conséquent, pendant l'opération thoracique et immédiatement après, il faut placer des drains thoraciques à des endroits stratégiques dans la cavité pleurale (voir la figure 3-11), les suturer sur la peau et les brancher à un appareil de drainage qui aspirera l'air et drainera le liquide de la cavité pleurale ou médiastinale. Ce drainage permet aux tissus pulmonaires restants de se dilater à nouveau.

Un bon système d'évacuation pleurale doit assurer l'élimination de toutes les substances de la cavité pleurale de façon à maintenir une bonne fonction cardiorespiratoire. Les systèmes offerts sur le marché (comme Pleur-Evac [figure 3-12]) sont les plus utilisés à l'heure actuelle pour faire le drainage scellé sous l'eau. Ils fonctionnent selon le même principe que le système de drainage à trois flacons. On commence par brancher le drain thoracique au système de drainage à l'aide d'une valve unidirectionnelle. L'eau se trouvant dans le deuxième flacon fait office de joint d'étanchéité et permet à l'air et au liquide de s'écouler du thorax vers le premier flacon tout en empêchant l'air de retourner dans le drain. Le liquide s'accumule dans le premier flacon et l'air sort par le deuxième flacon. Le niveau d'eau varie en fonction de la respiration du patient : il monte à l'inspiration et descend à l'expiration. On peut ajouter un dispositif d'aspiration au deuxième flacon pour créer une pression négative et favoriser ainsi l'évacuation du liquide et de l'air. L'ajout d'un tel dispositif crée un bouillonnement constant dans le troisième flacon. Si ce bouillonnement se produit quand il n'y a pas d'aspiration, il y a peut-être une fuite d'air dans les poumons ou dans le système de drainage. Consulter l'encadré 3-6 pour les soins à prodiguer au patient qui subit un drainage thoracique scellé sous l'eau.

La figure 3-12 illustre le fonctionnement du drainage scellé sous l'eau (systèmes à un, deux ou trois flacons). Avec l'arrivée sur le marché de systèmes jetables «tout-en-un», les systèmes à flacons sont toutefois moins utilisés qu'auparavant.

*Système à un flacon.*    Selon ce système, on scelle sous l'eau l'extrémité du drain thoracique. L'air et le liquide peuvent ainsi s'écouler de la cavité pleurale vers le flacon mais ne peuvent retourner dans le thorax. Le drainage est tributaire de la force de gravité et de la mécanique ventilatoire. À mesure que le niveau de liquide monte dans le flacon, il devient de plus en plus difficile pour l'air et le liquide de sortir du thorax. On peut alors ajouter un dispositif d'aspiration.

*Système à deux flacons.*    Dans le système à deux flacons, le drain est aussi scellé sous l'eau dans un flacon, mais on ajoute un autre flacon pour recueillir le liquide, de sorte que l'écoulement du liquide pleural n'est pas influencé par le volume de drainage.

L'efficacité du drainage dépend de la gravité et de la force de la succion. Lorsqu'on utilise un système d'aspiration mural, on le branche à la prise d'air du flacon scellé sous l'eau. On règle la force de la succion à l'aide de l'indicateur mural.

*Système à trois flacons.*    Ce dernier système s'apparente aux deux autres, sauf qu'il comprend un troisième flacon servant à régler la force de la succion. Cette force dépend de la profondeur à laquelle on immerge l'évent du flacon régulateur. (Par exemple, une immersion de 10 cm sous la surface de l'eau correspond à une succion de 10 cm.)

Comme les deux autres systèmes, le système à trois flacons est tributaire de la force de gravité et de celle de la succion. Avec le système à trois flacons, la force de la succion est réglée par un flacon-manomètre. Le moteur du dispositif d'aspiration ou le système d'aspiration mural crée et maintient une pression négative dans tout le système de drainage en circuit fermé.

Le troisième flacon du système à trois flacons règle la quantité de vide à l'intérieur du système, laquelle dépend de la profondeur à laquelle on immerge le tube (la profondeur habituelle est de 20 cm).

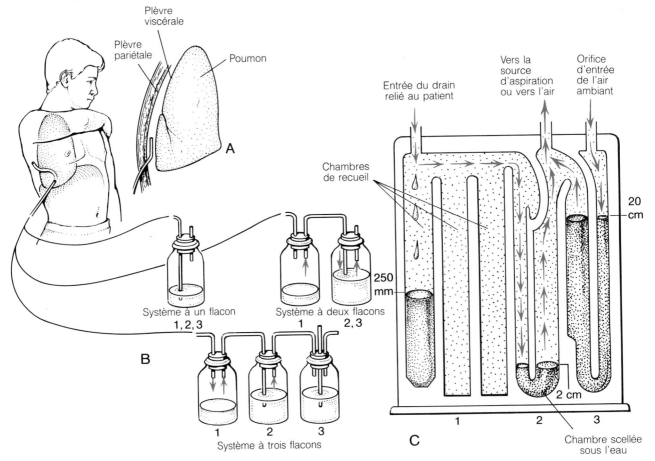

*Figure 3-12.*    Systèmes de drainage thoracique. (**A**) Mise en place du drain thoracique à un endroit stratégique de la cavité pleurale. (**B**) Trois sortes de systèmes de drainage mécanique. (**C**) Système Pleur-Evac : (1) chambres de recueil, (2) chambre scellée sous l'eau et (3) chambre d'aspiration. L'ensemble Pleur-Evac est un système tout-en-un dans lequel les trois flacons sont remplacés par des «chambres».

Quand le vide à l'intérieur du système est supérieur à la profondeur de l'immersion, de l'air extérieur est aspiré dans le système. Il se produit alors un bouillonnement continu dans le flacon-manomètre (ou flacon-indicateur de pression), ce qui indique que le système fonctionne bien.

- **Note :** Lorsqu'on ferme l'appareil d'aspiration mural, le système de drainage doit être ouvert à l'air extérieur pour que l'air intrapleural puisse s'en échapper. Il suffit de débrancher le tube qui était relié à la source de succion.

Les systèmes tout-en-un offerts sur le marché sont plus sûrs, car ils sont incassables et jetables. De plus, ils ne nécessitent pas de raccords qui peuvent se desserrer (sauf avec le drain thoracique). Les soins infirmiers s'en trouvent facilités et le patient peut marcher plus aisément et plus tôt.

## ▷ *Collecte des données*

Pour déterminer si le patient a une bonne expansion thoracique, l'infirmière vérifie trois signes importants, soit la qualité de la respiration, l'amplitude respiratoire et la coloration de la peau. Elle doit également évaluer la fréquence et le rythme cardiaques par auscultation et sur l'électrocardiogramme, car il n'est pas rare qu'un patient présente d'importantes arythmies après une opération thoracique ou cardiaque. Les arythmies peuvent survenir à n'importe quel moment, mais elles sont particulièrement fréquentes entre le deuxième et le sixième jour après l'intervention chirurgicale. La fréquence des arythmies est plus élevée chez les patients de plus de 50 ans et chez ceux qui ont subi une pneumonectomie ou une opération à l'œsophage.

Un cathéter artériel est généralement en place pour faciliter les prélèvements fréquents de sang pour les dosages des gaz du sang artériel et des électrolytes sériques et les déterminations du taux d'hémoglobine et de l'hématocrite. Le cathéter artériel permet aussi la mesure de la pression artérielle. On doit aussi prendre régulièrement la pression veineuse centrale pour déceler rapidement les perturbations de volume liquidien.

## ▷ *Analyse et interprétation des données*

Selon les données recueillies, voici les principaux diagnostics infirmiers possibles :

- Perturbation des échanges gazeux reliée à la maladie pulmonaire et à l'intervention chirurgicale
- Dégagement inefficace des voies respiratoires relié à l'affection pulmonaire, à l'anesthésie et à la douleur
- Douleur reliée à l'incision, aux drains thoraciques et à l'intervention chirurgicale
- Altération de la mobilité physique des membres supérieurs reliée à l'intervention chirurgicale
- Altération du volume liquidien reliée à l'intervention chirurgicale
- Anxiété reliée à l'issue de l'opération à la douleur et à l'utilisation de nombreux dispositifs techniques
- Manque de connaissances sur les mesures de soins à domicile

## ▷ *Planification et exécution*

▷ *Objectifs de soins :* Amélioration des échanges gazeux et de la respiration ; dégagement des voies respiratoires ; soulagement de la douleur et des malaises ; mobilité accrue des bras et des épaules ; maintien d'un bon volume liquidien ; soulagement de l'anxiété ; apprentissage des autosoins.

## ▷ *Interventions infirmières*

▷ *Amélioration des échanges gazeux et de la respiration.* Pour apprécier les échanges gazeux, l'infirmière doit évaluer l'oxygénation et la ventilation. Immédiatement après l'opération, elle mesure la pression artérielle, le pouls et la fréquence respiratoire toutes les 15 minutes pendant 1 ou 2 heures, puis moins souvent quand l'état du patient s'est stabilisé.

Toutes les deux heures, le patient doit faire les exercices de respiration qu'il a appris avant l'intervention chirurgicale (respirations diaphragmatique et avec les lèvres pincées) afin de dilater les alvéoles et de prévenir l'atélectasie. Pour améliorer la ventilation, le patient peut aussi faire des exercices d'inspiration maximale soutenue, ou de spirométrie de stimulation (voir à la page 57). La spirométrie provoque une distension maximale des poumons, améliore le mécanisme de la toux et permet de déceler rapidement les changements respiratoires.

Peu après l'intervention, quand le patient est lucide et que sa pression artérielle est stable, l'infirmière monte la tête du lit de 30 à 40 degrés. Cette position facilite la ventilation et l'écoulement des sécrétions du drain inférieur et favorise la montée de l'air résiduel dans la partie supérieure de la cavité pleurale, où il peut être évacué par le drain supérieur.

L'infirmière doit consulter le chirurgien sur les positions que le patient peut prendre. Si sa réserve respiratoire est limitée, il se peut qu'il soit incapable de se tourner sur le côté non opéré car cela entrave la ventilation du côté opéré. Il faut varier les positions depuis la position horizontale jusqu'à la position semi-Fowler pour éviter l'accumulation de sécrétions dans la partie déclive des poumons. Après une pneumonectomie, il faut placer le côté opéré en position déclive de façon que le liquide de la cavité pleurale reste sous le niveau du moignon bronchique et que le côté indemne puisse se dilater pleinement.

### *Comment tourner un patient*

1. Demander au patient de fléchir les genoux et de se servir de ses pieds pour pousser contre le matelas.
2. Lui demander ensuite d'amener ses hanches et ses épaules de l'autre côté du lit en poussant avec ses pieds.
3. Ramener son bras sur sa poitrine, sa main en direction du côté vers lequel on le tourne, et lui demander de s'agripper à une ridelle avec cette main.
4. Tourner le patient en bloc ; on évite ainsi de provoquer une torsion des hanches et d'étirer douloureusement l'incision.

▷ *Dégagement des voies respiratoires.* L'accumulation de sécrétions représente un danger pour le patient qui vient de subir une thoracotomie. Un traumatisme de l'arbre trachéobronchique pendant l'opération, la diminution de la ventilation pulmonaire ainsi que l'affaiblissement du réflexe tussigène sont autant de facteurs qui contribuent à l'accumulation de sécrétions. Si on n'intervient pas, les sécrétions finissent par obstruer les voies respiratoires ; l'air contenu dans les alvéoles situées en aval de l'obstruction est alors absorbé et le poumon

## Encadré 3-6
## Conduite à tenir auprès du patient qui subit un drainage thoracique scellé sous l'eau

Il faut presque toujours effectuer un drainage intrapleural après une opération intrathoracique. Pour ce faire, on insère un ou plusieurs drains thoraciques dans la cavité pleurale, on les maintient en place en les suturant sur la paroi thoracique et on les raccorde à un système de drainage. Le drainage thoracique vise deux objectifs :

1. Il sert à évacuer les substances liquides, solides ou gazeuses se trouvant dans la cavité pleurale et l'espace médiastinal.

2. Il crée une pression négative dans la cavité pleurale, ce qui permet aux poumons de se dilater de nouveau et au patient de retrouver une fonction cardiorespiratoire normale.

### Méthode

| Soins infirmiers | Commentaires |
|---|---|
| 1. Verser de l'eau stérile dans le flacon étanche jusqu'à la ligne correspondant à 2 cm $H_2O$. | Le drainage scellé sous l'eau permet d'évacuer l'air et le liquide qui se trouvent dans la cavité pleurale. L'eau joue le rôle de joint hydraulique qui empêche l'air de retourner dans la cavité pleurale. |
| 2. Si on utilise un appareil d'aspiration, verser de l'eau stérile dans le flacon régulateur jusqu'à la ligne correspondant à 20 cm ou selon l'ordonnance. | C'est le niveau d'eau qui détermine la force de succion. |
| 3. Raccorder le drain provenant de la cavité pleurale à la tubulure du flacon de recueil. Fixer solidement. | Les systèmes jetables fonctionnent en circuit fermé et n'ont qu'un seul raccordement (avec le drain). |
| 4. Si on utilise un appareil d'aspiration, raccorder la tubulure du flacon régulateur à l'appareil d'aspiration. Mettre l'appareil d'aspiration en marche et augmenter la pression jusqu'à ce qu'un bouillonnement continu apparaisse dans le flacon régulateur. | La force d'aspiration dépend de la quantité d'eau dans le flacon régulateur ; elle ne dépend *pas* de la force du bouillonnement ni du réglage du manomètre de pression de l'appareil d'aspiration. |
| 5. À l'aide de ruban adhésif, marquer le niveau initial du liquide sur la surface externe du système de drainage. Marquer ensuite l'augmentation du niveau toutes les heures et tous les jours (noter la date et l'heure). | On peut ainsi évaluer la perte de liquide et la vitesse à laquelle le liquide s'écoule dans le flacon de recueil. Si le liquide évacué est du sang, les marques renseigneront sur la quantité de sang à transfuser. Immédiatement après l'intervention chirurgicale, le liquide recueilli sera sanguinolent ; par la suite, il deviendra plus séreux. Quand le liquide évacué est trop abondant, il faut parfois opérer de nouveau ou procéder à une autotransfusion. Habituellement, l'écoulement diminue graduellement au cours des 24 premières heures. |
| 6. Veiller à ce que les tubes ne soient pas coudés ou n'entravent pas les mouvements du patient. | Si les tubes sont coudés ou comprimés, il peut se produire un reflux qui repousse le liquide recueilli vers la cavité pleurale ou qui entrave l'évacuation de la cavité pleurale. |
| 7. Inciter le patient à s'installer de façon à être à l'aise et à garder un bon alignement corporel. Lorsque le patient est en décubitus latéral, s'assurer que le poids de son corps ne comprime pas les tubes. Inciter le patient à changer souvent de position. | Les changements fréquents de position favorisent le drainage. Le maintien d'un bon alignement corporel prévient les déformations posturales et les contractures. Quand le patient s'installe correctement, la respiration et les échanges gazeux s'en trouvent améliorés. Il est parfois nécessaire d'administrer des analgésiques pour améliorer le bien-être du patient et l'aider à respirer profondément. |
| 8. Plusieurs fois par jour, faire faire des exercices d'amplitude des mouvements des bras et de l'épaule du côté atteint. L'administration d'analgésiques est parfois nécessaire. | Les exercices préviennent l'ankylose de l'épaule et aident à atténuer la douleur et les malaises postopératoires. |
| 9. Toutes les deux heures ou au besoin, presser doucement le drain en faisant glisser les doigts en direction du flacon de recueil. | Cette compression empêche l'obstruction du drain par des caillots ou de la fibrine. Il faut assurer la perméabilité du drain afin de favoriser l'expansion des poumons et prévenir les complications. |

## *Encadré 3-6* (suite)

| **Soins infirmiers** | **Commentaires** |
|---|---|
| 10. S'assurer que le niveau d'eau fluctue dans le flacon scellé sous l'eau. | La fluctuation du niveau d'eau montre que la circulation se fait bien entre la cavité pleurale et le flacon de recueil. Cette fluctuation est un indicateur de la perméabilité du système et de la pression intrapleurale. |
| 11. Les fluctuations du liquide dans la tubulure cessent dans les conditions suivantes:<br>a) quand les poumons se dilatent:<br>b) quand la tubulure est entortillée ou obstruée par des caillots ou de la fibrine;<br>c) quand l'appareil d'aspiration fonctionne mal. | |
| 12. Vérifier s'il y a des fuites d'air dans le système de drainage (bouillonnement constant dans le flacon scellé sous l'eau).<br>a) Vérifier si le drain thoracique présente dans sa partie externe des fuites qu'on peut corriger.<br>b) Prévenir le médecin immédiatement si un bouillonnement excessif se produit dans le flacon scellé sous l'eau et qu'il n'y a pas de fuites dans la partie externe du drain thoracique. | Les fuites et les rétentions d'air dans la cavité pleurale peuvent entraîner un pneumothorax. |
| 13. Rechercher et signaler immédiatement les signes suivants: respiration rapide et superficielle; cyanose; oppression thoracique; emphysème sous-cutané; symptômes d'hémorragie; changements importants dans la coloration de la peau et les signes vitaux. | Ces signes et symptômes peuvent être dus à différentes complications, notamment le pneumothorax, le balancement médiastinal, l'hémorragie, de graves douleurs au siège de l'incision, l'embolie pulmonaire et la tamponnade cardiaque. Il peut s'avérer nécessaire d'opérer. |
| 14. Inciter le patient à pratiquer souvent des exercices de respiration profonde et de toux. Si la région incisée est douloureuse, l'administration d'un analgésique est indiquée. Demander une ordonnance pour un dispositif d'autoanalgésie s'il y a lieu. Enseigner au patient l'utilisation de la spirométrie de stimulation. | La toux et la respiration profonde contribuent à augmenter la pression intrapleurale, ce qui permet l'évacuation des substances accumulées dans la cavité pleurale et l'évacuation des sécrétions de l'arbre trachéobronchique. Cela favorise l'expansion des poumons et prévient l'atélectasie. |
| 15. Lors du transport du patient dans une autre pièce, placer le système de drainage sous le niveau du thorax si le patient est étendu sur une civière. Si le drain se détache, couper les bouts contaminés du drain thoracique et de la tubulure, placer un raccord stérile dans le drain et la tubulure, et rattacher au système de drainage. Si le drain reste attaché, ne pas le clamper pendant le transport. | Le système de drainage doit demeurer sous le niveau du thorax pour prévenir les reflux de liquide dans la cavité pleurale. |
| 16. Lors du retrait du drain thoracique par le chirurgien:<br>a) Demander au patient d'effectuer doucement une manœuvre de Valsalva ou de respirer calmement.<br>b) Le drain thoracique est clampé et retiré rapidement.<br>c) Pendant qu'on retire le drain, on applique un petit pansement qu'on rend étanche en l'enduisant de vaseline et que l'on recouvre d'une compresse de 10 × 10 cm, que l'on scelle avec du ruban adhésif. | On retire le drain thoracique quand le poumon est à nouveau dilaté (cela prend généralement entre 24 heures et quelques jours), selon la cause du pneumothorax. Pendant le retrait du drain, il importe d'empêcher l'air de pénétrer dans la cavité pleurale et de prévenir l'infection. |

* Les directives de cet encadré s'appliquent également aux système jetables scellés sous l'eau.

s'affaisse. Cet affaissement peut entraîner une atélectasie, une pneumonie ou une insuffisance respiratoire.

On utilise différentes méthodes pour maintenir la liberté des voies respiratoires. Tout d'abord, on aspire les sécrétions de l'arbre trachéobronchique jusqu'au retrait de la sonde endo-trachéale (cette intervention commence dans la salle de réveil).

On continue à aspirer les sécrétions jusqu'à ce que le patient puisse les expectorer en toussant. On peut aussi utiliser l'aspiration nasotrachéale (une technique toutefois difficile à maîtriser) pour déclencher une toux profonde et aspirer les sécrétions que le patient est incapable d'expectorer. Cependant, il ne faut utiliser cette méthode que si les autres méthodes sont inefficaces.

*Aspiration nasotrachéale (à faire selon une technique aseptique)*

1. Expliquer l'intervention au patient. Lui administrer un médicament contre la douleur, au besoin.
2. Installer le patient en position assise ou semi-Fowler. S'assurer que sa tête n'est pas penchée vers l'avant. Enlever des oreillers s'il le faut.
3. Oxygéner le patient pendant quelques minutes avant de commencer l'aspiration. Garder une source d'oxygène à portée de la main.
4. Enfiler des gants stériles.
5. Lubrifier la sonde avec une gelée hydrosoluble.
6. Insérer doucement la sonde dans une des narines jusqu'au pharynx. Pour vérifier la position de l'extrémité de la sonde, demander au patient d'ouvrir la bouche et vérifier si elle se trouve dans le pharynx inférieur.
7. Demander au patient de prendre une respiration profonde ou de tirer la langue. Cela a pour effet d'ouvrir l'épiglotte et de faciliter la descente de la sonde.
8. Descendre la sonde dans la trachée uniquement lors de l'inspiration. Vérifier s'il y a toux ou passage d'air dans la sonde.
9. Brancher la sonde à l'appareil d'aspiration. Effectuer une aspiration intermittente en retirant doucement la sonde. La force de succion ne doit pas dépasser 120 mm Hg.
10. L'aspiration ne devrait pas durer plus de 10 à 15 secondes, car des arythmies ou un arrêt cardiaque peut survenir chez le patient dont l'oxygénation est réduite.
11. Si une autre aspiration est nécessaire, retirer complètement la sonde, rassurer le patient et l'oxygéner pendant quelques minutes avant de recommencer.

On peut également maintenir la liberté des voies respiratoires grâce aux exercices de toux. Le patient doit toutefois apprendre à tousser efficacement, car la toux inefficace ne mène qu'à l'épuisement et à la rétention des sécrétions. La toux efficace est profonde, contrôlée et grave. Étant donné qu'il est difficile de tousser en décubitus dorsal, l'infirmière doit aider le patient à s'asseoir sur le bord du lit, les pieds appuyés sur une chaise. Le patient doit tousser au moins toutes les heures (comme on le décrit à la page 78) durant les 24 premières heures, et au besoin par la suite. Quand on entend des râles fins, il est parfois nécessaire d'effectuer une percussion du thorax en plus des exercices de toux jusqu'à ce que les poumons soient dégagés. Une aérosolthérapie peut contribuer à humidifier et à mobiliser les sécrétions pour que le patient puisse les expectorer facilement. Pour atténuer la douleur au siège de l'incision pendant la toux, l'infirmière soutient fermement la région incisée en s'appuyant sur le côté opposé (figure 3-13).

Après avoir aidé le patient à tousser, l'infirmière doit ausculter les deux poumons, sur les faces antérieures et postérieures, afin de vérifier si les bruits respiratoires ont changé (des bruits atténués peuvent indiquer que les alvéoles sont collabées ou hypoventilées).

Enfin, on peut maintenir la liberté des voies respiratoires grâce à la physiothérapie respiratoire. Si on sait qu'un patient présente un risque élevé de complications pulmonaires postopératoires, il faut commencer la physiothérapie respiratoire immédiatement après l'opération (et peut-être même avant l'opération). Les techniques de drainage postural, de vibration et de percussion contribuent à déloger et à mobiliser les sécrétions, qui peuvent ensuite être expectorées ou aspirées.

▷ *Soulagement de la douleur et des malaises.* Après une thoracotomie, la douleur est parfois importante. Son intensité dépend du type d'incision, de la réaction et de la tolérance du patient à la douleur. Les inspirations profondes, notamment, sont très douloureuses après une thoracotomie. La douleur peut même entraîner des complications postopératoires si elle empêche le patient de respirer profondément

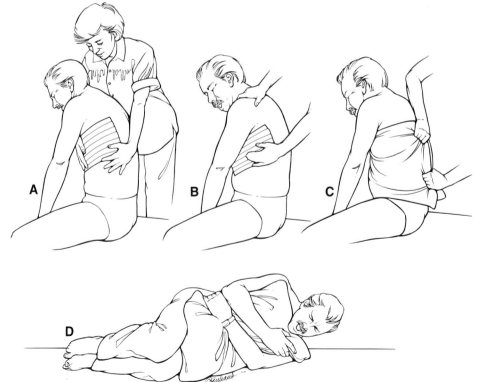
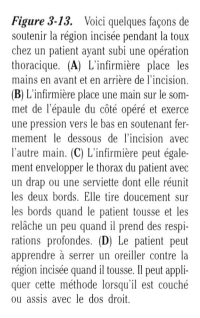

**Figure 3-13.** Voici quelques façons de soutenir la région incisée pendant la toux chez un patient ayant subi une opération thoracique. (**A**) L'infirmière place les mains en avant et en arrière de l'incision. (**B**) L'infirmière place une main sur le sommet de l'épaule du côté opéré et exerce une pression vers le bas en soutenant fermement le dessous de l'incision avec l'autre main. (**C**) L'infirmière peut également envelopper le thorax du patient avec un drap ou une serviette dont elle réunit les deux bords. Elle tire doucement sur les bords quand le patient tousse et les relâche un peu quand il prend des respirations profondes. (**D**) Le patient peut apprendre à serrer un oreiller contre la région incisée quand il tousse. Il peut appliquer cette méthode lorsqu'il est couché ou assis avec le dos droit.

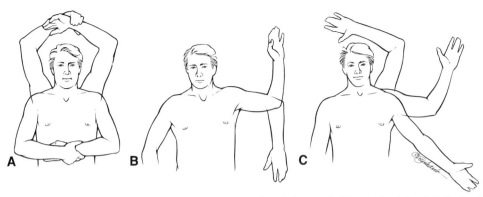

**Figure 3-14.** Après une opération thoracique, le patient doit faire des exercices du bras et de l'épaule du côté opéré afin de rétablir le mouvement, de prévenir un raidissement douloureux de l'épaule et d'augmenter la force musculaire. (**A**) Tenir la main du côté atteint avec l'autre main, les paumes vers l'intérieur. Élever les bras vers l'avant, vers le haut, puis au-dessus de la tête en prenant une inspiration profonde. Expirer en abaissant les bras. Répéter cinq fois. (**B**) Lever le bras sur le côté, puis amener l'avant-bras vers le haut et vers le bas, comme pour saluer. (**C**) Étendre le bras sur le côté. Lever le bras vers le côté, vers le haut, puis au-dessus de la tête. Répéter cinq fois. Les deux derniers exercices peuvent se faire en position couchée.

et de tousser, et si elle restreint les mouvements thoraciques au point de réduire l'efficacité de la ventilation. Immédiatement après l'intervention chirurgicale et avant la fermeture de l'incision, le chirurgien peut pratiquer une anesthésie par blocage nerveux au moyen d'un anesthésique local à action prolongée. Ce type d'anesthésie peut atténuer la douleur postopératoire. Après l'opération, on administre de petites doses de narcotique par voie intraveineuse selon l'ordonnance et on ajuste la posologie de façon à soulager la douleur sans toutefois empêcher le patient de pratiquer les exercices de respiration profonde et de toux et de collaborer à la mobilisation. Il est important aussi de ne pas déprimer l'appareil respiratoire par de trop fortes doses de narcotique.

Étant donné qu'il faut maximiser le bien-être du patient sans toutefois inhiber le centre respiratoire, les nouvelles méthodes d'autoanalgésie sont de plus en plus utilisées. Les dispositifs d'autoanalgésie avec pompe intraveineuse ou cathéter épidural permettent au patient de régler la fréquence et la quantité totale de ses doses de narcotique. Pour éviter le surdosage, la pompe est munie d'un système de sécurité qui limite les doses. Lorsque le patient a reçu des directives claires, il tolère bien ces méthodes, peut bouger plus tôt le bras et l'épaule et se montre plus enclin à collaborer au traitement.

- **Note:** Il importe de ne pas confondre l'agitation causée par l'hypoxie avec l'agitation causée par la douleur. L'agitation accompagnée de dyspnée, d'une augmentation de la fréquence respiratoire, d'une hausse de la pression artérielle et de tachycardie sont les signes d'une insuffisance respiratoire imminente.

▷ *Mobilité et exercices des épaules.*    Quand le médecin juge que le patient peut quitter le lit, il incombe à l'infirmière d'encourager et d'aider le patient à le faire. Le premier lever a souvent lieu le soir suivant l'intervention chirurgicale et il est parfois douloureux. Le patient doit toutefois savoir que plus tôt il se lèvera, plus tôt la douleur disparaîtra. En plus de se lever, le patient doit commencer à faire des exercices pour le bras et l'épaule du côté opéré (figure 3-14) s'il veut retrouver une pleine amplitude de mouvement et prévenir un raidissement douloureux. Consulter le tableau 3-3 pour les exercices appropriés.

▷ *Volume liquidien et nutrition.*    Pendant l'intervention chirurgicale ou tout de suite après, le patient reçoit parfois une transfusion sanguine et ensuite une perfusion intraveineuse continue. L'infirmière doit régler le rythme d'administration (en respectant l'ordonnance du médecin) selon l'évaluation qu'elle a faite de la tolérance du patient, surtout si la réserve cardiorespiratoire est réduite ou que le lit vasculaire pulmonaire a été considérablement diminué (par une pneumonectomie par exemple).

Souvent, à cause de la dyspnée, des expectorations et de la perte d'appétit, le patient présentait un mauvais état nutritionnel avant même de subir sa thoracotomie. Il est donc important de lui fournir un bon soutien nutritionnel aussitôt que possible après l'intervention chirurgicale. Dès qu'on perçoit des borborygmes, le patient peut recevoir une diète liquide. Il faut rétablir un régime alimentaire normal le plus tôt possible. De petits plats fréquents bien équilibrés sont généralement mieux tolérés. Une bonne alimentation est essentielle au rétablissement et au maintien de la fonction pulmonaire.

▷ *Enseignement au patient et soins à domicile.*    Étant donné que les grands muscles de la ceinture scapulaire sont disséqués transversalement lors d'une thoracotomie, il faut mobiliser le bras et l'épaule par des exercices de pleine amplitude des mouvements. L'infirmière doit donc enseigner au patient les exercices appropriés (voir la figure 3-14 et le tableau 3-3) et l'inciter à les poursuivre après sa sortie du centre hospitalier. Ces exercices favorisent le rétablissement de la fonction musculaire affectée par l'incision, la douleur, et les contractures douloureuses réflexes. Ils contribuent également à abréger la douleur et les malaises et, surtout, à réduire la formation d'adhérences. Toutes les articulations doivent être étirées et fléchies. L'infirmière doit recommander au patient de se tenir droit afin de recouvrer une posture normale (il devrait s'y exercer devant un miroir où il peut se voir en entier).

Avant que le patient ne quitte le centre hospitalier, l'infirmière doit lui donner les directives suivantes:

1. Utiliser des applications chaudes et des analgésiques oraux pour soulager la douleur intercostale.

**TABLEAU 3-3.** *Exercices du bras et de l'épaule pour rétablir l'amplitude de mouvement et la fonction musculaire après une opération thoracique*

| Muscle affecté par la thoracotomie | Fonction | Exercice |
|---|---|---|
| Trapèze | Étirement, abduction et extension du bras. | Étendre le bras vers l'avant et vers l'arrière; puis sur le côté et vers l'arrière; puis vers le bas et vers l'arrière. |
| Muscle grand rhomboïde | Adduction et élévation de l'omoplate. | Placer les mains dans le creux du dos. Pousser les coudes le plus loin possible vers l'arrière. |
| Muscle grand dorsal | Abaissement de l'épaule. | S'asseoir droit dans un fauteuil; placer les mains sur les bras du fauteuil, de chaque côté du corps. Pousser vers le bas avec les mains, en rentrant consciemment le ventre et en étirant le corps à partir de la taille. Inspirer en soulevant le corps jusqu'à ce que les coudes soient en extension complète. Maintenir cette position un moment, puis expirer en revenant lentement à la position initiale. |
| Muscle grand dentelé | Rotation de l'omoplate pour l'appuyer contre la cage thoracique. | Lever les bras au-dessus de la tête et «pousser» vers le haut et l'extérieur. |

2. Entrecouper les périodes de marche et d'activité de périodes de repos. Il est normal de se sentir faible et fatigué pendant les trois premières semaines.
3. Pratiquer les exercices de respiration au cours des premières semaines à la maison.
4. Éviter de soulever des poids de plus de 10 kg jusqu'à ce que la plaie soit complètement cicatrisée; au cours des trois à six premiers mois qui suivent l'opération, les muscles thoraciques et la région incisée sont plus faibles qu'en temps normal.
5. Marcher lentement d'abord, puis augmenter graduellement la distance et le rythme de marche.
6. Interrompre immédiatement les activités qui provoquent une fatigue excessive, un essoufflement anormal ou une douleur thoracique.
7. Éviter les substances irritantes pour les bronches (fumée, émanations, air pollué, pulvérisateurs en aérosol).
8. Prendre des mesures de prévention contre les rhumes et les infections pulmonaires.
9. Se faire vacciner chaque année contre la grippe. Demander également l'avis d'un médecin au sujet du vaccin contre la pneumonie.
10. Se présenter à ses rendez-vous de suivi auprès du chirurgien ou à la clinique externe.
11. Cesser de fumer.

▷ *Évaluation*

### *Résultats escomptés*

1. Le patient présente une amélioration des échanges gazeux.
   a) Les résultats de l'analyse des gaz du sang artériel sont satisfaisants.
   b) Le patient sait utiliser la respiration diaphragmatique et la respiration avec les lèvres pincées.
   c) Il utilise la spirométrie de stimulation toutes les heures quand il est éveillé.

d) Il dit ne pas souffrir de dyspnée.
2. Le patient dégage mieux ses voies respiratoires.
   a) Il décrit, démonstration à l'appui, des exercices de toux profonde et contrôlée.
   b) Il dit comprendre l'importance d'une bonne humidification pour liquéfier les sécrétions.
   c) Les bruits respiratoires restent clairs ou les bruits adventices diminuent.
   d) Ses expectorations sont claires et translucides.
3. Le patient est soulagé de la douleur et des malaises.
   a) Le patient dit que la douleur diminue.
   b) Il soutient son incision quand il tousse.
   c) Il augmente son niveau d'activité et participe aux activités de la vie quotidienne.
4. Le patient a une meilleure mobilité du bras et de l'épaule. Il pratique les exercices pour le bras et l'épaule afin d'en conserver la souplesse.
5. Le patient maintient un bon apport liquidien et une bonne alimentation afin de favoriser la cicatrisation.
   a) Il boit entre six et huit verres d'eau par jour.
   b) Il prend des repas équilibrés.
6. Le patient dit qu'il peut dominer son anxiété.
   a) Il collabore avec l'équipe de soins à son traitement.
   b) Il utilise des stratégies d'adaptation efficaces (par exemple la verbalisation, l'emploi de méthodes de soulagement de la douleur et le recours aux réseaux de soutien [famille, prêtre, etc.]).
   c) Il démontre qu'il comprend les principes de base des appareils utilisés pour ses soins.
7. Le patient suit son traitement et les conseils relatifs aux soins à domicile.
   a) Il fait une démonstration pratique des exercices pour le bras et l'épaule et explique pourquoi il est important de les pratiquer cinq fois par jour.

## Plan de soins infirmiers 3-1
## Patient ayant subi une thoracotomie

| *Interventions infirmières* | *Justification* | *Résultats escomptés* |
|---|---|---|

*Diagnostic infirmier:* Perturbation des échanges gazeux reliée à la maladie pulmonaire et à l'intervention chirurgicale

*Objectif:* Amélioration des échanges gazeux et de la respiration

| | | |
|---|---|---|
| 1. Vérifier l'état des poumons selon les directives et au besoin: <br> a) Ausculter les bruits respiratoires. <br> b) Vérifier la fréquence, l'amplitude et le rythme de la respiration. <br> c) Vérifier s'il y a présence de cyanose. <br> d) Obtenir des mesures des gaz du sang artériel afin de déceler les signes d'hypoxémie ou de rétention de $CO_2$. | 1. Les changements dans l'état pulmonaire peuvent indiquer une amélioration ou l'apparition de complications. | • L'auscultation montre que les poumons sont dégagés. <br> • La fréquence respiratoire se situe dans les limites de la normale et le patient ne souffre pas de dyspnée. <br> • Les signes vitaux sont stables. <br> • Il y a absence ou diminution des arythmies. <br> • Le patient fait des respirations profondes, contrôlées et efficaces pour obtenir une distension maximale des poumons. <br> • Le patient utilise la spirométrie de stimulation toutes les heures quand il est éveillé. <br> • Le patient fait une démonstration pratique des techniques de toux efficace et profonde. <br> • Les poumons se dilatent pleinement (ce qui est confirmé par radiographie). |
| 2. Prendre et noter la pression artérielle, le pouls apexien et la température toutes les deux à quatre heures, et la pression veineuse centrale (s'il y a lieu) toutes les deux heures. | 2. Ces mesures aident à évaluer les effets de l'opération sur le cœur. | |
| 3. Observer l'enregistrement continu de l'électrocardiogramme pour vérifier le rythme respiratoire et déceler les arythmies. | 3. Les arythmies (surtout la fibrillation auriculaire et le flutter auriculaire) sont fréquentes après une intervention thoracique. Le patient ayant subi une pneumonectomie totale y est tout particulièrement exposé. | |
| 4. Élever la tête du lit de 30 à 40 degrés dès que le patient est lucide et que son état hémodynamique est stable. | 4. C'est quand le patient est assis le plus droit possible que son thorax a une excursion maximale. | |
| 5. Inciter le patient à faire des exercices de respiration profonde (voir la section intitulée «Rééducation respiratoire», p. 61) et à bien utiliser la spirométrie de stimulation. | 5. Ces méthodes aident le patient à dilater pleinement ses poumons et à libérer les voies respiratoires obstruées. | |
| 6. Inciter le patient à faire ses exercices de toux toutes les heures ou toutes les deux heures pendant les 24 premières heures. | 6. Le patient doit tousser pour expectorer les sécrétions de ses voies respiratoires. | |
| 7. Vérifier et surveiller le système de drainage scellé sous l'eau: <br> a) S'assurer qu'il n'y a ni fuites ni obstructions. <br> b) Toutes les deux heures, noter le volume et les caractéristiques du liquide évacué. Prévenir le médecin si le volume de liquide dépasse 150 mL/h. | 7. On utilise le système de drainage pour évacuer l'air ou le liquide de la cavité pleurale après la thoracotomie. | |

## *Plan de soins infirmiers 3-1* (suite)
## *Patient ayant subi une thoracotomie*

| Interventions infirmières | Justification | Résultats escomptés |
|---|---|---|

**Diagnostic infirmier :**    Dégagement inefficace des voies respiratoires relié à la maladie pulmonaire, à l'anesthésie et à la douleur

**Objectif :**    Amélioration du dégagement des voies respiratoires et de la perméabilité des voies aériennes

| Interventions infirmières | Justification | Résultats escomptés |
|---|---|---|
| 1. Garder les voies respiratoires libres. | 1. Assure une ventilation adéquate et de bons échanges gazeux. | • Les voies respiratoires sont libres.<br>• Le patient tousse de façon efficace.<br>• Le patient soutient l'incision quand il tousse.<br>• Les expectorations sont claires et translucides. Les poumons sont clairs à l'auscultation. |
| 2. Effectuer des aspirations endotrachéales jusqu'à ce que le patient soit capable d'expectorer lui-même ses sécrétions. | 2. Chez les patients qui viennent de subir une thoracotomie, les sécrétions endotrachéales sont très abondantes en raison du traumatisme infligé à l'arbre trachéobronchique pendant l'opération, de la diminution de la ventilation et de l'inhibition du réflexe tussigène. | |
| 3. Évaluer la douleur du patient et administrer des analgésiques au besoin. Inciter le patient à faire ses exercices de respiration profonde et de toux. L'aider à soutenir l'incision quand il tousse. | 3. Ces mesures permettent de dilater les poumons au maximum et d'ouvrir les voies aériennes obstruées. Comme la toux est douloureuse, il faut soutenir l'incision. | |
| 4. Noter le volume, la viscosité, la couleur et l'odeur des expectorations. Prévenir le médecin si les expectorations sont très abondantes ou si elles contiennent du sang rouge vif. | 4. Les changements dans les caractéristiques des expectorations peuvent indiquer une infection ou une modification de l'état respiratoire. Les expectorations sont normalement incolores et translucides : une opacité ou une coloration peuvent être des signes de déshydratation ou d'infection. | |
| 5. Administrer l'humidification et le traitement au mini-nébuliseur selon l'ordonnance. | 5. Il faut humidifier et éclaircir les sécrétions si on veut que le patient les expectore avec le moins d'effort possible. | |
| 6. Effectuer des drainages posturaux, des percussions et des vibrations selon l'ordonnance. On ne doit pas faire de percussions ou de vibrations directement sur la région opérée. | 6. Ces techniques favorisent l'évacuation des sécrétions par gravité. | |
| 7. Ausculter les deux côtés du thorax pour vérifier si les bruits respiratoires ont changé. | 7. L'auscultation du thorax permet de déterminer si une aspiration trachéale est indiquée. | |

**Diagnostic infirmier :**    Douleur reliée à l'incision et à l'intervention chirurgicale

**Objectif :**    Soulagement de la douleur et des malaises

| Interventions infirmières | Justification | Résultats escomptés |
|---|---|---|
| 1. Évaluer la douleur : siège, caractéristiques, nature et intensité. Administrer des analgésiques selon l'ordonnance et au besoin.<br>• Surveiller l'effet des analgésiques sur la respiration. Le patient est-il trop somnolent pour tousser ? La respiration est-elle inhibée ? | 1. La douleur restreint les mouvements thoraciques, ce qui entrave la ventilation. | • Le patient demande des analgésiques, mais sait qu'il ressentira quand même de la douleur lors des exercices de respiration profonde et de toux.<br>• Le patient dit se sentir bien et ne pas trop souffrir.<br>• La plaie ne présente aucun signe d'infection. |

## Plan de soins infirmiers 3-1 (suite)
## Patient ayant subi une thoracotomie

| Interventions infirmières | Justification | Résultats escomptés |
|---|---|---|
| 2. Veiller à ce que le patient soit placé de façon correcte pendant toute la période postopératoire: <br> a) Le placer en position semi-Fowler. <br> b) Si le patient a une réserve respiratoire réduite, il peut être incapable de se tourner du côté opéré. <br> c) Aider le patient à changer de position ou à se tourner toutes les deux heures. | 2. Si le patient est à l'aise et ne ressent pas de douleur, il sera moins porté à contracter les muscles du thorax pendant qu'il respire. Quand le patient est en position semi-Fowler, l'air résiduel peut monter dans le haut de la cavité pleurale et être évacué par le drain thoracique supérieur. | |
| 3. Examiner la région de l'incision toutes les huit heures et rechercher les signes d'infection: rougeurs, chaleur, induration, enflure, séparation des lèvres de la plaie ou écoulement. | | |
| 4. Demander qu'on prescrive un dispositif d'autoanalgésie si besoin est. | 4. Quand le patient peut décider de la fréquence d'administration et les doses des analgésiques, il se sent mieux et adhère plus volontiers au programme thérapeutique. | |

*Diagnostic infirmier:* Anxiété reliée à l'issue de l'intervention chirurgicale, à la douleur et à la présence de dispositifs techniques

*Objectif:* Diminution de l'anxiété

| | | |
|---|---|---|
| 1. En termes simples, expliquer au patient toutes les interventions avant de les effectuer. | 1. Lorsqu'on lui explique de façon simple à quoi s'attendre, le patient se sent moins anxieux et collabore davantage. | • Le patient dit qu'il peut dominer son anxiété. <br> • Le patient collabore avec l'équipe de soins dans l'application du programme thérapeutique. |
| 2. Évaluer la douleur du patient (tant à partir des signes verbaux que non verbaux) et administrer des analgésiques, surtout avant une intervention qui risque d'être douloureuse. | 2. Si on administre des analgésiques avant une intervention ou une activité douloureuse, le patient se sentira mieux et ne s'inquiétera pas inutilement. | • Le patient adopte des stratégies d'adaptation appropriées (verbalisation, mesures de soulagement de la douleur, recours aux réseaux de soutien comme la famille ou un prêtre). |
| 3. Mettre hors circuit les sonneries et les clignotants *non* essentiels des différents appareils (appareils de monitorage, ventilateurs). | 3. Les sonneries et les clignotants risquent de provoquer une surcharge sensorielle et d'accroître l'anxiété du patient. | • Le patient démontre qu'il comprend les principes de base des appareils utilisés pour ses soins. |
| 4. Encourager et soutenir le patient lorsqu'il commence à augmenter son niveau d'activité. | 4. Le renforcement positif et les encouragements aident le patient à se motiver et à améliorer son autonomie. | |
| 5. Faire appel à toutes les personnes (famille, prêtre, travailleur social) susceptibles d'aider le patient à s'adapter aux conséquences de l'opération (diagnostic, changement dans les capacités fonctionnelles). | 5. On peut aider ainsi le patient à utiliser ses forces et ses stratégies d'adaptation. | |

## Plan de soins infirmiers 3-1 (suite)
## *Patient ayant subi une thoracotomie*

| Interventions infirmières | Justification | Résultats escomptés |
|---|---|---|

**Diagnostic infirmier:**    Altération de la mobilité physique des membres supérieurs reliée à l'opération thoracique

**Objectif:**    Rétablissement de la souplesse de l'épaule et du bras touchés

| | | |
|---|---|---|
| Aider le patient à recouvrer l'amplitude de mouvements et le fonctionnement de l'épaule et du tronc du côté opéré.<br>a) Enseigner les exercices de respiration pour l'expansion du thorax.<br>b) Inciter le patient à faire des exercices pour l'épaule et le bras (voir la figure 3-14).<br>c) Aider le patient à se lever et à s'asseoir sur une chaise dès que les fonctions respiratoires et circulatoires sont stables (habituellement le soir suivant l'opération).<br>d) Inciter le patient à augmenter graduellement son niveau d'activité sans toutefois se fatiguer. | On évite ainsi une perte de mobilité du bras et de l'épaule, on accélère le rétablissement et on réduit la douleur. | • Le patient fait une démonstration pratique des exercices pour le bras et l'épaule et dit qu'il continuera de les faire après sa sortie du centre hospitalier. |

**Diagnostic infirmier:**    Altération du volume liquidien relié à l'intervention chirurgicale

**Objectif:**    Rétablissement de l'équilibre hydrique

| | | |
|---|---|---|
| 1. Mesurer et noter les ingesta et les excreta toutes les heures. Le patient devrait éliminer au moins 30 mL d'urines par heure après l'opération. | 1. Les besoins en liquides peuvent se modifier avant, pendant et après l'opération; il faut donc évaluer les besoins liquidiens du patient et sa réaction au traitement s'il y a lieu. | • Le patient est suffisamment hydraté, ce qui se manifeste par:<br>1. un débit urinaire de plus de 30 mL/h;<br>2. des signes vitaux stables, une fréquence cardiaque et une pression veineuse centrale proches de la normale;<br>3. l'absence d'un œdème périphérique excessif. |
| 2. Administrer le sang et les diurétiques ou les liquides par voie parentérale selon l'ordonnance pour rétablir et maintenir le volume liquidien. | 2. Il y a toujours un risque d'œdème pulmonaire dû à une transfusion ou à une surcharge liquidienne; après une pneumonectomie, le système vasculaire pulmonaire est considérablement diminué. | |

**Diagnostic infirmier:**    Manque de connaissances sur les soins à domicile

**Objectif:**    Capacité d'effectuer les soins nécessaires à domicile

| | | |
|---|---|---|
| 1. Inciter le patient à faire ses exercices pour le bras et l'épaule cinq fois par jour à la maison. | 1. Les exercices aident le patient à recouvrer plus rapidement sa fonction musculaire et à éviter que la douleur et le malaise dus à l'opération ne se prolongent. | • Le patient fait des exercices pour son bras et son épaule.<br>• Il dit qu'il est important d'essayer de se tenir droit. |

## *Plan de soins infirmiers 3-1* (suite)
## *Patient ayant subi une thoracotomie*

| *Interventions infirmières* | *Justification* | *Résultats escomptés* |
|---|---|---|
| 2. Recommander au patient de s'exercer à se tenir droit devant un grand miroir. | 2. En s'exerçant à se tenir droit, le patient retrouvera plus rapidement une posture normale. | • Le patient explique pourquoi il est important de soulager la douleur, d'entrecouper les périodes de marche de périodes de repos, de pratiquer les exercices de respiration, de ne pas soulever d'objets lourds, de ne pas trop se fatiguer, d'éviter les substances irritantes pour les bronches, de prévenir les rhumes ou les infections respiratoires, de recevoir le vaccin contre la grippe, d'avoir un suivi médical et de cesser de fumer. |
| 3. Enseigner au patient les mesures de soins à domicile suivantes : | | |
| a) Soulager la douleur intercostale à l'aide d'applications locales chaudes ou d'analgésiques oraux. | a) La région peut rester endolorie pendant quelques semaines. | |
| b) Entrecouper les périodes d'activités de fréquentes périodes de repos. | b) La faiblesse et la fatigabilité sont courantes au cours des trois premières semaines. | |
| c) Pratiquer les exercices de respiration à la maison. | c) Le patient doit respirer efficacement s'il veut éviter une contracture douloureuse réflexe du côté atteint, laquelle peut entraîner une atélectasie. | |
| d) Attendre que la plaie soit complètement guérie avant de soulever des poids lourds. | d) Les muscles thoraciques et la zone incisée peuvent rester faibles pendant trois à six mois. | |
| e) Éviter de trop se fatiguer, de s'essouffler et de faire des activités qui provoquent des douleurs thoraciques. | e) Un excès de stress peut prolonger inutilement le processus de guérison. | |
| f) Éviter les substances qui irritent les bronches. | f) Le patient doit éviter ces substances car sa résistance pulmonaire est réduite et ses poumons sont plus sensibles aux irritants. | |
| g) Prévenir les rhumes ou les infections pulmonaires. | g) Les poumons sont plus sensibles pendant la convalescence. | |
| h) Se faire vacciner chaque année contre la grippe. | h) La vaccination aide à prévenir la grippe. | |
| i) Avoir un suivi médical. | | |
| j) Cesser de fumer. | j) Le tabagisme ralentit le processus de guérison, car il diminue l'apport d'oxygène aux tissus. | |

Chez les patients qui ont subi une pneumonectomie, on n'a généralement pas recours au drainage scellé sous l'eau, il est désirable qu'un épanchement remplisse la cavité pleurale. Certains chirurgiens utilisent un système scellé sous l'eau modifié.

b) Il explique pourquoi il est important d'entrecouper les périodes de marche de périodes de repos, de pratiquer les exercices de respiration, de ne pas soulever de poids supérieurs à 10 kg, de soulager la douleur intercostale, d'éviter les substances irritantes pour les bronches, de prévenir les rhumes ou les infections respiratoires, de recevoir des vaccins contre la grippe et la pneumonie, d'avoir un suivi médical et de cesser de fumer.

Le plan de soins infirmiers 3-1 décrit en détail les soins à prodiguer au patient qui a subi une thoracotomie.

Résumé : Le patient qui doit subir une opération thoracique vit une situation difficile qui risque de compromettre son bien-être à plusieurs égards. La respiration est une fonction vitale qu'on peut assurer par l'introduction d'une sonde endotrachéale ou par l'utilisation d'un ventilateur artificiel. La douleur, l'anxiété et les atteintes à l'intégrité physique sont souvent présentes. À cause de l'intubation endotrachéale, le patient a de la difficulté à communiquer; il est parfois incapable d'exprimer ses inquiétudes et même de dire qu'il a besoin d'être soulagé de la douleur. Pendant la période postopératoire, les soins infirmiers doivent être axés sur trois points: le maintien de la fonction ventilatoire et de la liberté des voies respiratoires; la surveillance du drainage thoracique et le maintien de l'équilibre hydroélectrolytique; et l'application de mesures de bien-être et de soulagement de la douleur. Durant cette période, il est également essentiel de réduire la peur et l'anxiété du patient, et de le préparer par de l'enseignement à rentrer chez lui ou à subir des traitements supplémentaires.

## *Bibliographie*

### *Ouvrages*

Alspach JG and Williams SM. Core Curriculum for Critical Care Nursing, 3rd ed. Philadelphia, WB Saunders, 1985.

American Heart Association. Textbook of Advanced Cardiac Life Support. Dallas, American Heart Association, 1987.

Barton RO. Pulmonary Rehabilitation/Homecare: From Paper to Practice. Old Town, ME, Health Educator Publications, 1989.

Bone RC and Eubanks DH. Comprehensive Respiratory Care: A Learning System. St Louis, CV Mosby, 1985.

Burton GG and Hodgkin JE (eds). Respiratory Care: A Guide to Clinical Practice, 2nd ed. Philadelphia, JB Lippincott, 1984.

Carpenito LJ. Nursing Diagnosis: Application to Clinical Pratice. Philadelphia, JB Lippincott, 1991.

Downs JB and Douglas ME. Physiologic effects of respiratory therapy. In Shoemaker WB et al (eds). Textbook of Critical Care. Philadelphia, WB Saunders, 1989

Holloway NM. Nursing the Critically Ill Adult, 2nd ed. Menlo Park, CA, Addison-Wesley, 1988

Johanson BC et al. Standards for Critical Care, 2nd ed. St Louis, CV Mosby, 1985

Kersten LD. Comprehensive Respiratory Nursing: A Decision-Making Approach. Philadelphia, WB Saunders, 1989.

Kirby RR and Taylor RW. Respiratory Failure. Chicago, Year Book Medical Publishers, 1986.

Kirby RR et al. Mechanical Ventilation. New York, Churchill Livingstone, 1985.

Murray JF and Nadel JA. Textbook of Respiratory Medicine. Philadelphia, WB Saunders, 1988.

Roberts SL. Behavioral Concepts and the Critically Ill Patient, 2nd ed. Norwalk, CT, Appleton-Century-Crofts, 1986.

Waldhausen JA and Pierce WS. Johnson's Surgery of the Chest, 5th ed. Chicago, Year Book Medical Publishers, 1985.

### *Revues*

*Les articles de recherche en sciences infirmières sont marqués d'un astérisque.*

#### *Traitements*

* Branstetter RD et al. Effect of nasogastric feedings on arterial oxygen tension in patients with symptomatic chronic obstructive pulmonary disease. Heart Lung 1988 Mar; 17(2): 170-173.

Carroll P. Safe suctioning. Nursing 1989 Sep; 19(9): 48-51.

* Chulay M and Graeber GM. Efficacy of a hyperinflation and hyperoxygenation suctioning intervention. Heart Lung 1988 Jan; 17(1): 15-22.

Chulay M. Arterial blood gas changes with a hyperinflation and hyperoxygenation suctioning intervention on critically ill patients. Heart Lung 1988 Nov; 17(6): 654-662.

Daschner F et al. Stress ulcer prophylaxis and ventilation pneumonia: Prevention by antibacterial cytoprotective agents. Infect Control Hosp Epidemiol 1988 Feb; 9(2): 59-65.

Fedorovich C and Littleton MT. Chest physiotherapy: Evaluating the effectiveness. Dimens Crit Care Nurs 1990 Mar/Apr; 9(2): 68-74.

Frye B and Hilton T. Preparing the caregiver to manage the ventilator-dependent patient at home. Rehabil Nurs 1988 Jan/Feb; 13(1): 38, 42.

Goodnough SKC. Reducing tracheal injury and aspiration. Dimens Crit Care Nurs 1988 Nov/Dec; 7(6): 324-331.

Harrison LL. Teaching parents to provide home-care for ventilator-dependent children. MCN 1989 Jul/Aug; 14(4): 281.

Hazlett DE. A study of pediatric home ventilator management: Medical, psychosocial, and financial aspects. J Pediatr Nurs 1989 Aug; 4(4): 284-294.

* Henneman EA. Effect of nursing contact on the stress response of patients being weaned from mechanical ventilation. Heart Lung 1989 Sep; 18(5): 483-489.

* Kleiber C et al. Acute histologic changes in the tracheobronchial tree associated with different suction catheter insertion techniques. Heart Lung 1988 Jan; 17(1): 10-14.

* Langlois PF et al. Accentuated complement activation in patient plasma during the adult respiratory distress syndrome: A potential mechanism for pulmonary inflammation. Heart Lung 1989 Jan; 18(1): 71-84.

* Lookinland S. Comparison of pulmonary vascular pressures based on blood volume and ventilator status. Nurs Res 1989 Mar/Apr; 38(2): 68-72.

Mularz L and Simandl-Gerr R. Caring for ventilator-dependent patients. Nurs Man 1989 Jun; 20(6): 26-28.

* Preusser BA et al. Effects of two methods of preoxygenation on mean arterial pressure, cardiac output, peak airway pressure, and postsuctioning hypoxemia. Heart Lung 1988 May; 17(3): 290-299.

* Renfroe KL. Effect of progressive relaxation on dyspnea and state anxiety in patients with chronic obstructive pulmonary disease. Heart Lung Jul; 17(4): 408-413.

Scharer K and Dixon DM. Managing chronic illness: Parents with a ventilator-dependent child. J Pediatr Nurs 1989 Aug; 4(4): 236-247.

Spector N. Nutritional support of the ventilator-dependent patient. Nurs Clin North Am 1989 Jun; 24(2): 407-414.

* Stone KS et al. Effects of lung hyperinflation on mean arterial pressure and postsuctioning hypoxemia. Heart Lung 1989 Jul; 18(4): 377-385.

#### *Traitement des voies respiratoires*

Cuzzell JZ and Rodriquez LA. How to use a bag-valve-mask device for artificial ventilation. Am J Nurs 1989 Jul; 89(7): 932-933.

Montanari J and Spearing C. The fine art of measuring tracheal cuff pressure. Nursing 1986 Jul; 16(7): 46-49.

* Pierce JB and Piazza DE. Differences in postsuctioning arterial blood oxygen concentration values using two postoxygenation methods. Heart Lung 1987 Jan; 16(1): 34-38.

* Rogge JA et al. Effectiveness of oxygen concentrations of less than 100% before and after endotracheal suction in patients with chronic obstructive pulmonary disease. Heart Lung 1989 Jan; 18(1): 64-71.

Sinfield A et al. Airway obstruction from overinflation and herniation of tracheostomy tube balloon. Heart Lung 1989 May; 18(3): 260-262.

Siskind MM. A standard of care for the nursing diagnosis of ineffective airway clearance. Heart Lung 1989 Sep; 18(5): 477-482.

#### *Ventilation artificielle*

Ashworth LJ. Pressure support ventilation/CE quiz. Crit Care Nurs 1990 Jul/Aug; 10(7): 20-25.

Acosta F. Biofeedback and progressive relaxation in weaning the anxious patient from the ventilator: A brief report. Heart Lung 1988 May; 17(3): 299-302.

* Bergbom-Engberg I et al. A retrospective study of patients' recall of respirator treatment: 1. Study design and basic findings. Intens Care Nurs 1988 Jun; 4(2): 56-61.

Brown LH. Pulmonary oxygen toxicity. Focus Crit Care 1990 Feb; 17(1): 68-75.

Celentano-Norton L. Mechanical ventilation strategies in adult respiratory distress syndrome. Crit Care Nurse 1986 Jul/Aug; 6(4): 71-74.

Colombo A et al. Hospital procedure and nursing for patients treated with synchronised independent lung ventilation (sILV). Intens Care Nurs 1987; 3(3): 117-124.

Drayton-Hargrove S and Mandzak-McCarron K. Portable ventilation. Rehab Nurs 1987 Sep/Oct; 12(5).

Fitch M. The patient's reaction to ventilation. Can Crit Care Nurs J 1989 Jun/Jul; 6(2): 13-16.

Goularte TA et al. Bacterial colonization in humidifying cascade reservoirs after 24 and 48 hours of continuous mechanical ventilation. Infect Control 1987 May; 8(5): 200-203.

Gries ML and Fernsler J. Patient perceptions of the mechanical ventilation experience. Focus Crit Care 1988 Apr; 15(2): 52-59.

Grossbach I. Troubleshooting ventilator and patient related problems/Part 1. Crit Care Nurse 1986 Jul/Aug; 6(4): 58-70.

Grossbach I. Troubleshooting ventilator and patient related problems/Part 2. Crit Care Nurse 1986 Sep/Oct; 6(5): 64-79.

* Gunderson LP, Stone KS, and Hamlin RL. Endotracheal suctioning-induced heart rate alterations. Nurs Res 1991 May/Jun; 40(3): 139-143.

Haynes N et al. Discharging ICU ventilator-dependent patients to home healthcare. Crit Care Nurse 1990 Jul/Aug; 10(7): 39-47.

* Henneman EA. Effect of nursing contact on the stress response of patients being weaned from mechanical ventilation. Heart Lung 1989 Sep; 18(5): 483-489.

Johnson MM and Sexton DL. Distress during mechanical ventilation: Patients' perceptions. Crit Care Nurse 1990 Jul/Aug 10(7): 48-52.

* Lookinland S and Appel PL. Hemodynamic and oxygen transport changes following endotracheal suctioning in trauma patients. Nurs Res 1991 May/Jun; 40(3): 133-138.

Loughran SC. High frequency ventilation: Application of nursing diagnosis. Dimens Crit Care Nurs 1987 Nov/Dec; 6(6): 328-334.

* Lush MT et al. Dyspnea in the ventilator-assisted patient. Heart Lung 1988 Sep; 17(5): 528-535.

Nett LM et al. Weaning from the ventilator: Weaning the unweanable. Am J Nurs 1987 Sep; 87(9): 1181-1184.

Nett LM et al. Weaning from the ventilator: In specific clinical situations. Am J Nurs 1987 Sep; 87(9): 1178-1180.

Nett LM et al. Weaning from the ventilator: Protocols that work. Am J Nurs 1987 Sep; 87(9): 1173-1177.

Richless CI. Current trends in mechanical ventilation. Crit Care Nurs 1991 Mar; 11(3): 41-50.

Robichaud-Ekstrand S. The ventilator and coping with relatives. Can Crit Care Nurs J 1989 Jun/Jul; 6(2): 9-12.

* Rogge JA et al. Effectiveness of oxygen concentrations of less than 100% before and after endotracheal suction in patients with chronic obstructive pulmonary disease. Heart Lung 1989 Jan; 18(1): 64-71.

* Shekleton M. Clinical indicators of the ability to sustain spontaneous ventilation: A pilot study. Chart 1989 Jan; 86(1): 6.

Smith SA. Extended body image in the ventilated patient. Intens Care Nurs 1989 Mar; 5(1): 31-37.

* Stone KS et al. The effect of lung hyperinflation and endotracheal suctioning on cardiopulmonary hemodynamics. Nurs Res 1991 Mar/Apr; 40(2): 76-85.

Storm DS and Baugartner RG. Achieving self-care in the ventilator-dependent patient: A critical analysis of a case study. Int J Nurs Stud 1987; 24(2): 95-106.

* Stovsky B et al. Comparison of two types of communication methods used after cardiac surgery with patients with endotracheal tubes. Heart Lung 1988 May; 17(3): 281-290.

Winters C. Monitoring ventilator patients for complication. Nursing 1988 Jun; 18(6): 38-41.

### Chirurgie thoracique

Armstrong D. Treatment of metastatic lung disease. Dimens Oncol Nurs 1985; 1(2): 7-9.

Brown SL. Practical points in the postanesthesia assessment and care of the patient undergoing thoracic surgery. J Post Anesth Nurs 1986 Nov; 1(4): 265-267.

Erickson RS. Mastering the ins and outs of chest drainage. Part 1. Nursing 1989 May; 19(5): 37-44.

Erickson RS. Mastering the ins and outs of chest drainage. Part 2. Nursing 1989 Jun; 19(6): 46-50.

## Information/Ressources

### Organismes gouvernementaux

National Heart, Lung and Blood Institute
National Institutes of Health, 900 Rockville Pike, Bldg 31, Bethesda, MD 20892, (301) 496-5166

### Organismes bénévoles

American Association for Respiratory Care
1720 Regal Row, Dallas, TX 75235, (214) 630-3540
American Lung Association
1740 Broadway, New York, NY 10019, (212) 315-8700
American Thoracic Society
1740 Broadway, New York, NY 10019, (212) 315-8700
Respiratory Nursing Society
5700 Old Orchard Rd, 1st Floor, Skokie, IL 60077

# 4
# TRAITEMENT DES PATIENTS SOUFFRANT D'AFFECTIONS THORACIQUES ET DE TROUBLES DES VOIES RESPIRATOIRES INFÉRIEURES

## OBJECTIFS D'APPRENTISSAGE

*Après avoir étudié ce chapitre, vous devriez être en mesure de réaliser ce qui suit:*

1. *Comparer les différentes infections pulmonaires en ce qui a trait à leurs causes, à leurs manifestions cliniques, aux soins infirmiers qu'elles exigent, à leurs complications et à leur prévention.*
2. *Appliquer la démarche de soins infirmiers pour intervenir auprès des patients atteints de pneumonie.*
3. *Décrire le lien entre l'infection pulmonaire et la pleurésie, l'épanchement pleural et l'empyème.*
4. *Expliquer pourquoi le tabagisme et la pollution de l'air sont à l'origine de maladies pulmonaires.*
5. *Décrire les différences et les ressemblances entre les bronchopneumopathies chroniques obstructives, soit la bronchite chronique, la bronchectasie, l'emphysème pulmonaire et l'asthme, et expliquer leurs liens avec le coeur pulmonaire.*
6. *Appliquer la démarche de soins infirmiers pour intervenir auprès des patients souffrant d'une bronchopneumopathie chronique obstructive (BPCO).*
7. *Établir un plan d'enseignement pour le patient atteint de BPCO.*
8. *Décrire les facteurs de risque ainsi que les mesures de traitement et de prévention de l'embolie pulmonaire.*
9. *Décrire les mesures préventives qui visent à combattre et à enrayer le problème des pneumopathies professionnelles.*
10. *Décrire les modalités de traitement des patients atteints d'un cancer du poumon ainsi que les soins infirmiers à leur prodiguer.*
11. *Décrire les complications possibles des traumatismes thoraciques, leurs manifestations cliniques et les soins infirmiers à prodiguer.*
12. *Décrire les interventions infirmières visant à prévenir l'aspiration.*
13. *Décrire les méthodes de traitement du syndrome de détresse respiratoire de l'adulte et expliquer leur lien avec la physiopathologie sous-jacente du syndrome.*

# INFECTIONS DES VOIES RESPIRATOIRES

## TRACHÉOBRONCHITE AIGUË

La trachéobronchite aiguë, une inflammation aiguë des muqueuses de la trachée et de l'arbre bronchique, apparaît souvent après une infection des voies respiratoires supérieures. Le patient qui présente déjà d'une infection virale possède une moins grande résistance et est de ce fait plus exposé à une surinfection. L'une des principales mesures à prendre pour prévenir la bronchite aiguë consiste donc à traiter adéquatement les infections des voies respiratoires supérieures. La bronchite aiguë peut être due à une infection, mais elle peut également être causée par l'inhalation d'agents irritants de nature physique ou chimique, de certains gaz et autres polluants atmosphériques.

*Manifestations cliniques.* Les signes et symptômes de la trachéobronchite aiguë sont dus à la présence d'expectorations mucopurulentes sécrétées par les muqueuses enflammées des bronches. Au début de l'infection, la toux est sèche et irritante, et le patient expectore des crachats mucoïdes peu abondants. Il présente également une douleur sternale causée par la toux, de la fièvre, des céphalées et un malaise. Par la suite, l'infection peut s'accompagner d'un stridor et d'expectorations purulentes plus abondantes.

Lors de l'examen du patient, il est essentiel de faire une culture des expectorations pour identifier l'agent pathogène en cause. La bronchite aiguë est souvent causée par *Streptococcus pneumoniae* et *Haemophilus influenzae,* mais elle est aussi le syndrome clinique le plus courant d'une infection à *Mycoplasma pneumoniae.*

*Traitement.* Le traitement consiste principalement à soulager les symptômes. Le repos au lit est indiqué. Des applications de chaleur humide sur le thorax soulagent la douleur, et des inhalations de vapeur froide aident à soulager l'irritation du larynx et de la trachée. On peut aussi réduire l'irritation en augmentant l'humidité de l'air.

On n'administre habituellement pas d'antitussifs, mais ils sont parfois prescrits, avec prudence, aux patients dont la toux est productive. On évite aussi les antihistaminiques qui peuvent avoir un effet desséchant et entraver l'expectoration des sécrétions. On peut prescrire des expectorants, comme Robitussin, mais leur efficacité est controversée. Le patient doit augmenter son apport liquidien pour éclaircir les sécrétions visqueuses et tenaces. L'antibiothérapie est indiquée quand les expectorations deviennent purulentes. Si le patient est incapable d'expectorer les sécrétions purulentes et abondantes, il risque une obstruction totale. Une intubation nasotrachéale peut alors être nécessaire.

*Interventions infirmières.* Étant donné que les soins visent surtout à soulager les symptômes, les observations de l'infirmière sont importantes pour l'établissement du plan de traitement.

L'une des principales tâches de l'infirmière est d'inciter le patient à adopter de bonnes mesures d'hygiène des bronches. Elle doit lui recommander de ne pas se surmener s'il veut éviter une rechute ou l'aggravation de l'infection. Le patient âgé est tout particulièrement exposé à une bronchopneumonie consécutive à une trachéobronchite aiguë s'il ne reçoit pas des soins adéquats. L'infirmière doit tourner le patient à plusieurs reprises et le faire asseoir souvent pour augmenter l'efficacité de la toux et prévenir la rétention des sécrétions mucopurulentes. Pour éviter une rechute, la période de convalescence doit être suffisamment longue.

## PNEUMONIE

La pneumonie est un processus inflammatoire du parenchyme pulmonaire habituellement causé par des agents infectieux. En Amérique du Nord, elle représente la principale cause de décès par maladie infectieuse. La pneumonie est classée selon le type de l'agent pathogène qui la provoque (s'il est connu). Elle peut donc être *bactérienne, virale, fongique, parasitaire* ou *à mycoplasme.* Elle peut également être causée par la radiothérapie, l'inhalation d'agents chimiques et l'aspiration. La pneumonie causée par la radiothérapie peut apparaître chez une personne qui a subi une radiothérapie pour un cancer du sein ou du poumon, généralement six semaines ou plus après la fin du traitement. Quant à la pneumonie chimique, elle peut apparaître après l'ingestion de kérosène ou l'inhalation de gaz irritants. La pneumonie par inhalation est décrite à la page 141.

Si la pneumonie touche une portion substantielle d'un ou de plusieurs lobes, on parle de *pneumonie lobaire.* Quand la pneumonie est plutôt en foyers disséminés, qu'elle a commencé dans une ou plusieurs régions localisées des bronches et qu'elle s'est étendue au parenchyme pulmonaire avoisinant, on parle de *bronchopneumonie.* La bronchopneumonie est plus courante que la pneumonie lobaire.

En général, le patient atteint d'une pneumonie bactérienne présente déjà une maladie aiguë ou chronique qui le prédispose aux infections en affaiblissant ses défenses immunitaires. Le plus souvent, la pneumonie est causée par la flore endogène du patient dont la résistance est affaiblie ou par l'aspiration de la flore buccale. Les pneumonies virales surviennent la plupart du temps chez des personnes en bonne santé et peuvent être suivies d'une pneumonie bactérienne. Au cours des dernières années, le nombre de patients ayant une diminution de la résistance aux infections a augmenté: on compte parmi ceux-ci les personnes qui prennent des corticostéroïdes ou autres immunosuppresseurs, les personnes qui prennent des antibiotiques à large spectre, les personnes qui souffrent du syndrome d'immunodéficience acquise (sida) et les personnes qui sont raccordées à un système de maintien des fonctions vitales. Chez les patients dont les mécanismes de défense sont affaiblis, la pneumonie est souvent due à des germes peu virulents. Ces patients sont également exposés aux pneumonies nosocomiales dues à des bacilles Gram négatif (*Klebsiella, Pseudomonas, Escherichia Coli, Enterobacteriaceae, Proteus, Serratia*). La pneumonie peut aussi être causée par des cocci Gram positif, des anaérobies, des mycobactéries, des organismes du genre Nocardia et Chlamydia, des virus, des champignons et des parasites. Le tableau 4-1 décrit les pneumonies les plus courantes, leurs signes cliniques, leur traitement et les complications possibles.

### Mesures de prévention et facteurs de risque

L'infirmière doit connaître les facteurs et les situations qui prédisposent à la pneumonie. Elle peut ainsi déterminer lesquels parmi ses patients courent des risques et prendre les mesures préventives qui s'imposent. Les personnes suivantes sont exposées à la pneumonie:

- Toutes les personnes atteintes d'une maladie qui provoque une sécrétion de mucus ou une obstruction bronchique et qui entrave le drainage normal du poumon (cancer, bronchopneumopathie chronique obstructive [BPCO])

- Les personnes immunodéprimées

- Les fumeurs, car la fumée de cigarette nuit à l'activité mucociliaire et macrophage

- Toutes les personnes qui sont alitées pendant de longues périodes, qui sont relativement immobiles et ont une respiration superficielle

- Toutes les personnes dont le réflexe tussigène est inhibé (à cause de médicaments ou d'un état de faiblesse), qui ont inhalé un corps étranger jusque dans les poumons lors d'une perte de conscience (traumatisme crânien, anesthésie), ou qui présentent des troubles de déglutition

- Toutes les personnes hospitalisées qui ne peuvent rien prendre par la bouche ou qui reçoivent des antibiotiques, à cause de la colonisation des germes dans la région pharyngée. Chez les personnes très malades, l'arrière-gorge est souvent colonisée par des bactéries Gram négatif

- Les alcooliques, car l'alcool inhibe les réflexes physiques, la mobilisation des globules blancs et les mouvements des cils trachéobronchiques

Les principales mesures de prévention sont les suivantes :

- Évaluer la fréquence et l'amplitude de la respiration avant d'administrer un sédatif. Il faut éviter l'administration de sédatifs aux patients qui semblent souffrir de dépression respiratoire car la dépression respiratoire prédispose à l'accumulation de sécrétions bronchiques qui peuvent entraîner une pneumonie.

- Aspirer souvent les sécrétions des patients inconscients ou dont les réflexes tussigène et nauséeux sont affaiblis. On réduit ainsi les risques que des sécrétions s'accumulent ou soient aspirées dans les poumons.

- Chez les personnes âgées, mobiliser fréquemment les sécrétions et avoir recours à des exercices de toux et des exercices respiratoires. Les personnes âgées sont particulièrement exposées à la pneumonie parce que leurs réflexes tussigène et glottique sont altérés.

- Bien nettoyer le matériel d'inhalothérapie.

On sait que certaines maladies prédisposent à la pneumonie : l'insuffisance cardiaque, le diabète, l'alcoolisme et la bronchopneumopathie chronique obstructive. On associe également certaines affections à certaines pneumonies. Par exemple, on note une incidence plus élevée de pneumonies à staphylocoque après les épidémies de grippe, et les pneumonies à pneumocoque ou à *Haemophilus influenzae* sont souvent associées à la BPCO. Les pneumonies à *Pseudomonas* et à *Staphylococcus* sont associées à la fibrose kystique. Quant à la pneumonie à *Pneumocystis carinii,* elle survient surtout chez les personnes atteintes du sida. Les pneumonies qui apparaissent chez les patients hospitalisés sont souvent causées par des germes qui provoquent rarement des pneumonies en milieu extrahospitalier, notamment les entérobacilles Gram négatif et *Staphylococcus aureus.*

## Pneumonies bactériennes

La pneumonie à *Streptococcus pneumoniae* est la pneumonie bactérienne la plus fréquente et la plus courante pendant l'hiver et le printemps, quand la fréquence des infections des voies respiratoires supérieures est élevée. Elle touche les personnes de tous les âges et peut apparaître sous forme de pneumonie lobaire ou de bronchopneumonie. Les personnes atteintes ont souvent des antécédents récents de maladie respiratoire.

*S. pneumoniae,* un coccus Gram positif immobile entouré d'une capsule, est présent naturellement dans les voies respiratoires supérieures. On l'appelle aussi *pneumocoque.*

***Physiopathologie.*** La pneumonie bactérienne entraîne à la fois des troubles de ventilation et des troubles de diffusion. La réaction inflammatoire déclenchée par les pneumocoques se produit dans les alvéoles et provoque la formation d'un exsudat. Cet exsudat nuit au déplacement et à la diffusion de l'oxygène et du gaz carbonique. En même temps, des globules blancs (en majorité des granulocytes neutrophiles) migrent dans les alvéoles ; à mesure que les cavités pneumatiques se remplissent de ces granulocytes, le segment pulmonaire touché se densifie. Certaines parties du poumon ne sont plus ventilées adéquatement à cause des sécrétions, de l'oedème muqueux et du bronchospasme. Il se produit alors une occlusion partielle des bronches ou des alvéoles, ce qui entraîne une chute de la pression alvéolaire d'oxygène. Le sang veineux qui arrive aux poumons passe dans les zones hypoventilées, sort des poumons et se rend au cœur gauche sans avoir été oxygéné. En fait, un shunt droit-gauche est créé. Le mélange de sang oxygéné et non oxygéné finit par causer une hypoxémie artérielle.

***Manifestations cliniques.*** Typiquement, la pneumonie bactérienne se manifeste d'abord par de grands frissons, une hausse rapide de température (39,5 à 40,5°C) et une douleur thoracique «en coup de poignard» exacerbée par la respiration et la toux. Le patient est très malade ; il présente une tachypnée prononcée (fréquence de 25 à 45 respirations / minute), un geignement expiratoire et un battement des ailes du nez. Il utilise ses muscles respiratoires accessoires. Souvent, il essaie de se coucher sur le côté atteint afin de comprimer son thorax. Son pouls est rapide et bondissant. Habituellement, le pouls augmente de 10 pulsations / minute pour chaque degré d'augmentation de la température. Si le patient présente une bradycardie relative malgré une forte fièvre, il est probablement atteint d'une infection d'origine virale, d'une infection à *Mycoplasma* ou d'une infection à *Legionella.* Le patient a les joues rouges, les yeux brillants, les lèvres et les lits unguéaux cyanosés. Il préfère être appuyé contre des oreillers dans son lit et penché vers l'avant pour améliorer les échanges gazeux sans tousser ni respirer profondément. Il présente une diaphorèse profuse. Ses expectorations sont purulentes. Dans la pneumonie à pneumocoque, à staphylocoque, à *Klebsiella,* elles sont de couleur rouille et teintées de sang. Elles sont souvent visqueuses dans la pneumonie à *Klebsiella.* Dans la pneumonie à *H. influenzae,* elles sont vertes.

Chez le patient qui souffre déjà d'une maladie comme le cancer ou qui prend des immunosuppresseurs (médicaments, rappelons-le, qui diminuent la réponse immunitaire aux infections et à des germes habituellement inoffensifs), on peut noter d'autres signes, notamment de la fièvre, des râles

*(suite à la page 100)*

TABLEAU 4-1.    *Types courants de pneumonies*

| Type | Agent pathogène | Épidémiologie |
|---|---|---|
| **PNEUMONIES BACTÉRIENNES** | | |
| Pneumonie à streptocoque | *Streptococcus pneumoniae* | Plus fréquente en hiver<br>Plus fréquente chez les enfants de moins de cinq ans et les personnes âgées<br>Représente 40 à 75 % des pneumonies bactériennes extrahospitalières.<br>Taux de mortalité: 10 à 15 % |
| Pneumonie à staphylocoque | *Staphylococcus aureus* | Plus fréquente chez les patients immunodéprimés et chez les consommateurs de drogues par voie intraveineuse; complication fréquente de la grippe<br>Représente 2 à 10 % des pneumonies extrahospitalières et 10 à 15 % des pneumonies nosocomiales.<br>Taux de mortalité: 25 à 60 % |
| Pneumonie à *Klebsiella* | *Klebsiella pneumoniae* | Plus fréquente chez les personnes âgées, les alcooliques, les patients en soins prolongés (par exemple en centre d'hébergement) ou les patients souffrant d'une maladie chronique comme le diabète, l'insuffisance cardiaque ou la bronchopneumopathie chronique obstructive<br>Représente 2 à 5 % des pneumonies extrahospitalières et 10 à 30 % des pneumonies nosocomiales.<br>Taux de mortalité: 40 à 50 % |
| Pneumonie à *Pseudomonas* | *Pseudomonas aeruginosa* | Plus fréquente chez les personnes souffrant déjà d'une maladie pulmonaire ou d'un cancer (surtout la leucémie); les personnes ayant reçu une homogreffe; les personnes souffrant de brûlures; les personnes affaiblies; et les patients sous antibiothérapie et chez ceux qui ont subi une trachéotomie ou sont soumis à de fréquentes aspirations<br>Représente 5 à 15 % des pneumonies nosocomiales.<br>Taux de mortalité: 40 à 60 % |
| Pneumonie à *Haemophilus influenzae* | *Haemophilus influenzae* | Plus fréquente chez les alcooliques, les diabétiques et les patients souffrant de maladie pulmonaire chronique<br>Représente 5 à 20 % des pneumonies extrahospitalières.<br>Taux de mortalité: 33 % |
| Maladie des légionnaires | *Legionella pneumophila* | Plus fréquente à l'été et à l'automne<br>Peut survenir de façon isolée ou épidémique.<br>Plus fréquente chez les hommes d'âge mûr et les hommes âgés, les fumeurs et les personnes qui souffrent d'une maladie chronique, qui prennent des immunosuppresseurs ou qui vivent à proximité d'un site d'excavation.<br>Représente 0 à 20 % des pneumonies extrahospitalières.<br>Taux de mortalité: 15 à 50 % |
| Pneumonie à mycoplasme | *Mycoplasma pneumoniae* | Plus fréquente à l'automne et au début de l'hiver<br>Est à l'origine d'épidémies de maladies respiratoires survenant tous les quatre ans.<br>Plus fréquente chez les enfants et les jeunes adultes<br>Est la cause la plus fréquente de pneumonie non bactérienne chez les jeunes adultes.<br>Taux de mortalité: moins de 0,1 % |
| **PNEUMONIES NON BACTÉRIENNES** | | |
| Pneumonie virale | Virus de la grippe de types A, B et C | Plus fréquente pendant l'hiver<br>Revient de façon épidémique tous les deux ou trois ans. |

TABLEAU 4-1. (suite)

| Caractéristiques cliniques | Traitement | Complications possibles |
|---|---|---|
| Présence fréquente d'infection par le virus de l'herpès simplex sur le visage<br>La maladie touche habituellement un ou plusieurs lobes. | Pénicilline G par voie intraveineuse<br>Pénicilline V par voie orale<br>Autres antibiotiques: érythromycine, clindamycine, céphalosporines, autres pénicillines, triméthoprime-sulfaméthoxazole (Bactrim, Septra) | Choc<br>Épanchement pleural<br>Surinfections<br>Péricardite<br>Otite moyenne |
| Nécessite souvent l'hospitalisation.<br>La pneumonie staphylococcique est une infection nécrosante. Le traitement doit être énergique et de longue durée, car la maladie tend à détruire les poumons.<br>L'agent pathogène peut rapidement devenir résistant au médicament employé.<br>La convalescence est souvent longue. | Nafcilline, méthicilline, oxacilline; vancomycine si l'agent pathogène est résistant à la méthicilline; céfazoline si le patient est allergique à la pénicilline | Épanchement / pneumothorax<br>Abcès du poumon<br>Empyème<br>Méningite<br>Endocardite |
| La nécrose tissulaire est rapide dans les poumons et provoque une caverne chez certains patients.<br>L'évolution de la maladie peut être fulminante et mener rapidement à la mort.<br>Nécessite souvent l'hospitalisation. | Gentamycine, tobramycine, céphalosporines de 3e génération (céfotaxime, ceftizoxime et ceftriaxone) pour un traitement prolongé. | Abcès pulmonaires multiples et formation de kystes<br>Toux persistante avec rétention de sécrétions<br>Empyème<br>Péricardite<br>Épanchement pleural |
| Nécessite habituellement l'hospitalisation.<br>Peut être due à la contamination des appareils de ventilation. | Gentamycine<br>Pipéracilline<br>Ticarcilline combinée à la tobramycine ou à l'amikacine | Excavation pulmonaire.<br>Propagation dans les vaisseaux sanguins causant une hémorragie et un infarctus pulmonaire. |
| Apparaît souvent de façon insidieuse; une infection des voies respiratoires supérieures peut la précéder de deux à six semaines.<br>Cette pneumonie touche habituellement un ou plusieurs lobes. | Ampicilline, amoxicilline, céfaclor ou céfuroxime pour les agents résistants à l'ampicilline; triméthoprime-sulfaméthoxazole pour les patients allergiques à la pénicilline<br>Clavulanate de potassium pour les patients résistants à l'ampicilline ou à l'amoxicilline | Abcès pulmonaire<br>Épanchement pleural |
| Nécessite souvent l'hospitalisation.<br>Le patient peut aussi présenter des symptômes gastro-intestinaux comme les nausées, les vomissements, la diarrhée et les douleurs abdominales. | Érythromycine | Insuffisance respiratoire<br>Hypotension<br>Choc<br>Insuffisance rénale aiguë |
| Apparaît habituellement de façon insidieuse, mais ses symptômes sont plus bénins que ceux des autres pneumonies. Autres signes: mal de gorge, congestion nasale et rhume ou coryza | Érythromycine<br>Tétracycline | Méningite amicrobienne, méningo-encéphalite, ataxie cérébrale, syndrome de Guillain-Barré, myélite transverse |
| Chez la majorité des patients, l'influenza commence par une rhinite aiguë; certains présentent une bronchite, une pleurésie, etc. et d'autres des symptômes gastro-intestinaux. | Le traitement est axé sur le soulagement des symptômes.<br>Les virus ne sont pas détruits par les antibiotiques utilisés actuellement. | Infection bactérienne surajoutée<br>Bronchopneumonie |

**TABLEAU 4-1.**  (suite)

| Type | Agent pathogène | Épidémiologie |
|---|---|---|
| *PNEUMONIES NON BACTÉRIENNES*  (suite) | | |
| | | Plus fréquente chez les femmes enceintes, les personnes âgées, les patients atteints d'une cardiopathie et ceux recevant des immunosupresseurs<br>Taux de mortalité: 0 à 30 % |
| Pneumonie à *Pneumocystis carinii* | *Pneumocystis carinii* | Plus fréquente chez les patients atteints du sida et ceux qui prennent des immunosuppresseurs à cause d'un cancer, d'une transplantation ou d'une autre maladie<br>Taux de mortalité: 60 % |
| Pneumonie fongique | *Aspergillus fumigatas* | Plus fréquente chez les patients souffrant de neutropénie<br>Taux de mortalité: 15 à 20 % |

fins et des signes physiques de consolidation lobaire comme des vibrations vocales, une submatité à la percussion, des bruits bronchovésiculaires ou bronchiques, une égophonie (le son «i» devient le son «é» à l'auscultation) et une pectoriloquie aphone (les sons chuchotés sont perçus plus clairement et plus fortement qu'en temps normal à l'auscultation). Ces changements sont dus au fait que les sons se transmettent mieux à travers les tissus denses (consolidation) qu'à travers les tissus normaux.

Chez les patients âgés ou atteints d'une BPCO, les symptômes se manifestent plus insidieusement: les expectorations purulentes constituent parfois le seul signe apparent et il est difficile de déceler les changements subtils dans leur état parce que la fonction pulmonaire est déjà très altérée.

***Examens diagnostiques.***    Pour établir le diagnostic, on procède à l'interrogatoire du patient (en accordant une attention spéciale aux infections respiratoires récentes), à un examen physique, à des radiographies du thorax, à une hémoculture (la bactériémie, c'est-à-dire la prolifération du germe dans le sang circulant, est fréquente) et un examen des expectorations.

- Pour recueillir correctement un échantillon d'expectorations, on demande d'abord au patient de se rincer la bouche avec de l'eau pour que le prélèvement ne soit pas contaminé par la flore buccale. On lui demande ensuite de prendre quelques respirations profondes, de tousser profondément, puis de cracher dans un contenant stérile.

Si le patient est incapable d'expectorer, s'il est en état d'obnubilation, si ses mécanismes de défense sont altérés, ou s'il a contracté la pneumonie après un traitement antimicrobien ou lors d'une hospitalisation, on peut recueillir les sécrétions par aspiration transtrachéale (page 45) ou par bronchoscopie (page 43).

***Traitement.***    Le traitement de la pneumonie dépend beaucoup de l'administration d'un antibiotique spécifique que l'on choisit d'après les résultats de la coloration de Gram.

La pénicilline G est de loin l'antibiotique de choix pour les infections à *S. pneumoniae*. Parmi les autres antibiotiques efficaces figurent l'érythromycine, la clindamycine, les céphalosporines, d'autres sortes de pénicilline et le triméthoprime-sulfaméthoxazole (Septra, Bactrim). Voir le tableau 4-1 pour le traitement des autres types de pneumonies.

Le repos au lit est indiqué jusqu'à ce que l'infection se résorbe. Il faut garder le patient en observation constante jusqu'à ce que son état clinique s'améliore.

Si le patient présente une hypoxémie, on lui administre de l'oxygène. On obtient des analyses des gaz du sang artériel pour déterminer ses besoins en oxygène et évaluer l'efficacité de l'oxygénothérapie. Si le patient souffre d'une BPCO, il est contre-indiqué d'administrer une forte concentration d'oxygène. En effet, une concentration excessive pourrait, en inhibant le stimulus respiratoire du patient, diminuer ou détériorer la ventilation alvéolaire et causer une décompensation respiratoire, ce qui pourrait exiger une assistance respiratoire (intubation endotrachéale, forte concentration d'oxygène, ventilation artificielle et pression positive expiratoire [PPE]). Ces modes de traitement sont décrits au chapitre 3.

## ▶ *DÉMARCHE DE SOINS INFIRMIERS*
## *PATIENTS ATTEINTS DE PNEUMONIE*

### ▷ *Collecte de données*

La présence de fièvre chez un patient hospitalisé fait soupçonner une pneumonie bactérienne. L'infirmière doit donc évaluer le patient et vérifier s'il présente les autres manifestations cliniques de la pneumonie: douleur, tachypnée,

**TABLEAU 4-1.** (suite)

| Caractéristiques cliniques | Traitement | Complications possibles |
|---|---|---|
| | La vaccination prophylactique est conseillée aux personnes à risque (personnes de plus de 55 ans et celles souffrant de maladie chronique, pulmonaire ou cardiaque, de diabète ou d'une autre maladie métabolique). | Péricardite, endocardite |
| La maladie est souvent associée à une infection coexistante d'origine virale (cytomégalovirus), bactérienne ou fongique. | Iséthiomate de pentamidine Triméthoprime-sulfaméthoxazole | La personne atteinte est gravement malade. Pronostic réservé, car cette pneumonie est habituellement la complication d'une maladie sous-jacente grave. |
| Peut être une surinfection. | Amphotéricine B, kétoconazole Lobectomie chez les patients atteints d'hémoptysie grave | Taux de mortalité élevé La maladie peut se propager dans les vaisseaux sanguins et détruire le tissu pulmonaire par envahissement direct et infarctus vasculaire. |

utilisation des muscles accessoires, pouls rapide et bondissant, toux et expectorations purulentes. S'il y a douleur thoracique, elle doit en établir l'intensité, le siège et la cause, et prendre des mesures pour la soulager. Elle note tout changement dans la température du patient, la quantité et la couleur des sécrétions, la fréquence et l'intensité de la toux, ainsi que la gravité de la tachypnée ou de la dyspnée. Pour recueillir des données sur la consolidation des poumons, elle évalue les bruits respiratoires: qualité du murmure vésiculaire, présence d'un souffle bronchique ou bronchovésiculaire, présence de râles fins ou de ronchus, vibrations vocales, égophonie, pectoriloquie aphone, de même que les résultats de la percussion (submatité dans la région thoracique).

Si le patient est âgé, on recherche d'autres signes encore: comportement inhabituel, changement dans l'état de conscience, prostration et insuffisance cardiaque. Un délire agité peut également être un signe de pneumonie, surtout chez les alcooliques.

Il faut observer régulièrement le patient afin de déceler l'apparition des signes de complications de la pneumonie bactérienne et de pouvoir intervenir rapidement.

▷ *Complications.* Des complications mortelles peuvent apparaître au cours des premiers jours de l'antibiothérapie. Il faut donc garder le patient en observation et vérifier si sa fièvre persiste ou revient. Dans certains cas, quand le drainage pulmonaire est mauvais ou que l'apport sanguin au poumon touché est insuffisant, l'antibiotique ne peut atteindre en quantité suffisante le foyer de l'infection. Une fièvre persistante ou récidivante peut être causée par une allergie au médicament utilisé (il faut vérifier s'il y a éruption cutanée), par une résistance ou une réaction lente du microorganisme, par une surinfection, par un épanchement pleural infecté ou par des germes rares (comme *Pneumocystis carinii* ou des champignons). Si la pneumonie ne disparaît pas, on doit soupçonner la présence d'un carcinome bronchique.

Habituellement, le patient réagit à l'antibiothérapie après 24 à 48 heures. Parmi les complications de la pneumonie figurent l'*hypotension* et le *choc* ainsi que l'*insuffisance respiratoire* (surtout chez les personnes âgées souffrant d'une infection à bactéries Gram négatif). La plupart du temps, ces complications surviennent chez les patients qui n'ont reçu aucun traitement, qui ont été traités trop tard ou de façon inadéquate, qui ont été traités avec un antibiotique auquel l'agent pathogène est résistant, ou qui souffrent d'une maladie préexistante qui complique la pneumonie.

Pour prévenir l'affaissement périphérique et maintenir la pression artérielle, on peut administrer un agent vasopresseur par voie intraveineuse, en perfusion constante et à une vitesse de perfusion que l'on réglera continuellement en fonction de la pression. On peut administrer des corticostéroïdes par voie parentérale pour traiter le choc et la toxicité infectieuse chez les patients que la pneumonie a rendus très malades et qui risquent de succomber à l'infection. Certains patients ont besoin d'une intubation endotrachéale et d'une ventilation artificielle.

Une atélectasie (par obstruction bronchique due à des bouchons muqueux) peut apparaître à n'importe quel stade aigu de la pneumonie. Un épanchement pleural (page 108), également assez fréquent, peut indiquer un début d'empyème. Pour vérifier si le patient présente un épanchement, il faut généralement pratiquer une thoracocentèse. On doit parfois installer un drain thoracique pour évacuer l'empyème.

Le délire, une autre complication possible, exige des soins médicaux d'urgence. Il peut être dû à une hypoxie ou à une méningite; il peut aussi s'agir d'un délire alcoolique (délirium tremens). Si le patient est délirant, on lui administre de l'oxygène, on assure une bonne hydratation, on lui administre un sédatif léger et on le garde en observation constante. L'insuffisance cardiaque, les arythmies, la péricardite et la myocardite sont également des complications de la pneumonie.

La surinfection est une complication sérieuse qui peut apparaître quand on administre de très grandes quantités de pénicilline ou quand on utilise une association d'antibiotiques. On soupçonne une surinfection quand après une amélioration de l'état du patient et une baisse de la fièvre dues à l'antibiothérapie, on observe une hausse de la température, une aggravation de la toux et des signes de propagation de la pneumonie. Il faut alors administrer un autre type d'antibiotique ou, dans certains cas, en cesser complètement l'administration.

La vaccination annuelle contre la grippe est recommandée pour les personnes âgées et les patients souffrant d'une cardiopathie ou d'une maladie pulmonaire car la grippe peut chez ces personnes se compliquer d'une pneumonie. On recommande également l'administration du vaccin antipneumococcique à ces personnes, de même qu'à celles ayant subi une splénectomie ou souffrant de drépanocytose ou d'alcoolisme. Ce vaccin offre une protection spécifique contre la pneumonie due aux germes les plus courants.

### ▷ Analyse et interprétation des données

Selon les données recueillies, voici les principaux diagnostics infirmiers possibles:

- Dégagement inefficace des voies respiratoires relié à l'excès de sécrétions trachéobronchiques
- Intolérance à l'activité reliée à l'altération de la fonction respiratoire
- Risque élevé de déficit de volume liquidien relié à la fièvre et à la dyspnée
- Manque de connaissances sur le mode de traitement et les mesures de prévention

### ▷ Planification et exécution

▷ *Objectifs de soins:* Amélioration du dégagement des voies respiratoires; conservation de l'énergie; maintien du volume liquidien; acquisition de connaissances sur le traitement et les mesures de prévention

### ▷ Interventions infirmières

▷ *Amélioration du dégagement des voies respiratoires.* L'accumulation de sécrétions dans les voies respiratoires nuit aux échanges gazeux et peut retarder la guérison. Le patient doit boire une grande quantité de liquide (2 à 3 L par jour), car une bonne hydratation éclaircit et libère les sécrétions pulmonaires et compense les pertes liquidiennes causées par la fièvre, la diaphorèse, la déshydratation et la dyspnée. Il faut également veiller à humidifier l'air pour dégager les sécrétions et améliorer la ventilation. On peut utiliser un masque ou une tente faciale (avec soit de l'air comprimé, soit de l'oxygène) pour faire pénétrer de l'air chaud et humide dans l'arbre trachéobronchique et liquéfier ainsi les sécrétions. L'infirmière doit recommander au patient de faire des exercices de toux.

La physiothérapie respiratoire est une mesure extrêmement importante pour libérer et mobiliser les sécrétions. L'infirmière installe le patient dans la position indiquée pour le drainage du poumon atteint, puis elle procède à la vibration et à la percussion du thorax. Après un drainage de 10 à 20 minutes (selon la tolérance du patient), l'infirmière demande au patient de respirer profondément et de tousser. S'il est trop faible pour tousser efficacement, le médecin peut prescrire une aspiration nasotrachéale ou bronchoscopique pour retirer les sécrétions.

Si le médecin prescrit l'administration d'oxygène, l'infirmière installe les appareils nécessaires et évalue l'efficacité de la concentration d'oxygène administrée en recherchant les signes cliniques d'hypoxie.

▷ *Conservation de l'énergie.* L'infirmière incite le patient à se reposer au lit afin de prévenir l'épuisement et l'aggravation des symptômes. Le patient doit être installé dans une position où il est à l'aise et qui favorise le repos et la respiration (semi-Fowler, par exemple). L'infirmière doit lui recommander de changer souvent de position.

Si le médecin prescrit des sédatifs ou des tranquillisants, l'infirmière doit d'abord évaluer l'état de conscience du patient. Si elle note de l'agitation, de la confusion ou de l'agressivité, elle doit soupçonner une hypoxémie cérébrale. L'administration de sédatifs est alors contre-indiquée.

▷ *Maintien du volume liquidien.* La dyspnée et la fièvre font augmenter la fréquence respiratoire. Étant donné que cette augmentation de la fréquence respiratoire accroît les pertes hydriques insensibles à l'expiration, le patient peut se déshydrater rapidement. L'infirmière doit donc inciter celui-ci à boire au moins 2 L de liquide par jour. Souvent, le patient dyspnéique est également anorexique et ne prend que du liquide. Le liquide sert alors autant au maintien de l'équilibre hydrique qu'à la nutrition.

▷ *Enseignement au patient et soins à domicile.* Quand la fièvre a disparu, le patient peut reprendre graduellement ses activités. La fatigue, la faiblesse et la dépression persistent parfois longtemps après la pneumonie. L'infirmière doit inciter le patient à pratiquer les exercices respiratoires pour dégager ses poumons et en favoriser la pleine expansion. Il faut aussi lui fixer un rendez-vous en consultation externe ou au cabinet du médecin pour des radiographies pulmonaires de contrôle.

L'infirmière doit recommander au patient de cesser de fumer, car la fumée de cigarette détruit la fonction ciliaire trachéobronchique, qui est la première ligne de défense des poumons. En outre, la fumée du tabac irrite les cellules caliciformes des bronches et inhibe le fonctionnement des macrophages (phagocytes) alvéolaires. L'infirmière doit aussi conseiller au patient d'éviter la fatigue, les changements soudains de température et la consommation excessive d'alcool, car ces facteurs réduisent la résistance à la pneumonie. Elle doit insister sur l'importance d'une bonne alimentation et d'un repos adéquat, car la pneumonie réduit la résistance du patient aux autres infections des voies respiratoires. Celui-ci devrait aussi se faire vacciner contre la grippe aux périodes recommandées, car la grippe peut se compliquer d'une pneumonie bactérienne, le plus souvent à *Staphylocoque*, à *H. influenzae* et à *S. pneumoniae*. Enfin, il devrait consulter un médecin concernant la vaccination contre *S. pneumoniae* (Pneumovax). Voir le plan de soins infirmiers 4-1.

### ▷ Évaluation

#### Résultats escomptés
1. Le patient améliore le dégagement de ses voies respiratoires.
   a) Sa pression partielle d'oxygène dans le sang artériel se maintient à 60 mm Hg ou plus.
   b) Sa température est normale.
   c) Ses bruits respiratoires sont normaux.

d) Il tousse efficacement.

e) Il applique les mesures d'humidification recommandées.

2. Le patient se repose suffisamment.

a) Il reste au lit durant la période symptomatique.

b) Il évite de rester en position couchée.

c) Il ne présente aucun signe d'agitation, de confusion ou d'agressivité.

3. Le patient maintient son volume liquidien.

a) Il boit au moins 2 L de liquide par jour.

b) Il explique pourquoi il est important de boire beaucoup de liquide.

c) L'élasticité de sa peau est normale.

4. Le patient observe le protocole de traitement et les mesures de prévention recommandées.

a) Il énumère les facteurs qui prédisposent à la pneumonie.

b) Il adhère à un groupe de soutien pour cesser de fumer.

c) Il prend un rendez-vous de suivi en consultation externe pour des radiographies pulmonaires de contrôle et l'administration des vaccins antigrippal et antipneumococcique.

d) Il dit qu'il évitera la fatigue en alternant les périodes de repos et d'activité.

## SYNDROME DE PNEUMONIE PRIMITIVE ATYPIQUE

Le syndrome de pneumonie primitive atypique comprend les pneumonies causées par des mycoplasmes, par des psittacoses, par des champignons et par des virus, de même que la fièvre Q et la maladie du légionnaire (voir le tableau 4-1).

*Mycoplasma pneumoniae* est le germe le plus souvent à l'origine du syndrome de pneumonie primitive atypique. Les mycoplasmes sont des microorganismes sans paroi entourés d'une triple membrane. On peut les cultiver dans un milieu spécial mais ils sont différents des virus. La pneumonie à mycoplasme est plus fréquente chez les enfants et les jeunes adultes.

Cette maladie se transmet probablement de personne à personne par des gouttelettes de salive. Il existe un test permettant de dépister la présence d'anticorps antimycoplasmes.

L'infiltrat inflammatoire est davantage interstitiel qu'alvéolaire. Il se propage dans toutes les voies respiratoires, y compris les bronchioles. En général, la pneumonie à mycoplasme présente les mêmes caractéristiques que la bronchopneumonie. Il arrive souvent que le patient présente également une otalgie et une tympanite bulleuse.

***Manifestations cliniques.*** Habituellement, le patient a présenté antérieurement une infection des voies respiratoires supérieures et les symptômes de pneumonie apparaissent graduellement. Les principaux symptômes sont les suivants : toux persistante et inefficace, sensation d'oppression dans la poitrine, malaise général, prostration, et douleur trachéale à la toux. Quelques jours après l'apparition des symptômes, le patient expectore des sécrétions mucoïdes ou mucopurulentes. Il se plaint aussi de céphalées exacerbées par la toux.

***Interventions infirmières.*** L'infirmière prend des mesures pour favoriser le repos et le bien-être du patient et l'incite à prendre correctement les médicaments prescrits. Les mycoplasmes sont sensibles à l'érythromycine et à la tétracycline. Certaines pneumonies atypiques sont d'origine virale et la plupart d'entre elles sont résistantes aux antibiotiques. Les inhalations de vapeur humide et chaude contribuent à soulager l'irritation bronchique. Les soins infirmiers et le traitement (sauf pour l'antibiothérapie) sont les mêmes que pour une pneumonie bactérienne.

### Gérontologie

Chez les patients âgés, la pneumonie peut apparaître spontanément ou être une complication d'une maladie chronique. Les infections affectant les personnes âgées sont souvent difficiles à traiter, et le taux de mortalité est plus élevé que chez les plus jeunes. À ses débuts, la pneumonie peut se manifester par une détérioration de l'état général du patient, de la confusion, de la tachycardie et une augmentation de la fréquence respiratoire ; les symptômes classiques (toux, douleur thoracique, expectorations et fièvre) sont souvent absents.

Certains signes sont trompeurs. Les bruits respiratoires anormaux, par exemple, peuvent être dus à une microatélectasie caractéristique du vieillissement plutôt qu'à une pneumonie. En outre, étant donné que l'insuffisance cardiaque chronique est fréquente chez les personnes âgées, il vaut mieux prendre des radiographies des poumons pour déterminer si les signes et symptômes sont dus à une insuffisance cardiaque ou à une pneumonie.

Le traitement de soutien comprend plusieurs mesures : augmenter l'apport liquidien (il faut rester prudent et procéder à des évaluations fréquentes à cause des risques accrus de surcharge liquidienne chez les personnes âgées) ; administrer une oxygénothérapie ; inciter le patient à respirer profondément, à tousser, à expectorer et à changer de position.

Pour atténuer ou prévenir les conséquences graves de la pneumonie, on recommande d'administrer des vaccins contre la grippe et la pneumonie aux personnes de plus de 50 ans, aux résidents des centres d'accueil, aux personnes affaiblies, et aux personnes atteintes d'une maladie cardiovasculaire, d'une maladie pulmonaire ou d'une autre maladie chronique.

Résumé : De nombreux agents pathogènes peuvent être à l'origine d'une pneumonie. Le tableau clinique de la maladie dépend de l'agent en cause. Le traitement des pneumonies doit constamment être modifié car les microorganismes développent souvent une résistance aux différents types d'antibiotiques existants. La médecine a fait d'immenses progrès dans le diagnostic et le traitement de la pneumonie, mais les taux de mortalité et de morbidité n'ont guère diminué. Pour prévenir la pneumonie, il faut connaître les facteurs qui favorisent la transmission des germes et promouvoir la vaccination chez les groupes à risque.

## ABCÈS DU POUMON

### Pathogenèse

L'abcès du poumon est une lésion nécrotique localisée du parenchyme pulmonaire, contenant une substance purulente. L'abcès apparaît quand la lésion s'affaisse et forme une cavité. La plupart du temps, il est causé par l'aspiration de matières infectées provenant du nasopharynx ou de l'oropharynx.

## Plan de soins infirmiers 4-1
## Patients atteints d'une pneumonie bactérienne

| Interventions infirmières | Justification | Résultats escomptés |
|---|---|---|

**Diagnostic infirmier:** Dégagement inefficace des voies respiratoires relié aux sécrétions trachéobronchiques

**Objectif:** Dégagement des voies respiratoires

| | | |
|---|---|---|
| 1. Aider le patient à tousser efficacement.<br>a) Lui soutenir le thorax quand il tousse.<br>b) Administrer de la codéine selon l'ordonnance.<br>c) Humidifier l'air pour libérer les sécrétions et améliorer la ventilation. Inciter le patient à boire beaucoup. | 1. L'altération du réflexe tussigène peut favoriser la rétention de sécrétions pulmonaires et provoquer une atélectasie. Comme ce réflexe est altéré chez la personne âgée, il faut parfois prendre des mesures énergiques (aspiration, bronchoscopie) pour évacuer ses sécrétions. L'humidification aide à éclaircir le mucus et à rendre la toux efficace. | • Le patient fait une démonstration des exercices de toux.<br>• Le patient explique pourquoi il est important de boire beaucoup de liquide. |
| 2. Effectuer un drainage postural, une percussion et une vibration pour mobiliser les sécrétions. | 2. Le drainage postural fait appel au phénomène de gravité pour faciliter l'évacuation des sécrétions. | • Les voies respiratoires du patient sont dégagées. |
| 3. Prendre les mesures appropriées pour soulager la pleuralgie.<br>a) Faire des applications chaudes et froides selon les directives.<br>b) Collaborer à la procaïnisation du nerf intercostal le cas échéant.<br>c) Administrer les analgésiques prescrits avec prudence, de façon à ne pas inhiber le réflexe tussigène et déprimer le centre respiratoire.<br>d) Administrer une aérosolthérapie pour traiter la toux sèche et le laryngospasme. | 3. La douleur et la toux sont causées par la propagation des pneumocoques à la plèvre. La pleuralgie peut nuire à la mécanique ventilatoire et empêcher un dégagement efficace des voies respiratoires. | • Le patient utilise des méthodes efficaces pour soulager la pleuralgie. |
| 4. Administrer les antibiotiques prescrits aux intervalles recommandés.<br>a) La pénicilline constitue généralement le médicament de choix. On peut prescrire de l'érythromycine ou de la clindamycine si le patient est allergique à la pénicilline.<br>b) Observer le patient afin de dépister les nausées, les vomissements, la diarrhée, le prurit anal, les éruptions, ou toute réaction des tissus mous. | 4. Le traitement est basé sur l'identification en laboratoire de l'agent pathogène en cause et sur le drainage des sécrétions purulentes. Les pneumocoques sont très sensibles à la pénicilline. | • Le patient connaît l'importance de la prise des antibiotiques; il respecte la posologie et l'intervalle prescrits; il signale les effets secondaires. |
| 5. Administrer de l'oxygène selon l'ordonnance si le patient présente de la dyspnée, des troubles circulatoires, de l'hypoxémie ou un délire. Surveiller les valeurs des gaz du sang artériel pour déterminer les besoins en oxygène et évaluer l'efficacité de l'oxygénothérapie. | 5. L'agitation, la confusion et l'agressivité peuvent être causées par une hypoxie cérébrale. | • La pression partielle d'oxygène dans le sang artériel est à 60 mm Hg ou plus. |

## Plan de soins infirmiers 4-1 (suite)
## Patients atteints d'une pneumonie bactérienne

| Interventions infirmières | Justification | Résultats escomptés |
|---|---|---|
| 6. Évaluer la réaction du patient au traitement.<br>a) Prendre la température, le pouls, la respiration et la pression artérielle toutes les quatre heures ou plus fréquemment si cela est indiqué. Vérifier si la fièvre persiste ou revient à cause d'une allergie, d'une résistance, d'une réaction lente à l'antibiothérapie, d'une surinfection ou de la persistance de la maladie.<br>b) Ausculter le thorax à la recherche de râles fins et de signes de consolidation ou d'épanchement pleural. | 6. Il faut surveiller la réaction du patient, car des complications mortelles peuvent survenir au début de l'antibiothérapie. La courbe de température est un bon indicateur de la réaction du patient. L'hypotension au début de la maladie peut évoquer une hypoxie ou une septicémie. Les antipyrétiques doivent être administrés avec prudence car ils provoquent une baisse de la fièvre qui fausse la courbe de température. | • La température du patient est normale.<br>• Son pouls et sa fréquence respiratoire se situent dans les limites de la normale.<br>• Sa pression artérielle est normale.<br>• Ses bruits respiratoires sont normaux. |

**Diagnostic infirmier :**   Intolérance à l'activité reliée à l'altération de la fonction respiratoire

**Objectif :**   Conservation de l'énergie

| | | |
|---|---|---|
| 1. Recommander au patient de se reposer autant qu'il le peut. | 1. Le repos réduit les besoins en oxygène. | • Le patient garde le lit autant qu'il le faut. |
| 2. Aider le patient à se placer de façon à être à l'aise ; lui recommander de changer souvent de position. | 2. Une bonne position contribue au repos. Si le patient est dyspnéique, la position semi-Fowler est indiquée. Les changements fréquents de position préviennent l'accumulation de sécrétions dans une région des poumons. | • Le patient adopte la position la plus propice à la respiration. |
| 3. Évaluer l'état de conscience du patient avant de lui administrer des sédatifs ou des tranquillisants. | 3. L'agitation, la confusion et l'agressivité peuvent être des signes d'hypoxémie cérébrale. Si le patient présente ces signes, les sédatifs sont contre-indiqués. | • Le patient est calme et son affect est approprié. |

**Diagnostic infirmier :**   Risque élevé de déficit de volume liquidien relié à la fièvre et à la dyspnée

**Objectif :**   Maintien de l'équilibre hydrique

| | | |
|---|---|---|
| 1. Faire boire au patient 2 à 3 L de liquide par jour. | 1. La fièvre et la tachypnée augmentent les pertes hydriques insensibles, ce qui peut provoquer une déshydratation. La perte d'appétit qu'entraîne la pneumonie bactérienne augmente aussi les besoins liquidiens. | • Le patient explique pourquoi il est important de boire 2 à 3 L de liquide par jour.<br>• Il est bien hydraté. |

## Plan de soins infirmiers 26-1 (suite)
## Patients atteints d'une pneumonie bactérienne

| Interventions infirmières | Justification | Résultats escomptés |
|---|---|---|

***Diagnostic infirmier:*** Manque de connaissances sur le traitement et les mesures de prévention

***Objectif:*** Acquisition de connaissances sur le traitement et les mesures de prévention

| | | |
|---|---|---|
| 1. Enseigner au patient les mesures de prévention.<br>a) Ne pas fumer.<br>b) Protéger la résistance naturelle de l'organisme par le repos, une bonne alimentation et de l'exercice.<br>c) Recevoir les vaccins antigrippal et antipneumococcique en temps opportun.<br>d) Éviter l'épuisement, les frissons et la consommation excessive d'alcool, car ces facteurs diminuent la résistance à la pneumonie.<br>e) Signaler au médecin tout signe ou symptôme d'infection des voies respiratoires.<br>f) Se présenter à ses rendez-vous de suivi après son départ du centre hospitalier. | 1. La fumée de cigarette détruit les cils trachéobronchiques, stimule les cellules caliciformes, augmente la production de mucus et inhibe les phagocytes alvéolaires (macrophages). Le patient est plus sujet aux infections respiratoires s'il y a déjà été exposé. Les rhumes et les infections des voies respiratoires supérieures peuvent se compliquer d'une invasion bactérienne des voies respiratoires. La pneumonie accompagne souvent une autre maladie pulmonaire, notamment le cancer du poumon. | • Le patient énumère les facteurs qui prédisposent à la pneumonie.<br>• Il cesse de fumer.<br>• Il prend des rendez-vous pour des radiographies pulmonaires et l'administration des vaccins antigrippal et antipneumococcique.<br>• Il dit qu'il entrecoupera ses périodes d'activités de périodes de repos pour éviter la fatigue. |

L'abcès du poumon peut également être consécutif à une obstruction mécanique ou fonctionnelle des bronches (due à une tumeur, un corps étranger ou une sténose bronchique) ou à une maladie nécrosante (pneumonie, tuberculose, embolie pulmonaire ou traumatisme thoracique).

Certains facteurs augmentent les risques d'aspiration d'un corps étranger et de formation d'un abcès: inhibition du réflexe tussigène, mauvaise fermeture de la glotte, troubles de déglutition, altération de l'état de conscience due à l'anesthésie, troubles du système nerveux central (convulsions, accident vasculaire cérébral), toxicomanie, alcoolisme, maladies de l'oesophage, alimentation par sonde nasogastrique.

Le siège des abcès pulmonaires dépend de l'action de la gravité et de la position du patient. Ils se situent le plus souvent dans le segment postérieur du lobe supérieur droit et les segments de Fowler (segments apicaux des lobes inférieurs).

Dans les premiers stades de formation de l'abcès, la cavité pulmonaire peut ou non communiquer avec une bronche. Par la suite cependant, elle s'encapsule dans du tissu fibreux, sauf en un ou deux points où la nécrose se propage jusqu'à la lumière d'une bronche ou de la cavité pleurale pour ainsi communiquer avec les voies respiratoires, la cavité pleurale ou les deux. Si l'abcès s'ouvre sur les voies respiratoires, le pus est évacué de façon continue dans les expectorations. Si l'abcès s'ouvre dans la cavité pleurale, un empyème (collection de pus) se forme. Si l'abcès s'ouvre à la fois dans les voies respiratoires et la cavité pleurale, une *fistule bronchopleurale* apparaît. *Klebsiella pneumoniae* et *S. aureus* sont les deux agents pathogènes le plus souvent en cause dans les abcès du poumon.

### Manifestations cliniques

Le tableau clinique varie et peut aller d'une faible toux productive jusqu'à la maladie aiguë. La plupart du temps, cependant, le patient présente une fièvre et une toux productive qui fait monter des sécrétions nauséabondes, souvent teintées de sang. La quantité d'expectorations varie de moyennement abondante à très abondante. Une douleur pleurétique (douleur sourde au thorax), la dyspnée, la faiblesse, l'anorexie et une perte de poids comptent parmi les autres symptômes possibles.

### Examens diagnostiques

À l'examen physique du thorax, on peut constater une submatité à la percussion ainsi que la diminution ou la disparition des bruits respiratoires accompagnée d'un frottement pleural intermittent. On peut également percevoir des râles fins. Le diagnostic est confirmé par une radiographie des poumons, une culture des expectorations et une bronchoscopie.

## Traitement

À partir de l'interrogatoire sur les antécédents du patient et les résultats de l'examen physique, des radiographies pulmonaires et des cultures des expectorations, on peut connaître l'agent pathogène en cause et décider du traitement approprié.

L'antibiotique sera choisi en fonction des résultats des cultures des expectorations et de l'antibiogramme. Il doit être administré sur une longue période. Dans la plupart des cas, la pénicilline G est le médicament de choix; on utilise aussi le métronidazole (Flagyl) ou la clindamycine si le patient est gravement malade. Il faut habituellement administrer de fortes doses par voie intraveineuse, car l'antibiotique doit pénétrer dans le tissu nécrosé et le liquide de l'abcès.

Pour drainer l'abcès du poumon, on a souvent recours au drainage postural et à la physiothérapie respiratoire. L'utilisation à cette fin de la bronchoscopie est controversée. On peut néanmoins recourir à la bronchoscopie pour éliminer un corps étranger ou une tumeur, ou pour localiser la bronche purulente.

Le patient atteint d'un abcès du poumon doit suivre un régime à forte teneur en protéines et en énergie, car les infections chroniques accélèrent le catabolisme.

Quand apparaissent des signes d'amélioration, c'est-à-dire quand la température est normale, que le nombre de globules blancs a diminué et que les radiographies révèlent une résorption de l'infiltrat environnant, une réduction de la taille de la cavité et une absence de liquide, on administre l'antibiotique par voie orale. Pour éviter une récidive, il faut poursuivre l'antibiothérapie pendant 6 à 16 semaines.

Une intervention chirurgicale est rarement nécessaire. On pratique toutefois une résection pulmonaire (lobectomie) quand le patient présente une hémoptysie abondante ou une tumeur maligne, et une thoracotomie dans les cas de septicémie non jugulée.

Les trois mesures suivantes contribuent à réduire les risques d'affection pulmonaire suppurée:

1. Administrer une antibiothérapie appropriée avant une intervention dentaire quand les dents et les gencives sont infectées.

2. Enseigner au patient les principes d'une saine hygiène buccodentaire, car les bactéries anaérobies interviennent dans la pathogenèse de l'abcès du poumon.

3. Administrer une antibiothérapie appropriée au patient souffrant d'une pneumonie.

***Interventions infirmières.*** L'infirmière administre l'antibiotique et le traitement intraveineux selon l'ordonnance et observe le patient afin de déceler les effets indésirables possibles. Elle entreprend la physiothérapie respiratoire selon l'ordonnance pour évacuer l'abcès. Elle enseigne au patient les exercices de respiration profonde et de toux pour favoriser la dilatation des poumons. Pour assurer au patient un bon apport nutritionnel, elle lui recommande de suivre un régime à forte teneur en protéines et en énergie. Elle doit aussi lui offrir un soutien car les abcès du poumon exigent souvent un long traitement.

***Enseignement au patient et soins à domicile.*** S'il a fallu pratiquer une intervention chirurgicale, le patient retournera probablement chez lui avant que la plaie ne soit complètement cicatrisée. Il faut donc enseigner au patient ou à la personne qui s'occupe de lui quand et comment changer les pansements pour éviter les excoriations cutanées et les odeurs nauséabondes. Le patient devra faire des exercices de respiration profonde et de toux toutes les deux heures pendant le jour. La personne qui prendra soin du patient à la maison doit pour sa part apprendre les méthodes de drainage postural et les techniques de percussion. Enfin, l'infirmière doit donner au patient des conseils d'ordre nutritionnel pour lui assurer un apport alimentaire approprié.

# AFFECTIONS PLEURALES

## PLEURÉSIE

La pleurésie est une inflammation des plèvres viscérale et pariétale. Ces membranes enflammées frottent l'une contre l'autre pendant la respiration (surtout lors de l'inspiration), provoquant une douleur vive et intense dite «en coup de poignard». Cette douleur peut s'atténuer ou même disparaître quand le patient retient son souffle. Elle peut être localisée ou peut irradier à l'épaule ou à l'abdomen. Plus tard au cours de l'évolution de la maladie, un épanchement pleural se constitue et la douleur diminue. Au début, quand l'épanchement est encore peu abondant, on peut percevoir le frottement pleural à l'auscultation. Puis, à mesure que du liquide s'accumule entre les deux plèvres et les sépare, le frottement pleural disparaît.

La pleurésie peut être une complication de la pneumonie, des infections des voies respiratoires supérieures, de la tuberculose ou des collagénoses. Elle peut être consécutive à un traumatisme thoracique, à un infarctus pulmonaire ou à une embolie. On l'observe également dans les cas de cancer primitif ou métastatique et de pleurodynie épidémique, une maladie virale. Elle apparaît parfois après une thoracotomie.

Pour déterminer la maladie sous-jacente, il faut prendre des radiographies, procéder à un examen des expectorations, pratiquer une thoracocentèse pour l'examen du liquide pleural et, parfois, pratiquer une biopsie de la plèvre.

***Traitement.*** Il faut d'abord traiter la maladie sous-jacente et soulager la douleur du patient. Une fois qu'on a traité la maladie sous-jacente (pneumonie, infection), l'inflammation pleurale disparaît presque toujours. Il faut alors surveiller l'apparition des signes et symptômes d'épanchement pleural tels que la dyspnée, la douleur et la diminution locale de l'amplitude de mouvement de la cage thoracique.

Les analgésiques et les applications chaudes ou froides soulagent les symptômes. On peut administrer de l'indométacine (un anti-inflammatoire non stéroïdien) qui soulage la douleur tout en permettant une toux efficace. Quand la douleur est intense, il faut parfois procéder à la procaïnisation du nerf intercostal.

***Interventions infirmières.*** Comme le patient atteint de pleurésie éprouve une douleur intense à l'inspiration, l'infirmière peut lui conseiller des mesures de bien-être. Elle peut par exemple lui suggérer de se coucher sur le côté atteint pour comprimer sa cage thoracique et réduire l'étirement de la plèvre. Elle peut aussi lui enseigner comment comprimer le thorax avec les mains quand il tousse. Enfin, elle doit lui offrir soutien et compréhension, car la douleur le rend anxieux.

# ÉPANCHEMENT PLEURAL

L'épanchement pleural, une accumulation de liquide dans la cavité pleurale, est la plupart du temps consécutif à une autre maladie. La cavité pleurale contient normalement une petite quantité de liquide (5 à 15 mL) qui sert à lubrifier les feuillets pariétal et viscéral pour qu'ils glissent l'un contre l'autre.

Au cours de certaines maladies généralisées ou intrathoraciques, l'accumulation de liquide dans la cavité pleurale est parfois si abondante qu'elle devient manifeste du point du vue clinique. L'épanchement pleural peut être constitué d'un liquide relativement clair (un transsudat ou un exsudat) ou de sang, de pus ou de chyle. Un *transsudat* (liquide d'origine plasmatique passant à travers des parois capillaires non enflammées) se constitue quand les facteurs qui influent sur la formation et la résorption du liquide pleural sont altérés, souvent par un déséquilibre de la pression hydrostatique ou oncotique. Un transsudat évoque la présence d'un trouble comme l'ascite ou d'une maladie généralisée comme l'insuffisance cardiaque ou rénale. L'*exsudat* (liquide qui suinte du feuillet de la plèvre), résulte habituellement d'une inflammation d'origine bactérienne ou d'une tumeur affectant les feuillets pleuraux.

En général, on distingue l'exsudat du transsudat par leur contenu en protéines et en lacticodéshydrogénase. L'épanchement pleural peut être une complication de la tuberculose, de la pneumonie, de l'insuffisance cardiaque, d'infections pulmonaires d'origine virale ou de tumeurs cancéreuses. Le carcinome bronchogénique est la tumeur maligne le plus fréquemment associée à l'épanchement pleural.

**Manifestations cliniques.**    Habituellement, les manifestations cliniques sont celles de la maladie sous-jacente. Par exemple, le patient présentera de la fièvre, des frissons et une pleuralgie si l'épanchement pleural est dû à une pneumonie, tandis qu'il présentera une dyspnée et une toux si l'épanchement est causé par une tumeur. Quand l'épanchement est très abondant, on note une dyspnée, une matité ou une submatité à la percussion des régions touchées, avec peu ou pas de bruits respiratoires. On peut percevoir une égophonie (son « i » changé en « é ») au-dessus de l'épanchement (voir page 36). Si on constate que la trachée est déviée par rapport à la zone atteinte, c'est que l'épanchement pleural est considérable.

Les radiographies pulmonaires, l'échographie, l'examen physique et la thoracocentèse servent à confirmer la présence de liquide. On fait parvenir le liquide pleural au laboratoire pour coloration de Gram et cultures, recherche du bacille de la tuberculose, numération cellulaire, différentes analyses biochimiques (dosage du glucose, de l'amylase, de la lacticodéshydrogénase et des protéines) et mesure du pH.

**Traitement.**    Il faut traiter la maladie sous-jacente pour éviter que l'épanchement se reconstitue, et soulager la douleur et la dyspnée. Le traitement dépend de la maladie sous-jacente (insuffisance cardiaque, cirrhose, etc.).

On pratique une *thoracocentèse* pour évacuer l'épanchement, prélever un échantillon pour analyse et soulager la dyspnée. Toutefois, dans les cas de tumeur maligne, l'épanchement peut se reconstituer après quelques jours ou quelques semaines. Or, les thoracocentèses répétées provoquent de la douleur, une déplétion en protéines et en électrolytes et, parfois, un pneumothorax. On peut dans ce cas avoir recours à un drain thoracique raccordé à un système de drainage scellé

sous l'eau ou à un appareil d'aspiration. Dans certains cas, pour oblitérer la cavité pleurale et prévenir la formation de nouveaux épanchements, on instille dans l'espace pleural de la tétracycline, des radio-isotopes, des cytotoxiques ou d'autres produits. Après l'instillation, on clampe le drain thoracique et on aide le patient à prendre diverses positions pour que le médicament se répande uniformément dans la cavité et sur toute la surface des feuillets pleuraux. On déclampe le drain au moment prescrit par le médecin. On poursuit le drainage thoracique pendant quelques jours pour empêcher qu'un nouvel épanchement se constitue et pour favoriser l'oblitération de la cavité pleurale par la formation d'adhérences entre les plèvres viscérale et pariétale. Il existe d'autres modes de traitement pour les épanchements pleuraux causés par une tumeur maligne: irradiation de la cage thoracique, pleurectomie et administration de diurétiques. Si l'épanchement est constitué d'un exsudat, on procède à des examens diagnostiques plus complets pour en déterminer la cause. On administre ensuite le traitement spécifique.

**Interventions infirmières.**    Dans les cas d'épanchement pleural, l'infirmière a notamment pour rôle de collaborer au traitement médical. Elle prépare et installe le patient pour la thoracocentèse et lui apporte son soutien durant l'intervention. Comme la plèvre est une région très sensible, le patient ressent une douleur intense. Il faut donc l'aider à se placer de façon à soulager la douleur et lui administrer des analgésiques selon l'ordonnance et au besoin. Si un drain thoracique et un système de drainage scellé sous l'eau sont utilisés, l'infirmière doit s'assurer que le système fonctionne bien et noter toutes les huit heures la quantité de liquide évacuée. Elle doit par ailleurs administrer les soins infirmiers s'appliquant à la maladie qui cause l'épanchement pleural.

# EMPYÈME

L'empyème est une accumulation de liquide infecté ou de pus dans la cavité pleurale. Le liquide est d'abord clair et contient une faible quantité de leucocytes. Par la suite, il devient souvent fibrineux et purulent et finit par constituer une épaisse membrane exsudative autour du poumon.

**Manifestations cliniques.**    Le patient présente de la fièvre, des sueurs nocturnes, une pleuralgie, une dyspnée, de l'anorexie et une perte de poids. On ne perçoit aucun bruit respiratoire à l'auscultation et on note une submatité à la percussion, de même qu'une diminution des vibrations vocales à la palpation. Les signes cliniques peuvent être altérés, si le patient a reçu un traitement antimicrobien. Le diagnostic se fonde sur les radiographies du thorax et la thoracocentèse.

**Traitement.**    Le traitement vise l'évacuation de la cavité pleurale et la pleine dilatation du poumon. Pour ce faire, il faut effectuer un bon drainage et administrer une antibiothérapie spécifique. Les antibiotiques sont habituellement administrés à fortes doses.

Le drainage du pus peut se faire de trois façons, selon le stade de la maladie:

- Aspiration à l'aiguille (thoracocentèse) si le pus n'est pas trop épais.

- Drainage à thorax fermé à l'aide d'un drain intercostal de gros calibre raccordé à un système scellé sous l'eau (pages 79 à 81).

- Drainage à thorax ouvert au moyen d'une résection costale pour retirer la plèvre épaissie, le pus et les débris, et pour éliminer le tissu pulmonaire atteint.

Si l'inflammation dure depuis longtemps, un exsudat peut se former sur le poumon et l'empêcher de se dilater normalement. Il faut alors libérer le poumon par une décortication. On laisse le drain en place jusqu'à ce que les radiographies thoraciques confirment l'oblitération complète de la cavité pleurale. Il faut informer le patient que le traitement peut être long.

***Interventions infirmières.*** La résolution d'un empyème exige beaucoup de temps. L'infirmière doit donc aider le patient à faire face à son état et lui enseigner les exercices de respiration (respiration diaphragmatique et technique d'expiration contre lèvres pincées) qui l'aideront à retrouver une fonction respiratoire normale. Elle doit aussi administrer les soins exigés par la méthode de drainage utilisée (aspiration à l'aiguille, drainage à thorax fermé, ou résection costale et drainage). Les soins à prodiguer après une thoracotomie sont expliqués aux pages 64 et 65. Voir aussi l'encadré 3-2.

# MALADIES OBSTRUCTIVES

## BRONCHOPNEUMOPATHIE CHRONIQUE OBSTRUCTIVE

*Bronchopneumopathie chronique obstructive (BPCO)* est un terme générique qui regroupe la bronchite chronique, l'emphysème et la bronchite chronique asthmatique. Il s'agit d'affections respiratoires irréversibles se manifestant par une dyspnée d'effort et une résistance à l'écoulement de l'air, en l'absence d'une maladie cardiaque ou pulmonaire infiltrante. Ces affections viennent au cinquième rang parmi les causes de mortalité en Amérique du Nord où elles touchent 25 % de la population adulte.

Des études corroborent la théorie selon laquelle la BPCO est due à des facteurs génétiques associés à des facteurs environnementaux. Le tabagisme, la pollution de l'air et l'exposition professionnelle au charbon, au coton et à des céréales sont des facteurs qui contribuent considérablement à l'apparition d'une BPCO. Celle-ci peut évoluer sur une période de 20 à 30 ans. Elle peut également toucher des personnes qui présentent un déficit héréditaire en alpha1-1-antitrypsine. Il semble qu'elle se déclenche à un âge relativement jeune, qu'elle évolue lentement et reste à l'état latent pendant plusieurs années avant que n'apparaissent les symptômes cliniques et l'altération de la fonction pulmonaire.

### Gérontologie

La BPCO est relativement fréquente chez les adultes d'âge moyen, mais son incidence augmente avec l'âge. Le vieillissement s'accompagne d'une diminution naturelle de la capacité vitale et du volume expiratoire maximal pendant la première seconde (VEMS). La BPCO accentue les changements physiologiques dus à l'âge et entraîne une obstruction des voies respiratoires (dans la bronchite) et une perte excessive de la rétraction élastique des poumons (dans l'emphysème). Chez le patient âgé atteint d'une BPCO, le rapport ventilation-perfusion est donc davantage altéré.

 ## DÉMARCHE DE SOINS INFIRMIERS

## PATIENTS ATTEINTS D'UNE BRONCHOPNEUMOPATHIE CHRONIQUE OBSTRUCTIVE

### ▷ Collecte des données

L'infirmière doit recueillir des données sur les symptômes actuels et antérieurs de la maladie. Voici quelques questions qui pourront guider son interrogatoire:

- Depuis combien de temps le patient a-t-il des difficultés respiratoires?
- La dyspnée s'aggrave-t-elle à l'effort? Quel type d'effort?
- Quelles sont les limites de sa tolérance à l'effort?
- À quels moments de la journée ressent-il le plus la fatigue et la dyspnée?
- Ses habitudes de sommeil et ses habitudes alimentaires en sont-elles perturbées?
- Que sait-il au sujet de la maladie et de son état?

L'infirmière peut obtenir plus d'information par l'observation et l'examen du patient. Voici les données supplémentaires à recueillir:

- Le pouls et la fréquence respiratoire sont-ils normaux?
- La respiration du patient est-elle régulière?
- Le patient contracte-t-il ses abdominaux à l'inspiration?
- L'expiration est-elle prolongée?
- Y a-t-il présence de cyanose?
- Les veines de son cou sont-elles turgescentes?
- Y a-t-il présence d'œdème périphérique?
- Le patient tousse-t-il?
- Quelle est la couleur, le volume et la consistance de ses expectorations?
- Quel est son état de conscience?
- Montre-t-il des signes croissants de stupeur? D'inquiétude?

### ▷ Analyse et interprétation des données

Selon les données recueillies, voici les principaux diagnostics infirmiers possibles:

- Perturbation des échanges gazeux reliée à la perturbation du rapport ventilation-perfusion
- Dégagement inefficace des voies respiratoires relié à une bronchoconstriction, à une sécrétion accrue de mucus, à l'inefficacité de la toux ou à une infection bronchopulmonaire
- Mode de respiration inefficace relié à la dyspnée, à la présence de mucus, à une bronchoconstriction ou à la présence d'irritants bronchiques
- Déficit d'autosoins relié à la fatigue due à l'augmentation du travail ventilatoire et à l'insuffisance de la ventilation et de l'oxygénation
- Intolérance à l'activité reliée à la fatigue, à l'hypoxémie ou à l'inefficacité du mode de respiration
- Stratégies d'adaptation individuelle inefficaces reliées à l'isolement social, à l'anxiété, à la dépression, à une diminution du niveau d'activité ou à l'incapacité de travailler
- Manque de connaissances sur les autosoins à domicile

## ▷ *Planification et exécution*

▷ *Objectifs de soins:* Amélioration des échanges gazeux; dégagement des voies respiratoires; amélioration du mode de respiration; autonomie dans les autosoins; augmentation de la tolérance à l'activité; amélioration des stratégies d'adaptation; observance du programme thérapeutique et de soins à domicile.

## ▷ *Interventions infirmières*

▷ *Amélioration des échanges gazeux.* Le bronchospasme, qui se manifeste dans plusieurs formes de maladies pulmonaires, réduit le calibre des petites bronches et provoque une stase des sécrétions et une infection. On reconnaît le bronchospasme aux sibilances perçues à l'auscultation. L'augmentation de la sécrétion de mucus et la baisse de l'activité mucociliaire contribuent à rétrécir davantage les bronches, ce qui réduit le passage de l'air et les échanges gazeux. Une perte d'élasticité des poumons s'ajoute à ces facteurs.

En raison de toutes ces perturbations, l'infirmière doit faire une évaluation fréquente de la dyspnée et de l'hypoxie. Si le médecin prescrit des bronchodilatateurs, elle doit les administrer correctement et surveiller l'apparition d'effets indésirables. Une amélioration des débits expiratoires et une diminution de la dyspnée témoignent d'un soulagement du bronchospasme.

L'*aérosolthérapie* contribue à libérer les sécrétions. On place souvent un bronchodilatateur dans le nébuliseur pour obtenir une action directe sur les voies respiratoires et améliorer les échanges gazeux. Les traitements au nébuliseur doivent être administrés avant les repas pour améliorer la ventilation pulmonaire et réduire la fatigue lors du repas. Après l'inhalation d'un bronchodilatateur à l'aide du nébuliseur, on peut procéder à une inhalation d'air humide pour éclaircir davantage les sécrétions. On peut ensuite avoir recours aux exercices de toux ou effectuer un drainage postural pour favoriser l'expectoration. L'infirmière doit toutefois veiller à ne pas trop fatiguer le patient.

Quand le patient présente de l'hypoxémie, le médecin prescrit de l'*oxygène*. L'infirmière vérifie l'efficacité de l'oxygénothérapie et s'assure que le patient se sert correctement de l'appareil. Elle enseigne au patient et à sa famille comment se servir de l'appareil et leur explique qu'il est dangereux d'augmenter le débit d'oxygène à moins d'avoir des instructions précises du médecin.

- Comme l'hypoxie est le stimulus qui déclenche les respirations chez le patient qui souffre depuis longtemps d'une BPCO et d'une rétention de $CO_2$ (hypercapnie), l'augmentation du débit d'oxygène peut accroître le taux d'oxygène dans le sang et inhiber le stimulus respiratoire.

Il faut également avertir le patient et sa famille qu'il est extrêmement dangereux de fumer à proximité de l'appareil. Pour l'oxygénothérapie à domicile, on peut utiliser un système à oxygène comprimé, à oxygène liquide ou un appareil concentrateur. Il existe également des appareils portatifs qui permettent au patient de recevoir son oxygénothérapie au travail ou en voyage. Dans le cadre de son enseignement, l'infirmière peut rassurer le patient en lui expliquant que l'oxygène ne provoque pas d'accoutumance. Elle doit également insister sur les précautions à prendre en présence d'oxygène (ne pas fumer) et sur l'importance des analyses régulières des gaz du sang artériel.

On sait que l'oxygénothérapie continue prolonge la vie des patients qui ont une pression partielle d'oxygène dans le sang artériel ($PaO_2$) de 55 mm Hg ou moins à l'air ambiant. Quant à l'oxygénothérapie intermittente, elle est peu utile chez le patient atteint d'une BPCO, sauf au cours d'un programme d'exercice intensif ou comme traitement nocturne.

▷ *Dégagement des voies respiratoires.* Le traitement de la BPCO vise en grande partie à réduire les sécrétions et à diminuer leur viscosité afin d'améliorer la ventilation et les échanges gazeux. Pour atteindre cet objectif, le patient doit d'abord éliminer toutes les substances qui irritent ses poumons, surtout la fumée de cigarette. Le patient doit aussi boire beaucoup de liquide (six à huit verres par jour) afin de liquéfier les sécrétions. Cet apport liquidien est également important pour compenser les pertes hydriques dues à la respiration par la bouche. L'inhalation de vapeur à l'aide d'un nébuliseur est bénéfique parce qu'elle humidifie l'arbre bronchique, dilue les sécrétions et facilite ainsi leur expectoration.

Le drainage postural ainsi que les techniques de vibration et de percussion mobilisent les sécrétions par gravité pour en faciliter l'expectoration ou l'aspiration. Lorsqu'on utilise aussi un bronchodilatateur en aérosol ou la ventilation à pression positive intermittente, le drainage postural doit être fait après ces traitements, quand l'arbre trachéobronchique est dilaté. L'infirmière doit enseigner au patient les exercices de respiration et de toux. Habituellement, le drainage postural est effectué au réveil pour évacuer les sécrétions accumulées pendant la nuit, et au coucher pour favoriser le sommeil. La fréquence d'application de ces mesures pendant la journée dépend des besoins du patient.

▷ *Prévention des infections bronchopulmonaires.* Il est important de juguler les infections bronchopulmonaires pour diminuer l'œdème inflammatoire et permettre le retour d'une fonction ciliaire normale. Une infection respiratoire bénigne chez une personne dont les poumons sont atteints peut entraîner une perturbation fatale de la fonction pulmonaire. De fait, la toux qui accompagne une infection bronchique déclenche un cercle vicieux qui aggrave les lésions pulmonaires, accélère l'évolution des symptômes, aggrave le bronchospasme et augmente la sensibilité à d'autres infections bronchiques. L'infection compromet la fonction pulmonaire et est souvent à l'origine d'une insuffisance respiratoire.

Chez le patient atteint de BPCO, les symptômes d'infection sont parfois subtils. Celui-ci doit consulter son médecin immédiatement si ses expectorations changent de couleur ou d'aspect ou augmentent de volume, ce qui indique probablement une infection. Le patient doit également savoir que la moindre aggravation de ses symptômes (augmentation de la sensation d'oppression dans la poitrine, de la dyspnée et de la fatigue) est également un signe d'infection qu'il doit signaler à son médecin. Les infections virales sont dangereuses parce qu'elles sont souvent suivies d'infections bactériennes à *S. pneumoniae, H. influenzae*, etc.

Les personnes atteintes d'une BPCO sont sujettes aux infections respiratoires et doivent se faire immuniser contre la grippe et *S. pneumoniae*. Pendant les saisons où le pollen est abondant ou dans les périodes et les régions où l'air est très pollué, elles doivent éviter de sortir pour ne pas aggraver le bronchospasme. Elles doivent également s'abstenir de sortir quand le temps est très chaud et humide.

▷ *Exercices respiratoires.*    La plupart du temps, les patients atteints de BPCO respirent superficiellement, avec le haut du thorax, d'une manière rapide et inefficace. Avec de la pratique, cependant, ils peuvent en venir à maîtriser la respiration diaphragmatique. La respiration diaphragmatique diminue la fréquence respiratoire, accroît la ventilation alvéolaire et, parfois, fait baisser la capacité résiduelle fonctionnelle (la technique de respiration diaphragmatique est décrite à la page 61).

La technique d'expiration contre lèvres-pincées ralentit l'expiration et prévient l'affaissement des lobules pulmonaires; elle aide le patient à maîtriser la fréquence et la profondeur de sa respiration. Il peut ainsi vaincre la dyspnée et la sensation de panique qui l'accompagne, ce qui lui permet de se détendre.

À certains moments de la journée, la tolérance à l'effort est réduite chez le patient atteint de BPCO. Elle est réduite le matin parce que les sécrétions bronchiques se sont accumulées dans les poumons pendant la nuit quand il était couché sur le dos. Le patient est souvent incapable de se raser ou de prendre un bain. Les activités qui l'obligent à garder les bras levés au-dessus du thorax peuvent lui être pénibles. Il les tolérera mieux s'il les effectue au moins une heure après s'être levé. En raison de ses limites, le patient doit participer à la planification de ses soins avec l'infirmière afin d'établir le meilleur moment de la journée pour se raser et se laver. En prenant une boisson chaude au lever et en pratiquant la respiration diaphragmatique, il aura plus de facilité à expectorer et ressentira moins longtemps son intolérance à l'effort.

Les repas aussi sont suivis d'une période d'intolérance à l'effort chez les patients atteints de BPCO, surtout le repas du soir à cause de la fatigue accumulée durant la journée et de la distension abdominale. À ce moment de la journée, le patient se plaint principalement de fatigue et de dyspnée.

▷ *Autosoins.*    Quand les échanges gazeux, le dégagement des voies respiratoires et le mode de respiration s'améliorent, l'infirmière doit encourager le patient à assumer une partie de ses soins. Il faut lui enseigner à coordonner la respiration diaphragmatique avec ses différentes activités: marcher, prendre un bain, se pencher, monter des escaliers, etc. Il doit commencer à se laver, à s'habiller et à faire de courtes marches, tout en veillant à se reposer au besoin pour éviter la fatigue et une dyspnée excessive. L'infirmière doit veiller à ce que le patient ait des liquides à portée de la main et s'assurer qu'il boit suffisamment. Si le patient doit poursuivre les drainages posturaux à la maison, l'infirmière doit lui en enseigner la technique et lui demander de s'y exercer sous sa supervision.

▷ *Conditionnement physique.*    Pour maintenir et améliorer la ventilation pulmonaire, le patient doit faire des exercices de respiration et suivre un programme de conditionnement physique général. La condition physique est étroitement liée à la fonction respiratoire. Il est maintenant prouvé qu'un programme progressif de marche ou d'un autre exercice soulage les symptômes et augmente la capacité de travail et la tolérance à l'effort. L'activité physique doit être soutenue et pratiquée de façon régulière. Il existe des appareils d'oxygénothérapie portatifs qui peuvent être utilisés au cours des séances d'exercice pour diminuer l'hypoxie. Les programmes d'exercice améliorent la qualité de vie du patient.

▷ *Stratégies d'adaptation.*    Naturellement, la présence de troubles respiratoires provoque de l'anxiété, de la dépression et des changements de comportement. Dans beaucoup de cas, le moindre effort est épuisant. La personne est constamment essoufflée et fatiguée; elle peut devenir irritable et éprouver de la peur, voire de la panique. Certains patients ressentent de la colère, sont déprimés ou se montrent exigeants à cause des difficultés auxquelles ils doivent faire face: inactivité forcée et perturbation de l'exercice du rôle reliée à l'incapacité de travailler; frustration reliée au travail respiratoire; caractère implacable de la maladie. La fonction sexuelle est parfois compromise aussi, et l'estime de soi s'en trouve diminuée.

Il est important que l'infirmière et le personnel soignant incitent le patient à rester aussi actif que possible. On doit d'abord et avant tout atténuer ses symptômes, améliorer son estime de soi, réduire son sentiment d'impuissance et améliorer son bien-être. Les soins infirmiers et médicaux de soutien, l'enseignement continu au patient, les programmes d'exercice et, parfois, les séances de thérapie de groupe peuvent alléger le fardeau de la maladie.

On peut aussi diriger le patient vers les groupes de bénéficiaires de l'Association pulmonaire du Québec, vers les différents programmes de réadaptation respiratoire, des programmes d'abandon de la cigarette (si le patient fume encore), ou vers des groupes de personnes âgées (pour que le patient ait une vie sociale). Ces différents groupes aideront le patient à mieux connaître sa maladie, à mieux s'y adapter et à se revaloriser.

▷ *Enseignement au patient et soins à domicile.*    Pour améliorer la qualité de vie du patient, il est essentiel de bien l'informer sur l'évolution de sa maladie. L'un des aspects les plus importants de l'enseignement consiste à aider le patient à se fixer des objectifs réalistes à court et à long terme. Si la maladie entraîne une invalidité, le traitement visera à préserver la fonction pulmonaire restante et à soulager le plus possible les symptômes. Si elle est plus bénigne, le traitement visera à augmenter la tolérance à l'effort et à prévenir la détérioration de la fonction pulmonaire. Le personnel soignant et le patient doivent établir ensemble les objectifs du traitement. Le patient et ceux qui prennent soin de lui doivent savoir qu'ils devront faire preuve de patience, car les objectifs établis ne seront pas atteints rapidement.

Il faut par ailleurs conseiller au patient d'éviter les températures extrêmes (très chaud ou très froid). La chaleur augmente la température corporelle et accroît les besoins en oxygène, tandis que le froid favorise le bronchospasme. Le patient doit aussi éviter d'aller en haute altitude pour ne pas aggraver l'hypoxie. Le bronchospasme peut également être déclenché par des polluants atmosphériques comme la fumée, la poussière et même le talc, la charpie et les aérosols sous pression.

La meilleure façon de préserver la fonction pulmonaire est de protéger les poumons. Il importe de faire comprendre clairement au patient atteint de BPCO que la cigarette est très dangereuse pour lui. Comme nous l'avons mentionné plus tôt, la fumée de cigarette inhibe l'action des phagocytes et altère les cils trachéobronchiques, dont la fonction est de libérer les voies respiratoires des substances irritantes, des bactéries et autres corps étrangers. Il s'agit là de l'un des principaux mécanismes de défense de l'organisme. Quand ce mécanisme est lésé par la fumée de cigarette, le passage de l'air est obstrué, ce qui provoque une rétention d'air derrière l'obstruction. Les alvéoles se distendent considérablement et la capacité pulmonaire diminue. La fumée irrite de plus les cellules caliciformes et les glandes muqueuses, ce qui provoque une accumulation de mucus. Ces accumulations accentuent l'irritation, provoquent des infections et affectent la capacité pulmonaire. Souvent, le patient ne se rend compte de son état que lorsqu'un effort physique accru provoque une détresse respiratoire. À ce point, malheureusement, les dommages sont parfois irréversibles. Le patient atteint de BPCO doit donc absolument cesser de fumer. Il peut pour ce faire s'inscrire à un programme d'abandon du tabac ou de modification du comportement.

Le patient doit s'en tenir à une vie modérément active, si possible dans un climat où la température et l'humidité ne passent pas d'un extrême à l'autre. Il doit également éviter les situations qui provoquent du stress.

Enfin, le patient devrait être dirigé vers des ressources communautaires comme les programmes d'abandon du tabac et autres, qui pourront l'aider à faire face à sa maladie chronique, à s'adapter aux exigences du traitement, à se revaloriser et à garder un sentiment d'espoir et de bien-être.

## ▷ *Évaluation*

### *Résultats escomptés*

1. Le patient améliore ses échanges gazeux.
   a) Il explique pourquoi il a besoin de bronchodilatateurs et pourquoi il importe de les prendre à l'heure prescrite.
   b) Il sait comment utiliser et nettoyer les appareils d'inhalothérapie.
   c) Il utilise correctement les appareils d'oxygénothérapie.
   d) Les valeurs des gaz du sang artériel sont stables (mais pas nécessairement normales étant donné que les poumons ne peuvent plus effectuer les échanges gazeux parfaitement).
2. Le patient dégage ses voies respiratoires.
   a) Il explique pourquoi il est important de boire six à huit verres de liquide par jour.
   b) Il énumère les différentes substances qui irritent les voies respiratoires et qu'il doit éviter : la fumée de tabac, le pollen, les émanations, les gaz, la poussière, l'excès d'humidité et les températures extrêmes.
   c) Il cesse de fumer ou accepte de suivre un programme d'abandon du tabac.
   d) Il exécute correctement le drainage postural et dit que la personne qui prend soin de lui sait pratiquer les techniques de percussion et de vibration.
   e) Il tousse moins.
   f) Il connaît les signes précoces d'infection et sait pourquoi il doit les signaler immédiatement à son médecin.
   g) Il ne souffre d'aucune infection à son départ du centre hospitalier.
   h) Il explique pourquoi il doit éviter les endroits bondés et les personnes qui ont une affection respiratoire pendant la saison de la grippe.
   i) Il a l'intention de demander à son médecin s'il doit recevoir les vaccins antigrippal et antipneumococcique pour mieux prévenir les infections.

3. Le patient améliore son mode de respiration.
   a) Il fait ses exercices de respiration diaphragmatique et d'expiration contre lèvres-pincées, et il applique ces techniques pendant qu'il effectue ses activités et quand il est dyspnéique.
   b) Tous les jours, et conformément aux directives reçues, il fait les exercices de rééducation des muscles inspiratoires.
   c) Il ressent moins de dyspnée.
4. Le patient effectue ses autosoins.
   a) Il entrecoupe ses activités quotidiennes de périodes de repos afin de réduire la fatigue et la dyspnée.
   b) Il applique les méthodes de maîtrise de la respiration quand il se lave, se penche, etc.
   c) Il énumère des moyens de conserver son énergie.
5. Le patient augmente sa tolérance à l'effort.
   a) Il explique les méthodes qu'il utilise lors de ses activités pour diminuer sa dyspnée.
   b) Il explique pourquoi il doit faire des exercices tous les jours et décrit le programme d'exercices qu'il suivra une fois revenu à la maison.
   c) Il marche et augmente peu à peu le temps et la distance de marche afin d'améliorer sa condition physique.
6. Le patient acquiert des stratégies d'adaptation efficaces.
   a) Il a l'intention de se joindre à un groupe de soutien.
   b) Il suit un programme de rééducation respiratoire.
7. Le patient adhère au programme thérapeutique.
   a) Il peut énumérer les facteurs qui améliorent son état ainsi que ceux qui l'aggravent.
   b) Il explique pourquoi il importe de conserver sa fonction pulmonaire restante en adhérant au programme thérapeutique et au programme de rééducation.

# BRONCHITE CHRONIQUE

## Manifestations cliniques et physiopathologie

Une personne est atteinte de bronchite chronique quand elle a une toux productive qui persiste trois mois par année pendant deux années consécutives. La bronchite chronique est principalement associée au tabagisme et à la pollution de l'air. En irritant les voies respiratoires, la fumée provoque une hypersécrétion de mucus et une inflammation. Cette irritation continuelle provoque une hypertrophie des glandes muqueuses, une hyperplasie des cellules caliciformes, la destruction des cils trachéobronchiques et une sécrétion accrue de mucus. On observe aussi une production continue et abondante d'exsudats inflammatoires qui remplissent et obstruent les bronchioles. Tous ces facteurs entraînent l'obstruction et le rétrécissement des bronches. Les alvéoles se trouvant près des bronchioles touchées peuvent subir des lésions et former du tissu fibreux. La formation de ce tissu fibreux dans les voies aériennes rétrécit davantage les bronches. À la longue, les poumons peuvent subir des transformations irréversibles qui engendrent un emphysème et une bronchectasie.

Le patient atteint de bronchite chronique est prédisposé aux infections des voies respiratoires inférieures. Diverses infections virales, bactériennes et mycoplasmiques peuvent provoquer des accès de bronchite. Les symptômes de la bronchite chronique ont tendance à s'exacerber pendant l'hiver car chez les personnes sensibles, l'inhalation d'air froid provoque un bronchospasme.

**Mesures préventives.** Étant donné que la bronchite chronique, est très invalidante, il faut centrer les efforts sur la prévention. L'une des principales mesures de prévention consiste à éviter toutes les substances qui irritent les voies respiratoires (en particulier la fumée de cigarette). De plus, les personnes sujettes aux infections des voies respiratoires devraient recevoir le vaccin antigrippal pour se protéger des virus courants, ainsi que le vaccin antipneumococcique. Quand elles présentent une infection aiguë des voies respiratoires supérieures, elles doivent recevoir un traitement approprié, notamment un traitement antimicrobien choisi en fonction des résultats des cultures et des antibiogrammes effectués dès que des expectorations purulentes apparaissent.

**Traitement.** Le traitement de la bronchite chronique vise principalement à maintenir les voies aériennes libres de sécrétions en facilitant l'évacuation de l'exsudat bronchique, et à prévenir l'invalidité. Il est important de noter tout changement dans les caractéristiques des expectorations (nature, couleur, quantité et consistance) et dans les caractéristiques de la toux. Il faut traiter les infections bactériennes récidivantes par une antibiothérapie choisie en fonction des résultats des cultures et de l'antibiogramme.

Afin de faciliter l'évacuation de l'exsudat bronchique, on prescrit des bronchodilatateurs qui atténuent le bronchospasme et l'obstruction des voies aériennes. Cela permet d'améliorer la distribution gazeuse et la ventilation alvéolaire. On peut également avoir recours au drainage postural et à la percussion du thorax après l'administration des traitements. L'eau (donnée par voie orale ou, si le bronchospasme est grave, par voie parentérale) joue également un rôle important dans le traitement, car une bonne hydratation favorise l'expectoration. On peut aussi administrer des stéroïdes quand le patient ne réagit pas aux traitements habituels, mais ce traitement est encore controversé. Si la bronchite chronique se double de bronchectasie, le drainage postural est la mesure la plus importante. Il est aussi essentiel que le patient cesse de fumer car l'inhalation de fumée provoque une bronchoconstriction, paralyse la fonction ciliaire et inactive le surfactant. Les fumeurs sont également plus sujets aux infections bronchiques.

Les soins infirmiers et l'enseignement sont présentés à la section intitulée Démarche de soins infirmiers: Patients atteints de bronchopneumopathie chronique obstructive, aux pages 109 à 112.

# BRONCHECTASIE

La bronchectasie est une dilatation chronique des bronches et des bronchioles. Différents facteurs peuvent provoquer la dilatation des bronches: infections pulmonaires et obstructions bronchiques; aspiration de corps étrangers, de vomissements ou de matières provenant des voies respiratoires supérieures; pression exercée par une tumeur, des vaisseaux sanguins dilatés ou une hypertrophie ganglionnaire. Certaines maladies contractées au cours de la petite enfance, comme la rougeole, la grippe, la tuberculose, ou une maladie entraînant un déficit immunitaire, peuvent prédisposer à la bronchectasie. La bronchectasie peut également apparaître après une intervention chirurgicale, quand la toux est inefficace.

**Physiopathologie.** L'infection endommage les parois des bronches, ce qui entraîne un affaiblissement du tissu de soutien de la paroi et la production d'épaisses sécrétions qui peuvent finir par obstruer les bronches. Étant donné qu'une grave toux provoque une distension permanente des parois, l'infection s'étend ensuite aux tissus péribronchiques. Ainsi, dans la bronchectasie sacciforme, chaque voie aérienne dilatée forme pratiquement un abcès dont l'exsudat s'écoule librement dans la bronche. Les lobes inférieurs sont le plus souvent atteints.

L'accumulation de sécrétions et l'obstruction finissent par causer l'affaissement du poumon situé en aval (atélectasie). Du tissu cicatriciel ou de la fibrose remplace le tissu fonctionnel pulmonaire. À la longue, apparaît une insuffisance respiratoire accompagnée d'une baisse de la capacité vitale, d'une diminution de la ventilation et d'une augmentation du rapport volume résiduel-capacité pulmonaire totale. On constate également une altération du mélange des gaz inspirés (déséquilibre ventilation-perfusion) ainsi qu'une hypoxémie.

**Manifestations cliniques.** Les symptômes caractéristiques de la bronchectasie sont la toux chronique et une production abondante de sécrétions purulentes. Les expectorations sont caractéristiques car elles sont disposées en trois couches: une couche mousseuse au-dessus, une couche claire au milieu et une couche particulaire épaisse en-dessous. Plusieurs des patients atteints de bronchectasie présentent aussi une hémoptysie. L'hippocratisme digital est également très fréquent. Ces patients sont sujets aux infections pulmonaires récidivantes.

Il arrive souvent qu'on ne diagnostique pas tout de suite la bronchectasie, car les symptômes ressemblent à ceux d'une simple bronchite chronique. Le signe le plus révélateur de la bronchectasie est une toux productive persistante avec expectorations négatives pour le bacille tuberculeux. Le diagnostic est établi par bronchographie, bronchoscopie (page 43) et tomodensitométrie. Ces interventions permettent de confirmer la présence ou l'absence d'une dilatation bronchique.

**Mesures préventives.** Pour prévenir la bronchectasie, il faut traiter sans tarder toute infection respiratoire. Il faut également évacuer les sécrétions bronchiques (à l'aide d'expectorants, de drainages posturaux, de bronchoscopies thérapeutiques). Si un enfant présente une toux persistante et de la fièvre, il faut exhorter la famille à consulter un médecin le plus tôt possible. Quant aux personnes inconscientes, il faut les tourner (de la position ventrale à la position latérale) afin de favoriser l'évacuation de tous les segments bronchiques. La vaccination contre la grippe et la pneumonie pneumococcique sont une autre mesure préventive. (La vaccination contre la coqueluche et la rougeole, maladies pouvant entraîner une bronchectasie, doit être poursuivie.)

**Traitement.** Le traitement de la bronchectasie vise à prévenir et à juguler l'infection, ainsi qu'à faciliter le drainage des bronches afin de débarrasser les zones atteintes des accumulations de sécrétions. Pour juguler l'infection, on administre une antibiothérapie établie en fonction des résultats de l'antibiogramme effectué à partir des cultures d'expectorations. Certains patients doivent suivre continuellement une antibiothérapie en alternant différents types d'antibiotiques. Certains cliniciens ne prescrivent des antibiotiques que pendant l'hiver ou quand survient une infection aiguë des voies respiratoires supérieures.

Le drainage par gravité des régions bronchiques (drainage postural) est la base du traitement, car il diminue la quantité des sécrétions et l'importance de l'infection. Il est parfois nécessaire aussi d'évacuer les sécrétions mucopurulentes par bronchoscopie. Pour favoriser l'expectoration, on peut également recourir à la percussion du thorax au niveau de la région atteinte.

On commence par de courtes séances de drainage postural, puis on en augmente graduellement la durée. Si le patient présente aussi une pneumopathie obstructive, on peut lui administrer des bronchodilatateurs. Les patients atteints de bronchectasie présentent presque toujours une bronchite. On peut administrer des β-sympathomimétiques pour produire une bronchodilatation et améliorer le transport mucociliaire des sécrétions.

Pour favoriser l'expectoration, on dilue les sécrétions en administrant une aérosolthérapie par nébuliseur et en augmentant l'apport liquidien. La tente faciale est le moyen idéal de fournir un surplus d'humidité au patient soumis à une aérosolthérapie. Il faut aussi que le patient cesse de fumer, car la fumée du tabac paralyse la fonction ciliaire, augmente les sécrétions bronchiques et provoque une inflammation des muqueuses, ce qui entrave le drainage bronchique et provoque une hyperplasie des glandes muqueuses.

On n'a recours à une intervention chirurgicale pour traiter les patients atteints de bronchectasie que dans les cas où le patient continue d'expectorer de grandes quantités de sécrétions et qu'il présente des accès répétés de pneumonie et d'hémoptysie en dépit de traitements efficaces. L'intervention ne peut être pratiquée que si la maladie n'atteint qu'une ou deux régions pulmonaires qui peuvent être enlevées sans provoquer d'insuffisance respiratoire. Le traitement chirurgical vise à conserver le tissu pulmonaire sain et à éviter les complications infectieuses.

Lors de l'intervention chirurgicale, on excise tous les tissus malades. On procède selon le cas à l'ablation d'un segment lobaire (résection segmentaire), d'un lobe (lobectomie) ou d'un poumon entier (pneumonectomie). La *résection segmentaire* consiste à enlever une subdivision anatomique d'un lobe pulmonaire. Elle a pour principal avantage de permettre la résection du tissu atteint tout en conservant le tissu pulmonaire sain. Pour mieux délimiter le segment à réséquer, on peut faire une bronchographie. L'intervention chirurgicale est précédée d'une période de préparation extrêmement importante, pendant laquelle on assèche le plus possible l'arbre trachéobronchique afin d'éviter les complications (atélectasie, pneumonie, fistule bronchopleurale et empyème). Pour ce faire, on a recours au drainage postural ou à l'aspiration bronchoscopique directe, selon la région atteinte. L'administration d'antibiotiques est parfois nécessaire.

Après l'intervention chirurgicale, les soins à donner sont les mêmes que pour les patients ayant subi une chirurgie thoracique (voir pages 76 à 91).

**Enseignement au patient.** L'infirmière enseigne au patient la respiration diaphragmatique et le drainage postural. Elle lui recommande d'aller régulièrement chez le dentiste et d'éviter toutes les substances qui irritent les poumons (fumée de cigarette, vapeurs nocives). Le patient doit observer ses expectorations et signaler au médecin le moindre changement dans leurs caractéristiques ou leur quantité. Il faut lui expliquer qu'une diminution des expectorations est tout aussi importante qu'une augmentation. Le patient doit

aussi savoir que les vaccins antigrippal et antipneumococcique sont d'importantes mesures de prévention. Les autres aspects de l'enseignement figurent dans la section traitant de la bronchopneumopathie chronique obstructive (pages 109 à 112).

## EMPHYSÈME PULMONAIRE

L'emphysème pulmonaire se caractérise par une dilatation irrégulière et permanente des espaces aériens distaux des bronchioles terminales, avec destruction des septum des alvéoles. L'emphysème serait le stade final d'un processus qui évolue depuis de nombreuses années. En fait, au moment où le patient commence à présenter des symptômes, sa fonction pulmonaire est souvent atteinte de façon irréversible. Comme la bronchite chronique obstructive, l'emphysème est une cause importante d'invalidité.

Le tabagisme est la principale cause d'emphysème. Cependant, il existe dans un faible pourcentage de la population une prédisposition familiale à l'emphysème, associée à une anomalie des protéines plasmatiques, soit un déficit en $\alpha 1$-antitrypsine. Les personnes qui présentent une telle prédisposition génétique sont sensibles aux facteurs de risque environnementaux (fumée du tabac, pollution de l'air, agents infectieux, allergènes). À la longue, elles présentent des symptômes chroniques d'obstruction. Le dépistage des personnes porteuses de cette tare génétique est essentiel car elles doivent être dirigées vers un conseil génétique et ont besoin de modifier leur environnement de façon à retarder ou à prévenir l'apparition des signes cliniques de la maladie.

***Physiopathologie*** Plusieurs facteurs contribuent à l'obstruction caractéristique de l'emphysème :

- l'inflammation et la tuméfaction des bronches ;
- une hypersécrétion de mucus ;
- la perte de la rétraction élastique des voies aériennes ;
- l'affaissement des bronchioles.

Quand les parois alvéolaires se détruisent (destruction que les infections répétées accélèrent), la surface alvéolocapillaire rapetisse continuellement. Il se produit alors un accroissement de l'espace mort et une perturbation de la diffusion de l'oxygène. Cette perturbation, à son tour, entraîne une hypoxémie. Plus tard dans l'évolution de la maladie, on constate une mauvaise élimination du gaz carbonique et une augmentation de la teneur du sang artériel en gaz carbonique (hypercapnie), laquelle provoque un acidose respiratoire.

La rupture des parois des alvéoles entraîne une diminution du lit capillaire pulmonaire. Le débit sanguin pulmonaire augmente et le ventricule droit est forcé de maintenir une pression artérielle plus élevée dans l'artère pulmonaire. C'est pourquoi l'insuffisance ventriculaire droite (cœur pulmonaire) est une des complications de l'emphysème. La présence d'un œdème des membres inférieurs (œdème déclive), d'une turgescence des veines jugulaires ou de douleurs dans la région du foie évoquent le début d'une insuffisance cardiaque droite.

Comme le patient emphysémateux est incapable de tousser vigoureusement pour expectorer, ses sécrétions s'accumulent. Des infections chroniques et aiguës peuvent donc persister dans les poumons emphysémateux et s'ajouter à l'altération des échanges gazeux.

Chez la personne souffrant d'emphysème, le passage de l'air vers les poumons et vers l'extérieur est obstrué de façon chronique car la résistance des voies respiratoires est augmentée. En fait, les poumons sont en état d'hyperdistension chronique. Pour que l'air entre dans les poumons et en sorte, une pression négative pendant l'inspiration est requise et un niveau suffisant de pression positive doit être atteint et maintenu pendant l'expiration. Les poumons au repos sont distendus. Au lieu d'être involontaire et passive, l'expiration devient une action musculaire active. Le patient est de plus en plus essoufflé, son thorax devient rigide et ses côtes restent fixées à leurs articulations. Le «thorax en tonneau» que l'on observe chez beaucoup d'emphysémateux est causé par la perte d'élasticité des poumons dans une cage thoracique qui a toujours tendance à se dilater (figure 4-1*A*).

Parfois, le thorax en tonneau est dû à une cyphose. Certains patients se penchent vers l'avant pour respirer en utilisant les muscles accessoires de la respiration. On remarque également une rétraction de la fosse susclaviculaire à l'inspiration (voir figure 33-1*B*). À un stade plus avancé de la maladie, on observe une contraction des muscles abdominaux à l'inspiration. La capacité vitale diminue peu à peu. L'expiration normale devient de plus en plus difficile et, à la longue, impossible. La capacité vitale totale (CVT) peut être normale, mais le rapport VEMS-CV est faible. L'air se déplace de plus en plus lentement et inefficacement dans les voies respiratoires, et la respiration exige énormément d'effort.

**Classification.**    Il existe deux grands types d'emphysème, classés selon les changements qui se produisent dans les poumons : (1) l'emphysème panlobulaire (ou panacinaire) et (2) l'emphysème centrolobulaire (ou centroacinaire).

Dans l'*emphysème panlobulaire* (panacinaire), on observe une destruction de la bronchiole respiratoire, du canal alvéolaire et des alvéoles. Tous les espaces aériens à l'intérieur du lobule ont plus ou moins augmenté de volume, mais l'inflammation est faible. Cette forme d'emphysème se caractérise par une distension du thorax, une dyspnée prononcée à l'effort

et une perte de poids. Les auteurs anglophones qualifient parfois les patients atteints de ce type d'emphysème de «pink puffers» parce qu'ils restent «roses» (c'est-à-dire bien oxygénés) jusqu'à ce que la maladie soit au stade avancé.

Dans l'*emphysème centrolobulaire (centroacinaire)* les changements pathologiques se situent surtout au centre du lobule secondaire ; les zones périphériques de l'acinus demeurent intactes. Dans plusieurs cas, on observe une perturbation du rapport ventilation-perfusion qui entraîne une hypoxie chronique, une hypercapnie, une polyglobulie et des accès d'insuffisance cardiaque droite, ce qui se manifeste par une cyanose, un œdème périphérique et une insuffisance respiratoire. Les auteurs anglophones qualifient parfois ces patients de «blue bloaters», pour faire référence au fait qu'ils sont œdématiés et cyanosés. En plus du traitement décrit plus loin, le patient atteint d'emphysème centrolobulaire reçoit généralement un traitement diurétique pour réduire l'œdème. Les deux types d'emphysème sont très souvent présents simultanément chez un même patient.

***Manifestations cliniques.***    La dyspnée est le premier symptôme de l'emphysème, et elle apparaît de façon insidieuse. Habituellement, le patient a des antécédents de tabagisme et présente depuis longtemps une toux chronique. Sa respiration devient sifflante et la dyspnée et la tachypnée s'aggravent progressivement, surtout quand la maladie s'accompagne d'une infection respiratoire. À la longue, même le plus petit effort (comme se pencher pour lacer ses chaussures) provoque une dyspnée et de la fatigue (dyspnée d'effort). Chez le patient emphysémateux, les poumons ne se contractent pas durant l'expiration et les bronchioles ne se vident pas efficacement de leurs sécrétions.

À cause de l'accumulation de sécrétions, le patient présente des réactions inflammatoires et est sujet aux infections. Après une infection, l'expiration devient sifflante et se prolonge. On observe souvent de l'anorexie, une perte de poids et de la faiblesse. Les veines du cou sont parfois turgescentes lors de l'expiration. L'examen physique révèle une diminution des bruits respiratoires et la présence de ronchus, une expiration prolongée, une hypersonorité à la percussion et une diminution des vibrations vocales.

***Examens diagnostics.***    Les symptômes du patient ainsi que les résultats cliniques de l'examen physique sont les premiers indicateurs de la maladie. Pour poser le diagnostic, on utilise aussi les radiographies du thorax, les épreuves fonctionnelles respiratoires (surtout la spirométrie), l'analyse des gaz du sang artériel (pour évaluer la fonction ventilatoire et les échanges gazeux pulmonaires) et, enfin, la formule sanguine complète (FSC).

***Traitement.***    Le traitement de l'emphysème pulmonaire vise principalement à améliorer la qualité de vie du patient, à ralentir l'évolution de la maladie et à traiter les voies aériennes obstruées afin de diminuer l'hypoxie. La démarche thérapeutique comprend : (1) des mesures visant à améliorer la ventilation et à diminuer le travail respiratoire ; (2) des soins préventifs et le traitement rapide des infections ; (3) des techniques de physiothérapie pour préserver et augmenter la ventilation pulmonaire ; (4) des mesures visant à assurer un milieu ambiant propice à l'amélioration de la respiration ; (5) des soins de soutien et une aide psychologique ; et (6) un programme continu d'enseignement et de rééducation.

***Bronchodilatateurs.***    Pour dilater les voies aériennes, on prescrit des bronchodilatateurs parce qu'ils sont efficaces

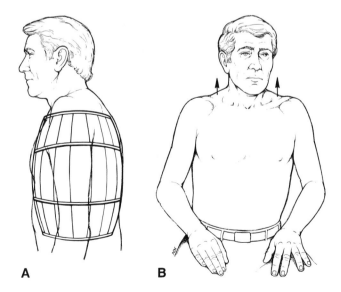

**A**    **B**

***Figure 4-1.*** Caractéristiques morphologiques de la personne atteinte d'emphysème. (**A**) Thorax en tonneau : on constate une augmentation du diamètre antéropostérieur. (**B**) Posture : élévation de la ceinture scapulaire et rétractation de la fosse susclaviculaire à l'inspiration.

contre l'œdème muqueux des bronches et les spasmes musculaires et parce qu'ils contribuent à diminuer l'obstruction des voies aériennes et à améliorer les échanges gazeux. Il existe de nombreux types de bronchodilatateurs, notamment les β-sympathomimétiques ou agonistes β-adrénergiques (métaprotérénol, isoprotérénol) et les méthylxanthine (théophylline, aminophylline). Ces médicaments provoquent la dilatation des bronches de différentes façons. Ils peuvent être administrés par voie orale, sous-cutanée, intraveineuse ou rectale, ou encore par nébulisation. Pour les administrer par nébulisation, on se sert de nébuliseurs à air comprimé, d'inhalateurs-doseurs, de turbonébuliseurs ou de ventilateurs à pression positive intermittente. Les bronchodilatateurs peuvent avoir des effets secondaires indésirables tels que la tachypnée, des arythmies et une excitation du système nerveux central. Les méthylxanthines peuvent aussi provoquer des troubles gastro-intestinaux comme les nausées et les vomissements. Étant donné que les effets indésirables sont fréquents, il faut évaluer la tolérance et la réponse clinique du patient et adapter soigneusement la posologie en conséquence.

*Aérosolthérapie.* L'aérosolisation (dispersion en fine buée de bronchodilatateurs et de fluidifiants mycolytiques) est souvent utilisée pour faciliter la bronchodilatation. Les particules pulvérisées doivent être suffisamment petites pour que le médicament pénètre en profondeur dans l'arbre trachéobronchique.

Les aérosols nébulisés soulagent le bronchospasme, atténuent l'œdème muqueux et liquifient les sécrétions bronchiques. Ils contribuent ainsi à favoriser le dégagement des bronches, à réduire l'inflammation et à améliorer la fonction ventilatoire. Le nébuliseur manuel et l'inhalateur-doseur procurent un soulagement rapide. Si les troubles ventilatoires sont plus graves, on utilisera plutôt un nébuliseur électrique ou un nébuliseur actionné à l'air. L'augmentation de la saturation en oxygène du sang artériel ainsi que la diminution de son contenu en gaz carbonique soulagent l'hypoxie et diminuent considérablement l'effort respiratoire. Chez les patients dont la pression de gaz carbonique est élevée de façon chronique ou dont la respiration est stimulée par l'hypoxie, il faut faire preuve d'une extrême prudence lors de l'administration d'un traitement de nébulisation avec oxygène. On a tendance à utiliser de moins en moins les ventilateurs à pression positive intermittente, surtout pour les soins à domicile.

*Traitement des infections.* Les patients emphysémateux sont sujets aux infections pulmonaires. *Streptococcus pneumoniæ, Haemophilus influenzæ* et *Branhamella catarrhalis* sont les agents pathogènes le plus souvent en cause. Habituellement, le médecin prescrit de la tétracycline, de l'ampicilline, de l'amoxicilline ou du triméthoprime-sulfaméthoxazole (Bactrim, Septra). On administre le traitement dès l'apparition des premiers signes d'infection respiratoire, c'est-à-dire quand le patient expectore des sécrétions purulentes, tousse davantage et a de la fièvre.

*Corticostéroïdes.* L'utilisation de corticostéroïdes dans le traitement de l'emphysème est controversée. On les emploie seulement après avoir sans succès utilisé un traitement aux bronchodilatateurs et toutes les mesures d'hygiène bronchiques. En général, on emploie la prednisone.

Il faut administrer la plus faible dose possible. Les principaux effets secondaires des stéroïdes sont les troubles gastro-intestinaux et une augmentation de l'appétit. À plus long terme, ils peuvent provoquer des ulcères gastroduodénaux,

de l'ostéoporose, une insuffisance corticosurrénalienne, une myopathie stéroïdienne et la formation de cataractes. Voir le chapitre 31 pour plus de détails à ce sujet.

*Oxygénation.* L'oxygénothérapie peut prolonger la vie des patients atteints d'emphysème au stade avancé. On traite l'hypoxémie grave par l'administration de faibles concentrations d'oxygène de façon à obtenir une $PaO_2$ entre 65 et 80 mm Hg. Dans les cas d'emphysème grave, on doit administrer l'oxygénothérapie au moins 16 heures par jour ; il est préférable de l'administrer 24 heures sur 24. On peut ainsi atténuer les symptômes du patient et améliorer sa qualité de vie. Certains patients ont besoin d'une oxygénothérapie à domicile (consulter la section intitulée Plan de soins infirmiers 4-2).

# ASTHME

L'asthme est une maladie obstructive des voies aériennes, intermittente et réversible qui se traduit par une hypersensibilité de la trachée et des bronches à différents stimuli. Il se manifeste par un rétrécissement du calibre des voies respiratoires qui entraîne de la dyspnée, de la toux et une respiration sifflante. Le rétrécissement des voies respiratoires peut se modifier soit spontanément, soit sous l'effet d'un traitement. Les crises d'asthme peuvent durer de quelques minutes à quelques heures. Quand une personne souffre à la fois d'asthme et de bronchite, ses voies respiratoires sont davantage obstruées. On parle alors d'asthme bronchique chronique.

Plus de 500 000 Canadiens souffrent d'asthme. Cette maladie, qui se manifeste tôt dans l'enfance, touche 140 000 enfants de moins de 15 ans, plus de 170 000 jeunes adultes de 15 à 34 ans et environ 200 000 personnes plus âgées (Enquête Santé-Canada 1978-1979). L'asthme est rarement mortel, mais il a des répercussions sur la fréquentation scolaire, la vie professionnelle, l'activité physique et bien d'autres aspects de la vie.

Il peut être allergique (asthme extrinsèque) ou non allergique (asthme intrinsèque) ; ces formes peuvent se combiner (asthme mixte). L'asthme allergique est dû à un ou plusieurs allergènes connus (comme la poussière, le pollen, les moisissures, les phanères d'animaux, certains aliments). La plupart des allergènes sont transportés par l'air et saisonniers. Le patient qui souffre d'asthme allergique a généralement des antécédents familiaux d'allergies ainsi que des antécédents personnels d'eczéma ou de rhume des foins. L'exposition à l'allergène déclenche une crise. L'asthme allergique de l'enfance disparaît souvent à l'adolescence.

L'asthme non allergique ou idiopathique n'est pas relié à des allergènes. Les facteurs qui déclenchent les crises sont notamment le rhume, les infections des voies respiratoires, l'exercice, les émotions fortes ou les polluants atmosphériques. Certains médicaments peuvent également déclencher des crises, dont l'aspirine, les anti-inflammatoires non stéroïdiens, les colorants, les antagonistes β-adrénergiques et les sulfites (agents de conservation des aliments). Les crises deviennent plus fortes et plus fréquentes avec le temps et la maladie peut évoluer vers la bronchite chronique et l'emphysème. Chez certains patients, l'asthme devient mixte.

L'asthme mixte est la forme la plus courante de la maladie. Il présente les caractéristiques à la fois de l'asthme allergique et de l'asthme non allergique.

***Physiopathologie.*** L'asthme est une obstruction diffuse et réversible des voies respiratoires. Cette obstruction est due à un ou plusieurs des mécanismes suivants : (1) contraction des muscles entourant les bronches, ce qui rétrécit le calibre des voies aériennes ; (2) inflammation et œdème des membranes qui tapissent l'intérieur des bronches ; et (3) accumulation de mucus épais dans les bronches (figure 4-2). L'obstruction peut également être causée par une augmentation du volume des muscles bronchiques, par une hypertrophie des glandes muqueuses, par la présence de sécrétions épaisses et tenaces, par l'inflation des alvéoles ou par infiltration d'air. On ne connaît pas encore la cause exacte de ces perturbations, mais toutes les connaissances accumulées jusqu'à maintenant suggèrent que le système immunitaire et le système nerveux autonome jouent un rôle dans la maladie.

Chez certains asthmatiques, les immunoglobulines E (IgE) ont une sensibilité exagérée aux facteurs ambiants, c'est-à-dire qu'une quantité anormalement élevée d'IgE est produite en réaction à certains antigènes et allergènes. Les IgE se fixent aux mastocytes des poumons et une nouvelle exposition à l'antigène provoque la liaison de l'antigène à l'anticorps. Cette liaison entraîne la libération par les mastocytes de médiateurs comme l'histamine, la bradykinine et les prostaglandines, ainsi que la libération de leucotriènes (autrefois appelées SRS-A, pour Slow Reacting Substance of Anaphylaxis). La libération de ces médiateurs dans les tissus pulmonaires agit sur les muscles lisses et les glandes des voies respiratoires et entraîne un bronchospasme, un œdème de la membrane muqueuse et une sécrétion excessive de mucus.

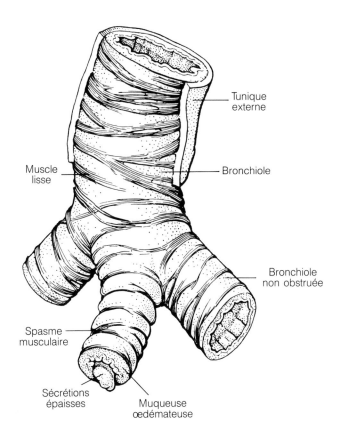

**Figure 4-2.** Obstruction d'une bronchiole chez un asthmatique

Tunique externe

Muscle lisse

Bronchiole

Bronchiole non obstruée

Spasme musculaire

Sécrétions épaisses

Muqueuse œdémateuse

Le système nerveux autonome innerve les poumons par l'intermédiaire du système parasympathique. En transmettant des influx au nerf pneumogastrique, le système parasympathique règle le tonus des muscles bronchiques. Chez le patient atteint d'asthme non allergique, il se produit une libération accrue d'acétylcholine quand les terminaisons nerveuses des voies respiratoires sont stimulées par des facteurs comme les infections, l'effort physique, le froid, la fumée du tabac, les émotions fortes et les polluants. Cette libération excessive d'acétylcholine peut immédiatement provoquer une broncho-constriction et stimuler la sécrétion des médiateurs chimiques mentionnés précédemment. Certains pensent que les asthmatiques auraient une faible tolérance aux réactions du système nerveux parasympathique.

En outre, les bronches contiennent des récepteurs $\alpha$-adrénergiques et $\beta$-adrénergiques du système nerveux sympathique. La stimulation des alpharécepteurs produit une bronchoconstriction, tandis que la stimulation des bêtarécepteurs provoque une bronchodilatation. L'équilibre entre les alpharécepteurs et les bêtarécepteurs se fait principalement par l'entremise de l'adénosine monophosphate cyclique (AMPc). Ainsi, la stimulation des alpharécepteurs entraîne une diminution de l'AMPc, ce qui accroît la libération par les mastocytes des médiateurs chimiques et déclenche une bronchoconstriction. À l'inverse, la stimulation des bêta-récepteurs accroît le taux d'AMPc, ce qui inhibe la sécrétion des médiateurs chimiques et cause une bronchodilatation. On pense qu'une inhibition des bêtarécepteurs se produirait chez les asthmatiques favorisant une libération accrue de médiateurs chimiques et la constriction des muscles lisses.

***Manifestations cliniques.*** Les trois symptômes les plus courants de l'asthme sont la toux, la dyspnée et le wheezing. Il est intéressant de mentionner que certains asthmatiques ne présentent qu'un seul de ces symptômes, soit la toux. Les crises d'asthme se produisent souvent pendant la nuit pour une raison que l'on ignore, mais on pense que les variations circadiennes y seraient pour quelque chose car elles influencent le seuil de sensibilité des récepteurs des voies respiratoires.

La crise d'asthme débute brutalement. Le patient tousse et éprouve une sensation d'oppression dans la poitrine, puis sa respiration devient lente, laborieuse et sifflante. L'expiration est toujours beaucoup plus ardue et prolongée que l'inspiration ; le patient est donc obligé de s'asseoir bien droit et d'utiliser tous ses muscles respiratoires accessoires. Les difficultés respiratoires sont dues à l'obstruction du passage de l'air. La toux, saccadée et sèche au début, devient plus forte ; les expectorations se composent de mucus clair contenant des petites masses gélatineuses rondes difficiles à évacuer. Plus tard, une cyanose apparaît, causée par une hypoxie grave, et le patient présente des symptômes d'hypercapnie (transpiration, tachycardie et augmentation de la pression différentielle). La crise peut durer entre 30 minutes et plusieurs heures. Elle peut se résorber spontanément dans certaines circonstances, mais il ne faut jamais présumer qu'il en sera ainsi. Les crises entraînent rarement la mort. Dans certains cas, toutefois, on observe un «état de mal asthmatique» qui résiste aux mesures thérapeutiques. Le patient a alors des crises répétées ou continues. L'état de mal asthmatique peut mettre la vie en danger (voir page 119).

***Réactions allergiques associées à l'asthme.*** Parmi les réactions reliées à l'asthme figurent l'eczéma (qui touche 75 % des asthmatiques à un moment ou l'autre de leur vie), l'urticaire et l'oedème de Quincke (qui touche 50 % des asthmatiques). Ces réactions peuvent se produire de façon périodique après exposition à des facteurs qui provoquent une crise d'asthme (allergène spécifique, facteurs liés au milieu de travail ou à l'environnement, agents pharmacologiques, effort physique, stress émotionnel).

**Examens diagnostiques.** Il n'existe pas à proprement parler d'examen diagnostique de l'asthme. Pour déterminer les facteurs ou les substances qui déclenchent les crises d'asthme, on procède à un interrogatoire complet sur les antécédents familiaux, environnementaux et professionnels. On peut identifier les allergènes à l'aide d'un test cutané.

Les patients atteints d'asthme allergique ont souvent des antécédents familiaux. Les facteurs liés à l'environnement, comme les changements saisonniers, le pollen abondant et les moisissures, sont également associés à l'asthme allergique. L'asthme non allergique est associé principalement à des perturbations climatiques, en particulier à l'air froid et à la pollution atmosphérique. On a associé à l'asthme plusieurs produits chimiques que l'on trouve sur les lieux de travail (sels métalliques, poussière de bois ou poussière végétale), des médicaments (aspirine, antibiotiques, pipérazine, cimétidine et mucilioïde hyprophile de psyllium), des produits chimiques industriels et des plastiques, des enzymes biologiques (y compris celles contenues dans les détergents à lessive), la poussière provenant d'animaux et d'insectes, des sérums et des sécrétions.

Lors des crises, la radiographie du thorax révèle une distension des poumons et un aplatissement du diaphragme. L'analyse des expectorations et du sang peut révéler une éosinophilie. Dans les cas d'asthme allergique, on observe une augmentation de la concentration sérique des IgE.

Les expectorations peuvent être claires et mousseuses (asthme allergique) ou épaisses, blanches et filamenteuses (asthme non allergique).

En période de crise, l'analyse des gaz du sang artériel révèle une hypoxémie. Au début, le patient présente une hypocapnie, une alcalose respiratoire et une faible pression partielle de gaz carbonique ($pCO_2$). Quand la crise se poursuit et que le patient se fatigue, la $pCO_2$ peut augmenter. Une $pCO_2$ normale est parfois un signe d'insuffisance respiratoire imminente. Étant donné que la $CO_2$ se diffuse 20 fois plus facilement que l'oxygène, il est rare que sa concentration soit normale ou élevée en présence de tachypnée.

Les épreuves fonctionnelles respiratoires sont habituellement normales entre les crises. Lors des crises toutefois, la rétention d'air entraîne une augmentation de la capacité pulmonaire totale et du volume résiduel fonctionnel. Le volume expiratoire maximum et la capacité vitale forcée accusent une forte diminution.

Le spiromètre portatif qu'on peut installer au chevet du patient peut remplacer les épreuves fonctionnelles respiratoires en laboratoire ; ce type de spiromètre permet de mesurer les volumes, les capacités et le débit respiratoire.

**Traitement médicamenteux.** Cinq types de médicaments sont utilisés dans le traitement de l'asthme :

- les β-stimulants
- les méthylxanthines
- les anticholinergiques
- les corticostéroïdes
- les inhibiteurs des mastocytes (cromoglycate disodique)

**β-stimulants** Les β-*stimulants* (agents β-adrénergiques) sont les premiers médicaments utilisés dans le traitement de l'asthme, parce qu'ils décontractent les muscles lisses des bronches. En outre, ils augmentent l'action ciliaire, diminuent la libération des médiateurs chimiques de l'anaphylaxie et peuvent potentialiser l'effet bronchodilatateur des corticostéroïdes. Parmi les agents adrénergiques les plus utilisés, on trouve l'épinéphrine, l'albutérol, le métaprotérénol, l'isoprotérénol et l'isoétharine, et la terbutaline. On les administre généralement par inhalation ou par voie parentérale. L'inhalation est la voie d'administration de prédilection, parce que le médicament pénètre directement dans les bronches et que les effets secondaires sont moins nombreux.

**Méthylxanthines.** On utilise les méthylxanthines comme l'aminophylline et la théophylline en raison de leur pouvoir bronchodilatateur. Ces substances décontractent le muscle lisse des bronches, améliorent la mobilisation du mucus dans les voies respiratoires et potentialisent la contraction du diaphragme. L'aminophylline est administrée par voie intraveineuse, tandis que la théophylline est administrée par voie orale. On n'utilise pas les méthylxanthines lors des crises, car leur action est plus lente que celle des agents β-adrénergiques. Le métabolisme des méthylxanthines, surtout celui de la théophylline, peut être altéré par plusieurs facteurs : la fumée de cigarette, l'insuffisance cardiaque, une maladie chronique du foie, les contraceptifs oraux, l'érythromycine et la cimétidine. Il faut faire preuve de prudence quand on administre ces médicaments par voie intraveineuse, car une administration trop rapide peut provoquer des arythmies cardiaques.

**Anticholinergiques.** L'administration d'anticholinergiques (comme l'atropine) pour le traitement de l'asthme n'est pas pratique courante, car ces médicaments ont des effets secondaires généralisés (sécheresse de la bouche, vue brouillée, retard à la miction, palpitations et bouffées vasomotrices). Leur effet bronchodilatateur est semblable à celui des β-adrénergiques. On a mis au point récemment des ammoniums quaternaires dérivés de l'atropine, comme le méthylnitrate d'atropine et le bromure d'ipratropium, qui ont une excellente action bronchodilatatrice et entraînent peu d'effets secondaires généralisés. On les administre par inhalation. Les anticholinergiques peuvent être tout particulièrement utiles dans le cas des asthmatiques qui ne peuvent prendre des β-adrénergiques ou des méthylxanthines en raison d'une cardiopathie.

**Corticostéroïdes.** Les corticostéroïdes sont importants dans le traitement de l'asthme. On peut les administrer par voie intraveineuse (hydrocortisone), par voie orale (prednisone, prednisolone) ou par inhalation (béclométhasone, dexaméthasone). On ne connaît pas encore très bien leur mécanisme d'action, mais on pense qu'ils réduisent l'inflammation et la bronchoconstriction. On peut administrer des corticostéroïdes (*autrement* que par inhalation) pour faire céder une crise qui ne répond pas au traitement bronchodilatateur. Les corticostéroïdes se sont révélés efficaces dans le traitement de l'asthme et des BPCO. L'utilisation prolongée de corticostéroïdes entraînent toutefois des effets indésirables importants (ulcères gastroduodénaux, ostéoporose, inhibition de la sécrétion surrénalienne, myopathie et cataractes).

Les corticostéroïdes administrés par inhalation (aérosolsdoseurs) peuvent être efficaces chez les patients dont l'asthme est stéroïdodépendant. L'administration par inhalation présente l'avantage de diminuer les effets indésirables généralisés. Elle peut néanmoins provoquer une irritation de la gorge, de la toux, une sécheresse de la bouche, un enrouement et des infections fongiques. Par conséquent, il faut demander au patient de se rincer la bouche et de se gargariser immédiatement après l'inhalation des corticostéroïdes afin de diminuer les risques d'infection fongique. On doit en outre lui recommander de signaler la présence de rougeurs ou de plaques blanches dans la bouche. On ne doit pas passer brusquement de l'administration de corticostéroïdes par voie générale à l'administration par inhalation, en raison de risques d'insuffisance surrénalienne. Quand on veut changer la voie d'administration, il faut donc procéder graduellement et garder le patient en observation.

Les effets des corticostéroïdes sont décrits en détail au chapitre 31.

***Inhibiteurs des mastocytes.*** Le cromoglycate disodique, un inhibiteur des mastocytes, fait partie intégrante du traitement de l'asthme. On l'administre par inhalation. En inhibant la libération des médiateurs de la réaction anaphylactique, le cromoglycate disodique favorise la bronchodilatation et atténue l'inflammation des voies respiratoires. Il est surtout efficace entre les crises. Dans certains cas, il permet de diminuer la posologie des autres médicaments et atténue les symptômes.

***Prévention.*** Quand l'asthme est récidivant, il faut déceler les allergènes qui déclenchent les crises. Si les crises se produisent surtout la nuit, quand le patient est au lit, on procède à des tests cutanés avec les matières qui composent le matelas et les oreillers. Si les résultats sont positifs, il faut remplacer le matelas et les oreillers. Si les crises semblent reliées à la présence d'un animal, comme un chien ou un chat, on fait aussi des tests cutanés avec un antigène composé de poils ou de raclages de la peau de l'animal. Si les crises sont saisonnières, l'asthme est probablement dû à un allergène. Dans ce cas, on peut essayer un traitement aux extraits de pollen. La climatisation peut aider à prévenir les crises déclenchées par le pollen, à condition que le patient reste dans des endroits climatisés pendant toute la saison du pollen. Si cela est possible, la meilleure solution consiste à passer la saison du pollen dans un pays où la flore est différente. À l'examen, il faut rechercher les foyers d'infection bactérienne (par exemple, sinus, dents), car l'élimination des foyers infectieux peut s'avérer extrêmement salutaire pour certains patients.

On peut prévenir l'*asthme provoqué par l'exercice* par l'inhalation d'air à 37°C (température corporelle) et à 100 % d'humidité relative. La personne souffrant de cette forme d'asthme peut se couvrir la bouche et le nez d'un masque pour réinspirer l'air qu'elle vient d'expirer et qui est déjà réchauffé et humidifié par son passage dans les voies respiratoires. Le port d'un simple masque facial est une solution pratique et peu coûteuse pour les joueurs de baseball, les coureurs et les skieurs asthmatiques.

***Psychothérapie.*** Il ne faut pas oublier que l'apparition d'une première crise d'asthme laisse présager des crises répétées. Chez certains patients, la simple évocation de la maladie, les émotions et le stress peuvent déclencher une crise. Les asthmatiques doivent par conséquent posséder une excellente santé mentale.

***Complications de l'asthme.*** Les crises d'asthme mettent rarement en danger la vie du patient. Il existe toutefois un risque de décès par insuffisance respiratoire si on administre des sédatifs trop librement.

L'asthme peut se compliquer, notamment, d'une perforation de bulle d'emphysème provoquant un pneumothorax, d'un emphysème médiastinal ou sous-cutané, d'une bronchite chronique ou d'une bronchite aiguë récurrente, de bronchectasie, d'hypertension pulmonaire et d'une hypertrophie du cœur droit avec insuffisance cardiaque droite (cœur pulmonaire). L'hypoxie chronique causée par ces complications peut entraîner différents symptômes et des changements de personnalité.

Il arrive souvent que l'obstruction des voies aériennes provoque une hypoxémie, surtout lors des crises. On doit alors administrer de l'oxygène et mesurer régulièrement les gaz du sang artériel. Il importe aussi d'administrer des liquides car le patient asthmatique est souvent déshydraté à cause de la diaphorèse et des pertes hydriques insensibles qu'entraîne l'hyperventilation.

On prescrit également des exercices de respiration, des séances de drainage postural et une aérosolthérapie pour favoriser l'expectoration des sécrétions retenues dans les voies respiratoires. Il n'est pas recommandé d'utiliser un ventilateur à pression positive intermittente pendant une crise d'asthme. Si l'état du patient s'aggrave et entraîne une insuffisance respiratoire aiguë, on devra peut-être avoir recours à l'intubation et à la ventilation artificielle.

## ÉTAT DE MAL ASTHMATIQUE (STATUS ASTHMATICUS)

L'état de mal asthmatique est un asthme grave qui ne réagit pas au traitement classique et qui dure plus de 24 heures. Il peut être causé par une infection, de l'anxiété, l'usage immodéré de tranquillisants, l'usage excessif du nébuliseur, une déshydratation, un blocage adrénergique accru et divers irritants, de même que par une hypersensibilité à l'aspirine.

***Physiopathologie.*** On observe un rétrécissement des bronches dû à une combinaison de trois éléments: la constriction du muscle lisse des bronchioles, l'œdème de la muqueuse bronchique et l'épaississement des sécrétions. Ce rétrécissement s'accompagne d'un déséquilibre ventilation-perfusion provoqué par l'hypoxémie et l'acidose ou l'alcalose respiratoire.

On note d'abord une diminution de la $PaO_2$ et une alcalose respiratoire avec baisse de la $PaCO_2$ et augmentation du pH. À mesure que l'état de mal asthmatique s'aggrave, la $PaCO_2$ augmente et le pH baisse, ce qui reflète une acidose respiratoire.

***Manifestations cliniques.*** Les manifestations cliniques sont semblables à celles de la crise d'asthme grave. Il n'existe aucune corrélation entre la gravité de la crise et l'importance du wheezing. Si l'obstruction devient très importante, le wheezing peut disparaître, ce qui est souvent un signe d'insuffisance respiratoire imminente.

***Examens diagnostiques.*** Les explorations fonctionnelles respiratoires constituent la mesure la plus précise de la gravité d'une obstruction aiguë des voies respiratoires. La plupart du temps, on mesure le volume expiratoire maximal pendant le première seconde (VEMS) ou le débit expiratoire de pointe (DEP).

Si le patient ne répond pas au traitement ou s'il ne peut exécuter les manoeuvres qu'exigent les explorations fonctionnelles respiratoires à cause d'une obstruction particulièrement

## Plan de soins infirmiers 4-2

## Patient souffrant d'une bronchopneumopathie chronique obstructive

| Interventions infirmières | Justification | Résultats escomptés |
|---|---|---|

**Diagnostic infirmier:** Perturbation des échanges gazeux reliée au déséquilibre du rapport ventilation-perfusion

**Objectif:** Amélioration des échanges gazeux

1. Administrer les bronchodilatateurs selon l'ordonnance:
   a) On peut les administrer par voie orale, intraveineuse ou rectale ou par nébulisation.
   b) Afin d'en prolonger l'efficacité, administrer les bronchodilatateurs par voie orale ou intraveineuse en alternance avec le traitement par nébuliseur ou ventilateur à pression positive intermittente.
   c) Observer le patient afin de déceler l'apparition d'effets indésirables: tachycardie, arythmies, stimulation du système nerveux central, nausées, vomissements.

2. Évaluer l'efficacité des traitements de nébulisation ou de ventilation en pression positive intermittente.
   a) Vérifier si les symptômes (dyspnée, respiration sifflante ou râles fins) ont diminué, si les sécrétions se détachent, si l'anxiété est atténuée.
   b) Veiller à ce que le traitement soit administré avant les repas pour que le patient ne présente pas de nausées et qu'il ressente moins la fatigue qu'entraîne le repas.

3. Enseigner au patient les exercices de respiration diaphragmatique et de toux, et l'inciter à les pratiquer.

4. Administrer de l'oxygène selon la méthode prescrite.
   a) Expliquer au patient le but et l'importance du traitement.
   b) Évaluer l'efficacité du traitement et rechercher les signes d'hypoxie. Prévenir le médecin si le patient présente de l'agitation, de l'anxiété, de la somnolence, une cyanose ou de la tachycardie.
   c) Analyser les gaz du sang artériel et comparer les résultats avec les valeurs de base. Si on prélève du sang par ponction artérielle, appuyer sur le point de ponction durant cinq minutes pour éviter les saignements.

1. Les bronchodilatateurs dilatent les voies respiratoires et aident à réduire l'œdème des muqueuses bronchiques et le spasme musculaire. Comme les effets indésirables sont fréquents, il faut adapter soigneusement la posologie en fonction de la tolérance et de la réponse clinique du patient.

2. On utilise souvent une combinaison de médicaments et de bronchodilatateurs en aérosol pour contrer la bronchoconstriction. Le traitement perd de son efficacité si on ne l'administre pas correctement. L'aérosolthérapie favorise le dégagement des bronches, aide à juguler l'inflammation et améliore la fonction ventilatoire.

3. Ces exercices améliorent la ventilation car ils contribuent à ouvrir et à dégager les voies respiratoires. Les échanges gazeux s'en trouvent améliorés.

4. L'oxygène fait disparaître l'hypoxémie. Il est important de vérifier le débit en litres ou en pourcentage ainsi que les effets sur le patient. Si le patient présente une rétention chronique de $CO_2$, l'hypoxie est son stimulus respiratoire. Dans ce cas, il faut veiller à ne pas administrer trop d'oxygène, car un excès d'oxygène peut supprimer ce stimulus et entraîner la mort. Le patient présentant une rétention de $CO_2$ a habituellement besoin d'un faible débit d'oxygène, soit entre 1 et 2 L/min. Des analyses périodiques des gaz du sang artériel aident à évaluer l'oxygénation.

• Le patient explique pourquoi il a besoin de bronchodilatateurs et pourquoi il doit les prendre selon l'horaire prescrit.
• Il a peu d'effets indésirables: sa fréquence cardiaque est presque normale, il ne présente pas d'arythmies et son état mental est normal.

• Le patient dit que la dyspnée a diminué.
• Son débit respiratoire s'améliore.
• Il est capable d'utiliser et de nettoyer les appareils d'inhalothérapie, s'il y a lieu.

• Le patient fait une démonstration pratique des exercices de respiration diaphragmatique et de toux.

• Le patient utilise correctement les appareils d'oxygénothérapie quand il le doit.
• Les analyses des gaz du sang artériel donnent des résultats normaux.

## Plan de soins infirmiers 4-2 (suite)

## Patient souffrant d'une bronchopneumopathie chronique obstructive

| Interventions infirmières | Justification | Résultats escomptés |
|---|---|---|
| d) Expliquer au patient que ni lui ni ses visiteurs ne peuvent fumer quand un appareil d'oxygénothérapie est en marche. | | |

***Diagnostic infirmier :*** Dégagement inefficace des voies respiratoires relié à une bronchoconstriction, à une sécrétion excessive de mucus, à l'inefficacité de la toux et à une infection bronchopulmonaire

***Objectif :*** Dégagement des voies respiratoires

| Interventions infirmières | Justification | Résultats escomptés |
|---|---|---|
| 1. Faire boire au patient six à huit verres de liquide par jour, sauf s'il souffre d'un cœur pulmonaire. | 1. L'hydratation aide à liquéfier les sécrétions, ce qui facilite leur expectoration. Il faut toutefois restreindre les liquides si le patient présente une insuffisance cardiaque droite. | • Le patient sait qu'il doit boire six à huit verres de liquide par jour. |
| 2. Enseigner au patient les exercices de respiration diaphragmatique et de toux et l'inciter à les pratiquer. | 2. Ces exercices améliorent la ventilation et aident le patient à expectorer ses sécrétions sans s'essouffler ou se fatiguer. | • Le patient fait une démonstration des exercices de toux et de respiration diaphragmatique. |
| 3. Collaborer à l'administration des traitements de nébulisation ou de ventilation en pression positive intermittente. | 3. Ces traitements servent à humidifier l'arbre bronchique et à éclaircir les sécrétions, ce qui facilite leur évacuation. | |
| 4. Procéder à un drainage postural avec percussion et vibration le matin et le soir, selon l'ordonnance. | 4. Cette technique utilise la gravité pour drainer les sécrétions et en faciliter l'expectoration ou l'aspiration. | • Le patient exécute correctement le drainage postural.<br>• Il tousse moins. |
| 5. Recommander au patient d'éviter les irritants (comme la fumée de cigarette, les aérosols, les températures extrêmes et les émanations). | 5. Les agents qui irritent les bronches provoquent une bronchoconstriction et augmentent les sécrétions. Le patient a alors plus de difficulté à dégager ses voies respiratoires. | • Le patient ne fume pas.<br>• Il explique pourquoi il doit éviter les irritants comme le pollen, les émanations, les gaz, la poussière, les températures extrêmes et l'humidité. |
| 6. Enseigner au patient les signes précoces d'infection qu'il doit signaler immédiatement à son médecin :<br>a) Augmentation du volume des expectorations<br>b) Changement de couleur des expectorations<br>c) Augmentation de la viscosité des expectorations<br>d) Augmentation de l'essoufflement, de la sensation d'oppression ou de la fatigue<br>e) Augmentation de la toux | 6. Des infections respiratoires qui sont bénignes pour des personnes dont les poumons sont sains peuvent entraîner des perturbations fatales chez le patient emphysémateux. Il est donc essentiel que celui-ci signale immédiatement au médecin les premiers signes d'infection. | • Le patient peut nommer les signes précoces d'une infection.<br>• Il ne présente pas de signes d'infection à son départ du centre hospitalier (absence de fièvre et de modifications des expectorations, soulagement de la dyspnée).<br>• Il explique pourquoi il doit signaler immédiatement au médecin les premiers signes d'infection. |
| 7. Administrer l'antibiothérapie selon l'ordonnance. | | |
| 8. Recommander au patient de se faire vacciner contre la grippe et *Streptococcus pneumoniae*. | 8. Les patients atteints d'une pneumopathie sont sujets aux infections et devraient se faire vacciner. | • Le patient explique pourquoi il doit éviter les endroits bondés et les contacts avec des personnes enrhumées pendant la saison de la grippe.<br>• Il a l'intention de consulter son médecin au sujet des vaccins antigrippal et antipneumococcique pour mieux se protéger des infections. |

## *Plan de soins infirmiers 4-2* (suite)

## *Patient souffrant d'une bronchopneumopathie chronique obstructive*

| Interventions infirmières | Justification | Résultats escomptés |
|---|---|---|

**Diagnostic infirmier:**    Mode de respiration inefficace relié à la dyspnée, à la présence de mucus, à une bronchoconstriction et aux agents irritants

**Objectif:**    Amélioration du mode de respiration

| | | |
|---|---|---|
| 1. Enseigner au patient la respiration diaphragmatique et l'expiration contre les lèvres pincées (comme pour souffler une chandelle). | 1. Ces techniques de respiration aident le patient à prolonger la phase expiratoire. Il apprend ainsi à respirer plus efficacement. | • Le patient s'exerce à pratiquer l'expiration contre les lèvres pincées et la respiration diaphragmatique, et il utilise ces techniques quand il est essoufflé et au cours de ses activités. |
| 2. Recommander au patient d'alterner les périodes d'activité et les périodes de repos. Laisser le patient prendre certaines décisions concernant ses soins (comme le moment de se laver ou de se raser) en veillant à ce qu'il ne dépasse pas son degré de tolérance. | 2. L'alternance de l'activité et du repos aide le patient à préserver sa fonction pulmonaire et à pratiquer plus facilement ses activités. | • Le patient respire avec moins d'effort parce qu'il espace ses activités selon sa tolérance. |
| 3. Montrer au patient comment se servir d'un appareil de rééducation des muscles inspiratoires. | 3. Cet appareil renforce et conditionne les muscles respiratoires. | • Le patient utilise l'appareil de rééducation des muscles inspiratoires 10 minutes par jour. |

**Diagnostic infirmier:**    Déficit d'autosoins relié à la fatigue causée par l'augmentation du travail ventilatoire et par l'insuffisance de la ventilation et de l'oxygénation

**Objectif:**    Capacité d'effectuer les autosoins

| | | |
|---|---|---|
| 1. Montrer au patient comment coordonner la respiration diaphragmatique avec ses différentes activités (comme marcher, se pencher). | 1. Cette coordination permettra au patient d'être plus actif tout en évitant de se fatiguer ou de s'essouffler. | • Le patient maîtrise sa respiration quand il se lave, se penche ou marche.<br>• Il entrecoupe de périodes de repos ses activités de la vie quotidienne afin de prévenir la fatigue et la dyspnée. |
| 2. Inciter le patient à commencer à se laver seul, à s'habiller, à marcher et à boire. Lui expliquer les différentes façons de conserver son énergie. | 2. Quand les symptômes s'atténuent, le patient peut être plus autonome. Il faut donc l'y encourager pour éviter qu'il ne devienne dépendant. | • Le patient peut décrire quelques façons de conserver son énergie.<br>• Il peut effectuer les mêmes autosoins qu'avant son admission au centre hospitalier. |
| 3. Enseigner au patient le drainage postural, si nécessaire. | 3. On incite ainsi le patient à participer aux soins, on favorise son estime de soi et on le prépare à son retour à la maison. | • Le patient exécute correctement le drainage postural. |

**Diagnostic infirmier:**    Intolérance à l'activité reliée à la fatigue, à l'hypoxémie et à l'inefficacité du mode de respiration

**Objectif:**    Amélioration de la tolérance à l'activité

| | | |
|---|---|---|
| 1. Aider le patient à établir un programme de rééducation comprenant de l'exercice sur tapis roulant ou sur bicyclette d'appartement, de la marche dans un centre commercial par exemple. | 1. Les muscles qui manquent d'entraînement consomment plus d'oxygène et exigent un plus grand effort des poumons. Grâce à des exercices qui demandent un effort régulier et graduel, le patient | • Le patient ressent moins de dyspnée au cours de ses activités.<br>• Il explique pourquoi il doit faire des exercices tous les jours et il décrit le programme d'exercice qu'il suivra à la maison. |

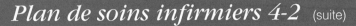

## *Plan de soins infirmiers 4-2* (suite)

## *Patient souffrant d'une bronchopneumopathie chronique obstructive*

| *Interventions infirmières* | *Justification* | *Résultats escomptés* |
|---|---|---|
| a) Évaluer le niveau de fonctionnement actuel du patient et établir le programme d'exercices en conséquence.<br><br>b) Suggérer au patient de consulter un physiothérapeute pour déterminer le type d'exercice qui convient le mieux à ses capacités. Avoir un appareil d'oxygénothérapie portable à portée de la main au cas où le patient en aurait besoin pendant ses séances d'exercices. | peut renforcer ses muscles et devenir plus actif avec moins de dyspnée. L'effort graduel brise le cycle d'affaiblissement auquel le patient est sujet. | • Il marche et augmente peu à peu la distance et la durée de ses promenades afin d'améliorer sa condition physique. |

**Diagnostic infirmier :** Stratégies d'adaptation individuelle inefficaces reliées à l'isolement, à l'anxiété, à la dépression, à la baisse du niveau d'activité et à l'incapacité de travailler

**Objectif :** Utilisation de stratégies d'adaptation efficaces

| | | |
|---|---|---|
| 1. Adopter une attitude optimiste et stimulante. | 1. Une attitude optimiste donne de l'espoir au patient et l'incite à se fixer des objectifs plutôt que de s'avouer vaincu. | • Le patient a de l'intérêt pour l'avenir.<br>• Il participe à l'élaboration de son plan de congé. |
| 2. Inciter le patient à être actif dans la mesure de sa tolérance. | 2. L'amélioration de la condition physique diminue la tension et la dyspnée. | • Le patient peut décrire les activités ou les mesures qui réduisent sa dyspnée. |
| 3. Enseigner au patient des exercices de relaxation ou lui fournir une cassette de relaxation. | 3. Les exercices de relaxation diminuent le stress et l'anxiété et aident le patient à vivre avec son handicap. | • Le patient utilise bien les techniques de relaxation. |
| 4. Inscrire le patient à un programme de rééducation respiratoire, si possible. | 4. Il a été démontré que les programmes de rééducation respiratoire amènent une amélioration subjective de l'état de santé et de l'estime de soi du patient. Ces programmes contribuent aussi à augmenter la tolérance à l'activité et à réduire le nombre des hospitalisations. | • Le patient montre de l'intérêt pour le programme de rééducation respiratoire. |
| 5. Suggérer au patient de voir un conseiller en orientation professionnelle pour examiner les possibilités qui s'offrent à lui s'il y a lieu. | 5. Comme il devra peut-être apporter certaines modifications à sa vie professionnelle, le patient doit consulter des personnes qui pourront le conseiller. | • Le patient consulte les personnes ressources qui pourront l'aider à réorienter sa vie professionnelle. |

**Diagnostic infirmier :** Risque de non-observance des soins recommandés à domicile

**Objectif :** Observance du programme thérapeutique et des soins à domicile

| | | |
|---|---|---|
| 1. Amener le patient à se fixer des objectifs réalistes à court et à long terme. Enseigner au patient ce qu'est sa maladie et les soins qu'elle requiert. | 1. Le patient a besoin de sentir que les soins sont planifiés et méthodiques, et qu'il joue un rôle important dans le plan de traitement. Il doit aussi savoir à quoi il peut s'attendre. L'enseignement est l'un des aspects les plus importants | • Le patient connaît bien sa maladie et les facteurs qui ont des répercussions sur son état.<br>• Il sait qu'il doit suivre son traitement s'il veut préserver sa fonction pulmonaire restante. |

## Plan de soins infirmiers 4-2 (suite)

## Patient souffrant d'une bronchopneumopathie chronique obstructive

| Interventions infirmières | Justification | Résultats escomptés |
|---|---|---|
| | des soins infirmiers, car il prépare le patient à vivre avec sa maladie, à s'y adapter et à améliorer sa qualité de vie. | |
| 2. Expliquer au patient qu'il doit cesser de fumer. Lui donner les coordonnées des groupes ou associations pulmonaires provinciales, comme l'Association pulmonaire du Québec, ou l'informer que son médecin peut l'aider avec le programme du Conseil canadien sur le tabagisme et la santé: «Guidez vos patients vers un avenir sans tabac». | 2. Le tabagisme est sans contredit néfaste pour les poumons. La fumée de cigarette affaiblit les mécanismes de protection des poumons, bloque le passage de l'air et diminue la capacité pulmonaire. | • Le patient cesse de fumer ou s'inscrit à un programme d'abandon du tabac. |

importante ou d'une trop grande fatigue, on peut obtenir une analyse des gaz du sang artériel. Le plus souvent, l'analyse des gaz artériels révèle une alcalose respiratoire (baisse du $CO_2$). Une augmentation de la $pCO_2$ (à un niveau normal ou à un niveau indiquant une acidose respiratoire), indique un risque élevé d'insuffisance respiratoire.

**Traitement.** Il est habituellement nécessaire d'hospitaliser le patient asthmatique qui présente un volume expiratoire maximal inférieur à 1 L ou un débit expiratoire de pointe inférieur à 100-125 L/min. L'hospitalisation est également nécessaire si on constate une acidose respiratoire (augmentation du gaz carbonique), car l'acidose respiratoire peut indiquer que le patient s'épuise et aura besoin d'une ventilation artificielle.

Dans la salle d'urgence, on administre d'abord des β-stimulants (métaprotérénol, terbutaline et albutérol) et des glucocorticoïdes. Le patient peut également avoir besoin d'une *oxygénothérapie complémentaire et d'hydratation par liquides intraveineux.*

Pour traiter la dyspnée, la cyanose et l'hypoxémie, on administre d'abord de l'oxygène humidifié à un faible débit au moyen d'un masque Venturi ou d'une canule nasale. La quantité d'oxygène à administrer est déterminée en fonction des résultats de l'analyse des gaz artériels. La $PaO_2$ doit être maintenue entre 65 et 85 mm Hg. Les sédatifs sont contre-indiqués. Si le patient ne réagit pas à des traitements répétés, il faut l'hospitaliser. Dans la plupart des cas, la ventilation artificielle n'est pas nécessaire. Elle est le plus souvent utilisée quand le patient présente une insuffisance respiratoire à son arrivée à la salle d'urgence ou quand il s'épuise et ne répond pas au traitement initial.

**Interventions infirmières.** L'infirmière doit rechercher les signes de déshydratation en vérifiant l'élasticité de la peau. Un apport de liquide est essentiel pour réhydrater le patient, éclaircir ses sécrétions et favoriser l'expectoration.

À moins de contre-indication, on administre des liquides intraveineux selon l'ordonnance (l'apport peut aller jusqu'à 3 à 4 L/jour).

Il est important que l'infirmière surveille constamment le patient pendant les 12 à 24 premières heures ou jusqu'à ce que l'état de mal asthmatique soit jugulé. Si l'infirmière doit poser des questions au patient, elle doit essayer de les formuler de façon qu'il puisse répondre par un ou deux mots. La chambre doit être calme et exempte d'agents irritants (fleurs, fumée de cigarette, parfums ou odeurs de produits de nettoyage). Il faut également fournir au patient un oreiller fait d'un matériel non allergène.

**Enseignement au patient et soins à domicile.** L'enseignement au patient joue un rôle important dans les soins posthospitaliers, car il permet de prévenir les crises. Le patient doit connaître les signes et les symptômes à signaler au médecin (par exemple, crises d'asthme nocturnes, inefficacité du médicament administré par inhalation, infection respiratoire). Il se peut que le patient ait besoin de bronchodilatateurs 24 heures sur 24. Certains médicaments peuvent être pris en plus grande quantité lors d'une crise. À la maison, le patient doit maintenir un bon taux d'humidité afin d'éclaircir ses sécrétions Enfin, il doit savoir prévenir les infections, car celles-ci peuvent déclencher une crise.

Certains patients peuvent apprendre à s'administrer des traitements spéciaux conçus pour prévenir une crise grave et accroître leur autonomie. Il peut s'agir d'un traitement à la théophylline, en préparation orale à action prolongée. Au-delà des doses thérapeutiques, la marge de sécurité est très étroite; il faut donc mettre le patient en garde contre les risques de surdosage. Le patient peut utiliser un inhalateur-doseur contenant un agent β-adrénergique comme le métaprotérénol ou l'albutérol. Ici encore, il ne faut pas dépasser les doses prescrites. Si ces bronchodilatateurs ne donnent pas les effets escomptés, on explique au patient les modalités d'un traitement de courte durée aux corticostéroïdes (à doses décroissantes en commençant par de fortes doses). Le corticostéroïde le plus souvent utilisé dans ce cas est la prednisone. Enfin, le patient doit informer son médecin ou l'infirmière clinicienne de l'évolution de son état.

## Gérontologie

L'asthme est une maladie qui peut apparaître pour la première fois à un âge avancé. Or, une cardiopathie ou d'autres troubles peuvent en compliquer le traitement chez le patient âgé, car les médicaments utilisés pour traiter l'asthme agissent sur l'appareil cardiovasculaire.

Résumé: BPCO est un terme générique qui regroupe plusieurs maladies respiratoires obstructives dont la bronchite chronique, la bronchectasie, l'emphysème. L'asthme et la bronchectasie sont aussi des maladies obstructives qui ne font pas partie des BPCO.

Au Canada, les maladies respiratoires obstructives sont une cause importante de mortalité et d'invalidité. L'évolution de ces maladies est associée à des facteurs environnementaux auxquels le patient peut se soustraire, notamment le tabagisme, la pollution de l'air et les différentes substances présentes sur les lieux de travail. On a aussi observé une prédisposition génétique chez des personnes peu exposées aux facteurs environnementaux. Dans le cas des BPCO, l'évolution clinique varie. Elle est généralement lente avec des périodes d'exacerbation et de rémission caractéristiques. Pour les maîtriser, il est essentiel de bien informer le patient et d'intervenir rapidement en période d'exacerbation.

# HYPERTENSION ARTÉRIELLE PULMONAIRE

L'hypertension artérielle pulmonaire est une maladie qui reste asymptomatique jusqu'à un stade avancé de son évolution. L'hypertension pulmonaire se caractérise par une pression artérielle pulmonaire systolique supérieure à 30 mm Hg et une pression artérielle pulmonaire moyenne supérieure à 15 mm Hg. Ces pressions ne peuvent toutefois pas être mesurées de façon indirecte comme la pression artérielle générale; pour les mesurer, il faut procéder à un cathétérisme du cœur droit. Si on ne peut obtenir ces mesures, on doit poser le diagnostic sur la foi des signes cliniques.

Il existe deux formes d'hypertension artérielle pulmonaire: primitive (ou idiopathique) et secondaire. L'*hypertension pulmonaire primitive* est une affection rare qu'on ne peut diagnostiquer qu'après avoir éliminé les autres pathologies. On n'en connaît pas la cause exacte. Le tableau clinique ne comporte pas de signes de pneumopathie, de cardiopathie ou d'embolie pulmonaire. La maladie frappe surtout les femmes de 20 à 40 ans et aboutit habituellement à la mort dans les cinq ans suivant le diagnostic.

L'*hypertension pulmonaire secondaire* est plus courante que la forme primitive. Elle est causée par une cardiopathie ou une pneumopathie. Le pronostic dépend de la gravité de la maladie sous-jacente et des changements qui surviennent dans le lit vasculaire pulmonaire. La plupart du temps, l'hypertension pulmonaire est causée par une constriction de l'artère pulmonaire, elle-même due à l'hypoxie qui accompagne une BPCO (voir l'encadré 4-1).

---

# Encadré 4-1
# Causes de l'hypertension pulmonaire

### Forme primitive ou idiopathique

Altération des mécanismes immunitaires

Embolie pulmonaire asymptomatique

Phénomène de Raynaud

Contraceptifs oraux

Anémie à cellules falciformes (drépanocytose)

Collagénose

### Forme secondaire

#### Vasoconstriction pulmonaire causée par l'hypoxie

Bronchopneumopathie chronique obstructive

Cyphoscoliose

Obésité

Inhalation de fumée

Hautes altitudes

Maladies neuromusculaires

Pneumonie interstitielle diffuse

### Diminution du lit vasculaire pulmonaire (de 50 à 75 %)

Embolie pulmonaire

Vascularite

Pneumopathie interstitielle étendue (sarcoïdose, sclérose généralisée)

Embolie tumorale

### Cardiopathie primitive

Congénitale (persistance du canal artériel, communication interauriculaire, communication interventriculaire)

Acquise (valvulopathie rhumatismale, rétrécissement mitral, myxome, insuffisance ventriculaire gauche)

***Physiopathologie.*** Normalement, le lit vasculaire pulmonaire est capable de recevoir le volume sanguin provenant du ventricule droit. Il offre une faible résistance au débit sanguin et quand le volume sanguin augmente, il compense par une dilatation des vaisseaux inutilisés dans la circulation pulmonaire. Toutefois, quand le lit vasculaire pulmonaire est détruit ou obstrué (comme dans l'hypertension pulmonaire), il ne peut plus recevoir le volume sanguin, quelle que soit son importance. Il s'ensuit une augmentation du débit sanguin qui provoque une hausse de la pression artérielle pulmonaire. Quand la pression artérielle pulmonaire augmente, les résistances vasculaires pulmonaires augmentent aussi. La constriction de l'artère pulmonaire (comme dans l'hypoxie ou l'hypercapnie) et la diminution du lit vasculaire pulmonaire (comme dans l'embolie pulmonaire) font toutes deux augmenter les résistances vasculaires et la pression. Le ventricule droit est alors mis à rude épreuve à cause d'une surcharge de travail. Le myocarde finit par être incapable de répondre à la demande croissante qui lui est imposée, ce qui entraîne une hypertrophie (dilatation) et une insuffisance (cœur pulmonaire) du ventricule droit.

***Manifestations cliniques.*** La dyspnée est le principal symptôme de l'hypertension artérielle pulmonaire. Elle se manifeste d'abord à l'effort, puis au repos. On observe aussi une douleur rétrosternale dans 25 à 50 % des cas. L'hypertension pulmonaire se manifeste aussi par de l'asthénie, des syncopes, des signes d'insuffisance cardiaque droite (œdème périphérique, ascite, turgescence des veines du cou [veines jugulaires], engorgement du foie, râles fins, souffle cardiaque) et une diminution de la $PaO_2$ (hypoxémie). L'électrocardiogramme révèle une hypertrophie ventriculaire droite, une déviation vers la droite de l'axe électrique, ou des ondes P hautes et pointues dans les dérivations inférieures.

***Examens diagnostiques.*** L'évaluation diagnostique complète comporte plusieurs étapes : interrogatoire, examen physique, radiographies thoraciques, électrocardiogramme (ECG), cathétérisme cardiaque, scintigraphie pulmonaire de perfusion et explorations fonctionnelles respiratoires, biopsie du poumon. Le cathétérisme du cœur droit permet de mesurer les pressions artérielles pulmonaires. L'angiographie pulmonaire met en évidence les anomalies du système vasculaire pulmonaire (une embolie, par exemple). Quant aux explorations fonctionnelles respiratoires, elles révèlent dans les cas de pneumopathie obstructive, une augmentation du volume résiduel et de la capacité pulmonaire totale ainsi qu'une diminution du volume expiratoire maximal pendant la première seconde et dans les cas d'un syndrome respiratoire restrictif, une diminution de la capacité vitale et de la capacité pulmonaire totale. Enfin, la biopsie des poumons permet de confirmer le diagnostic d'hypertension pulmonaire.

***Traitement.*** Le traitement de l'hypertension artérielle pulmonaire vise à juguler la cardiopathie ou la pneumopathie sous-jacentes. Étant donné que l'hypoxie est la cause la plus fréquente de la vasoconstriction pulmonaire qui entraîne l'augmentation des résistances vasculaires pulmonaires et l'hypertension pulmonaire, une oxygénothérapie continue sera la principale composante du traitement. Dans les cas aigus, l'oxygénothérapie (voir le chapitre 3, tableau 3-1) peut éliminer la vasoconstriction et réduire l'hypertension en peu de temps. Dans les cas où l'hypertension est chronique et évolutive, il faut parfois recourir à l'oxygénothérapie continue pour ralentir son évolution. Si le patient présente un cœur pulmonaire,

le traitement comprendra d'autres mesures : restriction liquidienne, administration de glucosides digitaliques pour améliorer la fonction cardiaque, repos, diurétiques pour diminuer l'accumulation de liquides. L'administration de vasodilatateurs pour traiter l'hypertension pulmonaire primitive ne donne pas toujours de bons résultats. Si le patient souffre d'embolie pulmonaire chronique, on peut lui administrer un anticoagulant comme la coumarine. Enfin, chez certains patients atteints d'hypertension primitive qui ne répondent pas aux traitements, on peut pratiquer, avec de bonnes chances de succès, une transplantation cœur-poumon.

***Interventions infirmières.*** L'infirmière doit avant tout savoir reconnaître les patients qui sont prédisposés à l'hypertension pulmonaire (patients atteints d'une BPCO, d'une embolie pulmonaire, d'une cardiopathie congénitale ou d'une anomalie de la valvule mitrale). Elle doit également être à l'affût des signes et symptômes de la maladie et administrer correctement l'oxygénothérapie.

# CŒUR PULMONAIRE (COR PULMONALE)

Le cœur pulmonaire est une hypertrophie du ventricule droit (avec ou sans insuffisance cardiaque) causée par une affection touchant la structure ou la fonction du poumon ou son système vasculaire. Toutes les maladies respiratoires qui s'accompagnent d'hypoxémie peuvent aboutir au cœur pulmonaire. Le plus souvent, le cœur pulmonaire est dû à une BPCO accompagnée d'une altération des voies aériennes et d'une accumulation de sécrétions qui diminuent la ventilation alvéolaire. Il peut également être causé par des affections qui, en limitant ou compromettant la fonction ventilatoire, entraînent une hypoxie ou une acidose (anomalies de la cage thoracique, obésité morbide), ou par des affections qui réduisent le lit vasculaire pulmonaire (hypertension artérielle pulmonaire idiopathique, embolie pulmonaire). Enfin, on l'a associé à certaines anomalies du système nerveux, de la musculature respiratoire et de l'arbre artériel pulmonaire.

***Physiopathologie.*** Les pneumopathies peuvent entraîner une succession de troubles qui, à la longue, provoquent une hypertrophie et une insuffisance du ventricule droit. Une maladie qui prive les poumons d'oxygène peut entraîner une hypoxémie (diminution de la pression de l'oxygène artériel) et une hypercapnie (augmentation du gaz carbonique sanguin), et aboutir à une insuffisance ventilatoire. L'hypoxie et l'hypercapnie entraînent la vasoconstriction des artères pulmonaires, laquelle peut s'accompagner d'une diminution du lit vasculaire pulmonaire, comme dans l'emphysème ou l'embolie pulmonaire. Tous ces troubles finissent par accroître la résistance vasculaire pulmonaire et par faire monter la pression artérielle pulmonaire (hypertension pulmonaire). Chez le patient atteint de cœur pulmonaire, on peut noter des pressions artérielles pulmonaires moyennes de 45 mm Hg ou plus. L'hypertrophie du ventricule droit peut mener à une insuffisance ventriculaire droite. En d'autres mots, le cœur pulmonaire est dû à une hypertension artérielle pulmonaire qui entraîne une hypertrophie du cœur droit causée par la surcharge de travail qu'il lui faut assumer pour faire circuler le sang contre une résistance élevée dans le système vasculaire pulmonaire.

***Manifestations cliniques.*** Les symptômes du cœur pulmonaire sont habituellement ceux de la maladie pulmonaire sous-jacente. Ainsi, si le patient souffre d'une BPCO, il présentera de la dyspnée et de la toux. À mesure que la défaillance du ventricule droit s'aggrave, d'autres signes apparaissent: œdème des pieds et des jambes, turgescence des veines jugulaires, hépatomégalie palpable et hépatalgie (douleur au flanc droit), épanchement pleural, ascite et souffle cardiaque. Le patient peut également présenter des céphalées, de la confusion et une somnolence due à une narcose respiratoire.

***Traitement.*** Le traitement du cœur pulmonaire vise à améliorer la ventilation et à atténuer les symptômes de la pneumopathie sous-jacente et de l'atteinte cardiaque. Dans les cas de BPCO, il faut dilater les voies respiratoires pour améliorer les échanges gazeux. L'amélioration du transport de l'oxygène atténue l'hypertension pulmonaire qui est à l'origine du cœur pulmonaire. Bref, il faut d'abord juguler les symptômes respiratoires. On administre donc de l'oxygène pour faire baisser la pression artérielle pulmonaire et diminuer la résistance vasculaire. Si le patient présente une hypoxie grave, l'oxygénothérapie continue (24 heures sur 24) peut réduire davantage la résistance vasculaire pulmonaire et augmenter les chances de survie. L'amélioration ne se manifeste parfois qu'après quatre à six semaines d'oxygénothérapie. Le traitement se fait habituellement à domicile. Il faut obtenir régulièrement des analyses des gaz du sang artériel pour déterminer l'état de la ventilation alvéolaire et évaluer l'efficacité de l'oxygénothérapie.

Le traitement peut aussi comprendre des mesures d'hygiène bronchique, l'administration de bronchodilatateurs et des séances de physiothérapie respiratoire, afin d'améliorer la ventilation. Dans les cas d'insuffisance respiratoire, il faut souvent recourir à l'intubation endotrachéale ou à la ventilation artificielle. Dans les cas d'insuffisance cardiaque par contre, il faut traiter l'hypoxémie et l'hypercapnie pour améliorer le travail et le débit cardiaques. Le repos au lit est indiqué. On doit aussi administrer judicieusement des diurétiques et restreindre l'apport en sodium pour diminuer la surcharge circulatoire imposée au ventricule droit et pour réduire l'œdème périphérique (afin de faire baisser la pression artérielle pulmonaire par une diminution de volume sanguin total). On peut administrer de la digitaline si le patient présente également une insuffisance ventriculaire gauche, des arythmies supraventriculaires ou une insuffisance ventriculaire droite que les autres traitements n'améliorent pas. Il faut cependant administrer la digitaline avec une extrême prudence, car il semble que le cœur pulmonaire rende le patient plus sensible à ses effets toxiques.

Il faut recourir au monitorage cardiaque au besoin, car l'incidence des arythmies est élevée chez les patients souffrant de cœur pulmonaire. Les infections respiratoires doivent par ailleurs être traitées, car elles contribuent souvent à l'apparition du cœur pulmonaire. Le pronostic du cœur pulmonaire dépend de la réversibilité de l'hypertension.

***Enseignement au patient et soins à domicile.*** Étant donné qu'il est tributaire du traitement de la maladie sous-jacente, le traitement du cœur pulmonaire est souvent long. Pour cette raison, le traitement et le monitorage se font à domicile. Si le patient souffre d'une BPCO, on doit lui conseiller d'éviter tout ce qui irrite les voies respiratoires. S'il est sous oxygénothérapie continue, on doit lui enseigner, de même qu'à sa famille, à utiliser les appareils. Il est essentiel que le patient cesse de fumer. Si le patient doit suivre une diète hyposodique, il doit recevoir de l'enseignement à ce sujet. On doit également informer la famille que l'hypoxémie et l'hypercapnie peuvent entraîner de l'agitation, de la dépression, de l'irritabilité ou des comportements inhabituels, et les rassurer en leur expliquant que ces troubles disparaissent habituellement avec l'amélioration des valeurs des gaz du sang artériel.

# EMBOLIE PULMONAIRE

L'embolie pulmonaire est l'obstruction d'une ou de plusieurs artères pulmonaires par un thrombus (ou plusieurs thrombi) qui se forme quelque part dans la circulation veineuse ou dans le cœur droit, se détache et migre dans les poumons. Il s'agit d'une affection courante souvent associée au vieillissement ou à l'alitement prolongé. Elle peut aussi survenir après une opération. Elle touche parfois des personnes qui semblent en bonne santé. Voir à l'encadré 4-2 pour les facteurs qui prédisposent à l'embolie pulmonaire.

Les thrombi proviennent le plus souvent d'une veine profonde de la jambe. Ils peuvent également se former dans une veine du bassin ou dans l'oreillette droite. Certains facteurs favorisent leur formation, notamment la perturbation des mécanismes de la coagulation et l'insuffisance veineuse (ou ralentissement de la circulation sanguine) due à des lésions vasculaires (surtout à des lésions de l'endothélium veineux).

***Physiopathologie.*** Quand l'artère pulmonaire est complètement ou partiellement obstruée par un thrombus, l'espace mort alvéolaire augmente car même si la région atteinte continue d'être ventilée, l'irrigation est faible ou nulle. De plus, le caillot libère un certain nombre de substances bronchoconstrictives et vasomotrices qui viennent déséquilibrer davantage le rapport ventilation-perfusion, ce qui entraîne un shunt veineux.

Sur le plan hémodynamique, il se produit tout d'abord un accroissement de la résistance vasculaire pulmonaire en raison de la diminution du lit vasculaire pulmonaire, ce qui provoque une hausse de la pression artérielle pulmonaire qui, à son tour, augmente la charge de travail du ventricule droit. Quand la charge de travail dépasse les capacités du ventricule, il se produit une insuffisance ventriculaire droite entraînant une diminution du débit cardiaque, suivie d'une baisse de la pression sanguine générale et d'un choc.

***Manifestations cliniques.*** Les symptômes de l'embolie pulmonaire varient selon la taille du thrombus et de la région obstruée. Le symptôme le plus fréquent est une douleur thoracique, habituellement d'apparition soudaine et de nature pleurétique. La douleur peut aussi être rétrosternale et simuler l'angine de poitrine. Le deuxième symptôme le plus courant est la dyspnée, suivie de la tachypnée (fréquence respiratoire supérieure à 16). Parmi les autres symptômes possibles figurent la fièvre, la tachycardie, l'inquiétude, la toux, la diaphorèse, l'hémoptysie et les syncopes.

## Encadré 4-2
# Facteurs de prédisposition à l'embolie pulmonaire

Les facteurs suivants peuvent contribuer à la thrombophlébite et à l'embolie pulmonaire:

### Insuffisance veineuse
(ralentissement de la circulation veineuse)

Immobilisation prolongée (surtout en période postopératoire)
Position assise pendant de longues périodes (en voyage par
   exemple)
Varices

### Hypercoagulabilité
(due à la libération de thromboplastine tissulaire après un accident
ou une intervention chirurgicale)

Accident
Tumeur (pancréatique, gastro-intestinale, génito-urinaire,
   mammaire, pulmonaire)
Numération plaquettaire élevée (polyglobulie, splénectomie)

### Maladie de l'endothélium veineux

Thrombophlébite
Maladie vasculaire
Corps étrangers (dispositif de perfusion intraveineuse, cathéter
   veineux central)

### Certains facteurs pathologiques
(stase, troubles de la coagulation et lésion veineuse)

Cardiopathie (surtout l'insuffisance cardiaque)
Traumatisme (surtout les fractures de la hanche, du bassin,
   de la colonne ou d'un membre inférieur)
Période postopératoire ou postpartum
Diabète sucré
Pneumopathie chronique obstructive
Antécédents d'embolie pulmonaire

### Autres facteurs

Âge avancé
Obésité
Grossesse
Contraceptifs oraux
Antécédents de thrombophlébite et d'embolie pulmonaire
Vêtements trop serrés

---

Si un gros thrombus bloque l'artère pulmonaire au niveau de la bifurcation, le patient peut présenter une dyspnée marquée, une douleur rétrosternale soudaine, un pouls faible et rapide, un choc, une syncope. Les conséquences peuvent être fatales.

Il peut arriver aussi que plusieurs petits thrombi (micro-embolies) se logent dans les artérioles pulmonaires terminales et provoquent plusieurs petits infarctus pulmonaires. Le tableau clinique ressemble alors à celui de la bronchopneumonie ou de l'insuffisance cardiaque. Dans certains cas, l'embolie est atypique et provoque peu de signes et de symptômes. Dans d'autres cas, elle simule différentes affections cardiopulmonaires.

***Examens diagnostiques.*** Étant donné que le tableau clinique de l'embolie pulmonaire n'est pas caractéristique, il faut faire un bilan diagnostique complet et procéder par élimination. La thrombose veineuse profonde est étroitement associée à l'embolie pulmonaire.

Le bilan diagnostique complet comprend une radiographie thoracique, un électrocardiogramme, une scintigraphie des jambes après injection de fibrinogène marqué, une rhéopléthysmographie, une analyse des gaz du sang artériel, une scintigraphie de ventilation et de perfusion et, enfin, une angiographie pulmonaire.

La radiographie du thorax est habituellement normale, mais elle peut aussi révéler une pneumoconstriction, une élévation du diaphragme du côté atteint ou une forte dilatation de l'artère pulmonaire. L'électrocardiogramme indique généralement une tachycardie et peut révéler une déviation à droite de l'axe électrique ou une surcharge ventriculaire droite. La scintigraphie des jambes et la rhéopléthysmographie sont effectuées pour mettre en évidence la thrombose veineuse profonde. Les résultats de ces deux examens permettent de confirmer ou d'écarter le diagnostic d'embolie pulmonaire. L'analyse des gaz du sang artériel indique une hypoxémie et une hypocapnie. La scintigraphie de perfusion montre des zones où le débit sanguin est faible ou nul, alors que la scintigraphie de ventilation permet de mettre en évidence un défaut de ventilation. Si on constate un déséquilibre ventilation-perfusion, le risque d'embolie pulmonaire est très élevé. Si la scintigraphie n'est pas concluante, on procède à une angiographie pulmonaire pour confirmer le diagnostic.

***Mesures de prévention.*** La meilleure façon de prévenir l'embolie pulmonaire est de prévenir la thrombose veineuse profonde. Pour ce faire, deux mesures sont recommandées:

1. Traitement anticoagulant;
2. Compression pneumatique intermittente des jambes

La Fondation des maladies du cœur du Canada recommande d'administrer de faibles doses d'héparine aux patients de plus de 40 ans dont l'hémostase est normale qui subissent une intervention chirurgicale thoracoabdominale élective majeure.

L'administration d'héparine diminue les risques postopératoires de thrombose veineuse profonde et d'embolie pulmonaire. Le médicament est administré par voie sous-cutanée deux heures avant l'intervention chirurgicale, puis toutes les 12 heures, jusqu'à ce que le patient quitte le centre hospitalier. On croit que l'héparine stimule l'activité de l'antithrombine III, un inhibiteur plasmatique important du facteur X de la coagulation. (Ce traitement n'est toutefois pas recommandé aux patients qui présentent un risque élevé d'événements thrombo-emboliques ou qui doivent subir une intervention orthopédique majeure).

Pour prévenir les thrombo-embolies avant une intervention chirurgicale, on peut également utiliser la coumarine. L'utilisation d'un appareil de compression pneumatique intermittente des jambes est aussi une très bonne mesure de prévention. Cet appareil se compose d'un sac qui se gonfle pour comprimer mécaniquement la jambe depuis le mollet jusqu'à la cuisse, ce qui améliore le retour veineux. On peut l'utiliser avant l'opération et jusqu'à ce que le patient se lève. Il est particulièrement utile pour les patients qui ne peuvent prendre des anticoagulants.

### Interventions d'urgence.

Une embolie pulmonaire massive exige des soins médicaux d'urgence, car l'état du patient peut se détériorer rapidement. Le traitement vise d'abord à stabiliser l'appareil cardiorespiratoire. La majorité des décès attribuables à une embolie pulmonaire surviennent dans les *deux heures* qui suivent l'apparition de l'embolie. Voici en quoi consiste le traitement d'urgence:

- On administre immédiatement de l'oxygène par voie nasale pour soulager l'hypoxie, la détresse respiratoire et la cyanose.

- On amorce une perfusion pour établir un accès veineux pour l'administration des médicaments ou des solutés.

- On obtient une angiographie pulmonaire, des mesures des paramètres hémodynamiques, une analyse des gaz du sang artériel et des scintigraphies pulmonaires de perfusion. L'accroissement soudain de la résistance pulmonaire augmente le travail du ventricule droit, ce qui peut provoquer une insuffisance cardiaque droite aiguë accompagnée d'un choc cardiogénique.

- Si le patient présente une embolie massive et de l'hypotension, on introduit une sonde urétrale à demeure pour mesurer le débit urinaire.

- Pour traiter l'hypotension, on administre par perfusion lente de l'isoprotérénol (qui dilate les vaisseaux pulmonaires et les bronches) ou de la dopamine.

- On procède à un monitorage cardiaque pour déceler l'insuffisance ventriculaire droite, qui peut apparaître très brusquement.

- On peut administrer du bicarbonate de sodium pour corriger l'acidose métabolique. On administre de la digitaline, des diurétiques par voie intraveineuse ou des antiarythmiques au besoin.

- On prélève du sang pour le dosage des électrolytes sériques et de l'azote uréique du sang, et pour un hémogramme.

- Si l'examen physique et l'analyse des gaz du sang artériel le justifient, on met le patient sous ventilation contrôlée.

- On administre de faibles doses de morphine pour calmer l'anxiété, soulager la douleur thoracique et favoriser l'adaptation à la sonde endotrachéale et à la ventilation artificielle.

### Traitement.

On peut traiter l'embolie pulmonaire de trois façons:

1. Traitement anticoagulant;
2. Traitement thrombolytique;
3. Intervention chirurgicale.

### Traitement anticoagulant.

Le traitement anticoagulant (héparine et warfarine sodique) est généralement la première méthode de traitement de la thrombose veineuse profonde aiguë et de l'embolie pulmonaire.

L'héparine peut prévenir la formation ultérieure d'emboles, mais elle n'a aucun effet sur les emboles existants. On administre d'abord une dose d'attaque d'héparine et on poursuit l'administration par perfusion continue. On vise à maintenir le temps de céphaline activé (APTT, selon l'abréviation anglaise) à 2,5 fois le témoin. Le patient reçoit de l'héparine pendant 7 à 10 jours. L'administration de warfarine (Coumadin) doit débuter pendant le traitement à l'héparine et se poursuivre pendant trois mois. On vise à maintenir le temps de prothrombine (PT, selon l'abréviation anglaise) à 1,5 fois le témoin. Le traitement anticoagulant est contre-indiqué si le patient présente des risques d'hémorragie (hémorragie digestive, postopératoire ou puerpérale).

### Traitement thrombolytique.

On peut aussi avoir recours à des thrombolytiques (urokinase, streptokinase), surtout chez les patients gravement malades.

Les thrombolytiques font disparaître les thrombi plus rapidement que les anticoagulants. Ils permettent aussi d'améliorer davantage la circulation pulmonaire et, par le fait même, de réduire l'hypertension pulmonaire. Cependant, ils comportent un risque élevé d'hémorragie. Il ne faut donc les utiliser que dans les cas où l'embolie se situe dans la veine poplitée ou dans les veines profondes de la cuisse ou du bassin, et dans les cas d'embolie massive qui bloque une importante partie du débit sanguin allant aux poumons.

Avant de commencer le traitement thrombolytique, on procède à certains examens: numération plaquettaire, temps de thrombine, temps de céphaline activé (APTT), temps de prothrombine (PT) et hématocrite. Au cours du traitement, il faut éviter toutes les interventions effractives qui ne sont pas absolument essentielles. On peut toutefois pratiquer des ponctions veineuses avec prudence à l'aide d'une aiguille de calibre 22 ou 23. S'il le faut, on administre du sang entier frais, des culots globulaires, du cryoprécipité ou du plasma frais congelé pour remplacer les pertes sanguines et réduire les risques d'hémorragie.

Après le traitement thrombolytique, on administre des anticoagulants.

On peut avoir recours à d'autres mesures pour améliorer la fonction respiratoire et la circulation. L'oxygénothérapie est administrée pour atténuer l'hypoxie, la vasoconstriction pulmonaire et l'hypertension pulmonaire. Pour réduire l'insuffisance veineuse, on fait porter au patient des bas élastiques qui compriment la circulation veineuse superficielle et augmentent le débit sanguin dans les veines profondes. Pour augmenter le retour veineux, l'élévation de la jambe au-dessus du niveau du cœur avec flexion du genou peut aussi être efficace. Certains auteurs jugent que cette mesure rend inutile le port des bas élastiques.

### Intervention chirurgicale.

L'embolectomie peut être indiquée dans certains cas: hypotension persistante, choc et détresse respiratoire, pression artérielle pulmonaire très élevée, ou obstruction d'une bonne partie du système vasculaire pulmonaire. L'embolectomie exige une thoracotomie et se fait sous circulation extracorporelle.

Si l'embolie réapparaît malgré un traitement médical adéquat (ou si le patient ne tolère pas les anticoagulants), on peut avoir recours à l'occlusion de la veine cave inférieure. Cette intervention empêche les thrombi qui se détachent de migrer vers les poumons tout en permettant une circulation sanguine adéquate. L'occlusion de la veine cave inférieure se fait par ligature complète ou à l'aide de pinces en Teflon qu'on applique sur la veine cave de façon à diviser sa lumière en petits canaux. On peut aussi mettre en place un dispositif transveineux qui obstrue ou filtre le sang qui circule dans la veine cave inférieure, ce qui comporte peu de risques et prévient les récidives. On peut par exemple introduire un filtre-parapluie de type Greenfield (figure 4-3) par une incision pratiquée dans la veine jugulaire interne ou la veine fémorale commune. On pousse le filtre depuis la veine cave supérieure jusqu'à la veine cave inférieure, puis on ouvre le parapluie. Les perforations du filtre permettent la circulation, mais retiennent les gros caillots.

L'*embolectomie par cathéter transveineux* est une technique qui consiste à introduire un cathéter muni d'une ventouse par voie transveineuse dans l'artère pulmonaire atteinte, puis à appliquer une succion pour aspirer l'embole dans la ventouse. On retire ensuite le cathéter en maintenant la succion pour que l'embole reste dans la ventouse. On profite souvent de cette intervention pour introduire un filtre dans la veine cave inférieure afin de prévenir d'autres embolies.

### Collecte des données

L'infirmière doit déterminer s'il y a thrombose veineuse de la jambe (voir le chapitre 16) en procédant comme suit :

1. Coucher le patient sur le dos.

2. Lui lever la jambe et faire une dorsiflexion du pied. Si cette manœuvre provoque une douleur dans le mollet, il s'agit du signe d'Homans qui peut traduire une thrombose veineuse profonde.

3. Tapoter la crête du tibia et vérifier si cette manœuvre provoque une douleur.

4. Placer un brassard de tensiomètre autour du mollet et le gonfler. Les signes suivants sont révélateurs : douleur lors du gonflement du brassard (80 à 100 mm Hg) ; sensibilité le long d'une veine ; douleur dans la région du mollet ou du pied ; œdème dans la région de la cheville ou du mollet. Il vaut toujours mieux comparer les deux jambes.

6. Vérifier si le patient présente un œdème ou des veines palpables. Même si on constate la présence de signes cliniques de phlébite dans une jambe, cela ne veut pas nécessairement dire que l'embole se trouve dans cette jambe. Il peut se trouver dans l'autre jambe, qui semble normale lors de l'examen.

L'infirmière doit viser avant tout à prévenir l'embolie pulmonaire chez tous les patients, et savoir reconnaître les patients qui y sont prédisposés (voir l'encadré 4-2). Elle doit redoubler de vigilance dans le cas des patients qui présentent des risques d'insuffisance veineuse. Voici les principaux facteurs de risque : lésion au bassin (surtout par traumatisme chirurgical) ou aux membres inférieurs (surtout à la hanche) ; obésité ; antécédents de maladie thromboembolique ; varices ; grossesse ; insuffisance cardiaque ; infarctus du myocarde ; contraceptifs oraux ; et affection maligne. Les patients âgés et ceux qui viennent d'être opérés présentent également des risques, car on observe souvent chez eux un ralentissement du retour veineux.

### Interventions infirmières

L'infirmière doit être à l'affût des complications cardio-vasculaires de l'embolie pulmonaire (choc ou insuffisance ventriculaire droite). Voir le chapitre 34 pour les soins infirmiers à prodiguer en cas de choc.

L'une des principales responsabilités de l'infirmière est de prévenir la formation de thrombi. Pour prévenir la stase veineuse, l'infirmière doit faire marcher le patient alité, si cela lui est permis, ou lui faire faire des exercices actifs et passifs pour les jambes. Quand on bouge les jambes dans un mouvement de va-et-vient, l'effet de pompage accélère la circulation veineuse. L'infirmière doit recommander au patient de ne pas rester assis trop longtemps, de ne pas rester immobile et de ne pas porter de vêtements serrés. Le patient ne doit pas non plus laisser pendre ses jambes quand il est assis sur le bord du lit ; il doit plutôt faire reposer ses pieds sur le plancher ou sur une chaise. Il doit également éviter de croiser les jambes. Par ailleurs, s'il faut installer un cathéter intraveineux (pour un traitement parentéral ou pour mesurer la pression veineuse centrale), on doit éviter de le laisser en place pendant de longues périodes.

C'est également à l'infirmière qu'incombe la surveillance des traitements thrombolytique et anticoagulant. Comme nous l'avons vu plus tôt, le traitement thrombolytique (streptokinase et urokinase) contribue à la guérison en détruisant les thrombi dans les veines profondes et en prévenant l'embolie

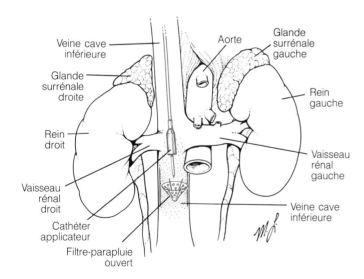

**Figure 4-3.** Insertion d'un filtre-parapluie dans la veine cave inférieure pour prévenir l'embolie pulmonaire. Le filtre (comprimé dans un cathéter-applicateur) est introduit par une incision pratiquée dans la veine jugulaire interne droite. Après l'éjection du filtre et sa mise en place contre les parois de la veine, on retire le cathéter.

pulmonaire. Pendant la perfusion d'un thrombolytique, le patient doit garder le lit; il faut mesurer ses signes vitaux toutes les deux heures et réduire au strict minimum les interventions effractives. On mesure le temps de prothrombine (PT) et le temps de céphaline activé (APTT) trois ou quatre heures après le début du traitement pour s'assurer que la fibrinolyse a été activée. Étant donné que le temps de coagulation est allongé, on ne doit obtenir que les analyses des gaz du sang artériel qui sont essentielles. On fait le prélèvement dans les membres supérieurs en prenant soin de comprimer le point de ponction pendant au moins 30 minutes. Il faut interrompre le traitement immédiatement si une hémorragie irrépressible se manifeste. (Voir le chapitre 16 pour les soins infirmiers à prodiguer au patient qui reçoit un traitement anticoagulant.)

Les douleurs thoraciques sont généralement de nature pleurétique. Le patient doit se placer en position semi-Fowler pour favoriser la respiration et la distribution de l'air. Si la douleur est intense, l'infirmière administre des analgésiques narcotiques selon l'ordonnance.

L'administration d'oxygène exige aussi la vigilance de l'infirmière. Celle-ci s'assure notamment que le patient comprend pourquoi il a besoin d'une oxygénothérapie continue. Afin d'évaluer l'efficacité de l'oxygénothérapie, elle examine fréquemment le patient pour déceler l'apparition de signes d'hypoxie. Si une accumulation de sécrétions vient compliquer l'embolie pulmonaire, elle administre un traitement de nébulisation et procède à une spirométrie de stimulation ainsi qu'à un drainage postural.

***Réduction de l'anxiété.*** Une fois l'état du patient stabilisé, l'infirmière doit l'inciter à exprimer ses sentiments et ses inquiétudes concernant sa maladie. Elle répond à ses questions de façon simple et précise, lui explique le traitement en cours et ses effets indésirables. Avant de quitter le centre hospitalier, le patient doit apprendre à prévenir les récidives et à reconnaître les signes et symptômes qu'il doit signaler immédiatement à son médecin.

***Soins postopératoires.*** Si le patient vient de subir une opération, l'infirmière mesure sa pression artérielle pulmonaire et son débit urinaire. Elle examine le point d'insertion du cathéter artériel à la recherche de signes d'hématome et d'infection. La pression artérielle doit être suffisante pour assurer l'irrigation des organes vitaux. Pour prévenir l'insuffisance veineuse périphérique et l'oedème déclive, l'infirmière surélève le pied du lit. Quand le patient peut quitter le lit, l'infirmière lui recommande de faire des exercices isométriques, de porter des bas élastiques et de marcher. Elle lui conseille également de ne pas s'asseoir, car la flexion des hanches comprime les grosses veines des jambes.

***Enseignement au patient et soins à domicile.*** Voici les conseils que l'infirmière doit donner au patient pour l'aider à prévenir les récidives et les effets secondaires du traitement:

- S'il prend des anticoagulants, vérifier s'il y a présence d'ecchymoses et de saignements; pour éviter les ecchymoses, prendre les mesures nécessaires pour lui éviter de se heurter à des objets.

- Utiliser une brosse à dents à poils souples.

- Éviter l'aspirine ou les antihistaminiques s'il suit un traitement à la warfarine sodique (Coumadin). Ne jamais prendre un médicament sans consulter son médecin, même s'il s'agit d'un médicament en vente libre.

- Porter les bas élastiques pendant toute la durée prescrite.

- Ne pas prendre de laxatifs, car ils nuisent à l'absorption de la vitamine K.

- Ne pas croiser les jambes et ne pas rester assis trop longtemps.

- En voyage, changer de position souvent et marcher de temps à autre; en position assise, faire des exercices actifs pour les jambes et les chevilles. Boire beaucoup de liquide pour prévenir l'hémoconcentration causée par les pertes hydriques.

- S'il y a émission de selles noirâtres et pâteuses, en prévenir immédiatement le médecin ou la clinique externe.

- Porter un bracelet d'identité (ou une carte) indiquant qu'un traitement anticoagulant est en cours.

- Respecter les rendez-vous de surveillance du traitement anticoagulant à la clinique externe.

# TROUBLES RESPIRATOIRES PENDANT LE SOMMEIL

Certains troubles respiratoires surviennent pendant le sommeil. Ces troubles peuvent avoir de très graves répercussions chez les patients qui souffrent d'une pneumopathie. Dans certains cas, le patient est bien oxygéné en période d'éveil, mais présente de l'hypoxémie pendant son sommeil. Voir le tableau 4-2 pour les différents types de troubles respiratoires du sommeil. L'apnée du sommeil est la plus fréquente. Il s'agit d'interruptions du débit de l'air pendant le sommeil. On distingue trois types d'apnées du sommeil: (1) obstructives (dues à une obstruction pharyngienne); (2) centrales (interruption simultanée du passage de l'air et des mouvements respiratoires); et (3) mixtes (combinaison des deux premiers types).

Les apnéiques sont en majorité des hommes qui ronflent fort. Ils peuvent cesser de respirer pendant 10 secondes et même plus, puis se réveillent dans un grand ronflement quand leur taux d'oxygène sanguin chute. La fréquence des apnées peut varier entre une dizaine à l'heure et quelques centaines par nuit, ce qui met le cœur et les poumons à rude épreuve. Le vieillissement et l'obésité sont associés à l'apnée du sommeil. Parmi les autres symptômes figurent une somnolence diurne excessive, des céphalées matinales, des maux de gorge, une détérioration intellectuelle, des changements de personnalité et des troubles du comportement. Souvent, le conjoint se plaint que le patient ronfle et est anormalement agité pendant son sommeil (encadré 4-3).

**TABLEAU 4-2.** *Troubles respiratoires du sommeil*

| | |
|---|---|
| Troubles reliés principalement au sommeil | Apnée obstructive |
| | Respiration périodique et apnée centrale |
| | Syndromes d'hypoventilation alvéolaire centrale |
| Maladies respiratoires sous-jacentes | Troubles respiratoires neuromusculaires |
| | Anomalies de la paroi thoracique |
| | Affection bronchopulmonaire |

(Source: J. G. Murray, et J. A. Nadel. *Textbook of Respiratory Disease*, Philadelphia, WB Saunders, 1988)

***Traitement.*** Il existe plusieurs traitements pour l'apnée du sommeil. Dans les cas bénins, deux mesures peuvent s'avérer efficaces: perdre du poids et éviter l'alcool et les médicaments qui dépriment les voies respiratoires supérieures. Dans les cas plus graves, il faut parfois administrer des médicaments comme les antidépresseurs tricycliques (protriptyline), et une oxygénothérapie complémentaire. La ventilation continue par masque nasal (CPAP) est de plus en plus utilisée. Elle doit être prescrite après une évaluation de l'apnée du sommeil dans un laboratoire du sommeil. On peut aussi pratiquer une intervention chirurgicale pour corriger l'obstruction. En dernier recours, on peut procéder à une trachéotomie pour court-circuiter l'obstruction si des arythmies mettent en danger la vie du patient. Dans ce cas, la stomie est ouverte seulement pendant la nuit.

Pour traiter l'apnée centrale, on utilise des stimulants respiratoires. Chez certains patients, l'administration d'oxygène à faible débit par voie nasale pendant la nuit peut soulager efficacement l'hypoxémie. La stimulation des nerfs phréniques à l'aide d'un stimulateur peut aussi s'avérer efficace.

## SARCOÏDOSE

La sarcoïdose est une maladie granulomateuse généralisée de cause inconnue. Elle peut toucher presque tous les organes ou tissus, mais elle atteint le plus souvent les poumons, les ganglions lymphatiques, le foie, la rate, la peau, les yeux, les phalanges et les glandes parotides. La plupart du temps, elle apparaît entre l'âge de 20 et 40 ans. On la retrouve un peu partout à travers le monde.

Le patient atteint de sarcoïdose peut présenter plusieurs anomalies immunitaires. Les premiers signes cliniques apparaissent habituellement dans la région thoracique sous la forme d'une adénopathie hilaire. Le tableau clinique comprend une dyspnée, de la toux, une hémoptysie et de la congestion. Parmi les symptômes généraux figurent l'anorexie, la fatigue et l'amaigrissement. Les radiographies thoraciques peuvent révéler une adénopathie hilaire ainsi que des lésions miliaires et nodulaires disséminées dans les poumons. Les granulomes peuvent disparaître ou se transformer graduellement en tissu fibreux. La maladie peut aussi entraîner des symptômes extrathoraciques: uvéite, douleurs articulaires, fièvre et lésions granulomateuses de la peau, du foie, de la rate, des reins et du système nerveux central. À cause de l'atteinte généralisée, le patient présente de la fatigue, de la fièvre, une anorexie et une perte de poids. On peut confirmer le diagnostic par une biopsie de la peau et des ganglions lymphatiques révélant la présence de granulomes non caséeux. Les explorations fonctionnelles pulmonaires sont anormales si la fonction pulmonaire est altérée (diminution de la capacité pulmonaire totale). Le dosage des gaz du sang artériel est normal ou indique une hypocapnie et une hypoxémie.

Il n'existe aucun traitement spécifique pour la sarcoïdose, car cette maladie se résorbe spontanément. L'administration de corticostéroïdes peut cependant aider certains patients, car leurs effets anti-inflammatoires soulagent les symptômes et améliorent le fonctionnement des organes atteints. Les corticostéroïdes sont utiles dans les cas d'atteinte oculaire ou myocardique, de pneumopathie étendue avec fonction pulmonaire diminuée, et d'hypercalcémie. Enfin, on peut administrer de l'isoniazide au patient dont le test à la tubercule est positif.

## PNEUMOPATHIES PROFESSIONNELLES

Dans certains milieux de travail, l'exposition à des poussières organiques ou minérales ou à des gaz nocifs (émanations et aérosols) peut entraîner une pneumopathie. L'inhalation d'une substance aura des conséquences plus ou moins graves selon la composition de cette substance, ses propriétés antigèniques (c'est-à-dire propres à déclencher une réaction immunitaire) ou irritantes, de la quantité inhalée, de la durée de l'inhalation et de la sensibilité du travailleur exposé. Les pneumopathies professionnelles sont de plus en plus fréquentes, car on connaît souvent mal les effets des nouvelles substances et produits chimiques utilisés dans l'industrie. Le problème peut être aggravé par l'usage du tabac. Ce serait le cas dans l'exposition à l'amiante où le tabac augmente les risques de cancer du poumon.

### Prévention et maintien de la santé

Il faut d'abord prendre toutes les mesures nécessaires pour réduire l'exposition des travailleurs aux produits industriels nocifs. Les lieux de travail doivent être bien aérés. On peut prévenir un grand nombre de pneumoconioses par différentes mesures: aération, pulvérisation d'eau pour empêcher les poussières de flotter dans l'air et lavage fréquent et à fond des planchers. Il faut aussi prélever régulièrement des échantillons d'air pour analyse, et garder les substances toxiques dans un espace clos afin de diminuer leur concentration dans l'air. Les travailleurs doivent utiliser des dispositifs de protection (masques, hottes, respirateurs industriels) qui leur permettent de respirer de l'air pur quand ils se trouvent dans un lieu contaminé. Ils doivent être soumis périodiquement à des examens surtout s'ils présentent un risque élevé de pneumopathie professionnelle (personnes hypersensibles, asthmatiques). L'usage du tabac augmente considérablement les risques de cancer dans les industries où les concentrations de certains gaz, poussières, émanations, liquides, etc. sont dangereusement élevées. Les programmes de formation continue jouent un rôle très important dans la prévention des pneumopathies professionnelles. Ces programmes doivent inciter les travailleurs à prendre leur santé en main en appliquant diverses mesures de prévention (programmes d'abandon du tabac, vaccination contre la grippe, etc.).

La Loi sur le droit d'accès à l'information stipule que les travailleurs doivent être informés de toutes les substances dangereuses et toxiques qui se trouvent dans leur lieu de travail. Plus précisément, les travailleurs doivent savoir quelles sont les substances dangereuses ou toxiques auxquelles ils sont exposés, quels effets ces substances peuvent avoir sur leur santé et comment ils devraient s'en protéger. Au Canada, il existe un système désigné par le sigle SIMDUT (Système d'information sur les matières dangereuses utilisées au travail) selon lequel les industries doivent consigner sur un feuillet de renseignement les caractéristiques des produits qu'elles utilisent : identification, effets sur la santé humaine, précautions d'emploi, premiers soins, caractéristiques physiques, risques d'explosion ou d'incendie, etc. Le SIMDUT est le produit de plusieurs lois fédérales et provinciales.

## Pneumoconioses

Une pneumoconiose est une altération pulmonaire non néoplasique due à l'inhalation de poussières inorganiques. Les pneumoconioses les plus connues sont la silicose, l'asbestose et la pneumoconiose des travailleurs du charbon (anthracose).

**Silicose.** La silicose est une pneumopathie chronique due à l'inhalation de poussière de silice (particules de bioxyde de silicium). Étant donné que la croûte terrestre est composée de silice et de silicates, l'exposition à la poussière de silice touche presque toutes les personnes qui travaillent dans les mines (charbon, étain, cuivre, argent, or, uranium), dans les carrières (ardoise, grès) ou au percement de tunnels. Les tailleurs de pierre, les fondeurs, les céramistes et les ouvriers des usines d'abrasifs et de céramique sont également exposés à la poussière de silice. Quand une personne inhale de la poussière de silice, des lésions nodulaires se forment sur l'ensemble des poumons. Quand l'exposition se prolonge, les nodules grossissent et se fusionnent. Il se forme ainsi des masses denses dans la partie supérieure des poumons qui entraînent une perte de volume parenchyme. Il en résulte une atteinte de la fonction respiratoire de type restrictif (incapacité des poumons de se dilater pleinement) ou de type obstructif à cause d'un emphysème secondaire. La formation d'une cavité est habituellement due à une tuberculose surajoutée. En général, la personne atteinte de silicose a été exposée au silice pendant 10 à 20 ans avant que la maladie n'apparaisse et que la dyspnée ne se manifeste. La destruction des fibres du tissu pulmonaire peut entraîner un emphysème, une hypertension pulmonaire et un cœur pulmonaire.

Il n'existe aucun traitement spécifique pour la silicose. On vise plutôt à prévenir les complications de la maladie. Il faut appliquer des mesures de prévention qui protègent le travailleur contre l'inhalation de poussière de silice. À cause des lésions cavitaires ou de la fibrose avancée, plusieurs médecins administrent un traitement antituberculeux même si les résultats des cultures sont négatifs.

**Asbestose.** L'asbestose est une pneumoconiose fibreuse diffuse causée par l'inhalation de poussière d'amiante. Matière presque indispensable dans l'industrie moderne, l'amiante a des milliers d'applications. L'exposition à l'amiante touche donc des travailleurs de nombreux milieux de travail, notamment dans les mines et les usines d'amiante, ainsi que dans les entreprises de travaux de démolition et de pose de toitures. Les matériaux comme le bardeau, le ciment, les carreaux de vinyle d'amiante, la peinture et les vêtements ignifuges, les garnitures de frein et les filtres renferment de l'amiante.

Les fibres inhalées pénètrent dans les alvéoles et provoquent la formation de tissu fibreux. On observe un épaississement fibreux de la plèvre et la formation de plaques pleurales. On observe aussi des signes physiologiques caractéristiques des troubles ventilatoires restrictifs : diminution du volume pulmonaire, réduction des échanges gazeux et hypoxémie. Le patient présente une dyspnée évolutive, des douleurs thoraciques de légères à modérées, de l'anorexie et une perte de poids. À un stade plus avancé, un cœur pulmonaire et une insuffisance respiratoire apparaissent. Un nombre considérable de travailleurs exposés à l'amiante meurent du cancer du poumon, surtout ceux qui fument. Outre le cancer du poumon et l'asbestose, l'exposition à l'amiante peut provoquer une atteinte pleurale non maligne, un mésothéliome malin diffus et parfois un néoplasme dans d'autres tissus. Il est essentiel que les personnes atteintes évitent l'exposition à l'amiante et *que les travailleurs de l'amiante cessent de fumer*.

Il n'existe aucun traitement efficace contre l'asbestose. Les soins visent le traitement des infections intercurrentes et des troubles ventilatoires. Si les échanges gazeux sont considérablement perturbés, on peut recourir à l'oxygénothérapie continue pour augmenter la tolérance à l'effort.

**Pneumoconiose des travailleurs du charbon.** On englobe sous le terme pneumoconiose des travailleurs du charbon (ou anthracose) les affections pulmonaires qui touchent les travailleurs du charbon et qui sont causées par une accumulation de poussière de charbon dans les poumons. Cette accumulation provoque une réaction tissulaire. La poussière à laquelle les travailleurs du charbon sont exposés contient un mélange de charbon, de kaolin, de mica et de silice. Quand cette poussière se dépose dans les alvéoles et les bronchioles terminales, on observe une multiplication des macrophages. Ceux-ci englobent et digèrent les particules (par phagocytose) et les transportent vers les bronchioles terminales où le mucus et les cils les évacuent. À la longue, toutefois, la poussière devient trop abondante et les mécanismes d'évacuation ne suffisent plus ; les macrophages commencent alors à s'agréger dans les bronchioles terminales et les alvéoles. Des fibroblastes apparaissent, formant un réseau de fibres réticulaires autour des macrophages, ce qui obstrue les bronchioles terminales et les alvéoles. Il se forme alors des « taches de charbon », qui constituent la lésion de base. (Les taches sont des points noirs qui apparaissent sur les poumons.) À mesure que les taches grossissent, les bronchioles affaiblies se dilatent et, par la suite, un emphysème focal apparaît.

Les poumons du patient atteint d'anthracose conglomérée présentent de grosses masses de tissu fibreux dense renfermant une matière noirâtre. Ces masses finissent par détruire les vaisseaux sanguins et les bronches du lobe atteint. Le patient souffre de dyspnée et de toux, et il expectore un liquide noirâtre plus ou moins abondant (mélanoptysie), surtout s'il fume. Plus tard, il peut présenter un cœur pulmonaire et une insuffisance respiratoire. Le traitement vise à soulager les symptômes. (Voir aussi la section portant sur le traitement de l'emphysème, page 115).

# TUMEURS DU POUMON

Les tumeurs du poumon peuvent être bénignes ou malignes. Une tumeur maligne peut être *primitive*, c'est-à-dire formée dans le poumon ou le médiastin, ou il peut s'agir d'une *métastase*, d'une tumeur primitive située ailleurs dans l'organisme. Les métastases pulmonaires sont fréquentes, car des cellules cancéreuses libres sont transportées dans la circulation sanguine. Les métastases se situent dans les alvéoles et les bronches ou entre celles-ci, les éloignant les unes des autres. L'évolution peut être lente et les symptômes sont souvent discrets ou inexistants.

Les tumeurs du poumon naissent souvent de l'épithélium bronchique. Les adénomes bronchiques sont des tumeurs habituellement bénignes qui se développent lentement. Comme ils sont par contre très vascularisés, ils entraînent des saignements et une obstruction des bronches. Le carcinome bronchogénique est une tumeur maligne qui naît dans une bronche. Il existe également quelques types intermédiaires ou indifférenciés de cancer du poumon, que l'on distingue selon le type cellulaire.

# CANCER DU POUMON

Au Canada, le cancer du poumon est le cancer le plus mortel ; il vient tout de suite après les maladies du cœur parmi les causes de décès chez les hommes. Son incidence augmente plus rapidement chez les femmes que chez les hommes, à tel point qu'il est maintenant chez les femmes la deuxième cause de décès par cancer, venant tout juste après le cancer du sein. Chez environ 70 % des patients, le cancer est déjà disséminé dans les ganglions lymphatiques régionaux et d'autres régions au moment du diagnostic, d'où le faible taux de survie. Certains pensent qu'il a tendance à prendre naissance dans des tissus cicatriciels laissés par la tuberculose ou la fibrose.

***Classification par stades cliniques d'évolution.*** Il existe quatre grands types de cancer du poumon qui diffèrent considérablement les uns des autres : le cancer épidermoïde (cellules de l'épithélium malpighien) ; le cancer à petites cellules ; l'adénocarcinome ; et le cancer à grandes cellules (indifférencié). Voir l'encadré 4-4 pour la classification histologique des tumeurs du poumon de l'Organisation mondiale de la santé. Souvent, la tumeur renferme plus d'un type de cellules. Les différents types de cellules ont un comportement biologique qui leur est propre et ont de l'importance dans le pronostic. Le traitement peut donc dépendre du type des cellules tumorales.

Le stade clinique de la tumeur reflète son étendue anatomique, sa dissémination dans les ganglions lymphatiques régionaux et sa dissémination à distance. La détermination du stade clinique d'un cancer se fait par biopsie tissulaire,

---

# Encadré 4-4
## Classification histopathologique des tumeurs du poumon

I- Carcinomes épidermoïdes (cellules de l'épithélium malpighien)

II- Carcinomes à petites cellules
   A) Cellules fusiformes
   B) Cellules polygonales
   C) Cellules de type «lymphocytaire»
   D) Autres

III- Adénocarcinomes
   A) Bronchogéniques
      1. Acineux   } (Avec ou sans formation
      2. Papillaires } de mucine)
   B) Bronchiolo-alvéolaires

IV- Carcinomes à grandes cellules
   A) Tumeurs solides à contenu semblable à la mucine
   B) Tumeurs solides sans contenu semblable à la mucine
   C) Carcinomes à cellules géantes
   D) Carcinomes à cellules claires

V- Adénocarcinomes et carcinomes épidermoïdes mixtes

VI- Tumeurs carcinoïdes

VII- Tumeurs des glandes bronchiques
   A) Cylindromes
   B) Tumeurs mucoépidermoïdes
   C) Autres

VIII- Tumeurs papillaires de l'épithélium de surface
   A) Épidermoïdes
   B) Épidermoïdes à cellules caliciformes
   C) Autres

IX- Tumeurs mixtes et épithéliosarcomes
   A) Tumeurs mixtes
   B) Épithéliosarcomes de type embryonnaire (blastomes)
   C) Autres épithéliosarcomes

X- Sarcomes

XI- Tumeurs non classées

XII- Mésothéliomes
   A) Localisés
   B) Diffus

XIII- Mélanomes

(Source : L. Kreyberg et coll., *Histological Typing of Lung Tumors*, Genève, Organisation mondiale de la santé)

biopsie des ganglions lymphatiques et médiastinoscopie. Il est important de déterminer le stade clinique, car c'est sur cette base qu'on décide de réséquer ou non la tumeur. Le pronostic est souvent favorable dans les cas de carcinome épidermoïde et d'adénocarcinome, et il est mauvais dans les cas des tumeurs à petites cellules indifférenciées.

**Facteurs de risque.** L'incidence du cancer bronchogénique est 10 fois plus élevée chez les fumeurs que chez les non-fumeurs : elle est proportionnelle à la durée du tabagisme et au nombre de cigarettes fumées par jour. Il semble que le carcinome épidermoïde (touchant les grosses bronches) se retrouve presque exclusivement chez les gros fumeurs (un paquet de cigarettes et plus par jour). Pour des raisons encore inconnues, son incidence augmente plus rapidement que celles des autres formes de cancer du poumon.

L'adénocarcinome des bronches périphériques n'est associé à aucune cause précise et touche autant les fumeurs que les non-fumeurs. L'exposition à l'amiante, aux poussières radioactives, à l'arsenic et à certains plastiques en milieu de travail constitue un facteur de risque, seul ou combiné avec le tabagisme. Des études démontrent que l'incidence du cancer du poumon est 92 fois plus élevée chez les personnes exposées à la fois à la fumée de cigarette et à la poussière d'amiante. Les travailleurs exposés qui fument devraient donc se soumettre à des radiographies des poumons et à un examen des expectorations de façon régulière. Un dépistage rapide augmente les chances de survie.

**Manifestations cliniques.** Les cancers des bronches et du poumon peuvent atteindre les muqueuses des voies respiratoires, le parenchyme pulmonaire, la plèvre ou la paroi thoracique. Ces cancers s'installent de façon insidieuse (leur évolution peut s'étaler sur plusieurs décennies) et restent souvent asymptomatique jusqu'au stade avancé. Les signes et symptômes dépendent de la région touchée, de la taille de la tumeur, de la gravité de l'obstruction ainsi que du type de dissémination (locale ou à distance).

La toux est le symptôme le plus fréquent ; elle est probablement due à l'irritation causée par la masse tumorale. On la qualifie souvent de «toux du fumeur» sans y prêter attention. La toux n'est d'abord qu'un toussotement non productif, puis elle évolue et s'accompagne d'expectorations épaisses et purulentes quand une infection apparaît.

- Une toux qui change de caractéristiques évoque un cancer du poumon.

Chez 20 % des patients, on note des sibilances dans le thorax (due à une obstruction par la tumeur). On observe souvent des expectorations striées de sang, surtout le matin ; les expectorations se tachent de sang quand elles passent sur la surface ulcérée de la tumeur. Chez certains patients, le premier symptôme est une fièvre récurrente causée par une infection persistante dans un foyer de pneumonite en aval de la tumeur. En fait, on doit soupçonner un cancer du poumon quand un patient présente des infections répétées et non résolues des voies respiratoires supérieures. La douleur, souvent due à des métastases osseuses, survient seulement au stade avancé. Si la tumeur s'étend aux structures voisines et aux ganglions lymphatiques régionaux, le patient peut présenter une douleur et une oppression thoraciques, un enrouement (atteinte du nerf laryngé inférieur), une dysphagie, un œdème à la tête et au cou, ainsi que des symptômes

d'épanchement pleural ou péricardique. Les sièges des métastases les plus fréquents sont les ganglions lymphatiques, les os, le cerveau, le poumon controlatéral et les glandes surrénales. Des symptômes généraux comme la faiblesse, l'anorexie, la perte de poids et l'anémie se manifestent au stade avancé.

**Examens diagnostiques.** Si le patient qui présente des symptômes respiratoires est un gros fumeur, il faut soupçonner un cancer du poumon. La radiographie thoracique peut révéler certains signes : opacités pulmonaires, nodule périphérique solitaire (lésion nummulaire), atélectasie et infection. L'examen cytologique des expectorations fraîches peut révéler la présence de cellules malignes. La bronchoscopie par fibroscope souple permet une étude détaillée des segments bronchiques et sert à déterminer l'origine des cellules malignes ainsi que l'étendue probable de l'intervention chirurgicale prévue. La fibrobronchoscopie par fluorescence sert à déceler les petites tumeurs bronchopulmonaires récentes. Pour procéder à cet examen, on injecte de l'hématoporphyrine par voie générale. L'hématoporphyrine est absorbée par les tumeurs malignes et produit une lueur fluorescente rouge sous une lumière violette.

Les scintigraphies pulmonaires font aussi partie du bilan diagnostique. On pratique une scintigraphie osseuse ou un myélogramme pour dépister les métastases osseuses, ainsi qu'une scintigraphie du foie pour dépister les métastases hépatiques. Pour déceler les métastases du système nerveux central, on a recours à la scintigraphie cérébrale, la tomodensitométrie, la résonance magnétique nucléaire et d'autres examens diagnostiques neurologiques. On peut également pratiquer une médiastinoscopie pour évaluer la dissémination de la tumeur dans les ganglions hilaires du poumon droit, et une médiastinotomie pour explorer les lymphatiques hilaires du poumon gauche.

Avant de pratiquer une intervention chirurgicale, il faut déterminer si la tumeur peut être réséquée et si le patient pourra tolérer les séquelles physiologiques de l'opération. Les explorations fonctionnelles respiratoires de même que les scintigraphies de perfusion permettent d'établir si le patient disposera d'une réserve pulmonaire suffisante après l'intervention chirurgicale. Il est important de mesurer le volume gazeux que le patient est capable de mobiliser (capacité vitale, VEMS), car la capacité de tousser efficacement est cruciale lors de la phase postopératoire.

## Gérontologie

Le cancer du poumon est assez fréquent chez les personnes âgées. Malheureusement, l'existence d'une coronaropathie ou d'une insuffisance respiratoire (plus courantes à un âge avancé) peut constituer une contre-indication de l'intervention chirurgicale. Si toutefois l'appareil cardiovasculaire et la fonction respiratoire du patient âgé sont dans un état satisfaisant, l'opération est habituellement bien tolérée.

## Traitement

Le traitement vise à donner au patient toutes les chances de guérison. Il dépend du type cellulaire, du stade clinique et de l'état physiologique du patient (surtout de l'état de ses poumons et de son cœur). Généralement, on a recours à la chirurgie, à la radiothérapie, à la chimiothérapie et à l'immunothérapie, isolément ou en association.

***Intervention chirurgicale.*** La résection chirurgicale est le traitement de choix quand la fonction cardiopulmonaire du patient est bonne et qu'il s'agit d'une tumeur localisée sans signes de métastases. (Habituellement, il n'est pas indiqué de pratiquer une intervention chirurgicale chez le patient présentant un carcinome à petites cellules, car cette forme de tumeur se développe rapidement, et se dissémine tôt et de façon étendue.) Malheureusement, chez un grand nombre de patients atteints d'un cancer bronchopulmonaire, la lésion est déjà inopérable quand le diagnostic est posé. Quand il s'agit d'une petite tumeur apparemment curable, on pratique une lobectomie (exérèse d'un lobe pulmonaire). On peut aussi procéder à l'ablation de tout un poumon (pneumonectomie) avec résection des ganglions médiastinaux atteints. Avant l'opération, il est primordial de déterminer la réserve cardiopulmonaire du patient. (Voir aux pages 76 à 91 pour le traitement préopératoire et postopératoire du patient subissant une intervention chirurgicale thoracique.)

***Radiothérapie.*** La radiothérapie est efficace chez un petit nombre de patients atteints du cancer du poumon. Elle est utile dans les cas de tumeurs qu'on ne peut réséquer et qui répondent bien à l'action des rayons ionisants. Les cancers à petites cellules et les carcinomes épidermoïdes sont habituellement sensibles aux radiations. On peut utiliser la radiothérapie comme traitement palliatif pour réduire la taille d'une tumeur et diminuer la pression sur les organes vitaux. La radiothérapie peut détruire les métastases de la moelle épinière et atténuer la compression sur la veine cave supérieure. On utilise également la radiothérapie cérébrale à titre prophylactique chez certains patients qui présentent des métastases microscopiques au cerveau. La radiothérapie peut atténuer la toux, les douleurs thoraciques, la dyspnée, l'hémoptysie et les douleurs aux os et au foie. Le soulagement de ces symptômes, qui peut durer de quelques semaines à plusieurs mois, contribue de façon considérable à améliorer la qualité de vie du patient durant ses derniers mois ou ses dernières années.

La radiothérapie est généralement toxique pour les tissus normaux qui se trouvent dans le champ de l'irradiation. Parmi les complications de la radiothérapie figurent l'œsophagite, la pneumonite inflammatoire, et la fibrose pulmonaire qui peut diminuer la capacité de ventilation et de diffusion des poumons et réduire considérablement la réserve pulmonaire. La radiothérapie peut aussi avoir des effets néfastes sur le cœur.

Il faut accorder une attention particulière à l'alimentation du patient et à son état psychologique, et rechercher les signes d'anémie et d'infection. (Voir au chapitre 47, pour les soins au patient qui subit une radiothérapie.)

***Chimiothérapie.*** À l'heure actuelle, la chimiothérapie sert à modifier le mode de croissance de la tumeur et à traiter les métastases ou les cancers à petites cellules. On peut aussi utiliser la chimiothérapie en combinaison avec la chirurgie ou la radiothérapie. L'association de deux ou plusieurs antinéoplasiques (polychimiothérapie) donne souvent de meilleurs résultats que l'utilisation d'un seul antinéoplasique (monochimiothérapie). Un grand nombre d'antinéoplasiques agissent sur le cancer du poumon. On peut associer de diverses façons le chlorhydrate de doxorubicine (Adriamycin), le cyclophosphamide (Cytoxan), la vincristine (Oncovin) et la cisplatine (Platinol). Le VP-16 est efficace contre le cancer à petites cellules. On l'utilise présentement en combinaison avec la cisplatine. Le choix édes antinéoplasiques se fait en fonction de leur spécificité de phase et de la croissance de la tumeur.

Les agents utilisés sont toxiques et comportent une faible marge d'innocuité. On peut recourir à la chimiothérapie comme traitement palliatif, surtout pour soulager la douleur, mais il faut se rappeler que la chimiothérapie ne guérit pas et prolonge rarement la vie du patient. Elle est utile pour soulager les symptômes de compression du poumon et pour traiter les métastases du cerveau, de la moelle épinière et du péricarde. (Voir au chapitre 47 pour plus de détails sur la chimiothérapie dans le traitement du cancer.)

## Interventions infirmières

Les soins infirmiers au patient atteint d'un cancer du poumon sont les mêmes que pour les autres cancers (voir au chapitre 47). L'infirmière doit veiller tout spécialement à atténuer les manifestations respiratoires. Elle doit maintenir les voies respiratoires libres en retirant les sécrétions ou les exsudats. Une tumeur qui grossit peut comprimer une bronche ou porter atteinte à une grande partie du tissu pulmonaire, provoquant une perturbation du mode de respiration et des échanges gazeux. Le patient présentant une altération de la fonction respiratoire peut avoir besoin d'exercices de respiration profonde et de toux, d'une aérosolthérapie, d'une oxygénothérapie ou d'une ventilation artificielle.

Il est essentiel de ne pas négliger les aspects psychologiques des soins au patient atteint d'un cancer du poumon, car celui-ci devra surmonter de nombreux problèmes durant le cours de sa maladie (voir au chapitre 47).

Résumé: Le cancer du poumon est encore le cancer le plus mortel chez les hommes au Canada. Son incidence augmente beaucoup chez les femmes. Un traitement précoce améliore les chances de survie. Le traitement peut comprendre la résection chirurgicale de la tumeur, la radiothérapie et la chimiothérapie. Avant et après l'opération, on doit axer les soins sur le soulagement de la douleur, le soutien nutritionnel, le soulagement de la dyspnée et le maintien de la liberté des voies respiratoires. Il faut également que tous les membres de l'équipe de soins soient à l'écoute des réactions psychologiques et émotionnelles du patient et de sa famille au diagnostic et au pronostic.

# TUMEURS DU MÉDIASTIN

La plupart des tumeurs du médiastin se forment près de certains organes vitaux et se développent de façon imprévisible. On distingue les tumeurs neurogènes, les tumeurs du thymus et les tumeurs mésodermiques et endocriniennes. Les tumeurs du thymus sont les plus malignes.

Les *kystes* du médiastin sont habituellement petits quand ils sont bénins. Des kystes dermoïdes peuvent se former dans la région du médiastin et ulcérer les voies respiratoires.

***Manifestations cliniques.*** Presque tous les symptômes des tumeurs médiastinales sont reliés à la pression qu'elles exercent sur d'importants organes intrathoraciques: douleurs thoraciques; bombement de la paroi thoracique; orthopnée (signe précoce causé par une pression sur la trachée, une grosse bronche, le nerf récurrent ou le poumon); palpitations cardiaques; crises d'angine et autres troubles circulatoires; cyanose; syndrome de compression de la veine cave supérieure (oedème du visage, du cou et des membres supérieurs), turgescence marquée des veines jugulaires et forte distension de la paroi thoracique (signe d'obstruction des grosses veines du médiastin causée par une compression extravasculaire ou une invasion intravasculaire); et, enfin, dysphagie due à une pression sur l'oesophage.

## Examens diagnostiques

Les radiographies thoraciques sont un excellent moyen de diagnostiquer les tumeurs et kystes du médiastin. Pour localiser la tumeur, on prend un cliché de profil et un cliché oblique, et on pratique une tomographie.

La tomodensitométrie permet de détecter les thymomes occultes et de délimiter la tumeur.

On peut aussi poser le diagnostic par une biopsie d'un ganglion tuméfié prélevée au-dessus de la clavicule par médiastinoscopie. Les analyses du sang permettent d'exclure la leucémie, et l'examen des expectorations, la tuberculose.

***Traitement.*** Dans beaucoup de cas, les tumeurs du médiastin sont bénignes et opérables. Le type d'incision dépend de l'endroit où se trouve la tumeur dans le médiastin. La plupart du temps, on pratique une sternotomie médiane. Les soins sont les mêmes que pour les autres opérations thoraciques (pages 73-91). Les complications sont rares, mais on peut observer des hémorragies, des lésions du nerf récurrent ou phrénique et des infections. Dans les cas de tumeur maligne infiltrante, on doit avoir recours à la radiothérapie et à la chimiothérapie si la résection chirurgicale est impossible.

# TRAUMATISMES THORACIQUES

Aux États-Unis, les traumatismes thoraciques causent directement environ 25 % des décès par traumatisme et indirectement 50 % des décès par polytraumatisme. Ils sont le plus souvent dus à des accidents de la route, à des chutes, à des écrasements du thorax, à des explosions, à des armes à feu ou des armes blanches.

Les blessures au thorax sont souvent assez graves pour mettre en danger la vie du patient. Elles provoquent cinq phénomènes pathologiques:

1. Obstruction des voies aériennes
2. Altération de la pression intrathoracique
3. Destruction de la paroi thoracique et de la cage thoracique
4. Perturbation du système nerveux central
5. Insuffisance de la fonction myocardique

Dans plusieurs cas, ces phénomènes entravent la ventilation et la perfusion et entraînent une insuffisance respiratoire aiguë, un choc hypovolémique et la mort.

## Évaluation et traitement immédiat

Le facteur temps est crucial dans le traitement des traumatismes thoraciques. L'interrogatoire doit se concentrer sur les points suivants: le moment de l'accident; le mécanisme de la blessure; les plaintes du patient si celui-ci est conscient; la perte de sang approximative; la consommation d'alcool ou de drogue avant l'accident; et les traitements administrés avant l'arrivée au centre hospitalier. Il faut ensuite procéder à un examen physique et inspecter les voies respiratoires, le thorax et les veines du cou; il faut aussi évaluer la coloration de la peau et prendre la fréquence respiratoire et les signes vitaux,

ce qui permet d'établir s'il y a présence d'un choc. On doit également palper le thorax à la recherche de régions sensibles, de crépitations ou d'une déviation de la trachée, et ausculter les bruits respiratoires ainsi que les bruits du coeur. Le premier bilan diagnostic doit comprendre une radiographie du thorax, une numération globulaire, la détermination du groupe sanguin et une épreuve de compatibilité croisée, une analyse d'urines, une analyse des gaz du sang artériel et un électrocardiogramme.

Le traitement des traumatismes thoraciques vise à rétablir et à maintenir la fonction cardiorespiratoire ainsi que le passage de l'air dans les voies respiratoires. Pour ce faire, on procède à un traitement respiratoire énergique, à une rééquilibration hydrique et à la mise en place d'un drain thoracique.

Le traitement respiratoire consiste à rétablir le passage de l'air dans les voies respiratoires et à placer le patient sous ventilation artificielle. Il faut aussi stabiliser et rétablir l'intégrité de la paroi thoracique, corriger le pneumothorax ouvert, décomprimer le pneumothorax ou l'hémothorax, et éliminer la tamponnade cardiaque, en plus de corriger l'hypovolémie et la baisse du débit cardiaque. S'il y a hémorragie, on doit la réprimer simultanément. Il faut également déshabiller complètement le patient pour s'assurer qu'aucune blessure ne passe inaperçue, car les blessures thoraciques s'accompagnent souvent de blessures à la tête ou à l'abdomen. Enfin, il faut procéder à une évaluation continue, noter les réactions du patient au traitement et déceler rapidement les premiers signes d'aggravation. L'agitation, les comportements irrationnels et l'hostilité sont des signes d'une diminution de l'apport d'oxygène au cortex cérébral.

Les soins à prodiguer au patient souffrant d'un traumatisme thoracique sont essentiellement les mêmes que pour une opération thoracique (pages 73-91).

# FRACTURES DES CÔTES

Les fractures d'une ou de plusieurs côtes sont les fréquentes des blessures thoraciques, comptant pour 60 % des traumatismes thoraciques fermés. La fracture des trois premières côtes est rare. Quand elle survient toutefois, elle peut entraîner la mort à cause des risques de lacération de l'artère ou de la veine sous-clavière. La plupart du temps, les fractures touchent les 5e, 6e, 7e, 8e et 9e côtes; à partir de la 10e côte, elles peuvent s'accompagner d'une lésion à la rate ou au foie.

Si le patient est conscient, il présentera des douleurs intenses, une sensibilité et des spasmes musculaires dans la région atteinte. Ces symptômes sont exacerbés par la toux, la respiration profonde ou le mouvement. On observe des ecchymoses dans la région entourant la fracture. Dans certains cas, on peut palper des crépitements sous-cutanés. Pour soulager sa douleur, le patient évitera de soupirer, de respirer profondément, de tousser et de bouger, ce qui entraînera une diminution de la ventilation, un affaissement des alvéoles non ventilées (atélectasie), une pneumonite et une hypoxémie qui peuvent aboutir à une insuffisance respiratoire. Le bilan diagnostic comprend une radiographie thoracique, des clichés en série des côtes, un électrocardiogramme et une analyse des gaz du sang artériel.

***Traitement.*** Il faut soulager la douleur, déceler les blessures et les soigner. On administre d'abord des sédatifs pour réduire la douleur et permettre au patient de respirer profondément et de tousser. Il faut toutefois prendre garde de ne pas administrer des doses trop fortes pour ne pas supprimer le stimulus de la respiration. On peut aussi procéder à une anesthésie par blocage des nerfs intercostaux, appliquer de la glace sur la fracture ou appliquer un bandage thoracique pour réduire la douleur lors des mouvements. En général, la douleur diminue cinq à sept jours après l'accident et on peut alors la soulager au moyen d'analgésiques non narcotiques. Les fractures des côtes se consolident généralement en trois à six mois. Pendant le traitement, il faut garder le patient en observation et rechercher les signes et symptômes d'autres blessures.

## VOLET COSTAL

Un volet costal est un segment flottant de la paroi thoracique dû à la fracture d'au moins deux côtes voisines à au moins deux endroits. Il produit une déstabilisation de la paroi thoracique qui entraîne une insuffisance respiratoire (habituellement une détresse respiratoire prononcée).

À l'inspiration quand le thorax se dilate, on observe, à l'opposé, une rétraction. À l'expiration, étant donné que la pression intrathoracique est plus élevée que la pression atmosphérique, le volet costal fait saillie vers l'extérieur et bloque l'expiration. Ce mouvement paradoxal provoque une augmentation de l'espace mort respiratoire, une accumulation de sécrétions dans les voies respiratoires, une augmentation des résistances pulmonaires, une perte de compliance et une diminution de la ventilation alvéolaire. Le volet costal s'accompagne souvent d'une contusion pulmonaire et d'une atélectasie. Par conséquent, le taux d'oxygène dans le sang diminue tandis que le taux de gaz carbonique augmente, ce qui entraîne une acidose respiratoire. Le mouvement paradoxal du médiastin fait diminuer le débit cardiaque, ce qui provoque souvent une hypotension, une altération de l'irrigation tissulaire et une acidose métabolique.

**Traitement.** Il existe plusieurs méthodes de traitement du volet costal. La méthode à privilégier dépend de la gravité de l'insuffisance respiratoire. Si le volet costal ne touche qu'un petit segment du thorax, le traitement visera d'abord à dégager les voies respiratoires (par la toux, la respiration profonde et une légère aspiration) afin de favoriser la dilatation des poumons. On tentera ensuite de soulager la douleur par un blocage des nerfs intercostaux, par une anesthésie épidurale thoracique haute ou par l'administration prudente de narcotiques par voie intraveineuse.

Quand le volet costal est bénin ou moyennement grave, certains cliniciens recommandent de traiter la contusion pulmonaire sous-jacente par une restriction des liquides et l'administration de diurétiques, de corticostéroïdes et d'albumine. On soulage simultanément la douleur et on utilise la physiothérapie respiratoire. Il faut garder le patient en observation constante.

Si le volet costal est grave, on a recours à l'intubation endotrachéale, à la ventilation artificielle avec relaxateur de volume, et parfois à la ventilation en pression positive expiratoire pour stabiliser la paroi thoracique et rétablir les échanges gazeux. Ces mesures permettent aussi de traiter la contusion pulmonaire sous-jacente. Comme elles diminuent le travail ventilatoire, elles permettent en plus d'améliorer la ventilation alvéolaire et le volume intrathoracique. Le traitement d'un volet costal grave nécessite une intubation endotrachéale et une assistance ventilatoire prolongées.

## HÉMOTHORAX ET PNEUMOTHORAX

Les blessures thoraciques graves s'accompagnent habituellement soit d'un épanchement de sang dans la cavité pleurale (hémothorax) causé par la rupture de vaisseaux intercostaux ou par des lacérations pulmonaires, soit d'un épanchement d'air dû à une fuite depuis le poumon atteint jusque dans la cavité pleurale (pneumothorax). Souvent, l'épanchement est constitué à la fois d'air et de sang (hémopneumothorax). Le traumatisme thoracique comprime le tissu pulmonaire et en entrave le fonctionnement normal.

La gravité du problème dépend de l'ampleur de l'épanchement. On peut pratiquer une aspiration à l'aiguille (thoracocentèse) ou un drainage thoracique du sang et de l'air pour décomprimer la cavité pleurale de façon que le poumon puisse se dilater et retrouver son fonctionnement normal. Une thoracotomie est indiquée quand on a aspiré plus de 1500 mL de sang par thoracocentèse, ou quand on a évacué par drainage plus de 500 mL/h pendant plus d'une heure ou 200 mL/h pendant cinq ou six heures. Quand un traumatisme thoracique ou une plaie par pénétration semble avoir porté atteinte à l'appareil cardiovasculaire, on doit pratiquer une thoracotomie d'urgence.

**Traitement.** Le traitement consiste à introduire dans le thorax un drain de gros calibre, habituellement dans l'espace situé entre les quatrième et sixième côtes entre les lignes antérieure et postérieure. On choisit cette région parce que c'est là que la paroi thoracique est la plus mince, parce que le risque de lésion du nerf thoracique est faible et parce que la cicatrice est moins visible. En général, l'intervention décomprime rapidement et efficacement la cavité pleurale (drainage du sang et de l'air). Si on évacue une quantité excessive de sang en peu de temps, le patient peut avoir besoin d'une autotransfusion. L'autotransfusion consiste à conserver le sang évacué du thorax, à le filtrer et à le redonner au patient.

## PNEUMOTHORAX SOUS TENSION

Le pneumothorax sous tension exige des soins médicaux d'urgence, car il peut avoir des conséquences fatales s'il n'est pas traité immédiatement. Il peut survenir quand une lacération du poumon ou une petite perforation de la paroi thoracique laisse pénétrer de l'air dans la cavité pleurale. L'air qui pénètre ainsi dans la cavité pleurale à chaque inspiration y reste bloqué, car il ne peut ressortir par cette petite ouverture de la paroi thoracique.

Cette rétention d'air provoque une accumulation de pression dans la cavité pleurale entraînant l'affaissement du poumon et un déplacement du cœur, des gros vaisseaux et de la trachée vers le côté opposé à la lésion, ce qui entrave non seulement la respiration, mais aussi la fonction circulatoire. En effet, l'augmentation de la pression intrathoracique perturbe le retour veineux, entraînant une baisse du débit cardiaque et une diminution de la circulation périphérique. La diminution du débit cardiaque peut entraîner un arrêt cardiaque. Le tableau clinique comprend une soif d'air, de l'agitation, une hypotension, de la tachycardie, une diaphorèse et une cyanose.

- Le soulagement du pneumothorax sous tension est une mesure d'urgence.

***Traitement.*** Si on soupçonne un pneumothorax sous tension, on doit administrer immédiatement une forte concentration d'oxygène pour soulager l'hypoxie. En situation d'urgence, on peut rapidement convertir un pneumothorax sous tension en pneumothorax simple en introduisant une aiguille de gros calibre dans la cavité pleurale afin de diminuer la pression et d'évacuer l'air. On peut ensuite installer un drain thoracique raccordé à un système d'aspiration pour évacuer l'air et le liquide qui restent et permettre la dilatation du poumon.

Quand le poumon se dilate et qu'il ne fuit plus continuellement, on peut cesser le drainage. Si, par contre, on constate une fuite d'air continue pendant la thoracocentèse, il faut l'évacuer au fur et à mesure à l'aide d'un drain de gros calibre raccordé à un système de drainage sous l'eau.

# PLAIES THORACIQUES PAR PÉNÉTRATION

## Pneumothorax ouvert

Il y a pneumothorax ouvert quand une plaie thoracique par pénétration crée un orifice assez gros pour laisser entrer et sortir l'air dans la cavité pleurale pendant la respiration. Le mouvement rapide de l'air à travers cet orifice produit un bruit de succion (ce type de blessure est d'ailleurs appelée «sucking wound» en anglais; en français, on parle tout simplement de «plaie à thorax ouvert»). Non seulement le poumon est-il collabé, mais les structures du médiastin (cœur et gros vaisseaux) se déplacent vers le côté indemne à chaque inspiration puis reviennent vers le côté atteint à chaque expiration. Ce phénomène, appelé *balancement respiratoire du médiastin,* provoque une gêne respiratoire grave.

***Traitement.*** Le pneumothorax ouvert exige des mesures d'urgence.

- On peut sauver la vie du patient en empêchant l'air d'entrer par l'ouverture de la paroi thoracique.

En situation d'urgence, il faut couvrir immédiatement la perforation thoracique avec une serviette, un mouchoir, ou tout simplement la paume de la main. Si le patient est conscient, il faut lui demander d'inspirer puis de pousser l'air contre sa glotte fermée, ce qui favorise la dilatation des poumons et permet à l'air de sortir du thorax. Si le patient est dans un centre hospitalier, on bouche la perforation de façon hermétique avec de la gaze imprégnée de vaseline. Habituellement, on installe un drain thoracique raccordé à un système de drainage sous l'eau pour évacuer l'air et le liquide du thorax. Enfin, on prescrit souvent des antibiotiques pour prévenir les infections par contamination.

## Plaies par arme blanche

Les plaies pénétrantes du thorax sont souvent dues à des blessures par arme blanche, la plupart du temps par un canif ou un couteau à cran d'arrêt. Les blessures par arme blanche sont fréquemment associées à une consommation excessive d'alcool ou de drogues. Il ne faut pas se fier à l'aspect extérieur de la plaie, car il peut être très trompeur; une blessure même petite, comme celle causée par un petit pic à glace, peut provoquer un pneumothorax, un hémothorax et une tamponnade cardiaque avec hémorragie abondante et continuelle.

***Traitement.*** Il faut d'abord rétablir et maintenir la fonction cardiopulmonaire. Une fois que le passage de l'air et la ventilation sont rétablis, on examine le patient à la recherche des signes de choc et de blessures intrathoraciques ou intra-abdominales. Il faut le déshabiller complètement pour s'assurer qu'aucune blessure ne passe inaperçue. Les plaies par arme blanche situées sous le cinquième espace intercostal antérieur, s'accompagnent souvent d'une lésion abdominale. La mort est généralement attribuable à une exsanguination ou à une infection abdominale.

Après avoir pris les pouls périphériques, on installe une ligne de perfusion intraveineuse de gros calibre. Le bilan diagnostique comprend la détermination du groupe sanguin et une épreuve de compatibilité croisée, un profil biochimique, une analyse des gaz du sang artériel et un électrocardiogramme. On doit aussi mettre en place une sonde à demeure afin de mesurer le volume urinaire et de prélever des échantillons d'urines pour les analyses de laboratoire. Il faut également mettre en place une sonde nasogastrique pour prévenir l'aspiration, réduire les fuites du contenu abdominal et décomprimer le tube digestif.

En même temps, il faut traiter le choc par l'administration de colloïdes ou de cristalloïdes ou de sang, selon l'état du patient. On fait des radiographies du thorax et d'autres examens radiologiques au besoin (radiographie de l'œsophage, radiographie simple de l'abdomen, artériographie).

Dans la plupart des cas, on introduit un drain thoracique dans la cavité pleurale pour que les poumons puissent se dilater le plus tôt possible et de façon continue. Le drain permet souvent d'évacuer complètement l'hémothorax et de diminuer les risques de coagulation du sang contenu dans la cavité pleurale. Le drain thoracique permet également de détecter rapidement les hémorragies intrathoraciques persistantes exigeant une exploration chirurgicale.

Si la blessure a pénétré le cœur et les gros vaisseaux, l'œsophage ou l'arbre trachéobronchique, une intervention chirurgicale s'impose.

# CONTUSION PULMONAIRE

La contusion pulmonaire est une lésion du parenchyme pulmonaire qui s'accompagne d'une hémorragie et d'un œdème localisé. Elle peut se produire quand un traumatisme thoracique provoque une compression et une décompression rapides de la paroi thoracique.

***Physiopathologie.*** Le principal processus pathologique est une accumulation anormale de liquide dans les espaces interstitiels et intra-alvéolaires. Il semble que la lésion du parenchyme pulmonaire et de son réseau capillaire entraîne une fuite de protéines sériques et de plasma. Les protéines sériques extravasculaires exercent alors une pression osmotique qui accroît la perte de liquide des capillaires. Du sang, du liquide et des débris cellulaires (provenant d'une réaction des cellules à la lésion) pénètrent ensuite dans le poumon et s'accumulent dans les bronchioles et à la surface des alvéoles, entravant les échanges gazeux. Ces perturbations augmentent les résistances vasculaires pulmonaires ainsi que la pression artérielle pulmonaire. Le patient présente alors une hypoxie générale et une rétention de gaz carbonique. Dans certains cas, la contusion pulmonaire se produit dans le poumon opposé au côté traumatisé. On parle alors de *contusion par contrecoup.*

***Manifestations cliniques.*** La contusion pulmonaire peut être bénigne, modérée ou grave. Les manifestations cliniques varient. Certains patients présentent une tachypnée, une tachycardie, des douleurs thoraciques pleurétiques, une hypoxémie et des sécrétions sanguinolentes; d'autres présentent une tachypnée et une tachycardie plus prononcées, des craquements, une hémorragie franche, une hypoxémie grave et une acidose respiratoire. Pour vérifier l'efficacité des échanges gazeux, on obtient une analyse des gaz du sang artériel. Les radiographies thoraciques révèlent la présence d'un infiltrat pulmonaire.

***Traitement.*** Le traitement vise à maintenir les voies respiratoires libres, à assurer une bonne oxygénation et à soulager la douleur. Dans les cas de contusion bénigne, on utilise un nébuliseur ultrasonique pour liquéfier les sécrétions que l'on évacue par drainage postural, physiothérapie et aspiration endotrachéale stérile. La douleur est soulagée par l'administration de narcotiques ou au moyen d'un blocage des nerfs intercostaux. On administre généralement des antibiotiques, car le poumon lésé est sensible aux infections. On administre également de l'oxygène par masque ou canule nasale pendant 24 à 36 heures. Enfin, il faut réduire l'apport liquidien étant donné que la lésion est vraisemblablement due à une accumulation anormale de liquide dans les interstices pulmonaires.

Quand la contusion est de gravité moyenne, le patient présente les symptômes mentionnés ci-dessus et une accumulation de mucus, de sérum et de sang dans l'arbre trachéobronchique. Il tousse constamment sans toutefois être capable d'expectorer. Habituellement, on pratique une intubation par sonde endotrachéale à ballonnet et on utilise la ventilation à faible débit d'oxygène et à pression expiratoire positive afin de maintenir la pression et de garder les poumons dilatés. On peut aussi administrer des diurétiques pour réduire l'oedème. Une sonde nasogastrique est introduite pour soulager la distension gastro-intestinale. Il faut aussi traiter l'acidose métabolique en administrant du bicarbonate de sodium par voie intraveineuse. Enfin, on obtient régulièrement des cultures des sécrétions trachéobronchiques.

Si le patient souffre d'une contusion pulmonaire grave, il présentera les signes et symptômes du syndrome de détresse respiratoire de l'adulte (SDRA): respiration rapide, tachycardie, cyanose, agitation, agressivité et expectoration continue de sécrétions mucoïdes, spumeuses et sanguinolentes. Le traitement est énergique: intubation endotrachéale et ventilation artificielle; administration de plasma ou d'albumine (pour maintenir la pression oncotique à un niveau normal et prévenir ainsi les fuites des capillaires pulmonaires); administration de diurétiques; réduction de l'apport liquidien; et, parfois, administration prophylactique d'antibiotiques. On peut aussi transfuser du sang entier ou du plasma frais congelé pour traiter l'hypovolémie.

La contusion pulmonaire peut se compliquer d'une infection, généralement une pneumonie dans le segment contus, car l'épanchement de liquide et de sang dans les espaces alvéolaires et interstitiels crée un milieu de culture très propice.

# TAMPONNADE CARDIAQUE

La tamponnade cardiaque est la compression du cœur par un épanchement de liquide dans le sac péricardique. Elle est le plus souvent causée par un traumatisme abdominal fermé ou une blessure par pénétration. (Les plaies pénétrantes touchant le cœur sont souvent fatales.) La tamponnade cardiaque peut également se développer à la suite d'un cathétérisme cardiaque diagnostique, d'une angiographie ou de la mise en place d'un stimulateur cardiaque; cette dernière intervention peut provoquer une perforation du cœur et des gros vaisseaux. L'épanchement péricardique peut aussi être causé par des métastases provenant d'un cancer du sein ou du poumon. On l'observe aussi dans les lymphomes, les leucémies, l'urémie, la tuberculose ou l'irradiation à fortes doses du thorax.

***Physiopathologie.*** Quand l'épanchement se constitue lentement, le péricarde se distend sans provoquer de symptômes jusqu'à ce que l'accumulation de liquide y fasse monter la pression. Quand l'épanchement se constitue plus rapidement, il entrave le remplissage des ventricules et perturbe la circulation. Le débit cardiaque s'en trouve diminué et le retour veineux devient insuffisant. Le patient peut alors présenter un collapsus cardiovasculaire.

***Manifestations cliniques.*** Les manifestations cliniques sont fonction de la vitesse à laquelle le liquide s'accumule. Il est important d'être à l'affût de certains signes: baisse de la pression artérielle, hausse de la pression veineuse (turgescence des veines jugulaires) et bruits cardiaques distants (assourdis) dûs à la perturbation du remplissage diastolique. On peut observer un pouls paradoxal dans les premiers stades de la tamponnade cardiaque. Le patient peut souffrir d'anxiété, de confusion, d'agitation, de dyspnée, de tachypnée et de douleurs précordiales. La pression veineuse centrale est généralement élevée, mais elle peut être abaissée ou normale si le patient a perdu beaucoup de sang.

***Traitement.*** Le traitement de la tamponnade cardiaque consiste à pratiquer une thoracotomie dans les cas de lésions cardiaques pénétrantes. On pratique alors une cardiorraphie (suture du muscle cardiaque) pour réprimer l'hémorragie, soulager la tamponnade et réparer les lésions et les lacérations connexes. (Voir le chapitre 15 pour les soins à prodiguer au patient subissant une chirurgie cardiaque et le chapitre 3 pour les soins à administrer au patient subissant une chirurgie thoracique.) On peut pratiquer une péricardocentèse (aspiration à l'aiguille de l'épanchement péricardique, chapitre 14) pour «gagner du temps» si on ne peut pratiquer immédiatement l'opération. La péricardocentèse décomprime le péricarde, ce qui permet de rétablir le fonctionnement du cœur.

# EMPHYSÈME SOUS-CUTANÉ

Quand un poumon ou une voie aérienne présente des lésions, l'air peut entrer dans les plans tissulaires et se déplacer sous la peau sur une certaine distance (par exemple jusqu'au cou ou jusqu'au thorax). Les tissus produisent alors une sensation de crépitation à la palpation. Les poches d'air sous-cutanées déforment les régions touchées (visage, cou, tronc et scrotum). Heureusement, l'emphysème sous-cutané n'est pas une complication sérieuse en soi. L'air sous-cutané disparaît spontanément ou est spontanément absorbé quand on élimine la fuite d'air. On peut faire inhaler au patient de fortes concentrations d'oxygène pour favoriser la réabsorption de l'air sous-cutané. L'inhalation d'oxygène débarrasse le sang de l'azote et favorise la diffusion du sang des tissus sous-cutanés à la circulation. Si l'emphysème sous-cutané est grave et étendu, il faut pratiquer une trachéotomie pour assurer le fonctionnement des voies respiratoires.

# ASPIRATION : PROBLÈME CLINIQUE

L'aspiration du contenu de l'estomac est une complication grave qui peut causer la mort. Elle peut avoir pour cause une inhibition des réflexes protecteurs des voies respiratoires (à cause d'une perte de conscience due à l'alcool, à des médicaments ou à des drogues, à un accident vasculaire cérébral ou à un arrêt cardiaque) ou un mauvais fonctionnement d'une sonde nasogastrique entraînant l'écoulement du contenu gastrique le long des parois de l'estomac.

Si le patient a inhalé une grande quantité du contenu gastrique et qu'il n'est pas traité, il présentera après quelques heures les symptômes suivants : tachycardie, dyspnée, cyanose et hypertension. Une hypotension et la mort s'ensuivent. Les premiers facteurs de morbidité et de mortalité dans les cas d'aspiration du contenu gastrique, sont la quantité de matière aspirée et la nature de cette matière. Quand l'estomac est plein, il contient des particules solides de nourriture. L'aspiration provoque une obstruction mécanique des voies respiratoires et un risque d'infection. En période de jeûne, l'estomac contient du suc gastrique acide qui, s'il est aspiré, peut détruire les alvéoles et les capillaires. Les risques de décès sont plus élevés dans les cas de contamination fécale (plus fréquente dans les occlusions intestinales), car les endotoxines produites par les microorganismes intestinaux peuvent être absorbées dans la circulation. De plus, le contenu intestinal peut obstruer les voies respiratoires et provoquer une atélectasie et une invasion bactérienne secondaire.

L'aspiration peut aussi provoquer une pneumonite chimique et la destruction des cellules endothéliales des alvéoles et des capillaires. Il se produit alors un épanchement de liquide riche en protéines dans les espaces interstitiels et intra-alvéolaires. Cet épanchement entraîne une perte de surfactant, ce qui provoque la fermeture prématurée des voies aériennes. Enfin, la perturbation des échanges d'oxygène et de gaz carbonique mène à l'insuffisance respiratoire. Voici quelques points à retenir :

- Une aspiration massive est généralement fatale.
- Une aspiration localisée et peu abondante due à une régurgitation peut causer une pneumonie et une détresse respiratoire.
- La régurgitation asymptomatique passe souvent inaperçue et est peut-être plus fréquente qu'on ne le croit.

## Mesures de prévention

***Quand les réflexes sont inhibés.*** Le risque d'aspiration est plus élevé si le patient est incapable de bien coordonner ses réflexes glottique, laryngé et tussigène. Il est encore plus grand s'il présente un ballonnement abdominal, s'il est couché sur le dos et s'il ne peut pas bouger les bras à cause de perfusions intraveineuses ou de contentions. Quand une personne vomit, elle peut normalement protéger ses voies respiratoires en s'asseyant ou en se tournant sur le côté, et en coordonnant sa respiration, sa toux, son réflexe nauséeux et son réflexe glottique. Si ces réflexes sont actifs, il faut éviter d'introduire une canule buccale. Si une canule est en place, il faut la retirer quand le patient a un haut-le-cœur pour éviter une stimulation du réflexe nauséeux qui pourrait provoquer des vomissements. Quand on aspire les sécrétions à l'aide d'une canule, il faut essayer d'obtenir le maximum de résultat tout en stimulant au minimum le pharynx.

***Lors de l'alimentation par sonde.*** Le patient doit être assis avec le dos droit pendant qu'il reçoit l'alimentation par sonde et pendant les 30 minutes qui suivent afin de permettre à l'estomac de se vider partiellement. On peut prévenir l'aspiration en administrant de petites quantités et en réglant la pression à une faible intensité. Il importe de s'assurer que la sonde est bien placée dans l'estomac.

***Dans les cas de retard de l'évacuation gastrique.*** Un estomac plein peut être à l'origine d'une aspiration si la pression à l'intérieur ou à l'extérieur de l'estomac est élevée. Les situations cliniques suivantes retardent le temps d'évacuation gastrique et présentent par conséquent un risque d'aspiration du contenu de l'estomac : occlusion intestinale ; augmentation des sécrétions gastriques en période d'anxiété, de stress ou de douleur ; ballonnement abdominal dû à un iléus, à une ascite, à une péritonite, à des drogues, à une maladie grave ou à un accouchement par voie vaginale.

Quand patient est alimenté par sonde, on peut aspirer le contenu gastrique pour déterminer si une partie du dernier repas se trouve encore dans l'estomac. Si on aspire plus de 50 mL, l'évacuation gastrique est peut-être trop lente. Il faut alors retarder le prochain repas.

***Après une intubation endotrachéale prolongée.*** Lorsqu'elles sont utilisées pendant une longue période, l'intubation endotrachéale et la trachéotomie peuvent déprimer les réflexes glottique et laryngé, car ces réflexes restent inactifs. Il faut donc inciter le patient qui a porté longtemps une canule trachéale à émettre des sons et à exercer ses muscles laryngés. Avant de dégonfler le ballonnet de la sonde, on doit aspirer mécaniquement le pharynx pour empêcher l'aspiration dans les poumons des matières régurgitées. Il faut enfin se rappeler qu'on peut provoquer une aspiration si on n'administre pas correctement la ventilation à pression positive intermittente par masque.

# INSUFFISANCE RESPIRATOIRE AIGUË

On observe une détresse respiratoire aiguë quand les échanges oxygène-gaz carbonique dans les poumons ne suffisent plus à alimenter en oxygène les cellules de l'organisme et à les débarrasser du gaz carbonique. Il en résulte une diminution de la teneur en oxygène du sang artériel (hypoxémie) et une augmentation de sa teneur en gaz carbonique (hypercapnie).

Il faut savoir distinguer l'insuffisance respiratoire aiguë d'une exacerbation de l'insuffisance respiratoire chronique. L'*insuffisance respiratoire aiguë* apparaît chez le patient dont la structure et le fonctionnement des poumons étaient auparavant normaux, tandis que l'*insuffisance respiratoire chronique* se produit chez des personnes atteintes d'une pneumopathie chronique comme la bronchite chronique, l'emphysème et l'anthracose (pneumoconiose des travailleurs du charbon). Les poumons retournent habituellement à leur état normal après une insuffisance respiratoire aiguë, tandis que l'atteinte est irréversible dans les cas d'exacerbation d'une insuffisance respiratoire chronique. Ces deux formes d'insuffisance respiratoire exigent des soins différents. La section qui suit traite des soins à prodiguer aux patients souffrant d'une insuffisance respiratoire aiguë.

Les causes de l'insuffisance respiratoire aiguë sont nombreuses et se classent selon différentes catégories. L'une des plus importantes de ces catégories comprend les troubles provoquant une perturbation de la ventilation ; la structure des poumons reste normale dans les premiers stades de la maladie. L'obstruction des voies respiratoires supérieures est une des causes les plus fréquentes de perturbation de la ventilation. (voir page 62).

La perturbation de la ventilation peut aussi être causée par une dépression du système nerveux central. Les centres qui régissent les mouvements respiratoires se situent dans la partie inférieure du tronc cérébral (protubérance annulaire et bulbe rachidien). Les surdoses de drogues, l'anesthésie, les traumatismes crâniens, les accidents vasculaires cérébraux, les tumeurs cérébrales, l'encéphalite, la méningite, l'hypoxie et l'hypercapnie sont tous susceptibles de déprimer les centres respiratoires. La respiration devient alors lente et superficielle. Dans les cas les plus graves, un arrêt respiratoire peut se produire.

Les influx envoyés par les centres respiratoires sont transmis par des nerfs qui partent du tronc cérébral et vont jusqu'aux récepteurs de la moelle épinière dans les muscles de la respiration. Par conséquent, tous les troubles qui touchent les nerfs, la moelle épinière, les muscles ou la plaque motrice (jonction neuromusculaire) de la respiration sont susceptibles de perturber gravement la ventilation. Parmi ces troubles figurent la polynévrite, la myasthénie, les lésions du segment cervical de la moelle épinière, les lésions aiguës de la sclérose en plaques dans le tronc cérébral et la poliomyélite.

L'insuffisance respiratoire aiguë causée par une perturbation de la ventilation peut aussi survenir au cours de la phase postopératoire immédiate, surtout après une chirurgie majeure du thorax ou du haut de l'abdomen. Plusieurs raisons expliquent cette complication postopératoire. Les anesthésiques, analgésiques et sédatifs (pentobarbital et morphine) ont des effets prolongés. Ils dépriment la respiration de façon directe, ou de façon indirecte parce qu'ils renforcent les effets des analgésiques narcotiques. Les douleurs thoraciques ou abdominales entravent aussi la respiration profonde et la toux. Par ailleurs, on administre souvent des myorelaxants pendant l'anesthésie. Or, certains patients ont de la difficulté à métaboliser ou à excréter les myorelaxants ; l'effet de ces médicaments dure chez eux plus longtemps et les affaiblit pendant la période postopératoire. L'administration de petites doses de morphine par voie intraveineuse est recommandée après une anesthésie, car c'est un médicament à action brève facile à titrer. Un déséquilibre du rapport ventilation-perfusion peut aussi causer une insuffisance respiratoire après une opération majeure au thorax ou à l'abdomen.

L'épanchement pleural, l'hémothorax et le pneumothorax sont des affections qui perturbent la ventilation en entravant la dilatation des poumons. Elles sont généralement dues à une maladie pulmonaire ou pleurale déjà existante.

Les traumatismes causés par les accidents de la route provoquent très souvent une insuffisance respiratoire aiguë. Un traumatisme crânien, une perte de conscience et un saignement du nez ou de la bouche peuvent entraîner une obstruction des voies respiratoires supérieures et une dépression respiratoire. Les accidents de la route peuvent également provoquer un hémothorax, un pneumothorax et des fractures des côtes qui perturbent aussi la ventilation. Le volet costal est une autre blessure qui peut entraîner une insuffisance respiratoire.

De nombreuses maladies pulmonaires aiguës (surtout la pneumonie) peuvent conduire à l'insuffisance respiratoire. La pneumonie, habituellement causée par un agent viral ou bactérien, est probablement la plus fréquente de ces maladies. L'asthme bronchique, l'atélectasie, l'embolie pulmonaire et l'oedème pulmonaire figurent également parmi les maladies qui peuvent provoquer une insuffisance respiratoire aiguë.

# SYNDROME DE DÉTRESSE RESPIRATOIRE DE L'ADULTE (SDRA)

Le syndrome de détresse respiratoire de l'adulte (SDRA), aussi appelé oedème pulmonaire lésionnel ou poumon de choc, est un syndrome clinique caractérisé par la diminution progressive de la teneur en oxygène du sang artériel à la suite d'une maladie ou d'une blessure grave. Habituellement, le patient atteint du SDRA a besoin d'une ventilation artificielle produisant une pression plus élevée que la normale dans les voies respiratoires. De nombreux facteurs sont associés à l'apparition du SDRA (voir le tableau 4-3), notamment les agressions directes des poumons (comme l'inhalation de fumée) et les agressions indirectes comme le choc.

**TABLEAU 4-3.    *Facteurs associés au SDRA***

Aspiration (sécrétions gastriques, noyade, hydrocarbures)

Consommation de drogues et surdose

Problèmes hématologiques (coagulation intravasculaire disséminée, transfusions massives, hémolyse due à la circulation extracorporelle)

Inhalation prolongée de fortes concentrations d'oxygène, de fumée ou de substances corrosives

Infection localisée (bactérienne, fongique, pneumonie virale)

Troubles du métabolisme (pancréatite, urémie)

Choc (de n'importe quelle origine)

Traumatismes (contusion pulmonaire, fractures multiples, traumatisme crânien)

Intervention chirurgicale majeure

Embolie graisseuse ou gazeuse

Septicémie

***Physiopathologie.***    Le SDRA est causé par une lésion de la membrane alvéolocapillaire. Cette lésion provoque une fuite de liquide dans les espaces interstiels alvéolaires et une modification du lit capillaire (figure 4-4). La perturbation des échanges gazeux et un shunt important de sang dans les poumons déséquilibrent de façon marquée le rapport ventilation-perfusion. On note alors une diminution de la capacité résiduelle fonctionnelle, une hypoxie grave et une hypocapnie.

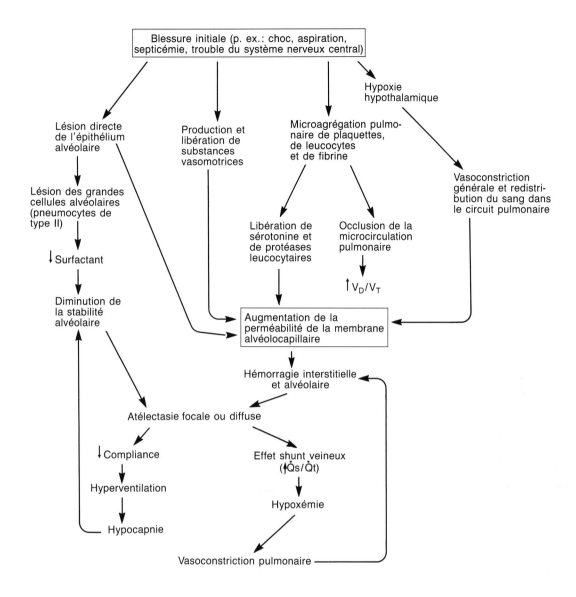

***Figure 4-4.*** Pathogenèse du syndrome de détresse respiratoire de l'adulte (SDRA) (Source : G. G. Burton et J. E. Hodgkin (éd.), *Respiratory Care : A Guide to Clinical Practice,* 2e éd., Philadelphia, J. B. Lippincott, 1984)

Le taux de mortalité du syndrome de détresse respiratoire de l'adulte est assez élevé, se situant entre 50 et 60 %. Le taux de survie s'améliore un peu quand on peut déterminer la cause du syndrome et administrer rapidement un traitement énergique (généralement une ventilation en pression positive à la fin de l'expiration).

## Critères diagnostiques

On peut poser le diagnostic du SDRA en fonction des critères suivants :

- Insuffisance respiratoire aiguë
- Infiltrats pulmonaires bilatéraux
- Hypoxémie ($PaO_2$ inférieure à 50-60 mm Hg) et fraction inspirée d'oxygène ($FIO_2$) supérieure à 0,5-0,6
- Pression capillaire pulmonaire supérieure à 18 mm Hg

## Traitement

Le traitement du SDRA comprend les mesures suivantes :

1. Déterminer la cause et la corriger.
2. Assurer une bonne ventilation.
3. Rétablir la circulation.
4. Administrer le traitement liquidien approprié.
5. Assurer un soutien nutritionnel.

Il est essentiel de diagnostiquer et de traiter rapidement la cause du SDRA, ainsi que de prévenir les infections. Au début, le patient n'aura peut-être besoin que d'une oxygénothérapie complémentaire ; quand la maladie évolue, cependant, l'intubation et la ventilation artificielle peuvent être nécessaires. La concentration d'oxygène à administrer de même que le réglage du ventilateur seront fonction de l'état du patient.

La ventilation en pression positive à la fin de l'expiration (PEEP) joue un rôle crucial dans le traitement du SDRA. En augmentant la capacité résiduelle fonctionnelle (CRF) et en corrigeant l'affaissement des alvéoles, la ventilation en pression positive à la fin de l'expiration améliore l'oxygénation artérielle et réduit le déséquilibre du rapport ventilation-perfusion. Elle exige aussi une $FIO_2$ plus faible.

Le SDRA s'accompagne parfois d'une hypotension générale, souvent due à une hypovolémie provoquée par une perte de liquide dans les espaces interstitiels. Il faut prendre certaines précautions quand on traite l'hypovolémie, car il n'est pas facile de maintenir un bon équilibre liquidien sans provoquer une surcharge chez le patient. On doit administrer des cristalloïdes par voie intraveineuse tout en surveillant de près l'état pulmonaire du patient. Il faut parfois aussi recourir à des agents inotropes ou vasopresseurs. On surveille l'hydratation par des mesures au moyen d'un cathéter de type Swan-Ganz.

L'administration de corticostéroïdes pour traiter le SDRA est controversée. Plusieurs pensent que les corticostéroïdes contribueraient plutôt à la détérioration de la fonction pulmonaire et à l'apparition de surinfections.

Le soutien nutritionnel est un élément vital du traitement du SDRA. Le patient atteint du SDRA a besoin de 35 à 45 kcal / kg par jour. Si l'alimentation entérale ne peut combler les besoins, on devra avoir recours à l'alimentation parentérale totale.

## Interventions infirmières

Le patient atteint d'insuffisance respiratoire aiguë ou du SDRA est gravement malade. Il faut le garder en observation, car son état peut rapidement devenir critique. On utilise la plupart des mesures de soins décrites au chapitre 3 (administration d'oxygène, traitement de nébulisation, physiothérapie respiratoire, intubation endotrachéale ou trachéotomie, aspiration, soins de la trachéotomie et traitement par ventilateur). Il faut examiner fréquemment le patient afin d'évaluer l'efficacité du traitement.

En plus de collaborer aux traitements médicaux, l'infirmière doit tenir compte des autres besoins du patient. Si le patient n'est pas relié à un ventilateur, il faut l'installer en position semi-Fowler ou de Fowler pour faciliter les mouvements de la cage thoracique. L'infirmière doit l'aider à s'installer au moyen d'oreillers, de couvertures ou d'une table roulante dans la position où il est le plus à l'aise. Si aucune restriction liquidienne n'est prescrite, elle incite le patient à boire beaucoup de liquide pour diluer les sécrétions et atténuer les pertes liquidiennes dues à la tachypnée. Comme l'hypoxémie et la dyspnée rendent souvent le patient très anxieux, l'infirmière doit le rassurer sur la compétence et la sollicitude de l'équipe de soins, lui expliquer toutes les interventions et faire preuve de calme et de patience. Il est important de soulager l'anxiété, car elle entrave le repos qui est essentiel à la conservation de l'oxygène et, par le fait même, à la diminution des besoins en oxygène.

Si le patient reçoit une ventilation en pression positive à la fin de l'expiration, les soins infirmiers à administrer sont d'une nature toute particulière. En effet, comme ce mode de ventilation n'est pas naturel, il produit une sensation étrange chez le patient. L'infirmière doit donc le rassurer et l'encourager à travailler en harmonie avec le ventilateur. Si le niveau de pression positive à la fin de l'expiration n'est pas maintenu,

on peut administrer du bromure de pancuronium (Pavulon) ou un autre curarisant acétylcholinocompétitif (pachycurare). Ces médicaments inhibent la fonction motrice mais n'ont pas d'effet sur la sensation : le patient est paralysé et incapable de respirer, de parler ou de cligner des yeux. Ils paralysent la musculature respiratoire de sorte que le patient ne résiste plus au ventilateur et à la pression positive expiratoire. L'infirmière doit donc veiller à ce que celui-ci reste branché au ventilateur et soit toujours en observation. Quand il faut retirer le patient du ventilateur pour aspirer ses sécrétions ou prendre certaines mesures, il faut agir rapidement. À cause des curarisants, le patient peut ressentir des malaises ou des douleurs mais être incapable d'exprimer ce qu'il éprouve. Même s'il semble inconscient, il est éveillé et capable d'entendre. L'infirmière doit donc le rassurer et lui dire que les sensations qu'il éprouve sont temporaires et causées par les médicaments. Elle doit prévoir quand il aura besoin de mesures de soulagement de la douleur et d'amélioration du bien-être. Elle peut par exemple vérifier s'il est à l'aise et lui parler *à lui* quand elle est dans sa chambre plutôt que de parler *de lui* comme s'il était absent. Enfin, elle doit lui administrer des soins oculaires complets, car il est incapable de cligner des yeux, ce qui peut entraîner une érosion de la cornée.

Résumé : le SDRA est une sorte d'œdème pulmonaire lésionnel qui s'accompagne de divers troubles cliniques. Il s'agit d'une lésion de la membrane alvéolocapillaire qui entraîne une fuite de liquide dans les espaces interstitiels alvéolaires et le lit capillaire. Même si aujourd'hui on connaît mieux la pathogenèse de cette maladie, ses taux de morbidité et de mortalité sont encore élevés. Pour améliorer les chances de survie, il est capital de dépister et de traiter rapidement la maladie.

## Bibliographie

### Ouvrages

Baum GL and Wolinsky E. Textbook of Pulmonary Diseases, 4th ed, Vols 2 & 12. Boston, Little, Brown, 1989.

Braunwald E et al. Harrison's Principles of Internal Medicine. New York, McGraw-Hill, 1987.

Burton GA and Hodgkin JE. Respiratory Care: A Guide to Clinical Practice. Philadelphia, JB Lippincott, 1984.

Cox BG and Carr DT. Living with Lung Cancer: A Guide for Patients and their Families. Gainesville, Triad Publishing, 1987.

DiPiro JT et al. Pharmacotherapy: A Pathophysiologic Approach. New York, Elsevier, 1989.

Fincke MK and Lanros NE. Emergency Nursing: A Comprehensive Guide. Rockville, Aspen, 1986.

Fishman FP. Pulmonary Diseases and Disorders, 2nd ed, Vols 1–3. New York, McGraw-Hill, 1988.

Gouvernement du Québec. Des problèmes prioritaires : la maladie selon les âges de la vie. Collection La Santé des Québécois 1983

Groenwald SL. Cancer Nursing: Principles and Practices. Boston, Jones & Bartlett, 1987.

Gurevich I. Infectious Diseases in Critical Care Nursing: Prevention and Precaution. Rockville, Aspen, 1989.

Hoeprich PD and Jordan MC. Infectious Disease, 4th ed. Philadelphia, JB Lippincott, 1989.

Holleb AI (ed). The American Cancer Society Cancer Book: Prevention, Detection, Diagnosis, Treatment, Rehabilitation, Cure. New York, Doubleday, 1986.

Kinney MR et al. AACN's Clinical Reference for Critical Care Nursing, 2nd ed. New York, McGraw-Hill, 1988.

Kitt S and Kaiser J. Emergency Nursing: A Physiologic and Clinical Perspective. Philadelphia, WB Saunders, 1990.

Mitchell RS et al (eds). Synopsis of Clinical Pulmonary Disease. St Louis, CV Mosby, 1989.

Morgan WKD and Seaton A. Occupational Lung Diseases, 2nd ed. Philadelphia, WB Saunders, 1984.

Murray JF and Nadel JA. Textbook of Respiratory Medicine, Vols 1 & 2. Philadelphia, WB Saunders, 1988.

Rea RE et al. Emergency Nursing Core Curriculum, 3rd ed. Philadelphia, WB Saunders, 1987.

Rowe JW and Besdine RW. Geriatric Medicine, 2nd ed. Boston, Little, Brown, 1988.

Roth JA et al. Thoracic Oncology. Philadelphia, WB Saunders, 1989.

Ziegfeld CR (ed). Core Curriculum for Oncology Nursing. Philadelphia, WB Saunders, 1987.

### Revues

*Les articles de recherche en sciences infirmières sont marqués d'un astérisque.*

### Infections respiratoires

Bryan CS. Preventing pneumonia and influenza deaths in 1989–90. Consultant 1989 Nov; 29(11): 25–31.

Carden DL and Smith KJ. Pneumonias. Emerg Med Clin North Am 1989 May; 7(2): 255–278.

Griffiths MH et al. Diagnosis of pulmonary disease in human immunodeficiency virus infection: Role of transbronchial biopsy and bronchoalveolar lavage. Thorax 1989 Jul; 44(7): 554–558.

* Harkness GA, Bentley DW, and Roghmann KJ. Risk factors for nosocomial pneumonia in the elderly. Am J Med 1990 Oct; 89(4): 456–463.

Niederman MS. Pneumonia: The ongoing challenge. Emerg Med 1989 Apr 15; 21(7): 77–88.

Pennza PT. Aspiration pneumonia, necrotizing pneumonia and lung abscess. Emerg Med Clin North Am 1989 May; 7(2): 279–307.

Raju L. Community acquired pneumonia, today's organisms, today's treatment. Consultant 1988 Apr; 28(4): 49–57.

### Bronchopneumopathie chronique obstructive

* Gift AG. Clinical measurement of dyspnea. Dimens Crit Care Nurs 1989 Jul/Aug; 8(4): 210–216.

Harman EM. Status asthmaticus: Reduce risk factors and treat aggressively. Consultant 1989 May; 29(5): 129–135.

Hudson LD and Monti CM. Rationale and use of corticosteroids in chronic obstructive pulmonary disease. Med Clin North Am 1990 May; 74(3): 661–690.

* Janson–Bjerklie S and Shnell S. Effect of peak flow information on patterns of self-care in adult asthma. Heart Lung 1988 Sep; 17(5): 543–549.

Martin RJ. The sleep-related worsening of lower airways obstruction: Understanding and intervention. Med Clin North Am 1990 May; 74(3): 701–714.

McDonald AJ. Asthma. Emerg Med Clin North Am 1989 May; 7(2): 219–235.

Petty TL. Chronic obstructive pulmonary disease: Can we do better? Chest 1990 Feb Suppl; 97(2): 2S–5S.

* Renfroe KL. Effect of progressive relaxation of dyspnea and state anxiety in patients with chronic obstructive pulmonary disease. Heart Lung 1988 Jul; 17(4): 408–413.

Rosen RL and Bone RC. Treatment of acute exacerbations in chronic obstructive pulmonary disease. Med Clin North Am 1990 May; 74(3): 691–700.

Schneider SM. Chronic obstructive pulmonary disease. Emerg Med Clin North Am 1989 May; 7(2): 237–254.

### Cancer du poumon

Bragg DG. State-of-the-art assessment: Diagnostic imaging. Cancer 1989 Jul 1 Suppl; 64(1): 261–265.

Carr D. Lung cancer: Pitfalls and controversies in diagnosis and treatment. Consultant 1988 May; 28(5): 33–45.

Hulka BS. Cancer screening—Degrees of proof and practical application. Cancer 1988 Oct 15 Suppl; 62(8): 1776–1780.

Livingston R and Goodman GE. Small cell lung cancer. Curr Probl Cancer 1989 Jan/Feb; 7–54.

### Traumatismes

Alexander MH. Mechanism and pattern of injury associated with use of seat belts. J Emerg Nurs 1988 Jul/Aug; 14(4): 214–216.

Carrero R and Wayne M. Chest trauma. Emerg Clin North Am 1989 May; 7(2): 389–418.

Coleman GM et al. Blunt chest trauma extrapericardial cardiac tamponade by mediastinal hematoma. Chest 1989 Apr; 95(4): 922–924.

Halpern JS. Mechanisms and patterns of trauma. J Emerg Nurs 1989 Sep/Oct; 15(5): 380–388.

Martin K. Reducing complications of thoracic gunshot wounds. Dimens Crit Care Nurs 1989 Sep/Oct; 8(5): 280–287.

### Insuffisance respiratoire aiguë et SDRA

Bresler MJ and Steinback GL. The adult respiratory distress syndrome. Emerg Med Clin North Am 1989 May; 7(2): 419–430.

Hudson LD. The prediction and prevention of ARDS. Respir Care 1990 Feb; 35(2): 161–173.

Idell S. The deadly danger of ARDS. Emerg Med 1989 Apr 15; 21(7): 67–72.

Raffin TA. ARDS: Mechanisms and management. Hosp Pract 1987 Nov 15; 22(2): 65–80.

Root RK. The adult respiratory distress syndrome. West J Med 1989 Feb; 150(2): 187–194.

### Maladies des vaisseaux pulmonaires

Dunmire SM. Pulmonary embolism. Emerg Clin North Am 1989 May; 7(2): 339–354.

Manigle JE and Tenholder MF. Treatment for primary pulmonary hypertension: Back to the future. Chest 1989 Oct; 96(4): 900–905.

Pais SO and Tobin KD. Percutaneous insertion of the Greenfield filter. Am J Roentgenol 1989 May; 152(5): 933–938.

Schiff MJ. Finding and fighting pulmonary embolism. Emerg Med 1989 Apr 15; 21(7): 47–52.

### Pneumopathies professionnelles

Begin R et al. Lung function in silica-exposed worker: A relationship to disease severity assessed by CT scan. Chest 1988 Sep; 94(3): 539–545.

Dunn MM. Asbestos and the lung. Chest 1989 Jun; 95(6): 1304–1308.

Green F et al. Prevalence of silicosis at death in underground coal miners. Am J Indust Med 1989 Jun; 16(6): 605–615.

Mossman BT and Gee JB. Asbestos-related diseases. N Engl J Med 1989 Jun 19; 320(16): 1721–1730.

### Divers

* Chulay M and Graeber GM. Efficacy of a hyperinflation and hyperoxygenation suctioning intervention. Heart Lung 1988 Jan; 17(1): 15–22.

Gothe B. Sleep apnea syndrome: An update. Respir Manag 1988 Mar/Apr; 18(2): 40–44.

* Henneman EA. Effect of nursing contact on the stress response of patients being weaned from mechanical ventilation. Heart Lung 1989 Sep; 18(5): 483–489.

* Kleiber C et al. Acute histologic changes in the tracheobronchial tree associated with different suction catheter insertion techniques. Heart Lung 1988 Jan; 17(1): 10–14.

* Lush MT et al. Dyspnea in the ventilator-assisted patient. Heart Lung 1988 Sep; 17(5): 528–535.

Martin LL. Obstructive sleep apnea: Preventing complications. Dimens Crit Care Nurs 1989 Mar/Apr; 8(2): 83–91.

* Preusser BA et al. Effects of two methods of preoxygenation on mean arterial pressure, cardiac out, peak airway pressure and post-suctioning hypoxemia. Heart Lung 1988 May; 17(3): 290–299.

* Roberts R et al. Diagnostic accuracy of fever as a measure of post-operative pulmonary complications. Heart Lung 1988 Mar; 17(2): 166–170.

* Rogge JA et al. Effectiveness of oxygen concentrations of less than 100% before and after endotracheal suction in patients with chronic obstructive pulmonary disease. Heart Lung 1989 Jan; 18(1): 64-70.

* Stone KS et al. Effects of lung hyperinflation on mean arterial pressure and post-suctioning hypoxemia. Heart Lung 1989 Jul; 18(4): 377-385.

* Stovsky B et al. Comparison of two types of communication methods used after cardiac surgery with patients with endotracheal tubes. Heart Lung 1988 May; 17(3): 281-289.

* Taggart JA et al. Airway pressures during closed system suctioning. Heart Lung 1988 Sep; 17(5): 536-542.

VuKick DL. Disease of the pleural space. Emerg Clin North Am 1989 May; 7(2): 309-324.

Wanner A. The role of mucus in chronic obstructive pulmonary disease. Chest 1990 Feb Suppl; 97(2): 11S-15S.

Waring NP. The late phase asthma response: The laboratory phenomenon that has become a hot clinical issue. Consultant 1988 Oct; 128(10): 123-133.

# Progrès de la recherche en sciences infirmières

## Soins infirmiers relatifs aux maladies respiratoires

### Notions générales

Dans le domaine des soins infirmiers relatifs aux maladies respiratoires, la majeure partie de la recherche est axée sur la prévention des séquelles de l'aspiration chez les patients intubés. Les études portent sur les différents problèmes reliés à l'intubation, depuis l'hypoxémie causée par l'aspiration jusqu'aux variations de la pression artérielle et de la fréquence cardiaque moyennes, en passant par les lésions tissulaires provoquées par les cathéters d'aspiration. Une bonne partie de ces études ont donné des résultats qui ne peuvent être intégrés facilement à la pratique professionnelle courante.

Les infirmières cherchent aussi des méthodes qui leur permettraient d'évaluer adéquatement la dyspnée et d'aider les patients atteints de troubles pulmonaires à vivre avec leurs symptômes.

### Soins relatifs à la dyspnée et exercices respiratoires

▷ S. Janson-Bjerklie et S. Shnell. «Effect of peak flow information on patterns of self-care in adult asthma». Heart Lung, septembre 1988; 17(5):543-549.

Les auteurs de cette étude voulaient déterminer l'influence de l'information subjective et objective sur les stratégies d'auto-soins choisies par les patients pour traiter les symptômes de l'asthme.

Il s'agit d'une étude quasi expérimentale comprenant quelques éléments descriptifs. L'échantillon se composait de 28 adultes atteints d'asthme sans autres problèmes cardio-respiratoires. Les sujets ont été choisis dans les cliniques externes d'un grand centre hospitalier universitaire et répartis en deux groupes, un groupe témoin et un groupe expérimental. Les sujets ont d'abord reçu un journal dans lequel ils devaient consigner la date et l'heure des crises (accès de dyspnée, d'oppression thoracique ou de wheezing); l'intensité des symptômes éprouvés; les facteurs qui selon eux avaient déclenché les symptômes et les mesures adoptées pour les soulager. Le groupe expérimental a reçu un débitmètre de type Wright pour mesurer les débits expiratoires de pointe au début et à la fin de chaque crise. Tous les participants ont utilisé une échelle analogique visuelle pour évaluer l'intensité des symptômes (dyspnée, wheezing et oppression thoracique). Les sujets devaient faire cette évaluation à chaque crise et consigner les résultats dans leur journal.

Tous les sujets ont présenté de la dyspnée, une respiration sifflante et une oppression thoracique; ils ont été capables de différencier leurs symptômes et d'évaluer l'intensité de chacun d'eux. On n'a pas observé de différences entre les groupes pour ce qui est de la notation des symptômes, selon les tests de t bilatéraux non appariés.

Les facteurs ayant déclenché les symptômes d'asthme ont été classés en plusieurs catégories: état physique, comportements, émotions ou humeurs, situations de stress, allergènes, facteurs liés à l'environnement et activité physique. Les facteurs déclenchants de toutes les catégories ont été inscrits au journal à la même fréquence.

Au cours de l'étude, les sujets des deux groupes ont utilisé en moyenne un nombre de mesures de soulagement peu élevé comparativement au nombre qu'ils avaient dit pouvoir utiliser au cours d'un entretien antérieur. On a observé une corrélation significative entre le nombre des mesures et la gravité de la dyspnée. La prise des médicaments prescrits a été cotée subjectivement par les sujets comme étant la mesure de soulagement la plus efficace. La plupart des mesures de soulagement ont obtenu une cote d'efficacité plus élevée chez les sujets du groupe témoin que chez ceux du groupe expérimental. La prise de médicaments a été significativement plus fréquente chez les sujets du groupe témoin.

Les résultats de cette étude montrent que les sujets disposant de données sur leurs débits de pointe prennent moins souvent leurs médicaments. Cette information les aide peut-être à mieux utiliser leurs médicaments. Il faut dire toutefois que ces mêmes sujets ont aussi utilisé moins souvent les autres mesures de soulagement. On mentionne également qu'aucun des sujets des deux groupes n'a utilisé ses médicaments de la façon prescrite initialement.

**Soins infirmiers.** C'est la dyspnée, plus que les autres symptômes qui a incité les sujets de cette étude à utiliser des mesures de soulagement. Les professionnels de la santé doivent comprendre qu'ils peuvent se fier au patient pour déterminer la gravité d'une obstruction respiratoire. En outre, plus le patient connaît de mesures de soulagement, plus il en utilise. Il faut donc tenir compte de ce fait dans l'enseignement. La présente étude démontre que les patients bien informés et disposant de données sur leurs débits de pointe sont capables d'adapter leur traitement médicamenteux sans danger dans les limites prescrites. Elle indique aussi que la connaissance de données physiologiques peut favoriser les comportements d'autosoins. Il est essentiel de recommander au patient d'être attentif aux symptômes comme la dyspnée et l'oppression thoracique et de lui enseigner à mettre ces symptômes en rapport avec les débits de pointe.

▷ *M. T. Lush, et coll. «Dyspnea in the ventilator-assisted patient».* Heart Lung, *septembre 1988; 17(5):528-535.*

Cette étude avait pour principal but de recueillir des données sur la dyspnée chez les patients sous ventilation artificielle: variables physiologiques et facteurs environnementaux associés à la dyspnée. Les auteurs voulaient aussi établir la validité concourante de deux mesures d'évaluation de la dyspnée chez des patients sous ventilation artificielle. Cinq patients conscients et lucides souffrant de maladies pulmonaires restrictives ou obstructives et recevant une ventilation artificielle constituaient l'échantillon. À des intervalles de quatre heures et à l'apparition de la dyspnée, les sujets devaient évaluer l'intensité de leur dyspnée sur une échelle analogique visuelle ou sur une échelle de Borg modifiée. À chaque évaluation, les infirmières notaient les variables physiologiques et environnementales observées pendant les 30 minutes ayant précédé l'épisode de dyspnée et prenaient les mesures nécessaires pour soulager la dyspnée. Les sujets ont aussi été interrogés après le détubage.

Tous les sujets ont présenté des épisodes de dyspnée au cours de l'étude. L'intensité de la dyspnée, évaluée à l'aide de l'échelle analogique visuelle allait de 0 à 95 mm sur une échelle de 0 à 100 mm. Les variables physiologiques que les infirmières ont pu facilement observer et mesurer, ont été mises en corrélation avec l'intensité de la dyspnée telle que notée par le patient sur l'échelle analogique. On a observé peu de corrélations positives significatives. On a constaté une corrélation positive modérée entre le nombre des facteurs environnementaux et l'intensité de la dyspnée mesurée sur les deux échelles.

Lors de chaque évaluation de l'intensité de la dyspnée, les infirmières ont noté les mesures prises pour l'atténuer. Les mesures les plus fréquemment utilisées étaient l'aspiration, le changement de position du patient et l'utilisation d'un ballon.

Lors de l'entrevue menée après le détubage, la plupart des patients ont attribué l'apparition de la dyspnée à des interventions infirmières comme l'aspiration, le changement de position, la pesée et les exercices de physiothérapie respiratoire. Le moment où les infirmières ont noté l'apparition de dyspnée chez les patients ne correspondait pas toujours au moment où les patients la ressentaient.

***Soins infirmiers.*** On peut peut-être établir un lien entre l'apparition de la dyspnée et le nombre des facteurs environnementaux au moment de cette apparition. Comme l'étude le démontre, la perception de la dyspnée par l'infirmière ne coïncide pas toujours avec celle du patient. Il faudrait donc penser à utiliser les échelles d'appréciation comme outil d'évaluation. Des études ultérieures pourront porter sur les effets des facteurs environnementaux sur l'intensité de la dyspnée éprouvée par les patients sous ventilation artificielle.

▷ *K. L. Renfroe. «Effect of progressive relaxation on dyspnea and state anxiety in patients with chronic obstructive pulmonary disease».* Heart Lung, *juillet 1988; 17(4):408-413*

Cette étude est basée sur l'hypothèse selon laquelle la relaxation musculaire progressive (RMP) aurait un effet positif sur la dyspnée et l'anxiété des patients atteints d'une bronchopneumopathie chronique obstructive (BPCO).

Vingt patients atteints d'une BPCO diagnostiquée ont été répartis au hasard en deux groupes: un groupe témoin et un groupe expérimental. Pour faire partie de l'échantillon, les patients devaient: (1) être atteints d'asthme bronchique, de bronchite chronique, d'emphysème ou d'une combinaison de ces affections; (2) souffrir de dyspnée à l'effort; (3) ne présenter aucun problème médical grave autre que la BPCO; et (4) ne présenter aucun trouble aigu au moment de l'étude.

Avant et après chaque séance de traitement, on a évalué la dyspnée à l'aide d'une échelle analogique visuelle et on a fait remplir au patient le Spielberger's State Anxiety Inventory, format Y-1. Pour évaluer la fonction pulmonaire avant et après chaque séance, on a mesuré le volume expiratoire maximal (VEM) et la capacité vitale forcée (CVF) à l'aide d'un spiromètre portatif de type Wright. On a aussi mesuré la fréquence cardiaque et la fréquence respiratoire pendant une minute complète au moyen d'un chronomètre.

Après l'évaluation, on a accompagné les sujets du groupe témoin dans une chambre équipée de fauteuils confortables et on leur a demandé de se détendre pendant 45 minutes par la méthode de leur choix. Les sujets du groupe expérimental se sont rendus dans une chambre identique, mais ils devaient se détendre en utilisant la méthode de relaxation musculaire progressive, selon Bernstein et Borkovec (contraction-décontraction de 16 groupes musculaires). Chaque séance durait 45 minutes. Quatre séances de relaxation par semaine ont été données par l'auteur de l'étude. Après la première séance, on a demandé aux sujets de pratiquer la méthode une fois par jour. Tous les sujets ont reçu un enregistrement de la séance de relaxation qu'ils pouvaient utiliser à la maison.

Après chaque séance de relaxation de 45 minutes, on a évalué les deux groupes de sujets. Lors de chacune de ces séances, les sujets du groupe expérimental ont présenté une plus forte baisse de la dyspnée et de l'anxiété que les sujets du groupe témoin. En outre, entre le début de la première séance et la fin de la quatrième séance, les sujets qui ont pratiqué la méthode de relaxation progressive ont présenté une diminution beaucoup plus marquée de la fréquence respiratoire et de la fréquence cardiaque.

Parmi les 20 sujets, seulement 14 ont participé aux quatre séances. Les six patients qui ont abandonné l'étude l'ont fait pour diverses raisons personnelles et médicales. Les données de l'étude ne précisent pas de quel groupe ils faisaient partie.

***Soins infirmiers.*** Cette étude démontre que l'utilisation de la RMP diminue de façon immédiate la dyspnée et l'anxiété chez les patients atteints de BPCO. Les résultats semblent d'ailleurs indiquer qu'il existe un lien entre la dyspnée et l'anxiété.

La méthode de relaxation progressive peut être enseignée en consultation externe, en milieu hospitalier ou à la maison. Après une première séance d'enseignement de la méthode, on peut fournir aux patients une bande vidéo ou audio qui facilite l'utilisation de la méthode.

## Aspiration endotrachéale

▷ *C. Kleiber, N. Krutzfield, et E. F. Rose. «Acute histologic changes in the tracheobronchial tree associated with different suction catheter insertion techniques».* Heart Lung, *janvier 1988; 17(1);10-14.*

Les auteurs de cette étude se proposaient de décrire une méthode d'aspiration endotrachéale profonde qui soit sans danger pour les nouveau-nés des unités de soins intensifs. Ils ont utilisé pour ce faire quatre groupes de chatons intubés et anesthésiés. Les deux premiers groupes de chatons devaient subir deux interventions : l'introduction d'une sonde d'aspiration sur une distance étalonnée ou prédéterminée (0,5 cm plus loin que l'extrémité) ; puis le retrait de la sonde avec ou sans aspiration. Les deux autres groupes devaient aussi subir deux interventions : l'introduction de la sonde d'aspiration jusqu'à ce qu'on sente une résistance, puis le retrait de la sonde avec ou sans aspiration. Un cinquième groupe de chatons formait le groupe témoin et ne subissait pas l'introduction de la sonde.

Les quatre groupes expérimentaux ont présenté les points communs suivants :

1. Chaque sujet a subi une ventilation manuelle avec un ballon de réanimation de type Hope II avant et après chaque insertion de la sonde d'aspiration, afin de réduire l'hypoxémie.

2. On a introduit la sonde d'aspiration trois fois lors de chaque séance.

3. Chacun des sujets a subi 16 séances, pour un total de 48 introductions de sonde.

4. On a espacé les séances de 10 minutes pour permettre à l'organisme des sujets de se rétablir.

5. Les sondes d'aspiration étaient stériles et en vinyle ; elles avaient un calibre de 6 Fr, une longueur de 35 cm, deux ouvertures latérales opposées ainsi qu'une extrémité au contour ouvert avec des repères numériques de 1 cm.

6. Toutes les séances d'aspiration ont été faites par une même infirmière possédant une grande expérience de l'introduction des sondes d'aspiration.

Après ces interventions, on a euthanasié les chatons et on a pratiqué sur eux une autopsie afin d'observer les effets des aspirations sur les muqueuses trachéale et bronchique. Tous les chatons du groupe témoin et des deux groupes chez qui on a introduit la sonde 0,5 cm plus loin que l'extrémité avaient des tissus normaux. Dans les deux groupes où on a introduit la sonde jusqu'au point de résistance, 9 chatons sur 10 présentaient des zones de dénudation partielle de l'épithélium muqueux accompagnée de divers degrés d'inflammation. L'aspiration elle-même n'a eu aucun effet sur la gravité de l'atteinte tissulaire.

**Soins infirmiers.** Les auteurs de cette expérience recommandent fortement d'arrêter l'insertion de la sonde avant d'arriver à l'éperon trachéal (carène). Ils sont d'avis que l'on peut ainsi réduire les lésions tissulaires en plus de diminuer les risques de bactériémies dues à des lésions de l'épithélium.

Les auteurs recommandent également aux infirmières soignantes d'examiner les sondes d'aspiration et les sondes endotrachéales pour vérifier l'emplacement et l'exactitude des repères numériques.

Même si les résultats de leur étude ne peuvent être appliqués aux nouveau-nés humains ou aux adultes, les auteurs conseillent de faire preuve de prudence dans les techniques d'aspiration. Leurs résultats indiquent que des études similaires devront être menées sur des humains.

▷ M. *Chulay, et G. M. Graeber. «Efficacy of a hyperinflation and hyperoxygenation suctioning intervention».* Heart Lung, *janvier 1988; 17(1):15-22.*

Les auteurs ont voulu décrire les effets, sur les gaz du sang artériel et sur les arythmies cardiaques, de cinq hyperinflations avec hyperoxygénation administrées avant et après une aspiration par sonde endotrachéale. Pour l'expérience, on a séparé en quatre groupes 27 moutons paralysés par anesthésie. Voici les protocoles dans chacun des groupes :

*Groupe 1 :* Les 10 sujets présentaient une fonction respiratoire normale. On a comparé l'aspiration seule avec une méthode mécanique d'hyperinflation avec hyperoxygénation à l'aide d'un second ventilateur.

*Groupe 2 :* Les sept sujets avaient une fonction respiratoire anormale provoquée par une instillation endotrachéale d'acide chlorhydrique et d'acide taurodésoxycholique. Ils ont été étudiés trois heures après l'instillation. On a comparé l'aspiration seule avec une méthode mécanique d'hyperinflation avec hyperoxygénation à l'aide d'un second ventilateur.

*Groupe 3 :* Les cinq sujets avaient une fonction respiratoire normale. On a comparé l'aspiration seule avec une méthode *manuelle* d'hyperinflation avec hyperoxygénation à l'aide de deux modèles différents de ballons de réanimation manuels.

*Groupe 4 :* Les cinq sujets avaient une fonction respiratoire anormale provoquée par l'instillation endotrachéale d'acide chlorhydrique et d'acide taurodésoxycholique. Ils ont été étudiés trois heures après l'instillation. On a comparé l'aspiration seule avec la méthode *manuelle* décrite pour le groupe 3.

Dans cette étude, les variables dépendantes étaient les valeurs des gaz du sang artériel, la fréquence cardiaque, la pression artérielle et les résultats de l'électrocardiogramme.

Après l'aspiration endotrachéale seulement, les sujets de tous les groupes ont présenté une baisse de la pression partielle d'oxygène dans le sang artériel ($PaO_2$). Chez les sujets ayant une fonction respiratoire normale, l'administration de cinq hyperinflations avec hyperoxygénation avant et après l'aspiration endotrachéale a prévenu efficacement la baisse de $PaO_2$ due à l'aspiration, tant avec la méthode manuelle qu'avec la méthode mécanique. Chez les sujets présentant une fonction respiratoire anormale, seule la méthode mécanique a été efficace.

Pendant toute la durée de l'étude, seulement deux sujets ont présenté des arythmies cardiaques : le premier (groupe 1) a présenté des extrasystoles ventriculaires à plusieurs reprises pendant le prélèvement de sang de l'artère carotide avant l'aspiration ; le second (également du groupe 1) a présenté des extrasystoles auriculaires de façon occasionnelle tout au cours de l'étude. Aucun changement significatif n'a été observé dans la fréquence cardiaque ou la pression artérielle des sujets lors des séances d'aspiration.

**Soins infirmiers.** Cette étude démontre que la réaction à l'hyperinflation avec hyperoxygénation diffère selon que le sujet a une fonction respiratoire normale ou anormale et selon qu'on utilise une méthode manuelle ou mécanique. En raison de ces différences, l'évaluation en laboratoire de l'aspiration par sonde endotrachéale devrait se faire selon un modèle de fonction respiratoire anormale afin de mieux refléter la situation des patients gravement malades.

▷ *B. A. Preusser et coll. Effects of two methods of preoxygenation on mean arterial pressure, cardiac output, peak airway pressure, and post-suctioning hypoxemia* Heart Lung *mai 1988; 17(3):290-299.*

Cette étude avait pour but de déterminer laquelle de deux méthodes de préoxygénation, soit la méthode par ballon de réanimation manuel ou la méthode par ventilateur, perturbait le moins la pression artérielle moyenne, le débit cardiaque et la pression maximale des voies respiratoires, et prévenait le mieux l'hypoxémie causée par l'aspiration lors de préoxygénations à deux volumes de dilatation pulmonaire différents.

Les auteurs ont utilisé un modèle expérimental selon lequel les sujets étaient leurs propres témoins. L'échantillon se composait de dix patients qui devaient sous peu subir un pontage coronarien. Au moyen d'un ventilateur ou d'un ballon de réanimation manuel, on a administré à chaque patient trois respirations de dilatation pulmonaire à une $FIO_2$ de 1,0 et des volumes de 12 à 14 mL/kg de poids maigre, suivies de 10 secondes d'aspiration endotrachéale continue. On a répété ces interventions une fois par heure pendant quatre heures consécutives.

Les respirations de préoxygénation, avec un ballon de réanimation manuel ou avec un ventilateur ont augmenté la pression artérielle moyenne, le débit cardiaque et la pression maximale des voies respiratoires. Le volume a également influencé de façon significative ces trois variables. Le ballon de réanimation manuel a généré une pression maximale des voies respiratoires significativement supérieure à celle générée par le ventilateur. L'augmentation de la pression maximale était directement proportionnelle au volume de préoxygénation dans les deux méthodes. L'augmentation du débit cardiaque a été plus forte avec la méthode du ballon de réanimation manuel qu'avec la méthode du ventilateur. Les deux méthodes ont prévenu efficacement l'hypoxémie due à l'aspiration. On a également constaté que la $PaO_2$ maximale était de 30 % plus élevée avec le ventilateur qu'avec le ballon de réanimation. Aux deux volumes de préoxygénation utilisés, le ballon de réanimation manuel a provoqué une plus forte baisse du pH et une plus forte hausse de la $PaCO_2$ que le ventilateur.

**Soins infirmiers.**    Selon les résultats de cette étude, les infirmières devraient utiliser de plus petits volumes et avoir recours au ventilateur quand elles doivent préoxygéner un patient avant de procéder à une aspiration endotrachéale.

Si on doit utiliser un ballon de réanimation manuel, il est fortement recommandé de régler à «flush» le débitmètre de l'oxygène, d'utiliser un ballon à grand réservoir et de comprimer le ballon lentement avec les deux mains avant de le laisser se remplir lentement. Quand cela est possible, on doit vérifier la $FIO_2$ du ballon au moyen d'un analyseur d'oxygène. On doit de plus utiliser de plus faibles volumes, synchronisés avec les efforts respiratoires du patient afin de réduire la pression maximale des voies respiratoires. Enfin, il est important de noter la pression artérielle moyenne avant l'aspiration, et régulièrement pendant au moins 10 minutes après l'aspiration.

▷ *J. A. Taggart, N. L. Dorinsky et J. S. Sheahan. «Airway pressures during closed system suctioning».* Heart Lung, *septembre 1988; 17(5):536-542.*

Cette étude avait pour but d'établir les pressions des voies respiratoires que l'on peut obtenir lors d'une aspiration en circuit fermé. Il s'agit d'une étude descriptive *in vitro* dans laquelle on a utilisé différents ventilateurs et différents modes de ventilation. L'aspiration en circuit fermé est une méthode qui sert à évacuer les sécrétions de l'arbre trachéobronchique chez le patient sous ventilation artificielle. Pour les fins de l'étude, on a branché des ventilateurs à un poumon test et on a réglé la fréquence ventilatoire à 12/min et le volume courant à 800 mL. On a effectué des aspirations en circuit fermé de différentes façons: à des débits expiratoires de pointe de 25, 40, 50 et 60 L/min; à des sensibilités de 0,5, 1,0, 2,0 et 3,0 cm $H_2O$; avec et sans une pression expiratoire positive de 10 cm $H_2O$; et en modes contrôlé intermittent, assisté contrôlé et contrôlé.

Avec le modèle du poumon *in vitro* et les différents ventilateurs et modes de ventilation, on a pu maintenir la pression des voies respiratoires au-dessus de $-10$ cm $H_2O$ pendant l'aspiration en circuit fermé dans la plupart des situations. On a observé des baisses significatives des pressions négatives de pointe en-dessous de $-10$ cm $H_2O$ avec le mode de ventilation contrôlé, et avec le ventilateur Puritan-Bennett 7200 à un débit inspiratoire de pointe de 25 L/min.

**Soins infirmiers.**    Les résultats de cette étude pourraient constituer la base de recherches cliniques. Ils semblent démontrer qu'on devrait éviter le mode de ventilation contrôlé chez les humains pendant l'aspiration en circuit fermé, et qu'on ne devrait utiliser les ventilateurs de type Puritan-Bennet 7200 qu'à des débits inspiratoires de pointe supérieurs à 25 mL/min. Des études portant sur la fréquence ventilatoire devront être menées car il semble qu'avec l'aspiration en circuit fermé les pressions des voies respiratoires soient dangereusement basses à de faibles fréquences.

▷ *K. S. Stone, et coll. «Effects of lung hyperinflation on mean arterial pressure and post-suctioning hypoxemia».* Heart Lung, *juillet 1989; 18(4): 377-385.*

Cette étude avait pour but d'établir les effets de cinq volumes différents de surdistension pulmonaire sur la pression artérielle moyenne et l'hypoxémie due à l'aspiration.

L'échantillon se composait de huit patients qui allaient subir un pontage coronarien. Tous les sujets présentaient les caractéristiques suivantes: (1) ils étaient intubés et branchés à des ventilateurs MA1 réglés à un débit de 8 à 10 respirations par minute et à une $FIO_2$ de 40 % sans pression expiratoire de pointe; (2) ils avaient un cathéter intra-artériel; (3) ils recevaient par voie intraveineuse de la lidocaïne et de la nitroglycérine.

Les cinq volumes étudiés ont été déterminés selon le poids maigre (PM) du patient et incluaient le volume courant prescrit du patient, 12 mL/kg de PM, 14 mL/kg de PM, 16 mL/kg de PM et 18 mL/kg de PM.

On a calculé les volumes de surdistension pulmonaire et arrondi au dixième près, en tenant compte de l'espace mort.

Les cinq volumes ont été administrés au hasard à chaque patient à l'aide d'un second ventilateur MA1. On a recueilli des données de contrôle: signes vitaux, pression artérielle moyenne et valeurs des gaz du sang artériel pendant les deux minutes qui ont précédé l'application du protocole expérimental. En 15 secondes, le patient recevait trois surdistensions pulmonaires de suite à un des volumes choisi au hasard. Après la troisième surdistension, on procédait à une aspiration continue pendant 10 secondes. Cette séquence était répétée trois fois, puis le patient était rebranché à son premier ventilateur. On a répété le protocole toutes les heures jusqu'à ce que les cinq volumes aient été testés.

On a mesuré la pression artérielle moyenne de façon continue. On a également évalué les mouvements de la cage thoracique et l'électrocardiogramme. Les prélèvements pour l'analyse des gaz du sang artériel étaient faits après l'aspiration, à des intervalles prédéterminés.

On a observé une augmentation moyenne significative de 15 mm Hg de la pression artérielle moyenne lors des trois séquences de surdistension. On a aussi observé des variations significatives de la pression artérielle moyenne d'une séquence de surdistension-aspiration à l'autre. On n'a pas constaté de corrélation significative entre les cinq volumes et les variations de la pression artérielle moyenne. Les données indiquent que ces résultats proviennent d'une interaction entre les surdistensions et l'aspiration qui se produit avec le temps.

La plus forte augmentation de $PaO_2$ est survenue immédiatement après l'aspiration. Trente secondes après l'aspiration, la $PaO_2$ est revenue rapidement à sa valeur de base. On n'a pas constaté de corrélation entre les cinq volumes de surdistension et la saturation en oxygène.

**Soins infirmiers.** La hausse moyenne de 15 mm Hg observée lors de cette étude peut être cliniquement importante chez le patient qui vient de subir un pontage coronarien par greffe, car l'hypertension est fréquente après cette intervention. Elle pourrait aussi avoir des conséquences chez les patients atteints d'hypertension intracrânienne.

On pourrait recommander au personnel soignant de limiter les séquences de surdistension-aspiration à deux par séance.

Tous les sujets de cette étude avaient une fonction respiratoire normale. On pourrait reprendre cette étude sur des sujets atteints de troubles pulmonaires.

## Ventilation artificielle: communication et sevrage

▷ E. A. Henneman. «*Effect of nursing contact on the stress response of patients being weaned from mechanical ventilation*». Heart Lung, *septembre 1989; 18(5):483-489.*

Cette étude prospective avait pour but de déterminer si le contact direct de l'infirmière peut influer sur le stress éprouvé par le patient qu'on est en train de sevrer du ventilateur. L'échantillon se composait de 26 sujets répartis en deux groupes: un groupe témoin et un groupe expérimental. Les sujets: (1) avaient été sous ventilation artificielle pendant au moins 24 heures; (2) ils étaient sevrés du ventilateur par la méthode de la pièce en T; (3) ils étaient sevrés du ventilateur pour la première fois; (4) ils étaient suffisamment éveillés pour obéir à des ordres simples; et (5) ils étaient capables de percevoir des stimuli verbaux et tactiles.

Avant d'entreprendre le sevrage, l'infirmière-chercheure a donné aux sujets des deux groupes la même préparation physique et psychologique. Au cours du sevrage des sujets du groupe expérimental, elle est restée à leur chevet, leur a tenu la main et leur a parlé. Pendant le sevrage des sujets du groupe témoin, elle est restée dans la chambre mais n'a eu aucun contact physique direct avec eux.

Pendant la période de l'étude, on a exercé une surveillance stricte sur l'environnement des sujets de façon à limiter les perturbations extérieures. Après le sevrage, on a mesuré la fréquence cardiaque, la pression artérielle et la fréquence respiratoire à des intervalles de 5 minutes pendant une période de 25 minutes.

On n'a constaté aucune différence significative dans le niveau de stress éprouvé par les sujets du groupe expérimental et ceux du groupe témoin. Cependant, on pense que l'infirmière a effectivement diminué le stress de tous les sujets de l'expérience en les préparant psychologiquement au sevrage, en restant dans la chambre pendant l'intervention et en les protégeant des perturbations extérieures.

**Soins infirmiers.** Les résultats de cette étude semblent indiquer que le contact verbal et tactile de l'infirmière ne contribue pas à réduire le stress ressenti par le patient pendant le sevrage du ventilateur, mais le petit nombre des sujets en limite la portée.

▷ B. Stovsky, E. Rudy et P. Dragonette. «*Comparison of two types of communication methods used after cardiac surgery with patients with endotracheal tubes*». Heart Lung, *mai 1988; 17(3):281-289.*

Cette étude avait pour but de comparer l'efficacité de deux méthodes de communication (planifiée et non planifiée) pendant l'intubation de patients qui venaient de subir une intervention chirurgicale au cœur. Pour communiquer, les 20 sujets du groupe témoin devaient compter sur l'expérience et la créativité de l'infirmière qui dispensait l'enseignement préopératoire et les soins postopératoires. Les 20 sujets du groupe expérimental ont appris à utiliser un tableau de communication avant l'opération et s'en sont servis pour communiquer pendant la période d'intubation postopératoire.

Les auteurs s'étaient posé la question suivante: au cours de la période d'intubation qui suit une intervention chirurgicale au cœur, le patient et l'infirmière sont-ils plus satisfaits des méthodes de communication planifiée (comme le tableau de communication) ou des techniques de communication spontanées non planifiées?

Les méthodes de communication non planifiées étaient les suivantes: (1) demander au patient d'écrire; (2) demander au patient de gesticuler; (3) lire sur les lèvres du patient; (4) poser au patient des questions auxquelles il peut répondre par oui ou non; et (5) essayer d'interpréter les indices non verbaux.

La méthode de communication planifiée consistait à utiliser un tableau comprenant des mots et des illustrations, appelé *tableau de communication*. On a recueilli les données au moyen d'une discussion libre avec le patient, d'un outil d'évaluation au chevet du patient, d'un questionnaire sur la satisfaction du patient et de l'infirmière, et d'une échelle analogique visuelle (VAS).

Les résultats de l'étude indiquent une plus grande satisfaction dans le groupe utilisant le tableau de communication. La satisfaction des infirmières, par contre, n'était pas plus élevée avec l'utilisation du tableau de communication.

Cette différence entre la perception du patient et celle de l'infirmière démontre bien qu'il est essentiel que le personnel soignant cherche à connaître les besoins et préférences du patient.

**Soins infirmiers.** En se fondant sur les résultats de l'expérience, les auteurs font les recommandations suivantes:

1. Les patients qui doivent être branchés à un ventilateur après une intervention chirurgicale devraient apprendre à utiliser une méthode de communication avant l'opération.

2. Tous les patients qui devront porter une sonde endotrachéale après une intervention chirurgicale devraient pouvoir apprendre une méthode de communication avant l'opération.

3. Le tableau de communication devrait être considéré comme un complément des autres méthodes de communication utilisées.

4. On devrait déterminer et noter dans le plan de soins les méthodes de communication privilégiées par le patient.

5. Certaines mesures peuvent faciliter la communication après une intervention chirurgicale: donner au patient ses lunettes; enlever l'onguent qu'on lui a mis dans les yeux pendant l'opération, le cas échéant; et maximiser son champ visuel.

## *Fièvre*

▷ *R. Roberts, et coll., «Diagnostic accuracy of fever as a measure of post-operative pulmonary complications».* Heart Lung, *mars 1988, 17(2): 166-170.*

Cette étude avait pour but de procéder à une évaluation quantitative de la valeur diagnostique de la fièvre dans les complications pulmonaires postopératoires et de déterminer la sensibilité, la spécificité et les valeurs prévisionnelles positive et négative de la fièvre.

On a pour ce faire pris la température corporelle et fait des radiographies thoraciques chez 270 patients qui venaient de subir une intervention chirurgicale intra-abdominale élective dans trois centres hospitaliers du sud de l'Ontario. Ces patients participaient à une importante étude contrôlée à répartition aléatoire dont le but était de déterminer l'efficacité de différents modes d'analgésie dans la prévention des complications pulmonaires postopératoires. On a pris la température de chacun de ces patients toutes les quatre heures pendant les quatre jours qui ont suivi l'opération. On a noté la température la plus élevée de la journée.

La prévalence de l'atélectasie postopératoire chez les 270 patients venant de subir une opération intra-abdominale élective était de 57 %. La prévalence de la fièvre était de 40 %. La sensibilité, la spécificité et les valeurs prévisionnelles positive et négative, ainsi que la précision avec laquelle la fièvre pouvait signaler l'atélectasie dans les 48 heures suivant l'opération ont été calculées pour les 57 % des sujets ayant présenté un atélectasie.

L'apparition d'une fièvre (température de 38°C ou plus) au cours des 48 heures suivant l'opération a été dans 47 % des cas le signe d'un certain degré d'atélectasie, ce qui a été confirmé par des radiographies prises au jour 4. L'absence de fièvre correspondait à une absence d'atélectasie dans 68 % des cas. Soixante-six pour cent des sujets qui ont présenté de la fièvre ont montré des signes d'atélectasie (valeur prévisionnelle positive) et 49 % des patients apyrétiques n'ont pas présenté d'atélectasie (valeur prévisionnelle négative). La précision avec laquelle la fièvre indique l'atélectasie était de 56 %.

La spécificité, c'est-à-dire la proportion des patients ne présentant pas d'atélectasie et ayant une température normale, était élevée (plus de 80 %). Par contre, la sensibilité, c'est-à-dire la proportion des patients présentant de l'atélectasie et de la fièvre, était faible (8 à 29 %). Enfin, la précision diagnostique de la fièvre était de 50 % seulement.

***Soins infirmiers.*** Selon les résultats de cette étude l'apparition de fièvre dans les quatre jours qui suivent une intervention chirurgicale n'est pas une indication diagnostique précise d'une atélectasie confirmée par radiographie. Absente ou présente, la fièvre n'est pas un signe sûr de la présence ou de l'absence d'une complication pulmonaire. L'évaluation du clinicien est plus importante que la température du patient quand on veut savoir si des examens diagnostiques sont nécessaires. En outre, il faut éviter d'utiliser la fièvre comme critère d'admissibilité des sujets dans une étude ou d'évaluation des résultats d'une étude clinique, car elle n'est pas une indication fiable de pathologie des poumons.

# partie 2

## Maintien de la santé et besoins en matière de santé

# 5

# SOINS INFIRMIERS D'AUJOURD'HUI: NOTIONS ET MISE EN APPLICATION

*OBJECTIFS D'APPRENTISSAGE*

*Après avoir étudié ce chapitre, vous devriez être en mesure de:*

1. *Donner une définition des soins infirmiers qui correspond à une perspective holistique de l'être humain.*
2. *Expliquer le but des modèles conceptuels en soins infirmiers.*
3. *Définir les notions de promotion et de maintien de la santé dans le cadre du système sociosanitaire actuel.*
4. *Décrire l'influence de la société sur le système sociosanitaire.*
5. *Énoncer les principes de base du système sociosanitaire québécois.*
6. *Décrire les diverses fonctions de l'infirmière dans le cadre d'un champ d'activité élargi.*
7. *Décrire les programmes de formation en soins infirmiers.*
8. *Décrire les rôles de soignante, de leader et de chargée de recherche de l'infirmière.*
9. *Utiliser la hiérarchie des besoins de Maslow pour évaluer les besoins du patient.*
10. *Décrire les soins globaux, les soins intégraux et les interventions de collaboration.*

Le système sociosanitaire des années 90 est à l'image d'un siècle qui a connu des changements démographiques, sociologiques et technologiques sans précédent. En cette fin de siècle, les soignants doivent prendre en charge une population vieillissante dont les besoins sont de plus en plus pressants et complexes. De nouvelles maladies surgissent et certains traitements continuent à poser des problèmes. Le défi de trouver des solutions à la toxicomanie et à la situation des sans-abri ainsi que des traitements à diverses maladies chroniques et troubles mentaux n'est pas toujours facile à relever même dans un contexte où le système sociosanitaire et les technologies sont devenus ultraspécialisés. Les contraintes qui en résultent se compliquent à cause du coût exorbitant des soins et du manque de personnel, et le manque de personnel

---

## *Encadré 5-1*
# *Définitions des soins infirmiers de l'AIIC et de l'OIIQ*

L'Association des infirmières et infirmiers du Canada a approuvé en 1980 un document préparé par le groupe de travail chargé d'élaborer une définition de la pratique infirmière et les normes qui s'y rapportent. Cette définition, révisée en 1987, est la suivante:

> D'une façon générale, on peut définir la pratique infirmière comme une relation d'aide et de soins dynamique dans laquelle l'infirmière aide le client à obtenir et maintenir le meilleur état de santé possible. Pour parvenir à cette fin, l'infirmière applique au processus infirmier des connaissances et des compétences caractérisant sa profession et des domaines assimilés, processus dont la nature est déterminée par un ou des modèles conceptuels (AIIC, 1987).

La définition de l'AIIC a l'avantage de mettre en évidence les principaux volets de l'exercice de la profession. La *Loi sur les infirmières et infirmiers*, promulguée au Québec en 1974, précise les éléments de la définition de l'exercice de la profession:

> Constitue l'exercice de la profession d'infirmière ou d'infirmier tout acte qui a pour objet d'identifier les besoins de santé des personnes,

de contribuer aux méthodes de diagnostic, de prodiguer et contrôler les soins infirmiers que requièrent la promotion de la santé, la prévention de la maladie, le traitement et la réadaptation, ainsi que le fait de prodiguer des soins selon une ordonnance médicale (L.R. 1977, C. 1-8, art. 36).

L'infirmière et l'infirmier peuvent, dans l'exercice de leur profession, renseigner la population sur les problèmes d'ordre sanitaire (L.R. 1977, C. 1-8, art. 37).

En 1984, l'Ordre des infirmières et infirmiers du Québec a adopté un document intitulé *Évaluation de la compétence professionnelle de l'infirmière et de l'infirmier du Québec.* Ce document explique que les normes et les critères de compétence de l'infirmière reposent sur les trois volets fondamentaux de l'exercice de la profession: la conception de la personne et de la santé, les éléments de la définition de l'exercice de la profession d'infirmière, les étapes de la démarche scientifique appliquée aux soins infirmiers et les responsabilités de l'infirmière en tant que membre d'une profession (OIIQ, 1984).

(Source: P. A. Potter et A. G. Perry, *Soins infirmiers: Théorie et pratique*, Montréal, ERPI, 1990)

---

infirmier ne fait pas exception, loin de là. Selon toutes les prévisions, ce problème continuera à se faire sentir jusqu'au seuil du XXIᵉ siècle.

L'évolution du système sociosanitaire rend inévitable l'évolution des soins infirmiers. Les soins infirmiers jouent un rôle primordial dans la prestation des services de santé, et notre profession déterminera fortement la forme que le système sociosanitaire prendra à l'avenir.

# *DÉFINITION DES SOINS INFIRMIERS*

Depuis plusieurs décennies, les chefs de file de la profession ont essayé de formuler une définition des soins infirmiers qui soit universellement acceptée, qui reconnaisse les caractéristiques exclusives de la profession et revêt une signification pour tous les infirmiers et infirmières ainsi que pour les membres des autres professions qui participent à la prestation des services de santé. Une telle définition n'a pas été facile à formuler, étant donné que les soins infirmiers n'ont pas reposé jusqu'à présent sur une base de connaissances scientifiques nettement circonscrite. Au cours de l'histoire, la pratique infirmière s'est toujours fondée sur la tradition. Ce n'est que ces dernières années que les infirmières se sont engagées à prouver que les soins infirmiers constituent une profession qu'on peut édifier sur une base de connaissances qui lui est propre. Les théoriciennes des soins infirmiers se servent de diverses méthodes scientifiques pour décrire et expliquer les soins prodigués et pour prévoir les interventions. On propose sans cesse de nouvelles théories et on continue de raffiner les anciennes. Cette recherche vise notamment à valider la pratique

infirmière et à formuler une définition des soins infirmiers qui favorise l'autonomie de la profession.

Depuis que, en 1858, Florence Nightingale donnait comme véritable but aux soins infirmiers de «placer le malade dans les meilleures conditions possibles pour que la nature agisse sur lui», les chefs de file de la profession ont formulé une définition de notre pratique qui montre qu'elle relève autant de l'art que de la science. Il y a quelques années, les soins infirmiers étaient surtout axés sur le traitement de la maladie. Aujourd'hui, on met aussi beaucoup l'accent sur le maintien et la promotion de la santé, ainsi que sur la prévention de la maladie.

Virginia Henderson, qui a formulé l'une des définitions classiques des soins infirmiers en 1966, précise que l'infirmière a comme fonction exclusive

> ... (de prêter son) assistance à la personne malade ou en bonne santé et à la soutenir dans la réalisation des activités qui l'aident à conserver ou à recouvrer sa santé, activités qu'elle accomplirait sans aide si elle disposait de la force, de la volonté ou des connaissances nécessaires. Cette assistance vise à aider la personne à reconquérir son indépendance le plus rapidement possible*.

Les ouvrages spécialisés qui ont été publiés depuis le moment où Virginia Henderson a donné cette définition des soins infirmiers témoignent des nombreuses tentatives qui ont été faites pour définir avec plus de précision les fonctions qui n'appartiennent qu'aux infirmières et qui les distinguent des autres professionnels qui participent à la prestation des soins.

---

* Henderson, V. *The Nature of Nursing*, New York, Macmillan, 1966.

Il ressort de la plupart de ces définitions que les soins infirmiers constituent une profession orientée vers la satisfaction des besoins de la personne, qu'elle soit bien portante ou malade, considérée dans une perspective holistique, c'est-à-dire, en fonction de ses besoins physiques, affectifs, psychologiques, intellectuels, sociaux et spirituels.

L'American Nurses Association a publié en 1980 une déclaration de principes intitulée *Nursing: A Social Policy Statement.* Les auteurs décrivent le contexte social dans lequel sont fournis les soins infirmiers ainsi que la nature et le cadre de la pratique. Ils donnent la définition suivante des soins infirmiers: «Le diagnostic et le traitement des modes de réactions de l'être humain à des problèmes de santé actuels.»

Voici, d'après cette déclaration de principes, la liste des modes de réactions humaines qui exigent des soins infirmiers:

Déficits d'autosoins

Perturbations diverses: repos, sommeil, respiration, circulation, activité, nutrition, élimination, intégrité de la peau et sexualité

Douleur

Problèmes émotionnels reliés à la maladie et à son traitement, à des événements qui mettent la vie en péril ou à diverses expériences de la vie quotidienne, telles que l'anxiété, la perte, la solitude et le deuil

Altération des fonctions de symbolisation, comme les hallucinations, se manifestant dans les processus interpersonnels et intellectuels

Difficulté à prendre des décisions et à faire des choix personnels

Modifications du concept de soi provoquées par l'état de santé

Fausse perception de la santé

Tensions reliées à des étapes de la vie telles que la naissance, la croissance et le développement et la mort

Relations d'appartenance problématiques

Cette définition de la nature et du cadre de la pratique infirmière traduit une vision de l'être humain en tant qu'être global, dans toutes ses dimensions biopsychosociales. Dans cette perspective holistique de la santé, les divers aspects du fonctionnement humain sont considérés comme interreliés, interdépendants et d'égale importance. La recherche en soins infirmiers continue à s'orienter vers l'élargissement de la base de connaissances sur laquelle repose la discipline et l'amélioration de la pratique. Il incombe aux infirmières de témoigner de leur rôle, tel qu'il est défini dans cette déclaration de principes, et d'en répondre. Elles doivent également respecter la loi qui régit l'exercice de la profession dans la province où elles travaillent et les normes de compétence établies dans les codes de déontologie du Conseil international des infirmières (CII), de l'Association des infirmières et infirmiers du Canada (AIIC) et de l'Ordre des infirmiers et infirmières du Québec (OIIQ).

D'après Schlotfeldt (1987), une définition des soins infirmiers, quelle qu'elle soit, devrait tenir compte du fait que l'être humain cherche constamment un meilleur niveau de santé:

Pour définir la pratique infirmière de façon sommaire mais précise, il faut faire état de son but et sa mission sociale établis depuis longtemps, orienter la formation des professionnels et préciser les phénomènes sur lesquels doivent porter les théories d'aujourd'hui et de demain. Cette définition se lirait comme suit: «La pratique infirmière consiste à évaluer et à améliorer la santé et les facteurs qui favorisent son maintien et à renforcer le potentiel de santé de l'être humain*.»

* Schlotfeldt, R. M. *Defining nursing: A historic controversy,* Nurs. Res. janv.-fév. 1987: 36(1): 64-67.

# MODÈLES CONCEPTUELS DES SOINS INFIRMIERS

Pour atteindre les objectifs définis par les chefs de file de la profession, les infirmières doivent avoir à leur disposition une base de connaissances théoriques sur laquelle elles peuvent fonder leur pratique. Au cours des dernières années, on a fait de grands progrès dans ce sens en proposant de nombreuses théories des soins infirmiers.

Par le passé, les soins infirmiers se sont fondés sur des théories émanant des diverses sciences biopsychosociales. Ce n'est qu'au cours des dernières décennies que les efforts concertés des infirmières se sont orientés vers l'établissement d'un ensemble de connaissances bien défini, propre aux soins infirmiers et pouvant servir de base théorique à la pratique. Une telle base théorique, une fois bâtie, devrait être régie par des principes scientifiques généraux qui s'appliquent à la pratique infirmière exclusivement. Elle devrait fournir des lignes directrices qui permettront aux praticiennes d'aborder leur profession dans une perspective holistique et de déterminer les conséquences probables de leurs gestes thérapeutiques avant leur exécution. Toutefois, une théorie générale des soins infirmiers ne peut émerger que si toutes ces théories évoluent et mûrissent grâce à leur constante application en milieu de travail.

Le progrès accompli dans le sens de l'élaboration d'une théorie des soins infirmiers est attribuable en grande partie à la formulation de concepts et à l'élaboration de modèles conceptuels. Étant donné que les soins infirmiers constituent une discipline éminemment pratique, les notions ont pu évoluer avec le temps. Toutefois, ce n'est que durant ces dernières années que les infirmières se sont attelées à la tâche de les définir, de les appliquer, de les mettre à l'épreuve et de les valider. La plupart des notions qui ont émergé des sciences biopsychosociales se sont avérées particulièrement bien adaptées aux soins infirmiers.

Plusieurs concepts généraux ont servi de base à l'élaboration de programmes de formation en soins infirmiers et à l'orientation de la pratique à travers le pays. Il s'agit, entre autres, (1) du continuum santé-maladie, (2) du processus de développement et (3) de l'adaptation au stress.

En se fondant sur le concept du *continuum santé-maladie,* l'infirmière peut mettre l'accent sur les attributs et les capacités que le patient conserve en dépit de sa maladie ou de facteurs qui peuvent compromettre sa santé. La personne est considérée dans une perspective holistique, en tant qu'être qui s'adapte aux changements des facteurs ambiants internes et externes. Grâce à une telle perspective de l'être humain, l'infirmière peut adapter la démarche de soins de façon à aider le patient à mettre à profit ses capacités pour atteindre et maintenir le niveau le plus élevé possible de bien-être selon ses limites physiques et psychosociales. La définition d'un degré élevé de bien-être, donnée par Dunn en 1961, sert de base à cette démarche.

Le *processus de développement de l'être humain* offre à l'infirmière un cadre de référence qui porte principalement sur la complexité des variables qui influent sur chacune des étapes du développement. Un tel cadre de référence guide l'infirmière lorsqu'elle aide le patient à accomplir ses tâches développementales au fur et à mesure que son état de santé et son degré de bien-être les modifient. Les théories de Havighurst, d'Erickson et de Piaget servent de base à la planification des soins dans la perspective de cette évolution. Havighurst a défini les tâches développementales en tenant compte des effets sur l'individu des modifications apportées par les facteurs physiques et sociaux qui interviennent dans sa vie. Les huit étapes du développement de l'être humain énoncées par Erickson sont axées sur l'accomplissement des tâches psychosociales qui permettent à l'individu d'acquérir et de maintenir son identité. Les stades du développement cognitif de Piaget se basent sur l'acquisition de capacités cognitives et des habiletés sensorimotrices connexes.

Le concept d'*adaptation au stress* souligne le rôle de l'infirmière lors de l'évaluation des réactions comportementales du patient face aux contraintes imposées par les facteurs ambiants internes et externes. Les interventions de l'infirmière visent par conséquent à aider le patient à chercher un comportement d'adaptation qui favorise la santé et lui permet de prévenir la maladie. Le syndrome général d'adaptation décrit par Selye, et le syndrome de lutte ou de fuite décrit par Canon servent de base à cette démarche.

Ces concepts généraux et d'autres notions connexes, qui constituent des assises solides pour la pratique infirmière, ne sont pas exclusifs aux soins infirmiers. C'est pourquoi les figures de proue de la profession ont essayé de mettre au point des notions plus précises qui s'appliquent uniquement à cette discipline et de bâtir des modèles qui décrivent les liens entre ces notions et celles qui en dérivent. Quatre des principaux modèles conceptuels des soins infirmiers sont le *modèle des étapes de la vie*, mis au point par Rogers (1970), le *modèle de l'autosoin*, proposé par Orem (1971, 1980, 1985, 1991), le *modèle de l'adaptation*, formulé par Roy (1980), et le *modèle des catégories de comportement*, établi par Johnson (1980).

Il ne s'agit certes pas des seuls modèles conceptuels des soins infirmiers qui aient été mis au point et nous n'avons nullement l'intention de proposer à l'infirmière d'adopter l'un de ces modèles et de rejeter les autres, qui peuvent également guider sa conduite. Nous présentons ces modèles en tant qu'exemples de modèles conceptuels contemporains avec l'espoir qu'ils susciteront suffisamment d'intérêt, d'enthousiasme et de curiosité pour que l'étudiante s'interroge sur l'état actuel et futur de l'aspect théorique de sa discipline.

## MODÈLE DES ÉTAPES DE LA VIE

Selon le modèle des étapes de la vie, la personne qui reçoit des soins infirmiers est un «être humain unitaire». Pour Rogers, les connaissances scientifiques permettent à l'infirmière de décrire et d'expliquer l'être humain et de prévoir son sort. Grâce à ces connaissances, on a pu bâtir des théories qui guident la pratique infirmière. Rogers a déterminé les attributs humains fondamentaux suivants qui ont permis d'avancer les postulats sur lesquels est axée la science infirmière:

1. L'être humain est un tout unifié qui possède une intégrité propre et présente des caractéristiques qui sont plus que la somme de ses parties et qui sont différentes d'elle.

2. L'être humain et son environnement échangent constamment matière et énergie.

3. La vie évolue de façon irréversible et unidirectionnelle au long du continuum espace-temps.

4. Le modèle et l'organisation définissent l'homme dans sa totalité créatrice.

5. L'être humain se caractérise par sa capacité de faire des abstractions, de forger des images, d'utiliser le langage et de penser, tout comme par ses sensations et ses émotions.

Selon ces postulats, les étapes de la vie sont globales, ouvertes, unidirectionnelles, structurées, organisées, perçues par les sens et la pensée. Selon les principes sous-jacents, l'être humain est une entité dynamique en constante interaction avec son milieu. Les modifications qui se produisent au cours de ces interactions sont irréversibles, uniques dans leur genre, rythmiques et d'une complexité accrue. Elles découlent du remodelage constant de l'être humain et de son milieu.

- Avec une telle perspective de l'être humain, le but des soins infirmiers devient celui de promouvoir l'interaction de la personne avec son milieu de façon à l'aider à acquérir le niveau de santé le plus élevé possible en tablant sur son énergie et son potentiel.

C'est dans cette perspective holistique du fonctionnement de l'être humain que l'on peut prévoir les interventions infirmières. Les données qui servent à l'établissement du jugement clinique de l'infirmière proviennent du bilan global des événements qui influencent les possibilités pour l'être humain d'atteindre son potentiel de santé. Ces données servent ensuite de base pour l'établissement d'objectifs de santé à court et à long terme pour la personne, sa famille et la société, et pour la mise sur pied d'actes infirmiers qui visent l'atteinte de ces objectifs. Ces actes infirmiers ont comme but d'aider la personne à remodeler ses rapports avec soi-même et avec son environnement de manière à atteindre son potentiel de santé. Un modèle conceptuel des soins infirmiers tel que celui proposé par Rogers contribue à l'élaboration d'une théorie infirmière des soins infirmiers. La mise à l'épreuve et la validation constantes de ce modèle pourront, sans aucun doute, favoriser l'essor des sciences infirmières.

## MODÈLE DE L'AUTOSOIN

Orem a mis au point un modèle conceptuel de soins infirmiers qui met l'accent sur la capacité d'autosoins de la personne, c'est-à-dire les activités qu'elle pratique pour conserver sa vie, sa santé et son bien-être. Le but des soins infirmiers est la promotion et l'organisation des autosoins afin de maintenir la vie et la santé, de guérir la maladie et les blessures et de faire face à leurs conséquences. Les soins infirmiers sont nécessaires lorsqu'un adulte est incapable de répondre à ses propres besoins ou lorsqu'un parent est incapable de répondre aux besoins d'un enfant.

- L'infirmière doit aider le patient à surmonter les situations qui l'empêchent de prendre soin de lui-même et qui provoquent un déficit d'autosoins.

Orem a défini trois grandes catégories d'exigences: les exigences universelles, les exigences développementales et les exigences dues à des problèmes de santé. Les *exigences universelles* sont les conditions nécessaires à la conservation d'un fonctionnement humain intégré. Les *exigences développementales* sont celles qu'entraîne un processus de développement (par exemple, la grossesse) ou des circonstances qui affectent le développement humain (par exemple, la disparition d'un être cher). Les *exigences dues à des problèmes de santé* sont le résultat d'une maladie ou d'une blessure, d'une invalidité ou d'un diagnostic et d'un traitement médicaux. Il faut, dans ce cas, modifier les activités quotidiennes selon la gravité du problème. Les activités d'autosoins sont délibérées, orientées vers un but, déclenchées de la propre initiative de la personne et axées sur elle. Elles sont influencées par ses valeurs et ses objectifs. Lorsqu'elles sont efficaces, elles favorisent l'intégrité structurale, le fonctionnement et le développement de la personne.

Orem détermine trois systèmes d'interventions infirmières qui sont conçus pour répondre aux besoins d'autosoins de la personne, selon le degré de perturbation des activités: le système d'aide totale, le système d'aide partielle et le système de soutien et de formation (soutien du développement). Dans le cadre du *système d'aide totale*, l'infirmière prodigue les soins à la personne qui est incapable de pourvoir à ses besoins. Dans le cas du *système d'aide partielle*, l'infirmière aide la personne à accomplir certaines activités thérapeutiques d'autosoins. La principale responsabilité peut être assumée par l'infirmière ou par le patient, selon les limites réelles de ce dernier ou celles que le médecin lui prescrit et selon les connaissances, les capacités et la préparation psychologique lui permettant d'accomplir de telles activités. Dans le cas du *système de soutien et de formation*, le patient est capable d'accomplir les tâches lui permettant de répondre à ses besoins d'autosoins ou est prêt à les apprendre, mais il a besoin de soutien, d'orientation, de préparation et d'enseignement ainsi que d'un environnement propice à son développement.

Par conséquent, au fur et à mesure que l'état de santé du patient se modifie, ses besoins en matière d'interventions infirmières peuvent également se modifier dans le cadre d'un système de soins infirmiers qui peut les satisfaire. Un tel modèle conceptuel des soins infirmiers peut servir de pièce maîtresse pour orienter les interventions. Il est appliqué dans divers établissements d'enseignement et divers milieux cliniques. Toutefois, ce modèle doit être davantage validé avant que l'on puisse l'utiliser pour l'élaboration d'une base théorique solide des soins infirmiers.

## MODÈLE DE L'ADAPTATION

Le modèle de l'adaptation, mis au point par Roy, définit l'*adaptation* comme un processus de changement, phénomène universel qui s'applique à tous les êtres humains. L'homme est considéré comme un être biopsychosocial en interaction constante avec son environnement, interaction qui l'oblige à s'adapter sans cesse. Sa capacité d'adaptation dépend des stimuli focaux auxquels il est exposé et de son degré d'adaptation. Le degré d'adaptation est déterminé par l'effet de trois classes de stimuli: (1) les stimuli directs, à savoir ceux qui touchent la personne dans l'immédiat; (2) les stimuli contextuels, qui englobent tous les autres stimuli en présence; et (3) les stimuli résiduels, à savoir les stimuli qui ont marqué la personne dans le passé, comme ses croyances, ses attitudes

et ses traits de caractère. L'être humain doit s'adapter à quatre sortes d'exigences: les exigences physiologiques, la construction du concept de soi, l'exercice du rôle et le maintien de relations d'interdépendance. Ses réactions positives ou ses réactions d'adaptation aux stimuli lui permettent de maintenir son intégrité globale.

- Le rôle de l'infirmière est de favoriser l'adaptation aux quatre sortes d'exigences, que la personne soit bien portante ou malade, en utilisant les cinq étapes de la démarche de soins infirmiers: la collecte de données, l'analyse et l'interprétation des données, la planification, l'exécution et l'évaluation.

Lors de la collecte de données, l'infirmière doit établir où le patient se situe sur le continuum santé-maladie. Au cours de l'analyse et de l'interprétation, elle évalue sa capacité de s'adapter aux stimuli auxquels il doit faire face. À l'étape de la planification des soins infirmiers, elle doit fixer des objectifs permettant de transformer un comportement non adapté en un comportement adapté. Enfin, la démarche de soins infirmiers se termine par l'exécution et l'évaluation du plan d'interventions, dont l'objectif est de favoriser l'adaptation. Le modèle de l'adaptation est enseigné dans plusieurs écoles de soins infirmiers et il sert dans un grand nombre de services de soins infirmiers en milieu hospitalier. Toutefois, il devra être validé davantage avant que les infirmières puissent l'utiliser comme cadre de travail.

## MODÈLE DES CATÉGORIES DE COMPORTEMENTS

Selon le modèle des catégories de comportements, établi par Johnson, l'être humain est un système de comportements qui essaie sans cesse de se maintenir en équilibre au moyen d'ajustements et d'adaptations à son environnement interne et externe en constant changement. Son comportement est ordonné, délibéré et prévisible et, la plupart du temps, il est efficace et dynamique. Le système comportemental se subdivise en sept sous-catégories (l'appartenance, la dépendance, l'alimentation, l'élimination, la sexualité, l'agressivité et la réussite). Chacune de ces catégories comporte une tâche ou une fonction particulière qui contribue au rendement global de tout le système.

Une personne a besoin de soins infirmiers lorsque l'équilibre est perturbé ou risque d'être suffisamment perturbé pour qu'une aide extérieure soit justifiée. Les soins infirmiers sont considérés comme un élément de régulation externe dont le but est de prévenir le déséquilibre du système et de préserver ou de rétablir l'organisation optimale en favorisant l'intégration du comportement.

- Le but des soins infirmiers est d'aider le patient à modifier ses structures comportementales de façon à surmonter les contraintes engendrées par des éléments de sa vie qu'il ne peut changer.

Lors de la collecte des données, l'infirmière doit déterminer la capacité du patient de s'adapter aux menaces réelles ou perçues sans qu'il soit déstabilisé. Dans le cas où une telle déstabilisation est déjà présente ou prévisible, il faut procéder à une évaluation approfondie des sous-catégories où il y a déséquilibre. La reconnaissance et l'examen des comportements inadaptés permettent à l'infirmière de formuler des jugements cliniques. Ses interventions viseront par conséquent à régulariser les comportements du patient pour qu'il puisse maintenir ou atteindre l'équilibre dans chacune des sous-catégories. La démarche des soins infirmiers se termine par l'évaluation de la modification du comportement par rapport aux résultats escomptés et, si ceux-ci n'ont pas été atteints, par la révision du plan de soins afin de consolider la stabilité du système de comportements, d'aider le patient à s'adapter aux circonstances et à faire face au stress.

Le modèle des catégories de comportements a été utilisé dans divers milieux de soins pour orienter la pratique, la formation et la recherche. Toutefois, la base de connaissances empiriques et théoriques de ce modèle doit être élargie, et le modèle doit être mis à l'épreuve et validé.

*Résumé* : Ces quatre modèles conceptuels des soins infirmiers ne sont que quelques exemples parmi un vaste éventail de modèles pouvant servir de cadre à la pratique. Partout au pays, les infirmières utilisent ces modèles, les adaptent à leurs propres besoins, en suivent d'autres ou en mettent au point de nouveaux. Une formation qui s'inspire d'un modèle conceptuel fournit à l'étudiante et à la diplômée une charpente autour de laquelle elle peut articuler ses interventions et qui lui permet de parfaire sa formation. Nous pensons que les étudiantes et les diplômées qui utilisent un modèle conceptuel peuvent incorporer adéquatement dans leur pratique l'information sur la santé, sur la maladie et sur les diverses entités cliniques présentées dans ce manuel. Ce n'est qu'en connaissant les besoins physiologiques, psychosociaux et spirituels de la personne qui a droit à la santé, mais risque d'être perturbée par la maladie, que les infirmières peuvent répondre aux exigences de la société et de la profession.

# Soins infirmiers et système sociosanitaire

## Définition de la santé

La raison d'être de la profession d'infirmière est la satisfaction des besoins en matière de santé de la population. Mais, étant donné que ces besoins changent, les soins doivent évoluer également. La structure de notre société et notre mode de vie, tout comme la science et la technologie, ont subi ces dernières années une véritable mutation qui a influencé l'évolution des maladies et des méthodes thérapeutiques, ainsi que la définition même des soins et les attentes de la société par rapport aux professionnels qui les prodiguent. Aujourd'hui, la santé n'est plus simplement un droit fondamental de l'être humain ; elle est devenue un sujet d'intérêt public et une priorité nationale.

Notre système de soins a toujours été orienté vers le traitement des maladies. Cependant, on tend de plus en plus à mettre l'accent sur la santé et sa promotion. L'Organisation mondiale de la santé (OMS) a défini la santé comme suit : «un état complet de bien-être mental, physique et social, qui ne consiste pas seulement en l'absence de maladie ou d'infirmité\*».

Toutefois, une telle définition ne tient pas compte des divers degrés de bien-être ou de maladie. La notion de continuum santé-maladie (décrite par Dunn pour la première fois en 1961) a profondément influencé les objectifs des professionnels de la santé. Si l'on considère que la santé et la maladie sont les deux extrémités d'un continuum, on ne peut affirmer qu'une personne est tout à fait bien portante ou tout à fait malade. Son état de santé change plutôt constamment, et peut aller d'un grand bien-être à une très mauvaise santé et à la mort imminente. Par conséquent, on considère que l'être humain peut se trouver simultanément à divers degrés de santé et de maladie. La personne qui souffre d'une maladie chronique ne répond pas aux critères de santé définis par l'OMS. Toutefois, dans la perspective du continuum santé-maladie, elle peut atteindre un degré élevé de bien-être si elle arrive à réaliser son potentiel de santé dans les limites de son état.

Au cours des 50 dernières années, les troubles de santé des Nord-Américains ont grandement changé. La majorité de ces troubles ne sont plus infectieux ou aigus, mais plutôt chroniques. Au total, près de 800 000 Québécois (soit une personne sur 9) ont une incapacité.

La population des personnes âgées a fortement augmenté et cette croissance se poursuivra, le nombre des personnes de 65 ans et plus augmentant deux fois plus vite que celui de la population générale. En 1991, les 767 000 personnes âgées du Québec constituaient 11,3 % de la population et on prévoit que leur nombre atteindra 1 082 000 vers l'an 2011. La plupart des personnes âgées souffrent de plusieurs maladies chroniques qui se compliquent d'épisodes aigus. Leurs besoins en matière de soins sont complexes et exigent des investissements considérables sur les plans professionnel et financier.

En raison de ces modifications de l'état de santé des Québécois, on doit mettre de plus en plus l'accent sur la santé, la promotion de la santé et le bien-être. Les interventions ne doivent plus être axées sur la guérison, mais plutôt sur la promotion et sur la prévention de la maladie. On considère actuellement que la santé est le résultat direct d'un mode de vie qui tend vers le bien-être. Par conséquent, de nombreux programmes de promotion de la santé ont été mis au point. On peut citer à titre d'exemple les dépistages, les bilans de santé effectués tout au long de la vie, les programmes d'hygiène mentale et environnementale, les programmes de prévention des accidents, les programmes portant sur l'alimentation et les programmes d'enseignement sanitaire. L'intérêt croissant pour les autosoins se reflète dans la myriade de publications, de conférences et d'ateliers portant sur des problèmes médicaux ou de santé destinés au grand public. Les programmes didactiques structurés sur les autosoins sont principalement axés sur la promotion de la santé, la prévention de la maladie, les traitements, l'automédication et le recours au système professionnel de soins de la santé. Par ailleurs, il existe en Amérique du Nord plus de 500 000 groupes d'entraide qui visent également la promotion des autosoins et le partage des problèmes qui se posent aux personnes ayant la même invalidité ou la même maladie chronique.

Des professionnels de la santé se sont efforcés d'atteindre les membres des divers groupes ethniques et socio-économiques pour les encourager à adopter ou maintenir de bonnes pratiques sanitaires ou à modifier leur mode de vie. L'idée fondamentale est de créer un système de prestation de services qui rende accessible toute la gamme des soins de santé à tous les citoyens, à un prix abordable. Bien entendu, ce type

---

\* Préambule à la constitution de l'Organisation mondiale de la santé.

de soins a d'énormes répercussions politiques et sociales étant donné que de plus en plus d'organismes, de consommateurs, de politiciens et de soignants s'engagent dans leur planification.

## PROMOTION DU BIEN-ÊTRE ET MAINTIEN DE LA SANTÉ

Les gens qui œuvrent au sein du système sociosanitaire doivent acquérir une vision globale de la notion de bien-être et de ce que la société pourrait accomplir si elle était délestée du poids de la maladie. Dans une telle perspective, chaque personne doit être considérée sous l'angle d'un état de santé potentiel, réel ou souhaitable, de sorte qu'il incombe à chacun d'entre nous de favoriser et de conserver sa santé. Après tout, la santé n'est pas statique et il faut constamment chercher à la maintenir au niveau le plus élevé possible.

Au début des années 70, Hoffman (1972) affirmait que «à l'avenir, les plus grands progrès en matière de santé (aux États-Unis) seront redevables à l'enseignement sanitaire, et non pas à un plus grand nombre de médecins, de centres hospitaliers ou de nouvelles découvertes [...] Nous devons persuader les Américains que, après la génétique, le facteur qui influence le plus la santé est leur mode de vie. Plus importante encore que la pollution de l'environnement est la pollution de la personne». Cette idée reste encore valable aujourd'hui. Le stress, une mauvaise alimentation, le manque d'exercice, les pratiques sexuelles à risque, le tabagisme, la toxicomanie, les accidents et une mauvaise hygiène sont autant de facteurs qui nous permettent de comprendre comment le mode de vie peut affecter la santé. Par conséquent, les professionnels de la santé doivent d'abord inciter les gens à adopter des comportements qui favorisent le maintien de la santé. Ils devraient les encourager à améliorer leur mode de vie ou, en d'autres mots, les inciter à adopter des comportements qui leur permettront de se garder en bonne santé. La politique de la santé et du bien-être au Québec repose sur trois notions :

– La santé et le bien-être résultent d'une interaction constante entre l'individu et son milieu.

– Le maintien et l'amélioration de la santé et du bien-être reposent sur un partage équilibré des responsabilités entre les individus, les familles, les milieux de vie, les pouvoirs publics et l'ensemble des secteurs d'activité de la vie collective.

– La santé et le bien-être de la population représentent à priori un investissement par la société.

## SYSTÈME SOCIOSANITAIRE

### Société en mutation

Le système sociosanitaire change très rapidement étant donné que les besoins de santé et les attentes de la société évoluent constamment. L'évolution de la société et des lois joue un rôle prépondérant dans la transformation des soins de la santé. Les changements démographiques influent sur les besoins en matière de santé et sur les modes de prestation des services sanitaires. D'après les prévisions, vers l'an 2000, la population du Québec dépassera les 7 millions. Cette croissance est en partie attribuable à des services de santé publique améliorés et à une meilleure hygiène de vie. Non seulement la

population augmente-t-elle, mais sa composition se modifie également. Avec la dénatalité que nous connaissons depuis le milieu des années 50 et la prolongation de l'espérance de vie entraînée par l'amélioration des soins, il y a de moins en moins d'enfants d'âge scolaire et de plus en plus de personnes âgées. La population devient également plus mobile grâce à des systèmes de transport mieux adaptés. La majorité de la population habite dans des agglomérations urbaines importantes. Parallèlement à cette tendance vers l'urbanisation, on assiste à la migration croissante des groupes minoritaires vers le centre des villes et à celle des classes moyennes vers les banlieues. Le nombre des sans-abri commence à devenir inquiétant. Étant donné ces changements démographiques, les besoins des personnes appartenant à des groupes d'âges particuliers ou vivant dans des zones géographiques particulières rendent moins efficace les moyens traditionnels de prestation de soins et dictent une réorganisation d'envergure de tout le système sociosanitaire.

Au cours des dernières décennies, les progrès techniques ont été plus nombreux que jamais. Nous vivons à l'ère des machines électroniques polyvalentes qui ont révolutionné le monde du travail en effectuant un grand nombre de tâches auparavant réservées à l'être humain. Nous vivons aussi à l'ère des réseaux de communication qui relient les diverses parties de la planète. Nous vivons, enfin, à l'ère de l'informatique où des systèmes impressionnants emmagasinent, récupèrent et diffusent un nombre incalculable de données. De tels progrès scientifiques et techniques accélèrent encore le changement de sorte que les techniques deviennent rapidement désuètes.

Le système sociosanitaire dans son ensemble et les différentes professions reliées à ce domaine font également de rapides progrès sur le plan des connaissances scientifiques. La recherche a permis de mettre au point de nouveaux traitements pour des maladies mortelles, jadis incurables, comme le cancer, les maladies cardiovasculaires et le diabète. Cependant, cet essor des connaissances fait qu'il est de plus en plus difficile pour un professionnel de la santé de se tenir au courant de tous les progrès réalisés dans son domaine.

Le progrès technique amène aussi des changements rapides dans le domaine de l'équipement biomédical ; de nouveaux appareils de plus en plus perfectionnés sont utilisés. Habituellement, ces appareils sont conçus pour fournir aux infirmières, aux médecins ou aux thérapeutes les informations nécessaires pour déterminer la réaction du patient à un traitement ou pour diagnostiquer une maladie. Ils aident les infirmières dans les unités spécialisées de médecine-chirurgie et dans les unités de soins intensifs en permettant, par exemple, l'évaluation constante de l'état du patient. Ces appareils peuvent fournir des données permettant de sauver des vies, mais ils peuvent aussi déshumaniser les soins. De plus, le changement fréquent du matériel et l'achat de nouveaux appareils augmentent les coûts du traitement de la maladie.

Les appareils spécialisés et coûteux, comme le tomodensitomètre au gallium, peuvent être utilisés chez relativement peu de patients. Est-ce que tous les centres hospitaliers au sein d'une même région devraient avoir un tomodensitomètre perfectionné ? Est-ce qu'il sera utilisé à profit ou sous-utilisé, bien qu'il ait augmenté considérablement les coûts de fonctionnement du centre hospitalier ? Le système de santé doit rationaliser l'utilisation des techniques et des connaissances nouvelles. En définitive, les facteurs qui joueront sur l'utilisation de la nouvelle technologie seront peut-être les ressources économiques ainsi que les désirs et les besoins de la société dans son ensemble.

Le système de santé subit l'influence de facteurs et de décisions politiques. Le Canada est une confédération dont chacune des provinces est membre. De ce fait, il y a partage des champs de compétence entre les gouvernements fédéral et provinciaux. Lors de la création de la Confédération en 1867, la participation de l'État aux services de santé et aux services sociaux était presque inexistante. Les centres hospitaliers étaient en grande partie administrés par des communautés religieuses ou des organismes sans but lucratif. Peu à peu, la prestation de la plupart des services sociosanitaires fut reconnue comme étant avant tout une responsabilité partagée entre les gouvernements fédéral et provinciaux.

Dans le cadre de son champ de compétence, le gouvernement fédéral peut intervenir directement sur des catégories de personnes comme les militaires et les autochtones, et régit des domaines particuliers, comme la quarantaine. C'est depuis peu que le gouvernement fédéral peut intervenir directement dans le domaine de la santé. Grâce à son pouvoir de dépenser, le gouvernement fédéral peut consentir des versements aux provinces dans des sphères où il a autorité en matière de réglementation, par exemple : les régimes d'assurance-hospitalisation et d'assurance-maladie, les ressources sanitaires, les programmes de subventions à l'hygiène ainsi que le conditionnement physique et le sport amateur. Les provinces doivent obligatoirement se conformer aux conditions de financement prescrites par le gouvernement fédéral dans la *Loi sur la santé*, qui remplace depuis 1984 la *Loi sur l'assurance-hospitalisation et soins diagnostiques* promulguée en 1957 et la *Loi sur les services médicaux* de 1966. La première se limitait à garantir la contribution du gouvernement fédéral au financement, tandis que la seconde garantissait la participation financière du Fédéral aux régimes d'assurance-maladie.

Dorénavant, les lois acceptées par les provinces doivent respecter les principes suivants : intégralité de la couverture des services, universalité d'application des programmes, uniformité de la prestation et accessibilité raisonnable aux services de santé. Dans le domaine des services sociaux, le gouvernement fédéral exerce une influence sur la nature des services et sur le mode de prestation de ceux-ci par le biais du Régime d'assistance publique du Canada.

Le partage de responsabilités entre les paliers de gouvernements fédéral et provincial a favorisé la création d'une structure de coopération fédérale-provinciale. Cette structure comprend la Conférence des ministres de la Santé, la Conférence des sous-ministres de la santé et des comités consultatifs fédéraux-provinciaux chargés d'étudier divers services sociosanitaires comme les services de soins communautaires. L'étude des conférences des ministres et sous-ministres de la santé a pour objet l'examen de tout ce qui concerne la promotion, la protection, le maintien et le rétablissement de la santé des citoyens.

## COMPOSANTES DU SYSTÈME SOCIOSANITAIRE

Les fondements du système sociosanitaire québécois (figure 5-1) sont contenus dans la *Loi sur les Services de santé et les services sociaux* promulguée en 1971. Elle confère au ministère de la Santé et des Services sociaux un pouvoir de maître-d'œuvre en lui confiant le mandat d'améliorer l'état de santé de la population, de rendre accessible les programmes sociosanitaires, d'encourager les citoyens à participer à l'instauration, à l'administration et au développement des établissements sociosanitaires, de mieux adapter les services aux besoins des citoyens, de favoriser l'efficacité de la gestion des services offerts et enfin, de promouvoir la recherche et l'enseignement.

### Ministère de la Santé et des Services sociaux (MSSS)

Le ministère de la Santé et des Services sociaux est responsable de l'élaboration et de l'application des politiques sociosanitaires du Québec. Il doit voir à l'application des lois et règlements relatifs aux services de santé et aux services sociaux et s'assurer que des services de qualité sont accessibles à tous les citoyens.

Le Ministère a pour devoir d'élaborer des objectifs, des orientations et des priorités sociosanitaires et de prévoir les moyens nécessaires à leur réalisation. Il évalue également l'effet des programmes offerts et contrôle l'application des lois et des règlements ainsi que l'utilisation des ressources dans les établissements.

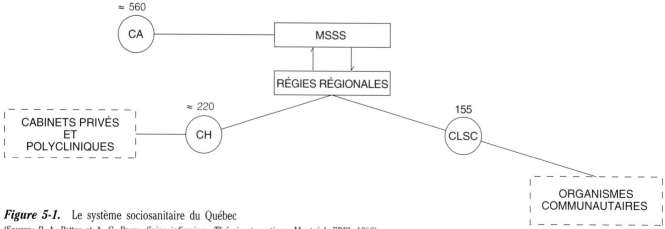

***Figure 5-1.*** Le système sociosanitaire du Québec
(Source : P. A. Potter et A. G. Perry, *Soins infirmiers : Théorie et pratique,* Montréal, ERPI, 1990)

L'activité du Ministère est assurée par les sept directions générales suivantes: planification et évaluation; prévention et services communautaires; recouvrement de la santé; réadaptation et services de longue durée; relations de travail; équipements et services; budget et administration (MSSS, 1988). En outre, sept organismes relèvent de l'autorité du Ministère et le conseillent ou administrent pour lui certains programmes:

1. Le Conseil des affaires sociales et de la famille (CASF): organisme d'étude et de consultation chargé d'établir les objectifs et priorités du secteur des affaires sociales et de la famille et de consulter divers organismes et groupes qui œuvrent dans le domaine des politiques sociales et familiales.

2. Le Conseil consultatif de pharmacologie: organisme de consultation chargé de l'élaboration et de la mise à jour de la liste des médicaments fournis gratuitement aux bénéficiaires de l'aide sociale et aux personnes âgées. Il est également consulté sur la valeur thérapeutique et le prix de chaque médicament.

3. Le Fonds de la recherche en santé du Québec (FRSQ): organisme sans but lucratif qui administre l'allocation des bourses et des subventions à la recherche.

4. La Corporation d'hébergement du Québec: organisme sans but lucratif qui assure la construction d'établissements et le financement des immobilisations pour le Ministère.

5. Le Comité de la santé mentale du Québec: organisme qui coopère avec le Ministère à la réalisation d'activités de planification dans le secteur de la santé mentale.

6. Le Conseil québécois de la recherche sociale (CQRS): organisme consultatif qui conseille le Ministère sur toute question relative à la recherche sociale et gère un programme de subvention à la recherche sociale.

7. La Régie d'assurance-maladie du Québec (RAMQ): organisme qui gère plusieurs programmes. Tous les citoyens québécois peuvent bénéficier des services assurés par ce régime.

Les services dispensés hors Québec sont également couverts sur la base des tarifs québécois. C'est aussi la RAMQ qui rémunère les professionnels inscrits au programme d'assurance-maladie et interdit la surfacturation par des professionnels exerçant au Québec.

### Régies régionales

Les régies régionales servent de pont entre le ministère de la Santé et des Services sociaux et les établissements. Elles ont pour mandat de:

- traduire les objectifs et les stratégies de la politique de la santé et du bien-être en fonction, d'une part, des caractéristiques sociosanitaires de la population de leur région et, d'autre part, du résultat visé pour l'ensemble du Québec;

- mettre en œuvre un plan d'action pour rencontrer les objectifs et les stratégies fixés, en concertation avec les établissements et les organismes du milieu

## RÉSEAU SOCIOSANITAIRE

L'accessibilité à des services de qualité est assurée par plus de 900 établissements regroupés par catégories: les centres hospitaliers (CH), les centres locaux de services communautaires (CLSC), les centres de services sociaux (CSS), et les centres d'accueil (CA).

### Centres hospitaliers (CH)

Les centres hospitaliers sont des établissements où l'on dispense des services de prévention, de diagnostic, de traitement et de réadaptation. Ils sont divisés en deux classes, les centres hospitaliers de soins de courte durée (CHSCD) et les centres hospitaliers de soins de longue durée (CHSLD). Les premiers offrent des soins pour une période ne dépassant pas trois mois, tandis que les seconds assurent des soins aux personnes qui ont besoin de soins de façon continue pendant une période supérieure à 90 jours.

La typologie des centres hospitaliers reconnaît également la mission de chacun: les centres hospitaliers généraux offrent la gamme des services de santé de base, les centres hospitaliers spécialisés offrent en plus un ou plusieurs services particuliers comme les soins aux grands brûlés, et les centres hospitaliers ultra-spécialisés offrent des services propres à une spécialité clinique, comme la réadaptation et la santé mentale, ou propres à une clientèle particulière, comme les enfants. Enfin, les établissements qui se consacrent à l'enseignement et à la recherche sont appelés centres hospitaliers universitaires. On retrouve aussi des centres de jour, ou hôpitaux de jour, qui dispensent des services de santé à une clientèle qui n'a pas besoin d'hébergement.

Les services de santé dispensés dans les centres hospitaliers sont gratuits et comprennent les repas et l'hébergement. Toutefois, l'établissement a le droit de réclamer des frais pour l'usage d'une chambre individuelle ou à deux lits ainsi que des frais d'hébergement aux usagers des centres de soins de longue durée selon une grille tarifaire tenant compte du revenu de chaque personne.

En 1986, il y avait 122 centres hospitaliers de soins de courte durée (CHSCD), 41 de soins de longue durée (CHSLD) et 15 à vocation psychiatrique (CHPSY). On compte également 44 centres hospitaliers privés et conventionnés, c'est-à-dire soumis à des normes gouvernementales et financés en grande partie par l'État (Rochon et coll., 1988).

### Centres locaux de services communautaires (CLSC)

Les centres locaux de services communautaires sont des établissements qui ont pour mission de dispenser à la communauté des services de santé et des services sociaux, aussi bien préventifs que curatifs, ainsi que des services de soutien à l'organisation de la communauté.

Le CLSC reçoit des patients qui n'ont pas besoin d'être admis dans un centre hospitalier mais qui nécessitent des services sociosanitaires. On y retrouve une gamme élaborée de services comme les services de consultation conjugale, les services de santé courants, les services de soins à domicile, la santé scolaire, la nutrition, etc. Les services sont gratuits pour tous les résidents du Québec. En 1987, le Québec comptait 155 CLSC sur son territoire (Rochon et coll., 1988).

On y retrouve notamment les services et programmes suivants:

1. La protection de la jeunesse, qui offre des services d'évaluation, d'orientation, de tutelle sociale, de placement dans des familles d'accueil, de consultation familiale, d'adoption.

2. La protection des adultes et des personnes âgées, qui offre parmi divers services de dépannage le placement en famille d'accueil, le placement en établissement et la consultation psychosociale.

3. Les services sociaux institutionnels, qui fournissent des services sociaux en milieu hospitalier ainsi que des services d'expertise et de conciliation à la Cour supérieure.

4. Le réseau des ressources légères, qui évalue, accepte et assure le suivi des ressources comme les familles d'accueil.

### Centres d'accueil (CA)

Les centres d'accueil sont des établissements qui offrent des services d'hébergement, d'entretien, de garde en observation, de traitement et de réintégration sociale à des personnes en perte d'autonomie.

On retrouve trois types de centre d'accueil :

1. Le centre d'accueil d'hébergement (CAH) reçoit des personnes qui, en raison d'une perte d'autonomie reliée à l'âge ou à une incapacité physique ou mentale, doivent être hébergées en milieu protégé.

2. Le pavillon, lié par contrat à un centre d'hébergement, offre des services à des personnes en perte légère d'autonomie et qui ont besoin de surveillance ou de protection sociale ou encore d'un gîte et de nourriture.

3. Le centre d'accueil de réadaptation (CAR) offre pour une période limitée des services à des jeunes qui font face à des problèmes de réadaptation sociale, à des personnes handicapées mentalement ou physiquement, à des personnes souffrant d'alcoolisme ou de toxicomanie.

Ces établissements représentent plus de la moitié de l'ensemble des établissements de santé québécois (Rochon et coll., 1988, dans Potter 1990).

### Organismes communautaires

Le ministère de la Santé et des Services sociaux encourage la participation de groupes communautaires bénévoles qui œuvrent au mieux-être des citoyens en assurant un support financier aux organismes bénévoles. On retrouve entre autres :

1. Les organismes bénévoles de maintien à domicile
2. Les organismes de promotion et de services à la communauté
3. Les centres de dépannage pour femmes en difficulté
4. Les maisons et les centres de jeunes

### Cabinets de professionnels de la santé

Le cabinet privé ne fait pas partie d'un établissement sociosanitaire. On peut y retrouver un ou plusieurs professionnels d'une ou de plusieurs disciplines exerçant leur profession. Les services professionnels sont, dans l'ensemble, couverts par le régime d'assurance-maladie.

### Organismes gouvernementaux

Plusieurs organismes gouvernementaux offrent des services complémentaires à ceux du réseau sociosanitaire, dont l'Office des services de garde à l'enfance, l'Office des personnes handicapées, la Commission de la santé et de la sécurité au travail et la Régie de l'assurance-automobile du Québec.

---

# ASPECTS LÉGAUX DE LA RELATION INFIRMIÈRE-PATIENT

Le grand public s'intéresse de plus en plus à la santé et aux soins dispensés, et ses connaissances dans ce domaine sont de plus en plus étendues. Cet intérêt et ces connaissances ont été stimulés par la télévision, les journaux, les revues et les autres médias. De ce fait, le public commence à souscrire à l'idée que la santé et les soins sanitaires constituent un droit fondamental et ne sont pas le privilège des nantis. Les professionnels de la santé sont, à leur tour, de plus en plus influencés par l'idée que le public se fait de la santé et des soins qu'il reçoit. Dans l'exercice de sa profession, l'infirmière est en relation avec un grand nombre de personnes : le patient et sa famille, les médecins, d'autres infirmières, d'autres professionnels de la santé et des administrateurs. Sa relation avec les patients pouvant soulever plusieurs questions d'ordre légal, l'infirmière doit se rappeler constamment les droits du malade.

## DROITS DES USAGERS DU SYSTÈME SOCIOSANITAIRE

Les droits des usagers des services sociosanitaires sont protégés entre autres par la *Loi sur les services de santé* adoptée en 1971, la Charte des droits et libertés de la personne promulguée en 1981, et le Code des professions adopté en 1973. Ces lois et règlements guident les citoyens et les protègent en énonçant les responsabilités des établissements et de l'équipe de soins à l'égard des malades et de leur famille. Le malade a le droit d'être informé sur le diagnostic et le traitement, sur le coût des services et sur la continuité des soins. Il a le droit de refuser une épreuve diagnostique ou un traitement. Par-dessus tout, la déclaration des droits du malade soutient son droit à l'information et à l'intimité lorsqu'il reçoit des soins (voir l'encadré 5-2).

Un des droits du malade est le consentement éclairé. Le consentement éclairé signifie qu'il doit donner son autorisation avant certaines interventions. Le consentement éclairé doit être obtenu avant une intervention chirurgicale, l'administration de médicaments expérimentaux ou avant la participation de la personne à des recherches. Le consentement éclairé répond à six critères :

1. Le document de consentement doit être rédigé dans une langue comprise par la personne ou son tuteur légal.

2. Le document doit mentionner tous les risques possibles ainsi que les interventions du médecin ou du chercheur visant à réduire ces risques.

3. Le document doit énumérer les bienfaits de l'intervention ; s'il n'y a aucun bienfait connu au moment présent, le document doit en faire mention.

4. Toute possibilité autre que l'intervention doit être mentionnée, même si la seule autre option est la non-participation.

## *Encadré 5-2*
# *Droits des malades*

### 1. Le droit à l'information:

Vous avez droit à une information complète sur votre état, sur les traitements qu'il peut requérir et sur vos chances de vous en sortir et ce, dans une langue et des mots courants.

Un médecin, après vous avoir questionné(e) et examiné(e), possède un ensemble d'informations qui peuvent vous être très utiles (par exemple, il peut voir que votre tension artérielle est élevée, etc.). Vous avez droit à TOUTES ces informations.

Vous avez le droit de connaître le diagnostic du médecin qui vient vous examiner et d'obtenir les explications qui vous permettront de comprendre votre maladie et ce qu'elle peut avoir comme conséquences.

Fréquemment, le médecin demande des examens de laboratoire, des prises de sang, des rayons-X, etc. Vous avez le droit de connaître les dangers que posent ces examens (le cas échéant), de savoir en quoi ils consistent exactement et pourquoi on les fait et surtout, de connaître les résultats.

Si vous devez subir des interventions chirurgicales ou autres, vous avez le droit de savoir s'il s'agit d'un procédé vraiment essentiel et s'il y a d'autres solutions envisageables, d'en connaître les dangers et les effets secondaires possibles et enfin, de savoir par qui cette intervention sera faite.

Quant aux médicaments, sachez qu'ils ne sont pas toujours essentiels, loin de là; en fait, il s'en prescrit beaucoup trop. Si l'on vous en prescrit, vous avez le droit de connaître l'essentiel sur ces médicaments, notamment les substances qu'ils contiennent et leurs dangers, leurs effets indésirables possibles, les effets bénéfiques qu'on en attend, etc.

Vous avez aussi le droit de recevoir le médicament qui, à valeur égale, coûte le moins cher dans sa catégorie. Vous avez droit à l'honnêteté de votre médecin, qui doit vous adresser à un autre si le problème dont vous souffrez dépasse sa compétence.

Au centre hospitalier, vous avez le droit de connaître le nom et le prénom du médecin qui vous soigne; tous les autres médecins qui voudraient vous examiner ou vous faire un traitement quelconque doivent obtenir votre permission.

### 2. Le droit de refuser votre consentement:

Si vous jugez que vous ne disposez pas d'assez d'informations ou si vous souhaitez avoir plus de temps pour réfléchir, vous avez le droit de refuser de consentir à quelque intervention que ce soit, qu'il s'agisse d'un examen, d'une intervention chirurgicale ou autre. Par exemple, dans certains cas, vous pouvez choisir la physiothérapie à la place d'une intervention chirurgicale.

Vous avez aussi le droit de refuser de prendre des médicaments et de recevoir des injections, quels qu'ils soient; cette remarque s'applique en particulier à ceux et celles qui sont hospitalisés en psychiatrie (sauf exception). Avant de prendre une décision importante concernant votre santé, vous avez le droit de demander l'opinion d'un autre médecin ou de tout autre «soignant» en qui vous avez confiance. Méfiez-vous des formules de consentement «ouvertes» qui équivalent à signer un chèque en blanc; ne craignez pas de refuser de signer une telle formule ou toute autre qui ne vous convient pas, de demander l'assistance d'une autre personne ou encore de modifier les formules qu'on vous présente en y ajoutant ou en rayant

des éléments. N'oubliez pas: votre consentement n'est valide que s'il est accordé en pleine connaissance de cause et en toute liberté.

### 3. Le droit à l'intimité et à la confidentialité:

Sauf vous-même et ceux qui vous soignent, personne n'a le droit de voir le contenu de votre dossier. Votre dossier ne peut être transmis à une autre personne sans votre permission écrite. Votre dossier appartient physiquement au médecin ou à l'établissement qui vous suit, mais les renseignements qu'il contient vous appartiennent. Vous avez donc le droit de le voir et d'en connaître le contenu exact. Si on vous refuse ce droit, vous pouvez contourner la difficulté en remettant une autorisation écrite à un médecin de votre choix (le plus sympathique possible à votre cause); celui-ci recevra votre dossier et pourra vous le transmettre.

### 4. Le droit de refuser d'être utilisé:

Vous avez le droit de savoir quand on vous utilise pour l'enseignement, la recherche ou l'expérimentation; dans ce dernier cas, vous avez le droit de connaître les effets positifs ou négatifs qu'on peut prévoir de ce traitement et vous avez le droit, dans chacun de ces cas, de refuser de participer.

### 5. Le droit d'être traité dans les urgences:

Quand vous vous présentez à la salle d'urgence d'un centre hospitalier, on ne peut vous renvoyer sans qu'un médecin vous ait examiné(e) et qu'il se soit assuré qu'un autre travailleur de la santé s'occupera de vous ou que vous pouvez retourner à la maison sans danger.

### 6. Le droit de quitter le centre hospitalier ou le bureau du médecin:

Sauf dans les cas de cure fermée (voir plus loin), vous avez le droit de quitter le centre hospitalier ou le bureau du médecin n'importe quand et ce, même si on vous le déconseille fortement. Il peut arriver alors qu'on vous demande de signer une formule de refus de traitement qui décharge l'établissement et/ou le médecin de toute responsabilité face à l'évolution de votre état.

### 7. Le droit à un traitement de qualité:

Vous avez droit à des soins de qualité, qui soient dispensés avec compétence, respect et humanité. Vous avez aussi droit à toute la considération due à une personne humaine, c'est-à-dire à la courtoisie, à la dignité et à la compréhension.

**Remarque:** Tous les droits cités devraient être respectés en tout temps et en tout lieu, même en prison. Un citoyen privé de sa liberté ne devrait pas être privé de son droit à être bien soigné même si, dans les faits, il en va souvent autrement. Pour se protéger, la société a isolé une catégorie de malades qui perdent tout droit de regard sur leur traitement, soit les malades psychiatriques en cure fermée. Quand un juge et/ou deux psychiatres décrètent qu'un patient doit être interné, ce patient ne peut quitter l'établissement où il est interné de son plein gré et il n'a pas droit de regard sur son traitement. Pour toute autre maladie psychiatrique, quand il n'y a pas eu de

## Encadré 5-2 (suite)

procédure légale signifiant l'internement, le patient ou sa famille, quand il n'est pas en état de le faire lui-même, peut refuser les traitements qu'on lui offre (comme les électrochocs, etc.).

### 8. Le droit de changer de médecin:

Vous avez le droit de choisir le médecin que vous désirez et de changer de médecin à n'importe quel moment. Le fait que vous ayez choisi un médecin un jour ne vous lie aucunement pour l'avenir. Cependant, il est de votre intérêt de développer une bonne relation avec un seul médecin, de sorte que puisse être assurée une certaine continuité dans les soins.

### 9. Le droit de connaître les honoraires du médecin pour l'«acte» qu'il vient de poser:

Tout médecin qui pose un acte médical, quel qu'il soit, est rémunéré selon une entente avec la Régie de l'assurance-maladie sauf lorsqu'il est salarié, ce qui est l'exception. Le montant qu'il reçoit dépend de l'acte qu'il pose et quelquefois du temps qu'il y consacre. On comprend que dans certains cas (trop nombreux, malheureusement) le choix du médecin se porte vers les actes les plus rémunérateurs. Vous avez le droit de connaître les honoraires payés pour les actes que le médecin désire poser.

(Source: P. A. Potter et A. G. Perry, *Soins infirmiers: Théorie et pratique,* Montréal, ERPI, 1990)

---

5. Le document doit mentionner que la participation est volontaire et que la personne peut refuser de participer ou se retirer sans que d'autres soins lui soient refusés.

6. La personne qui donne son consentement éclairé doit être saine d'esprit et habilité à le faire, ou être représenté par son tuteur légal. De plus, elle doit savoir comment rejoindre le médecin ou le chercheur qui effectuera l'intervention.

Les droits du malade et le consentement éclairé influent sur la façon dont le système de soins de santé dispense les soins. Il y a aujourd'hui, dans la plupart des établissements, un comité qui évalue les suggestions et les plaintes des patients à propos de la façon dont les soins sont dispensés; dans un grand nombre d'établissements de santé, ce comité est appelé le comité des malades. Dans de nombreux endroits, ces plaintes peuvent également être acheminées au «protecteur du citoyen». Bien que la nécessité de protéger les droits du malade entraîne des formalités et du travail supplémentaires, cette protection est nécessaire pour garantir que les droits de tous les usagers soient respectés à l'intérieur du système sociosanitaire.

Lorsque les patients sont mieux informés sur leurs droits, ils prennent une part plus active en tant qu'usagers. Par conséquent, le système de soins de santé est de plus en plus à l'écoute des usagers et offre des services qui répondent aux besoins de sa clientèle.

## ÉVALUATION DU TRAVAIL DE L'INFIRMIÈRE

La vérification ou l'évaluation des soins infirmiers prend énormément de temps et peut être perçue comme une menace par l'infirmière. Néanmoins, il est impossible de faire progresser les soins infirmiers et la prestation des soins sans faire progresser les connaissances, les compétences, la conscience et les perceptions des infirmières.

Les patients tirent avantage d'un bon programme d'appréciation de la qualité, car ils reçoivent de meilleurs soins. Les infirmières tirent avantage de tels programmes, car ils mettent en évidence la nécessité de connaître, d'agir, d'évaluer et de justifier (Moore, 1979). Les infirmières enrichissent donc leurs connaissances théoriques et pratiques et deviennent plus compétentes.

## Appréciation de la qualité

L'appréciation de la qualité est une évaluation constante, systématique et globale des services de santé et de leur incidence sur ceux qui les reçoivent. Les programmes d'appréciation de la qualité visent globalement à fournir d'excellents soins.

Les exigences du Conseil canadien d'agrément des hôpitaux (CCAH) en matière d'assurance de la qualité des soins infirmiers comportent huit normes (voir l'encadré 5-3), fondées sur le principe qu'il doit exister un service structuré de soins infirmiers chargé des soins infirmiers prodigués aux patients, ainsi que de la conduite déontologique et des pratiques professionnelles du personnel des soins infirmiers (CCAH, 1986, dans Potter, 1990).

La vérification est une enquête approfondie visant à reconnaître, à examiner ou à vérifier l'exécution d'aspects précis des soins infirmiers à partir de normes professionnelles établies. À certains endroits, on n'exige qu'une vérification simultanée, c'est-à-dire que les soins infirmiers soient évalués pendant que le patient les reçoit. La vérification simultanée se fait souvent au cours de l'hospitalisation.

La vérification a pour but d'évaluer l'ensemble des soins infirmiers que reçoit le client. Elle est souvent faite par une infirmière d'une autre unité. Pour assurer l'uniformité des vérifications, chaque établissement crée sa propre formule. La formule de vérification est une liste de contrôle comportant des critères précis d'évaluation pour chaque catégorie de soins. Bien que leur forme et leur style diffèrent, toutes les formules de vérification évaluent chaque niveau de soins infirmiers d'après les étapes de la démarche de soins et les normes de compétence établies par l'OIIQ.

tous les types d'unités, sans qu'on tienne compte d'exigences particulières sur le plan technique ou clinique.

Les centres hospitaliers n'offraient autrefois qu'une seule voie d'avancement de carrière: la gestion. D'infirmière généraliste, on passait à différents postes de cadre. Chaque étape de ce cheminement éloignait davantage l'infirmière de son rôle d'infirmière de chevet.

Certains centres hospitaliers ont voulu remédier à cette situation en ouvrant des perspectives d'avancement en milieu clinique. Ainsi, le Thomas Jefferson University Hospital de Philadelphie offre une voie de carrière clinique de quatre niveaux: Infirmière I, le niveau d'entrée pour les nouvelles diplômées; Infirmière II, le niveau automatiquement atteint par les infirmières qui ont de l'expérience; Infirmière III, le niveau occupé par des infirmières ayant démontré une grande compétence clinique et ayant prouvé qu'elles sont capables d'assumer la responsabilité d'agent de soins infirmiers sur une base de 24 heures; Infirmière IV, le niveau occupé par des infirmières qui possèdent une spécialisation clinique et qui sont capables de diriger les soins infirmiers d'une unité de soins. Ce niveau exige un diplôme universitaire de 1$^{er}$ ou de 2$^e$ cycle ou un certificat dans un champ de concentration clinique. Ce cheminement a pour objectif de valoriser le perfectionnement clinique et, de ce fait, d'accroître la motivation et la productivité de l'infirmière. Le système de promotion est administré par un comité dont les décisions reposent sur des critères préétablis. Ce comité examine le dossier des infirmières qui en font la demande. Il n'y a pas de contingentement de fonctions ni de poste systématiquement relié à un niveau.

Pour accéder à un poste d'assistante infirmière-chef, une infirmière doit détenir un baccalauréat et posséder les qualités qu'exige ce poste. De plus en plus, l'infirmière-chef doit détenir une maîtrise. L'infirmière-chef est responsable de la planification, de l'organisation et de la répartition des ressources humaines, du budget et du contrôle de son unité de soins. Les coordonnatrices ont la charge de plusieurs unités de soins, et la directrice a l'entière responsabilité de l'administration des soins infirmiers dans l'établissement de santé.

Le *rapport du comité d'étude sur la main-d'œuvre en soins infirmiers* propose que «le développement de plan de carrière soit reconnu comme une nécessité dans les conditions actuelles de fonctionnement du système de soins de santé» (Dussault et coll., 1987, dans Potter, 1990). Ce rapport explique, à titre de référence, les modèles de cheminement parallèle implantés dans certains hôpitaux américains. Ceux-ci permettent aux infirmières qui le désirent d'obtenir des promotions et de voir reconnaître leur leadership et leur compétence tout en continuant à prodiguer des soins aux clients (Dussault et coll., 1987, dans Potter, 1990). La figure 5-2 illustre un modèle de cheminement parallèle offrant deux voies de promotion aux infirmières: la voie clinique et la voie de la gestion.

Comme nous l'avons vu, les études préparent l'infirmière à exercer dans un champ d'activité de plus en plus vaste. Cependant, ses deux principales fonctions restent celles d'infirmière en milieu hospitalier et d'infirmière clinicienne.

Les *infirmières qui exercent en milieu hospitalier* sont, pour la plupart, des infirmières généralistes. Leur rôle est de prodiguer une vaste gamme de soins directs à l'individu et à sa famille dans un milieu propice à l'autonomie et à la collaboration avec d'autres professionnels de la santé. Elles exercent autant dans des établissements de soins de courte durée que dans des établissements de soins prolongés.

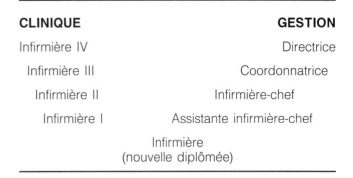

**Figure 5-2.** Plans de carrière selon un modèle de cheminement parallèle

(Source: P. A. Potter et A. G. Perry, *Soins infirmiers: Théorie et pratique*, Montréal, ERPI, 1990)

Les *infirmières cliniciennes*, par ailleurs, sont des spécialistes qui détiennent une maîtrise et qui pratiquent dans des domaines spécialisés (par exemple, cardiologie, oncologie, etc.). Elles ont pour principales fonctions: la pratique clinique, l'enseignement au patient, la consultation et la recherche. Des études ont démontré que, en réalité, leurs principales fonctions sont l'enseignement et la consultation: l'enseignement au patient et aux membres de sa famille ainsi qu'au personnel infirmier et la consultation avec les autres membres de la profession. On les retrouve dans tous les milieux.

Grâce au rôle qu'elles jouent auprès des malades, les infirmières professionnelles ont contribué grandement à l'évolution de la pratique. La base des connaissances en sciences infirmières a connu un essor sans précédent. La pratique clinique est devenue la clé de voûte de la profession.

En raison du champ d'activité élargi, les diverses associations d'infirmiers et d'infirmières des provinces se sont efforcées de mieux définir la pratique professionnelle.

## Normes de la pratique infirmière

Au fil des ans, les infirmières ont acquis de plus en plus d'autonomie dans l'exercice de leur profession et elles en sont venues à établir leurs propres normes de pratique professionnelle. Ces normes sont importantes, car elles permettent à la fois d'orienter et d'évaluer les soins. Lorsque les normes sont clairement définies, les clients sont assurés de recevoir des soins de qualité, les infirmières savent exactement ce qui est nécessaire à la prestation des soins infirmiers et les administrateurs peuvent déterminer si les soins prodigués correspondent aux normes établies. De plus, les normes de pratique professionnelle sont importantes en cas de litige lorsqu'il faut déterminer si, dans un cas particulier, les soins adéquats ont été dispensés. L'Association des infirmières et infirmiers du Canada a publié des normes de pratique infirmière (voir le tableau 5-1). L'Ordre des infirmières et infirmiers du Québec a également adopté des normes de compétence professionnelle de l'infirmière (voir l'encadré 5-5). Ces normes et les critères qui s'y rattachent sont utilisés par l'Ordre lors des visites de surveillance générale de l'exercice de la profession, ou par les membres comme instrument d'auto-évaluation. Ils constituent un guide précieux dans la pratique de la profession d'infirmière et permettent d'améliorer continuellement la qualité des soins.

**TABLEAU 5-1.    *Résumé des normes de la pratique infirmière de l'Association des infirmières et infirmiers du Canada***

| *Norme* | *Éléments* |
|---|---|
| I La pratique infirmière doit respecter un ou plusieurs modèles conceptuels. | 1. Les infirmières doivent avoir une idée claire de l'objet propre à leur profession.<br>2. Les infirmières doivent avoir une idée claire du client.<br>3. Les infirmières doivent avoir une idée claire de leur rôle face aux besoins de la société en matière de santé.<br>4. Les infirmières doivent avoir une idée claire de l'origine des difficultés du client.<br>5. Les infirmières doivent avoir une idée claire du but poursuivi et des modes d'intervention existants.<br>6. Les infirmières doivent avoir une idée claire des conséquences prévisibles de leurs activités. |
| II La pratique infirmière nécessite l'application effective du processus infirmier. | 1. Les infirmières doivent recueillir des données conformément à leur conception du client.<br>2. Les infirmières doivent analyser les données recueillies conformément à leur conception de l'objet de la profession infirmière, de leur rôle et de l'origine des difficultés du client.<br>3. Les infirmières doivent planifier leurs activités en fonction des problèmes réels ou éventuels du client et en conformité avec leur conception du but poursuivi et des modes d'intervention.<br>4. Les infirmières doivent engager des actions qui permettent d'assurer la mise en œuvre du plan.<br>5. Les infirmières doivent évaluer toutes les étapes du processus infirmier en conformité avec leur modèle conceptuel. |
| III La pratique infirmière exige l'instauration d'une relation d'aide entre l'infirmière et le client. | 1. Les infirmières doivent établir avec le client des échanges qui conduisent ce dernier à penser que leur intervention était compréhensible, bien menée et finalement efficace.<br>2. Les infirmières doivent établir des objectifs d'un commun accord avec le client afin de conduire ce dernier à juger que leur intervention était compréhensible, bien menée et efficace.<br>3. Les infirmières doivent s'assurer que leur relation avec le client s'achève avec succès. |
| IV La pratique infirmière exige des infirmières qu'elles assument leurs responsabilités professionnelles. | 1. Les infirmières doivent respecter les règlements et politiques régissant la profession et leur milieu de travail.<br>2. Les infirmières doivent respecter le Code de déontologie de leur profession.<br>3. Les infirmières doivent manifester un esprit d'équipe. |

(Source: Association des infirmières du Canada. «Définition de la pratique infirmière / Normes de la pratique infirmière,» Ottawa, AIIC, février 1987, dans P. A. Potter et A. G. Perry, *Soins infirmiers: Théorie et pratique,* Montréal, ERPI, 1990)

En général, les soins initiaux, les soins en consultation externe et l'orientation préventive deviennent de plus en plus importants dans la pratique infirmière. Dans le cadre de son champ d'activité élargi, l'infirmière peut travailler en étroite collaboration avec les autres professionnels de la santé. De cette façon, des rapports plus conviviaux peuvent s'établir entre les différents professionnels de la santé.

À cause de diverses compressions budgétaires, les infirmières sont de plus en plus souvent amenées à dispenser des soins à domicile. Puisque les patients doivent quitter le centre hospitalier plus tôt qu'auparavant, les soins à domicile sont plus complexes et plus spécialisés. L'infirmière qui prodigue des soins à domicile doit avoir les compétences lui permettant d'effectuer un examen physique chez des personnes de tous les âges. Par ailleurs, elle doit connaître les techniques de soins intensifs et savoir coordonner les services fournis par différents membres de l'équipe soignante.

Étant donné que les soins infirmiers sont prodigués autant à l'extérieur qu'à l'intérieur des centres hospitaliers, l'infirmière peut, comme nous l'avons dit, exercer sa profession dans un grand nombre de milieux de soins: centres hospitaliers de courte durée, services de consultations externes, cliniques, services d'urgence, centres communautaires, organismes qui dispensent des soins à domicile, cabinets privés ou agences d'infirmières ainsi que dans divers centres d'hébergement et d'accueil. Elle doit être experte dans la conduite des entrevues, l'observation des patients, l'examen physique, l'application de nouvelles techniques cliniques, la compréhension des modèles comportementaux, la collecte des données, la promotion de techniques de résolution de

## Encadré 5-5
## *Normes de compétence professionnelle de l'Ordre des infirmières et infirmiers du Québec*

### Norme 1

L'infirmière connaît les sources d'information et les moyens pour faire la collecte des données. Elle recueille les données pertinentes, auprès de l'individu, d'un groupe d'individus, de la famille, du milieu et de la communauté et ce, à partir d'une conception de soins infirmiers, selon la condition du bénéficiaire (collecte des données).

### Norme 2

L'infirmière connaît les étapes d'organisation des données recueillies. Elle analyse et interprète les données recueillies. Elle analyse et interprète les données en se basant sur des connaissances scientifiques, une conception de soins infirmiers, les composantes de la situation et la perception qu'a le bénéficiaire de sa situation. L'analyse et l'interprétation des données sont reliées à l'individu, à un groupe d'individus, à la famille, au milieu, à la communauté. L'infirmière décrit les caractéristiques de la situation et elle vérifie la conformité de son interprétation auprès du bénéficiaire et des personnes concernées (interprétation des données).

### Norme 3

L'infirmière connaît et applique les étapes nécessaires à la planification des soins infirmiers. En se référant à une conception des soins infirmiers, aux données recueillies, à des connaissances scientifiques, elle formule le plan de soins avec la participation du bénéficiaire s'il y a lieu et de la famille ou de la personne significative et avec l'équipe de soignantes (planification des soins).

### Norme 4

L'infirmière connaît les principes à la base des divers types d'intervention de soins infirmiers. Elle applique ces principes dans la réalisation du plan de soins élaboré.

Elle prodigue au bénéficiaire les soins planifiés afin de lui fournir l'assistance dont il a besoin selon sa condition.

Elle maintient des relations interpersonnelles, elle donne l'enseignement, elle favorise les apprentissages et la rééducation, elle applique des mesures de confort, des mesures préventives et thérapeutiques et elle contribue aux méthodes de diagnostic.

Elle suscite la participation du bénéficiaire, de la famille ou de la personne significative aux soins (exécution des soins).

### Norme 5

L'infirmière connaît les étapes de l'évaluation. Elle procède à cette évaluation avec le bénéficiaire ou les membres de la famille / les personnes significatives. Suite à cette évaluation, elle reprend les étapes de la démarche et apporte les modifications jugées nécessaires (évaluation de la démarche).

### Norme 6

L'infirmière connaît et utilise des moyens pour assurer au bénéficiaire des soins continus en établissement et dans la communauté (continuité des soins).

### Norme 7

L'infirmière situe son rôle dans l'équipe de soins infirmiers et elle l'assume (équipe de soins).

### Norme 8

L'infirmière connaît ses responsabilités en tant que membre d'une profession et elle s'en acquitte (responsabilités professionnelles).

### Norme 9

L'infirmière connaît des méthodes de contrôle des soins infirmiers. Elle contrôle les soins infirmiers selon son niveau de responsabilité (contrôle des soins).

### Norme 10

L'infirmière connaît son rôle au sein de l'équipe multidisciplinaire et elle l'assume (multidisciplinarité).

(Source: Ordre des infirmières et infirmiers du Québec. «Évaluation de la compétence professionnelle de l'infirmière et de l'infirmier du Québec,» Montréal, OOIQ, 1984, dans P. A. Potter et A. G. Perry, *Soins infirmiers: Théorie et pratique,* Montréal, ERPI, 1990)

problèmes auprès de la personne, de la famille ou de groupes, etc. En outre, elle doit savoir prendre des décisions et évaluer le résultat des soins et adopter les mesures qui s'imposent pour rendre les soins rentables et efficaces. Afin d'acquérir et de maintenir l'expérience clinique nécessaire, l'infirmière doit poursuivre son développement personnel et s'inscrire à divers programmes de formation en cours d'emploi tout au long de sa carrière.

## RÔLES DE L'INFIRMIÈRE

Qu'elle œuvre dans un établissement hospitalier ou en milieu communautaire, l'infirmière professionnelle doit assumer trois rôles: celui de *soignante,* de *leader* et de *chercheure.* Bien que chacun de ces rôles comporte des responsabilités particulières, divers aspects sont interreliés et caractérisent le travail de l'infirmière dans son ensemble. En exerçant chacun de ces rôles, l'infirmière peut répondre aux besoins immédiats et futurs des patients auxquels elle prodigue des soins.

### SOIGNANTE

En exerçant son *rôle de soignante,* l'infirmière doit assumer la responsabilité des soins dont le principal but est de satisfaire les besoins en matière de santé de l'individu, de sa famille et des personnes clés dans sa vie. Ce rôle est primordial dans le milieu des soins primaires, secondaires et tertiaires. Il ne peut être exercé que grâce à la démarche des soins infirmiers, qui est la clé de voûte de l'exercice de la profession d'infirmière.

Dans les établissements de soins de courte ou de longue durée, au sein d'une équipe multidisciplinaire, l'infirmière est chargée de la *planification du congé*. Dans le cadre de ses fonctions, elle doit travailler avec les autres professionnels des soins de santé pour s'assurer que le patient quitte le centre hospitalier au moment approprié et que son départ ne nuira en rien à son état de santé futur. La planification du congé doit aller dans le sens de la continuité des soins afin d'aider le patient à acquérir toute l'autonomie dont il est capable.

Étant donné que la démarche de soins infirmiers est la clé de voûte de la pratique infirmière et que le processus d'enseignement et d'apprentissage est un aspect important de cette démarche, nous allons étudier ces deux processus inter-reliés aux chapitres 2 et 3. La lecture attentive du contenu de ces chapitres permettra à l'étudiante d'acquérir de nouvelles connaissances qui lui serviront dans l'exercice de son rôle de soignante.

**Possibilités d'avancement.**   L'infirmière peut gravir les divers échelons de la pratique clinique tout en restant en contact avec les patients. Son expérience clinique peut être évaluée, reconnue et récompensée. En prouvant sa compétence clinique accrue ainsi que ses connaissances et son expérience, l'infirmière gravit les divers échelons tout en continuant à prodiguer des soins directs aux patients.

# LEADER

L'infirmière qui occupe un poste de *leader* dirige habituellement les soins prodigués aux patients dans un service de soins spécialisés d'un centre hospitalier et elle est responsable d'un groupe important d'infirmières, de membres de professions connexes ou de patients. Toutefois, d'après la définition de Yura, Ozimek et Walsh (1981), la notion de leader est élargie et l'infirmière peut assumer ce rôle à n'importe quelle étape de sa carrière. Elle exerce un rôle de leader lorsqu'elle accomplit des tâches qui peuvent modifier les actes d'autrui, tâches qui sont orientées vers l'établissement et l'atteinte de plusieurs objectifs. Le rôle de leader en soins infirmiers implique quatre dispositions essentielles : décider, établir des relations, persuader et faciliter. Chacune de ces dispositions doit aider l'infirmière à devenir un agent de changement et à atteindre les objectifs fixés. Pour assumer son rôle de leader, l'infirmière doit être avant tout une bonne communicatrice. Par conséquent, dans son rôle de leader, elle doit savoir établir des relations interpersonnelles dans le but de modifier le comportement des personnes avec lesquelles elle est en interaction.

L'infirmière peut exercer son rôle de leader auprès d'un grand nombre de personnes ou d'un groupe restreint et ce, dans des circonstances très variées. Par exemple, elle exerce son leadership lorsqu'elle aide un individu ou sa famille à adopter des changements dans leurs habitudes de vie, lorsqu'elle aide des groupes à modifier leurs pratiques en matière de santé ou lorsqu'elle travaille en étroite collaboration avec d'autres infirmières ou professionnels de la santé pour modifier le comportement de patients ou de groupes de façon à favoriser le maintien de la santé. L'infirmière peut également exercer son rôle de leader dans un secteur public particulier ou face

au public en général lorsqu'elle essaie de modifier des comportements reliés à la santé par des pressions pour qu'une loi soit modifiée ou par des campagnes et des programmes de services sanitaires. Par conséquent, le rayon d'action de l'infirmière dans son rôle de leader est très large.

L'infirmière assume le rôle de leader lorsqu'elle intervient auprès d'un seul patient, de groupes d'infirmières ou d'autres membres de l'équipe des soins, de groupes communautaires ou du grand public. Ce rôle est important et il complète son rôle de soignante.

**Porte-parole du patient.**   Dans un centre hospitalier de soins de courte durée, où l'infirmière est chargée des soins d'un seul patient ou d'un groupe de patients, son rôle de leader peut être très subtil. En premier lieu, elle est le porte-parole des patients et elle prend la défense de leurs intérêts chaque fois qu'elle anticipe ou satisfait des besoins qu'ils sont incapables de satisfaire eux-mêmes. Elle doit non seulement être à l'écoute du patient, mais aussi être capable de communiquer ses besoins aux autres professionnels de la santé qui participent à ses soins et de coordonner le travail de toute l'équipe afin d'atteindre les objectifs thérapeutiques fixés.

Pour être un véritable porte-parole du patient, l'infirmière doit être consciente du fait qu'elle a en face d'elle un être unique et digne de respect. Cette attitude lui permet d'aider le patient à être autonome et à prendre des décisions éclairées. Il incombe à l'infirmière de fournir au patient tous les renseignements dont il a besoin pour prendre des décisions éclairées à propos de ses propres soins.

À l'extérieur du milieu hospitalier, les personnes auxquelles l'infirmière prodigue ses soins sont plus autonomes et, habituellement, plus capables de prendre des décisions relatives à leur santé et d'adopter des comportements qui les aident à la reconquérir. Pour cette raison, le rôle de leader dans ce milieu diffère du rôle de leader en milieu hospitalier. L'infirmière doit se servir des mêmes compétences qu'en milieu hospitalier, mais elle doit les adapter aux facteurs qui agissent sur la clientèle qu'elle dessert, et particulièrement aux facteurs qui influent sur les besoins en matière de santé et les moyens d'y répondre. Pour modifier les comportements relatifs à la santé en milieu communautaire, l'infirmière doit prendre en considération de nombreux facteurs, comme les valeurs culturelles, les attitudes, les ressources et l'influence des leaders communautaires, pour n'en citer que quelques-uns.

# CHARGÉE DE RECHERCHE

Il y a peu de temps encore, le rôle de *chercheure* était réservé aux universitaires, aux spécialistes en sciences infirmières, aux détenteurs d'un doctorat et aux spécialistes de d'autres disciplines. Ce n'est que dernièrement que les infirmières ont reconnu le vif besoin de recherche en soins infirmiers et qu'elles ont commencé à se rendre compte du rôle important que les infirmières cliniciennes peuvent jouer dans ce domaine.

À titre de chercheure, la principale tâche de l'infirmière est d'apporter sa contribution à l'élargissement de la base scientifique de la pratique. Il faut mener de nombreuses études pour déterminer les effets réels des interventions et des soins infirmiers. Sans de telles recherches, les sciences infirmières ne pourront pas se développer et les changements à apporter à la pratique ne pourront jamais être corroborés par des données scientifiques.

Il incombe à toutes les infirmières de participer à la recherche en soins infirmiers et d'accepter leur rôle de chercheures. Les infirmières qui ont reçu une formation en méthodologie de la recherche peuvent utiliser leurs connaissances et leur savoir-faire lorsqu'elles proposent et mènent à bien les études qui s'imposent. Cela ne veut pas dire que les infirmières qui ne s'engagent pas directement dans de telles études ne jouent pas un rôle primordial dans la recherche en soins infirmiers. Chaque infirmière peut apporter sa contribution à la recherche, et il est important qu'elle le fasse. Toutes les infirmières doivent signaler les nouveaux problèmes de soins infirmiers qu'elles rencontrent dans leur travail et les questions soulevées par leur pratique quotidienne, car cela peut servir de point de départ à la recherche. Les infirmières de première ligne sont souvent les mieux placées pour repérer les problèmes et les questions d'intérêt pour la recherche. Leurs connaissances cliniques ont une immense valeur. Elles doivent également s'engager activement dans les recherches en cours en collaborant avec les chercheurs ou en leur communiquant leurs propres données. En expliquant la raison d'être d'une étude aux autres professionnels de la santé, aux patients ou à leur famille, elles peuvent fournir une aide précieuse à l'infirmière qui conduit la recherche.

Par-dessus tout, l'infirmière doit appliquer les résultats des recherches dans sa propre pratique. La recherche n'a aucune valeur en soi. Ce n'est qu'en appliquant ses résultats des recherches dans la pratique de tous les jours que les sciences infirmières pourront avancer. Les résultats obtenus ne peuvent être corroborés que s'ils sont appliqués, validés et communiqués. Les infirmières doivent se tenir constamment au courant des études qui sont directement liées à leur champ d'activité. Les établissements de soins et leurs services de soins infirmiers doivent s'intéresser aux progrès enregistrés dans la recherche en soins infirmiers et utiliser les résultats obtenus. Il ne faut pas oublier qu'il est essentiel de communiquer et de diffuser les résultats des recherches.

Par conséquent, la recherche fait partie intégrante des soins infirmiers. L'avenir des sciences infirmières dépend de la volonté des infirmières de participer activement à la mise en application et à l'utilisation des résultats de la recherche. D'une part, les infirmières doivent rester à l'affût des données nouvelles qui les aident à améliorer leur pratique et à valoriser leur profession. D'autre part, c'est la soif de savoir des infirmières qui suscite la recherche en soins infirmiers. Pour que les soins infirmiers aient de solides assises scientifiques, les cliniciennes et les chercheures doivent collaborer ensemble à la recherche.

L'établissement, en 1985, du National Center for Nursing Research au sein du National Institutes of Health des États-Unis représente une réalisation sans précédent pour notre profession. Ce centre est chargé de la promotion de la recherche en soins infirmiers et surtout de la recherche sur les besoins en matière de santé et sur la notion de bien-être de la personne globale. Il appartient aux infirmières de s'informer sur la recherche menée à ce centre et d'incorporer dans leur pratique les nouvelles données qu'il diffuse.

## PATIENT OU CLIENT

Dans ce livre, nous avons choisi d'utiliser le terme patient qui correspond bien à la définition du Petit Robert : Personne qui subit ou va subir une opération chirurgicale, malade qui est l'objet d'un traitement, d'un examen médical. Toutefois, en dehors de la médecine et de la chirurgie, il faut utiliser un autre terme, comme client, usager, bénéficiaire, pour désigner les personnes à qui les infirmières prodiguent des soins. Les infirmières sont libres de choisir le terme qui leur semble le plus approprié.

La figure centrale des services des soins est évidemment la personne qui reçoit les soins. La personne qui se présente à un centre hospitalier ou à un autre établissement de soins à cause d'un ou de plusieurs problèmes de santé (un nombre de plus en plus grand de personnes souffrent simultanément de plusieurs troubles) est en même temps un individu, le membre d'une famille et un citoyen. Selon leur maladie, les circonstances qui l'entourent et leur expérience de vie, les besoins de ces personnes sont différents. L'une des principales fonctions de l'infirmière est de reconnaître les besoins immédiats de ses patients et de prendre des mesures pour y répondre. Pour cette raison, la théorie des besoins s'adapte bien au cadre des soins infirmiers.

## THÉORIE DES BESOINS FONDAMENTAUX

Tous les êtres humains ont en commun certains besoins qui doivent être satisfaits. Certains de ces besoins sont plus pressants que d'autres, et il faut y répondre en suivant un ordre de priorités. Toutefois, dès qu'un besoin essentiel est satisfait, un besoin d'un ordre supérieur surgit. Cette notion de besoin prioritaire s'inspire de la hiérarchie des besoins établie par Maslow[1]. Selon cette théorie, les besoins de l'être humain peuvent être classés comme suit : les besoins physiologiques, le besoin de protection et de sécurité, le besoin d'affection et d'appartenance, le besoin d'estime de soi et de considération et le besoin d'actualisation de soi, qui englobe le besoin d'épanouissement, le besoin de connaître et de comprendre et les besoins d'ordre esthétique. Les besoins d'ordre inférieur ne disparaissent jamais, mais étant donné que la tension qu'ils génèrent est réduite une fois qu'ils ont été satisfaits, la personne peut répondre à des besoins d'un ordre supérieur. En satisfaisant des besoins d'un ordre supérieur, la personne améliore de plus en plus sa santé psychologique et elle tend vers un mieux-être. Une telle hiérarchie des besoins est un cadre d'organisation du travail très utile, qui peut être utilisé de concert avec un modèle conceptuel pour évaluer les forces et les faiblesses des patients et leurs besoins en matière de soins infirmiers (voir la figure 5-3).

### Besoins physiologiques

Les besoins physiologiques motivent en premier lieu le comportement humain et déclenchent les mécanismes qui maintiennent l'*homéostasie*, c'est-à-dire la stabilisation des différentes constantes physiologiques de tout organisme vivant (voir le chapitre 8). Il s'agit de la régulation de la respiration, de l'alimentation et de l'excrétion, de l'hydratation des tissus, de la température corporelle et d'un grand nombre de mécanismes de protection. Le besoin de repos et de sommeil et le soulagement de la douleur font également partie des besoins physiologiques. La sexualité est une pulsion de base, mais elle n'est pas essentielle à la survie.

---

1. Maslow, A. H. *Motivation and Personality*, New York, Harper & Row, 1970.

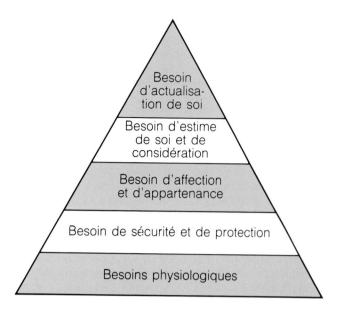

**Figure 5-3.** Cette pyramide des besoins de l'être humain proposée par Maslow nous permet de comprendre que la personne monte dans la hiérarchie des besoins à partir des besoins de base vers des besoins d'un ordre supérieur avec le but ultime de réaliser un fonctionnement intégré et de maintenir une santé optimale.

Ces besoins physiologiques sont très puissants ; s'ils ne sont pas satisfaits, ils occupent tout le champ du conscient. Par exemple, si une personne doit restreindre sa consommation de liquides à cause du traitement qui lui a été prescrit, la soif peut occuper toutes ses pensées. Il sera incapable de parler d'autre chose, se plaindra sans cesse d'avoir soif et demandera tout le temps à l'infirmière et au médecin quand on lui apportera enfin un verre d'eau. Pendant ce temps, il ne s'intéressera pas à ce qui l'entoure. Dès que sa soif sera étanchée, il prendra conscience d'autres besoins et souffrira, par exemple, du manque d'intimité.

## Besoin de protection et de sécurité

Si les besoins physiologiques sont satisfaits, le besoin de sécurité psychologique et physique émerge. L'adulte bien portant est capable de se protéger et, en général, il ne se sent pas menacé : il se sent relativement en sécurité par rapport à la mort ; son travail le met à l'abri du besoin ; son régime d'assurance et ses économies lui confèrent un sentiment de sécurité matérielle.

La maladie constitue naturellement une menace. La personne malade peut être effrayée par les nombreux inconnus qui entrent dans sa chambre. Les examens diagnostiques et les interventions médicales peuvent augmenter son appréhension. La personne malade a besoin de se sentir protégée. Même si elle n'exprime pas ses sentiments dans ces termes, elle souhaite que les membres de l'équipe soignante soient conscients du fait qu'elle ne se sent pas en sécurité. Afin de protéger l'individu, l'infirmière doit connaître la nature de sa maladie et être au courant de toutes les complications possibles. En cas de complications, elle doit être capable de prodiguer les soins requis. Nous expliquerons au chapitre 10 comment l'infirmière peut favoriser la sécurité psychologique du patient.

## Besoin d'appartenance et d'affection

Une fois que les besoins physiologiques et le besoin de sécurité et de protection de la personne ont été satisfaits, son besoin d'appartenance et d'affection devient manifeste. Chaque personne, qu'elle soit bien portante ou malade, désire l'amitié et la reconnaissance d'autrui. La personne malade veut avoir près d'elle sa famille ou, à défaut, ses amis, et elle en a besoin. Elle appréciera donc tout signe d'intérêt authentique et toute marque de gentillesse. L'infirmière avisée n'oublie jamais ce besoin fondamental et reconnaît son importance pour le moral du patient. L'une des façons de satisfaire ce besoin est d'expliquer aux membres de la famille qu'ils ont un rôle important à jouer auprès du membre hospitalisé et qu'ils doivent participer à ses soins pour l'aider à se rétablir. La collecte, l'analyse et l'interprétation des données sur le comportement du patient sont essentielles pour reconnaître les éléments qui indiquent que le besoin d'appartenance ou d'affection n'est pas satisfait. Le patient peut se montrer taciturne, il peut ne jamais se plaindre et vouloir plaire à tout prix, ou il peut constamment solliciter l'attention par des questions pressantes ou des comportements perturbateurs. En interprétant correctement ces comportements, l'infirmière peut intervenir de diverses façons pour montrer au patient qu'il est accepté. Il est important de fixer des objectifs avec le patient et sa famille pour leur montrer qu'ils sont des membres importants de l'équipe soignante.

## Besoin d'estime de soi et de considération

L'homme, par sa nature, est un être social qui déteste la solitude. La maladie l'oblige à quitter un monde relativement convivial et le place dans un milieu étranger, inconnu et qu'il n'a pas choisi, où il se sent seul et désarmé. Lui qui était un membre actif de la société doit maintenant accepter une position de dépendance. Il a donc besoin de préserver son estime de lui-même, d'être reconnu en tant qu'individu, en tant que personnalité distincte. L'infirmière doit garder à l'esprit la notion de valeur individuelle et de dignité humaine et veiller à ce que le patient soit respecté et considéré. Elle doit prendre le temps de l'écouter. Dans la mesure où le patient le désire et qu'elle en a le temps, elle doit converser avec lui et montrer de l'intérêt pour tous les sujets auxquels il accorde beaucoup d'importance. Son attention, sa gentillesse et son empathie aident le patient à se sentir respecté et à sentir que ses besoins et ses problèmes sont reconnus.

Si le besoin d'estime et de respect de soi n'est pas satisfait, le patient se sent impuissant et manque de confiance dans ses capacités. Un enseignement qui met l'accent sur l'acquisition d'habiletés et de connaissances contribue à rehausser l'estime et le respect de soi du patient.

## Besoin d'actualisation de soi

D'après Maslow, seulement 1 % de la population adulte ressent le besoin d'actualisation de soi. L'actualisation de soi est inaccessible à la personne qui vit dans un milieu où règne le manque d'affection. Par ailleurs, la satisfaction des besoins d'un ordre inférieur suffit à un grand nombre de gens qui, par conséquent, n'éprouvent jamais le besoin d'actualisation de soi.

**Besoin d'épanouissement.** Une fois que les besoins physiologiques de la personne ont été satisfaits et qu'elle se sent hors de danger, respectée et acceptée, son besoin de créativité peut émerger. Si son séjour au centre hospitalier est court, le patient ne se sentira pas frustré à cet égard. Toutefois, les patients souffrant d'une maladie chronique doivent pouvoir exprimer leur créativité et se sentir utile.

**Besoin de savoir et de comprendre.** Le besoin de savoir et de comprendre est un besoin très fort. Une personne intelligente se renseigne, organise et analyse les informations et en cherche la signification. En général, les patients veulent savoir ce qui les attend et ils ne se contentent pas d'explications succinctes ou vagues. Beaucoup de patients sont étonnamment bien renseignés sur les fonctions corporelles. Toutefois, bien que certains renseignements qu'ils détiennent puissent être valables, d'autres sont incorrects et, dans ce cas, des précisions ou des éclaircissements s'imposent. L'enseignement au patient fait partie du rôle de l'infirmière, et c'est d'ailleurs l'une de ses fonctions les plus importantes. Pour enseigner correctement et efficacement, l'infirmière doit avoir une bonne connaissance du sujet, de bonnes aptitudes de communicatrice, et elle doit connaître les principes de base de l'enseignement et de l'apprentissage. Pour être bien comprises, les explications doivent être simples sans être trop rudimentaires. L'infirmière doit prendre en considération l'état physique et affectif du patient, son niveau d'intelligence, son expérience de la maladie et sa connaissance de la situation ainsi que l'urgence du besoin de connaître et de comprendre. Elle doit également tenir compte des répercussions possibles de ses remarques et veiller scrupuleusement à ce que ses informations soient exactes et bien comprises.

**Besoins esthétiques.** Les besoins esthétiques varient en importance d'une personne à l'autre mais, pour la plupart, le milieu le plus propice est celui où règnent l'ordre et la beauté. Le patient très sensible à l'esthétique sera profondément perturbé par des objets sans beauté, par des odeurs et des sons désagréables ainsi que par le désordre. Il peut souhaiter s'entourer de fleurs, de livres et de musique qui, en agrémentant son environnement contribuent infiniment à son bien-être.

Résumé: On peut dire que la plupart des besoins de la personne moyenne, qu'elle soit malade ou bien portante, ne peuvent être satisfaits que partiellement. Par ailleurs, l'infirmière, qui a la responsabilité et le privilège d'aider le patient à satisfaire ses besoins et à résoudre ses problèmes, doit savoir qu'un certain nombre de problèmes ne peuvent pas être éliminés ni résolus. Lorsqu'un patient fait face à un tel problème, il incombe à l'infirmière de l'aider à l'accepter ou à se contenter d'une solution imparfaite, si cette solution est la meilleure qu'on puisse lui proposer.

# TYPES DE SOINS ADMINISTRÉS AU PATIENT

En essayant de répondre aux besoins du patient, les infirmières ont mis au point diverses méthodes de soins. Au cours des années 50 et 60, la notion de travail d'équipe était fort prisée. Cette manière de procéder n'a toutefois pas fait la preuve de son efficacité. Depuis quelques années, les soins intégraux gagnent de plus en plus de partisans et sont appliqués dans un grand nombre de centres hospitaliers. Certaines études ont démontré que les soins intégraux sont plus économiques et plus efficaces que les soins prodigués par une équipe. Toutefois, des études supplémentaires sont nécessaires pour corroborer ces résultats.

# SOINS INTÉGRAUX

Les soins intégraux, comme leur nom l'indique, englobent tous les soins administrés à un patient, en fonction de ses besoins et avec le souci d'en assurer la continuité. Les soins intégraux individualisés sont prodigués par une seule infirmière titulaire à partir du moment où le patient est admis au centre hospitalier et jusqu'à son départ. Ce type de soins élimine le morcellement qui caractérisait les soins administrés par toute une équipe. L'infirmière peut soigner directement le patient plutôt que de coordonner et de superviser le travail des autres soignantes. Essentiellement, l'infirmière titulaire peut exercer son rôle de soignante et de leader pendant qu'elle prodigue des soins directs au patient.

Le point de mire des soins intégraux est le patient. L'infirmière titulaire est responsable de la prestation de soins infirmiers de qualité 24 heures sur 24. Les soins doivent être complets et personnalisés, c'est-à-dire répondre à tous les besoins biopsychosociaux du patient. Il incombe à l'infirmière titulaire de faire directement participer le patient et sa famille à tous les aspects des soins. Elle a suffisamment d'autonomie et de latitude pour prendre des décisions thérapeutiques avec le patient et sa famille. Par conséquent, ses soins s'adressent autant à la famille qu'au patient. L'infirmière titulaire communique également aux autres membres de l'équipe soignante tous les renseignements concernant le patient et les soins qu'il reçoit. Ainsi, la continuité des soins est assurée et les efforts de toute l'équipe en améliorent sans cesse la qualité. Les autres professionnels de la santé peuvent communiquer directement avec l'infirmière qui est responsable des soins du patient.

Idéalement, l'infirmière titulaire devrait s'occuper de trois ou, au maximum, de quatre patients. Toutefois, sa charge dépend des besoins des patients. Elle peut ne se charger que d'un seul patient ou avoir six patients sous sa responsabilité. L'infirmière titulaire doit rencontrer le patient le plus rapidement possible après son admission au centre hospitalier afin d'établir avec lui une relation qui se consolidera tout au long de son séjour et, parfois, même après son retour à la maison. Le patient peut ainsi mieux connaître l'infirmière qui sera chargée de ses soins. Chaque jour où elle travaille, l'infirmière titulaire s'occupe du patient placé sous sa responsabilité. Elle connaît ses problèmes et ses besoins à mesure qu'ils surviennent et essaie de trouver les solutions qui s'imposent. Avant le départ du patient pour un autre centre de soins ou pour son domicile, l'infirmière titulaire doit s'assurer que celui-ci a été adressé à des spécialistes, au besoin, et qu'on a fourni tous les renseignements pertinents aux personnes qui s'occuperont de lui, par la suite. Tout au long du séjour du patient au centre hospitalier, l'infirmière titulaire fait participer autant que possible les membres de la famille aux soins et à la planification de son congé.

Les jours où l'infirmière titulaire ne travaille pas, elle est remplacée par une infirmière associée qui exécute le plan de soins et lui fait part de ses commentaires. Ceux-ci lui sont d'une aide précieuse pour l'évaluation du plan de soins. Mais il incombe à l'infirmière titulaire de s'assurer que tous les besoins du patients sont satisfaits et que la continuité des soins est assurée, même lorsqu'elle ne peut pas les prodiguer elle-même.

Dans les établissements où l'on dispense des soins intégraux, l'infirmière-chef conseille les infirmières titulaires et s'efforce avec l'infirmière clinicienne de les aider à améliorer constamment leur expérience clinique. L'infirmière-chef est l'instigatrice de la relation qui se noue entre l'infirmière titulaire et le patient, puisque c'est elle qui assigne à celle-ci les patients dont elle devra s'occuper. Cette répartition du travail n'est pas arbitraire; elle se fait en fonction de la compétence et de l'expérience de l'infirmière titulaire. L'infirmière-chef devient ensuite une personne ressource qui aide l'infirmière titulaire à résoudre les problèmes que posent les soins. L'évaluation périodique du travail de l'infirmière titulaire relève également de l'infirmière-chef. Grâce à des interactions fréquentes avec l'infirmière titulaire et ses patients, elle recueille de l'information qui aidera l'infirmière titulaire à utiliser au maximum sa compétence et à pousser toujours plus loin ses limites.

Les étudiantes et les stagiaires en soins infirmiers peuvent aussi travailler dans le cadre des soins intégraux, mais la responsabilité de la continuité des soins intégraux incombe à l'infirmière titulaire. Quand celle-ci ne peut administrer des soins directs aux patients, les autres membres de l'équipe soignante sont chargés de cette tâche. Ils doivent néanmoins suivre le plan de soins établi par l'infirmière titulaire et la consulter s'ils croient qu'il faudrait y apporter certaines modifications. Dans ce cas, l'infirmière titulaire joue le rôle important de conseillère et d'enseignante. Elle peut organiser des séances de consultation en soins infirmiers afin de faciliter l'échange d'informations. Ces consultations devraient porter surtout sur la qualité des soins prodigués aux patients et viser la continuité des soins.

Les soins intégraux ont été conçus pour accroître la responsabilité de l'infirmière envers le patient. Les études menées dans certains centres hospitaliers où l'on dispense ce genre de soins révèlent que les infirmières titulaires tirent une plus grande satisfaction de leur travail parce qu'elles sont plus autonomes, se sentent valorisées et ont une tâche plus diversifiée.

Il est difficile de prédire les perspectives d'avenir des soins intégraux. À cause des restrictions budgétaires et de la durée d'hospitalisation de plus en plus courte, les infirmières doivent s'occuper en même temps d'un plus grand nombre de patients. En raison de la charge de travail accrue, la plupart des services infirmiers et des établissements doivent modifier la formule des soins intégraux ou reprendre le travail d'équipe ou le partage des responsabilités. D'autres établissements redistribuent les rôles au sein de l'équipe soignante et modifient les modèles de pratique afin de permettre à l'infirmière d'exercer dans un champ d'activité élargi. D'autres encore adoptent des modèles plus innovateurs, comme celui de la prise en charge.

## PRISE EN CHARGE

Au cours des dernières années, en raison des innombrables changements qui se sont produits dans le système sociosanitaire, les infirmières s'intéressent de plus en plus à la prise en charge afin de mieux assurer la coordination des services. Les premiers essais de la formule de prise en charge remontent au début du siècle, lorsqu'on a mis sur pied les premiers programmes de santé publique. Depuis, cette formule occupe un rôle prédominant dans ce domaine. Avec les années, le processus s'est modifié dans sa forme et dans sa portée, mais le principe de base reste le même, c'est-à-dire que la responsabilité de répondre aux besoins du patient incombe à une personne ou à une équipe qui vise à lui procurer les services qui lui sont nécessaires et d'en évaluer l'efficacité.

La prise en charge n'est pas pratique courante dans les centres hospitaliers, mais un grand nombre de chefs de file de notre profession ont adopté ce modèle. Dans la plupart des cas, les principales raisons de ce changement sont la diminution de la durée de l'hospitalisation couplée à des transferts rapides et fréquents d'un service à l'autre, à savoir des services de soins spéciaux aux services de soins ordinaires, ainsi que le nombre restreint d'infirmières qui peuvent jouer, dans ce contexte, le rôle d'infirmières titulaires. Dans de nombreux cas, les infirmières titulaires ne peuvent plus répondre aux besoins complexes des patients pendant leur court séjour dans un service donné.

Dans certains établissements, on utilise le modèle de la *pratique conjointe infirmière-médecin*. Dans le cadre d'une structure d'organisation décentralisée et d'un système d'administration de soins intégraux, les infirmières et les médecins peuvent prendre des décisions thérapeutiques en collaboration. Dans chaque unité du centre hospitalier, un comité de pratique conjointe, avec une représentation égale des deux professions, supervise, soutient et favorise le travail en collaboration. La pratique conjointe est facilitée par la tenue de dossiers cliniques intégrés et leur révision effectuée en étroite collaboration. À la figure 5-4, on compare le modèle traditionnel avec le modèle de pratique conjointe. Dans son rapport de 1988, le secrétaire chargé des services de santé et des services humains de la Commission on Nursing a reconnu le rôle essentiel de la pratique conjointe dans la prestation de soins de qualité en recommandant aux employeurs des infirmières et des médecins de cultiver la collaboration entre les membres de l'équipe de soins.

Le modèle de pratique conjointe, ou l'une de ses variantes, devrait être l'un des principaux buts des soins infirmiers. Il s'agit d'un modèle qui favorise la participation et le partage des responsabilités dans un milieu de soins qui vise à répondre aux besoins complexes du public en matière de santé.

La coordinatrice n'administre plus directement des soins au patient. Son principal rôle est plutôt la coordination des soins prodigués à un groupe de patients et la coordination du travail du personnel chargé de ce travail. Dans la plupart des cas, les soins intégraux sont destinés à un groupe de patients ayant des diagnostics, des besoins et des traitements similaires et dont les coordinatrices prennent la responsabilité pendant le séjour dans les divers services. Ce sont des spécialistes de divers domaines qui coordonnent les soins pendant l'hospitalisation ainsi que, par la suite, en consultation externe. Les coordinatrices veillent à ce que les patients reçoivent les soins requis en temps opportun, et à assurer un bon rapport qualité-coût.

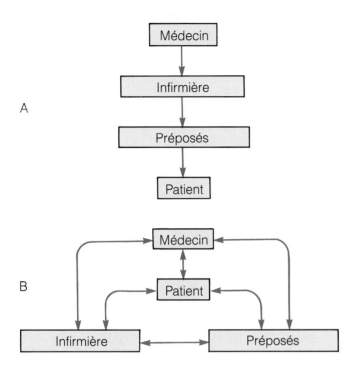

**Figure 1-4.** Comparaison entre le modèle de pratique traditionnelle (A) et le modèle de pratique conjointe (B)

# RÉSUMÉ

Tout au long de ce chapitre, nous avons exploré l'évolution de la profession d'infirmière. Nous avons souvent rappelé l'importance du rôle des infirmières au sein de l'équipe soignante. Depuis de nombreuses années, les infirmières essaient de changer leur rôle afin de ne plus être perçues comme des subordonnées par rapport aux autres membres de l'équipe de soins (particulièrement par rapport aux médecins) mais plutôt comme de véritables collègues. Les praticiennes et les chargées de recherches font des progrès énormes dans le domaine de la formulation de notions et de l'élaboration de théories et, grâce à ce travail, le champ d'activité exclusif à la profession d'infirmière a été clairement défini. Il est de plus en plus évident que les membres de la profession d'infirmière sont chargées de la prestation de certains services tout à fait exclusifs. Elles continuent toutefois de reconnaître l'importance de la collaboration avec les membres d'autres disciplines dans le but de pouvoir répondre à tous les besoins des patients en matière de santé.

## *Bibliographie*

### *Ouvrages*

American Nurses Association. Issues in Professional Nursing Practice. Kansas City, MO, American Nurses Association, 1984.

Barnum BS. Nursing Theory: Analysis, Application, Evaluation. Glenview, IL, Scott Foresman/Little, Brown Higher Education, 1990.

Birmingham JJ. Home Care Planning Based on DRGs: Functional Health Pattern Model. Philadelphia, JB Lippincott, 1986.

Cabinet on Nursing Research. Education for Participation in Nursing Research. Kansas City, MO, American Nurses Association, 1989.

Cabinet on Nursing Research. Human Rights Guidelines for Nurses in Clinical and Other Research. Kansas City, MO, American Nurses Association, 1985.

Carette Jean. Manuel de gérontologie sociale. Montréal, Gaëtan Morin, 1992

Chinn P and Jacobs MK. Theory and Nursing: A Systematic Approach. St Louis, CV Mosby, 1991.

Curtin LL and Zurlage MA. DRGs: The Reorganization of Health. Chicago, S-N Publications, 1984.

Duldt BW and Giffin K. Theoretical Perspectives for Nursing. Boston, Little, Brown & Co, 1985.

Dunn HL. High-Level Wellness. Arlington, VA, RW Beatty, 1961.

Ellis JR and Hartley CL. Nursing in Today's World: Challenges, Issues, and Trends. Philadelphia, JB Lippincott, 1988.

England DA. Collaboration in Nursing. Rockville, MD, Aspen Systems Corporation, 1986.

Fawcett J. Analysis and Evaluation of Conceptual Models of Nursing. Philadelphia, FA Davis, 1989.

Fitzpatrick JJ and Whall AL. Conceptual Models of Nursing: Analysis and Application. Norwalk, CT, Appleton and Lange, 1989.

George JB. Nursing Theories. The Base for Professional Nursing Practice. Norwalk, CT, Appleton and Lange, 1990.

Grippando GM. Nursing Perspectives & Issues. Albany, NY, Delmar Publishers, 1989.

Hamric AB and Spross JA (eds): The Clinical Nurse Specialist in Theory and Practice. Philadelphia, WB Saunders, 1989.

Healthy People 2000. U.S. Dept of Health and Human Services. Public Health Services, Washington, DC, 1990.

Henderson V. The Nature of Nursing. New York, Macmillan, 1966.

Johnson DE. The behavioral system model in nursing. In Riehl JP and Roy C (eds). Conceptual Models for Nursing Practice. New York, Appleton-Century-Crofts, 1980.

King IM. A Theory for Nursing: Systems, Concepts, Process. New York, John Wiley & Sons, 1981.

Leddy S and Pepper JM. Conceptual Bases of Professional Nursing. Philadelphia, JB Lippincott, 1989.

Maslow AH. Motivation and Personality. New York, Harper & Brothers, 1970.

Mayer GG and Madden MJ. Patient Care Delivery Models. Rockville, MD, Aspen Systems Corporation, 1990.

Meleis AI. Theoretical Nursing: Development and Progress. Philadelphia, JB Lippincott, 1991.

Ministère de la santé et des services sociaux. La politique de la santé et du bien-être. Québec. Gouvernement du Québec, 1992.

Moloney MM. Professionalization of Nursing: Current Issues and Trends. Philadelphia, JB Lippincott, 1986.

Neuman B. The Neuman Systems Model: Application to Nursing Education and Practice. Norwalk, CT, Appleton and Lange, 1989.

Nightingale F. Notes on Nursing: What It Is, and What It Is Not. New York, D Appleton, 1860.

Norris CM. Concept Clarification in Nursing. Rockville, MD, Aspen Systems Corporation, 1982.

Nursing. A Social Policy Statement. Kansas City, MO, American Nurses Association, 1980.

Nursing Case Management. Kansas City, MO, American Nurses Association, 1988.

Nursing's Vital Signs. Shaping the Profession for the 1990s. Battle Creek, Michigan, 1990.

Orem DE. Nursing: Concepts of Practice. St Louis, CV Mosby–Year Book, 1991.

Potter, P. A. et A. G. Perry. Soins infirmiers: Théorie et pratique. Montréal, ERPI. 1990

Riehl JP and Roy C. Conceptual Models for Nursing Practice. New York, Appleton and Lange, 1989.

Rogers ME. An Introduction to the Theoretical Basis of Nursing. Philadelphia, FA Davis, 1970.

Styles MM. On Nursing: Toward a New Endowment. St Louis, CV Mosby, 1982.

Torres G. Theoretical Foundations of Nursing. Norwalk, CT, Appleton-Century-Crofts, 1986.

Yura H, Ozimek D, and Walsh MB. Nursing Leadership: Theory and Process. New York, Appleton-Century-Crofts, 1981.

### Revues
*Les articles de recherche en sciences infirmières sont marqués d'un astérisque.*

### Théories et notions

Buchanan BF. Conceptual models: An assessment framework. J Nurs Adm 1987 Oct; 17(10):22-26.

Christmyer CS et al. Bridging the gap: Theory to practice—Part I, Clinical applications. Nurs Manage 1988 Aug; 19(8):42-50.

Cull-Welby BL and Pepin JI. Towards a coexistence of paradigms in nursing knowledge development. J Adv Nurs 1987 Apr; 12(4):515-521.

* Derdiarian AK. The relationships among the subsystems of Johnson's behavioral system model. Image: Journal of Nursing Scholarship 1990 winter; 22(4):219-225.

Fawcett J and Carino C. Hallmarks of success in nursing practice. Adv Nurs Sci 1989 Jul; 11(4):1-8.

Fruehwirth SES. An application of Johnson's behavioral model: A case study. J Community Health Nurs 1989; 6(2):61-71.

Geger JA et al. Roy adaptation model: ICU application. Dimens Crit Care Nurs 1987 Jul/Aug; 6(4):215-224.

* Hoch CC. Assessing delivery of nursing care. J Gerontol Nurs 1987 Jan; 13(1):10-17.

Schlotfeldt RM. Defining nursing: A historic controversy. Nurs Res 1987 Jan/Feb; 36(1):64-67.

### Rôles des infirmières

Becker KL et al. A nurse practitioner job description. Nurs Manage 1989 Jun; 20(6):42-44.

Bock LR. From research to utilization: Bridging the gap. Nurs Manage 1990 Mar; 21(3):50-51.

Bone LR et al. Improving patient care through a collaborative discharge planning instrument. Nursing Connections 1988 Winter; 1(4):57-66.

Brodie B. A commitment to care: The development of clinical specialization in nursing. ANNA J 1989 May; 16(3):181-186.

Corcoran S. Toward operationalizing an advocacy role. J Prof Nurs 1988 Jul/Aug; 4(4):242-248.

Cronin CJ and Maklebust J. Case-managed care: Capitalizing on the CNS. Nurs Manage 1989 Mar; 20(3):38-47.

* Dittmann EE and Gould MT. Refinement of nursing diagnosis skills: The effect of clinical nurse specialist teaching and consultation. J Contin Educ Nurs 1987 Sep/Oct; 18(5):157-159.

Doyen L. The ally too many nurses ignore. RN 1988 Nov; 51(11):40-41.

Harkness GA. Using research principles in nursing practice. Nursing Scan in Research 1989 Sep/Oct; 2(5):1-2.

Jassak PF and Ryan MP. Ethical issues in clinical research. Semin Oncol Nurs 1989 May; 5(2):102-108.

Jernigan M. Nursing and research: Some ethical concerns. Nursing Scan in Research 1989 Jan/Feb; 2(1):1-3.

Keen-Payne R. Consumerism in nursing. J Nurs Staff Dev 1988 Fall; 4(4): 169-173.

Kibbee P. An emerging professional: The quality assurance nurse. J Nurs Adm 1988 Apr; 18(4):30-33.

Meisennelda JB. Essential ingredients for research in the clinical setting. Nursing Scan in Research 1990 May/Jun; 3(3):1-3.

Moore C. Need for a patient advocate. JAMA 1989 Jul 14; 262(2):259-260.

Murray JT. Credentialing: A pathway to quality. J Nurs Adm 1987 May; 17(5):33.

Stanford D. Nurse practitioner research: Issues in practice and theory. Nurse Pract 1987 Jan; 12(1):64-75.

Teasley D. Situational leadership for nurses. Nurs Manage 1987 Nov; 18(11): 112-113.

* Thibodeau J and Hawkins J. Nurse practitioners: Factors affecting role performance. Nurse Pract 1989 Dec; 14(12):47, 50-52.

### Modèles conceptuels

Beyers M. Future of nursing care delivery. Nurs Adm Q 1987 Winter; 11(2): 71-80.

Bowers L. The significance of primary nursing. J Adv Nurs 1989 Jan; 14(1): 13-19.

Bradford R. Obstacles to collaborative practice. Nurs Manage 1989 Apr; 20(4):72I-72P.

Clifford JC. Will the professional practice model survive? J Prof Nurs 1988 Mar/Apr; 4(2):77-78.

Crowley S and Wallner I. Collaborative practice: A tool for change. Oncol Nurs Forum 1987; 14(4):59-63.

Del Togno-Armanasco V, Olivas GS, and Harter S. Developing an integrated nursing case management model. Nurs Manage 1989 Oct; 20(10): 26-30.

Ethridge P and Lamb GS. Professional nursing case management improves quality, access and costs. Nurs Manage 1989 Mar; 20(3):30-35.

Executive Summary of Secretary's Commission on Nursing Report. Nurs Econ 1989 Jan/Feb; 7(1):57-59.

Franklin JL et al. An evaluation of case management. Am J Public Health 1987 Jun; 77(6):674-678.

Glandon GL, Colbert KW, and Thomasma M. Nursing delivery models and RN mix: Cost implications. Nurs Manage 1989 May; 20(5):30-33.

Jacoby J and Terpstra M. Collaborative governance: Model for professional autonomy. Nurs Manage 1990 Feb; 21(2):42-44.

Jovie EM et al. The practical aspects of primary nursing practice. ANNA J 1988 Jun; 15(3):157-158, 192.

Jovie EM et al. Theoretical basis for primary nursing practice. ANNA J 1988 Jun; 15(3):155-156.

Knollmueller RN. Case management: What's in a name? Nurs Manage 1989 Oct; 20(10):38-42.

Loveridge CE, Cummings SH, and O'Malley J. Developing case management in a primary nursing system. J Nurs Adm 1988 Oct; 18(10):36-39.

Magargal P. Modular nursing: Nurses rediscover nursing. Nurs Manage 1987 Nov; 18(11):96-104.

McKenzie CB, Torkelson NG, and Holt MA. Care and cost: Nursing case management improves both. Nurs Manage 1989 Oct; 20(10):30-34.

Mowry MM and Korpman RA. Hospitals, nursing, and medicine: The years ahead. J Nurs Adm 1987 Nov; 17(11):16-22.

Wolf GA, Lesic LK, and Leak AG. Primary nursing. The impact on nursing costs within DRGs. J Nurs Adm 1986 Mar; 16(3):9-11.

Zander K. Nursing case management: Strategic management of cost and quality outcomes. J Nurs Adm 1988 May; 18(5):23-30.

### Système sociosanitaire

Blendon RJ. The public's view of the future of health care. JAMA 1988 Jun; 259(24):3587-3593.

Buchanan JR. Educational impacts of new care systems. J Med Educ 1987 Feb; 62(2):100-108.

* Bull MJ. Influence of diagnosis-related groups on discharge planning, professional practice, and patient care. J Prof Nurs 1988 Nov/Dec; 4(6):415-421.

Califano JA. Guiding the forces of the health care revolution. Nurs Health Care 1987 Sep; 8(7):401-404.

Carter S and Moward L. Is nursing ready for consumerism? Nurs Adm Q 1988 Spring; 12(3):74-78.

Coile RC. Health care 1990: Top 10 trends for the year ahead. Hospital Strategy Report 1989 Dec; 2(2):1-8.

Halloran EJ, Kiley M, and England M. Nursing diagnosis, DRGs, and length of stay. Appl Nurs Res 1988 May; 1(1):22-26.

Kramer M and Schmalenberg C. Magnet hospitals talk about the impact of DRGs on nursing care—Part II. Nurs Manage 1987 Oct; 18(10): 33-40.

Merrill J. The buck stops here. RN 1989 Oct; 52(10):28-36.

Moccia P. 1989: Shaping a human agenda for the nineties. Nurs Health Care 1989 Jan; 10(1):15-17.

Porter-O'Grady T. Restructuring the nursing organization for a consumer-driven marketplace. Nurs Adm Q 1988 Spring; 12(3):60-65.

Povar G and Moreno J. Hippocrates and the health maintenance organization. A discussion of ethical issues. Ann Intern Med 1988 Sep; 109: 419–424.

Sederer LI and St. Clair RL. Managed health care and the Massachusetts Experience. Am J Psychiatry 1989 Sep; 146(9):1142–1146.

Shaffer FA. DRGs: A new era for health care. Nurs Clin North Am 1988 Sep; 23(3):453–463.

Smith GR. The new health care economy: Opportunities for nurse entrepreneurs. Nurs Outlook 1987 Jul/Aug; 35(4):182–184.

Thompson JD and Diers D. Management of nursing intensity. Nurs Clin North Am 1988 Sep; 23(3):473–492.

*Assurance de la qualité*

Beyers M. Quality: The banner of the 1980s. Nurs Clin North Am 1988 Sep; 23(3):617–623.

Cassidy DA and Friesen MA. QA: Applying JCAHO's generic model. Nurs Manage 1990 Jun; 21(6):22–27.

Coons M et al. Unit or service standards. Nurs Clin North Am 1988 Sep; 23(3):639–648.

Coyne C and Killien M. A system for unit-based monitors of quality of nursing care. J Nurs Adm 1987 Jan; 17(1):26–32.

Donabedian A. The quality of care. How can it be assessed? JAMA 1988 Sep; 260(12):1743–1748.

* Erikson LR. Patient satisfaction: An indicator of nursing care quality? Nurs Manage 1987 Jul; 18(7):31–35.

Esper PS. Discharge planning—A quality assurance approach. Nurs Manage 1988 Oct; 19(10):66–68.

Harris SH, Krefer SM, and Davis MZ. A problem-focused quality assurance program. Nurs Manage 1989 Feb; 20(2):54–60.

Kanar RJ. Standards of nursing practice assessed through the application of the nursing process. J Nurs Qual Assur 1987 Feb; 1(2):72–78.

Lanza ML. Research and quality assurance: Similarities and differences. Nursing Scan in Research 1990 Mar/Apr; 3(2):1–3.

Matthais SM, Greenlee KK, and Proctor D. Developing unit-specific standards. Dimens Crit Care Nurs 1988 Nov/Dec; 7(6):364–368.

McAllister M. À nursing integration framework based on standards of practice. Nurs Manage 1990 Apr; 21(4):28–31.

New NA and New JR. Quality assurance that works. Nurs Manage 1989 Jun; 20(6):21–24.

O'Brien B. QA: A commitment to excellence. Nurs Manage 1988 Nov; 19(11):33–40.

Patterson CH. Standards of patient care: The Joint Commission focus on nursing quality assurance. Nurs Clin North Am 1988 Sep; 23(3):625–638.

Porter AL. Assuring quality through staff nurse performance. Nurs Clin North Am 1988 Sep; 23(3):649–655.

Robbins CL and Robbins WA. What nurse managers should know about sampling techniques. Nurs Manage 1989 Jun; 20(6):46–48.

Schroeder P. Directions and dilemmas in nursing quality assurance. Nurs Clin North Am 1988 Sep; 23(3):657–664.

Short NM and Baer L. Standards of care: Practicing what we preach. Nurs Manage 1990 Jun; 21(6):32–39.

Smith TC and Powers BA. An integrative approach to quality assurance. Nurs Manage 1990 Jun; 21(6):28–30.

Westfalt UE. Standards of practice: Nursing values made visible. J Nurs Qual Assur 1989 Feb; 1(2):21–30.

OBJECTIFS D'APPRENTISSAGE

*Après avoir étudié ce chapitre, vous devriez être en mesure de réaliser ce qui suit:*

1. *Définir les étapes de la démarche de soins infirmiers.*

2. *Reconnaître les variables dont il faut tenir compte lors de l'établissement du profil du patient et de son bilan de santé.*

3. *Déterminer la place que les diagnostics infirmiers occupent dans la pratique.*

4. *Décrire le processus menant à la formulation d'un diagnostic infirmier.*

5. *Expliquer dans quelle mesure la collaboration étroite entre l'équipe soignante, le patient et les membres de sa famille et les personnes ressources des établissements sociosanitaires et des organismes communautaires permet de mieux répondre aux besoins du patient en matière de santé.*

6. *Déterminer les objectifs d'un plan de soins infirmiers et ses principales composantes.*

7. *Préparer un plan de soins infirmiers.*

8. *Expliquer à quoi servent les dossiers orientés vers les problèmes.*

9. *Inventorier les renseignements qu'il faut inscrire dans chacune des sections d'une note d'évolution.*

10. *Établir le dossier d'un patient en utilisant la méthode d'inscription orientée vers les problèmes.*

La démarche de soins infirmiers constitue la clé de voûte de la pratique de l'infirmière. Cette méthode efficace de prise de décisions et de résolution des problèmes permet à l'infirmière de répondre aux besoins du patient en matière de soins. Bien que tous les spécialistes ne définissent pas de la même manière les composantes de la démarche de soins infirmiers, ils sont tous d'accord sur la nécessité de suivre les cinq étapes suivantes: collecte de données, analyse et interprétation des données, planification, exécution et évaluation.

1. *Collecte de données* — Collecte systématique de données qui permettent de déterminer l'état du patient et de reconnaître ses problèmes de santé actuels ou potentiels. (L'analyse des données peut faire partie de la collecte de données, mais on la considère généralement comme une étape distincte de la démarche de soins infirmiers.)

2. *Analyse et interprétation des données* — Formulation de problèmes de soins infirmiers, notamment de diagnostics infirmiers en fonction des problèmes de santé actuels ou potentiels du patient pour orienter les interventions de l'infirmière.

3. *Planification* — Établissement d'objectifs et rédaction d'un plan de soins conçu pour aider le patient à résoudre les problèmes prioritaires décelés et à atteindre les objectifs fixés.

4. *Exécution* — Mise en application du plan de soins au moyen d'interventions directes ou de la supervision du travail des autres membres de l'équipe soignante.

5. *Évaluation* — Comparaison des réactions du patient et analyse de ses progrès par rapport aux objectifs fixés.

• Par conséquent, la démarche de soins infirmiers est un processus de collecte de données, de prise de décisions et d'évaluation de l'efficacité des interventions. Lors de cette dernière étape, l'infirmière doit modifier le plan de soins, selon les besoins, pour aider le patient à résoudre les problèmes mis en lumière par les diagnostics infirmiers.

Cette division de la démarche de soins en cinq étapes distinctes permet de mieux expliquer les principales tâches que l'infirmière chargée des soins du patient doit exécuter. Celle-ci doit toutefois se rappeler que le processus, dans son ensemble, forme une boucle ininterrompue, c'est-à-dire que ces étapes, qu'elle doit constamment recommencer, sont interdépendantes (voir la figure 6-1).

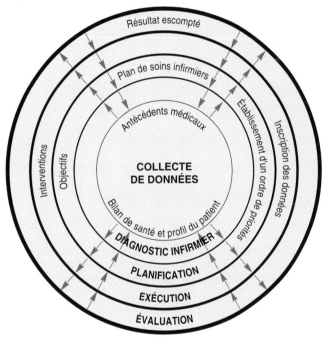

***Figure 6-1.*** Illustration schématique de la démarche de soins infirmiers. Ces cercles concentriques illustrent les étapes de la démarche, à partir de la collecte de données et jusqu'à l'inscription des renseignements dans le dossier du patient en passant par la formulation des diagnostics infirmiers, la planification des interventions, l'établissement des objectifs et de l'ordre de priorités, la rédaction du plan de soins infirmiers et son exécution. L'évaluation constante des progrès du patient par rapport aux objectifs de soins permet de recommencer la démarche en tenant compte des nouveaux besoins ou problèmes qui se manifestent.

## COLLECTE DES DONNÉES

La première étape de la démarche clinique, soit la collecte des données, commence au moment où l'infirmière rencontre le patient pour la première fois. Cette étape englobe la collecte systématique de données sur le patient et sa situation et, éventuellement, l'analyse de ces données afin de déterminer ses besoins actuels ou potentiels en soins infirmiers. Les renseignements obtenus servent notamment à la formulation des diagnostics infirmiers.

• À partir des diagnostics infirmiers, l'infirmière pourra ensuite planifier les interventions les mieux adaptées aux besoins du patient et rédiger le plan de soins infirmiers.

Grâce à la collecte systématique et continuelle des données qui servent à l'établissement du bilan de santé et du profil du patient, l'infirmière peut connaître les besoins de ce dernier au fur et à mesure qu'ils se manifestent et évaluer l'efficacité des soins qu'elle dispense.

## BILAN DE SANTÉ

Le bilan de santé permet à l'infirmière de déterminer dans quelle mesure le patient est bien portant ou malade. Cette évaluation se fait lors d'une entrevue avec le patient. Pour accomplir cette tâche, l'infirmière doit posséder en plus d'une solide expérience en matière d'entrevue, des qualités telles que la sensibilité, la sagesse, le pouvoir de discernement et le tact. Elle doit savoir diriger l'entrevue de manière à obtenir des renseignements pertinents. Sa façon d'aborder le patient déterminera, en grande partie, la quantité et la qualité des données qui lui seront communiquées. Pour pouvoir établir une relation basée sur la confiance et le respect mutuels, elle doit démontrer au patient qu'elle s'intéresse réellement à lui. Par ailleurs, elle doit essayer de le mettre à l'aise et trouver un endroit propice aux échanges.

Pour effectuer la collecte de données pendant l'entrevue, l'infirmière doit :

1. écouter et poser des questions ;
2. observer et interpréter ;
3. analyser les données qui lui sont communiquées ;
4. incorporer les données obtenues dans le plan de soins.

Pour pouvoir recueillir des données pertinentes sur le patient, l'infirmière doit parler peu et écouter beaucoup. Elle doit prêter une extrême attention aux propos du patient et se poser constamment la question suivante : « Que dit-il au juste ? ». Étant donné que la personne malade est très vulnérable, il vaut mieux ne pas lui souffler les réponses. Pendant qu'il expose les faits en ses propres mots, le patient peut aborder de nombreux sujets. Habituellement, si on lui donne le temps de parler, sans l'interrompre, ses principales inquiétudes finissent par ressortir clairement. Pendant qu'elle écoute le patient, l'infirmière doit non seulement être attentive à ses propos mais également à son comportement non verbal, c'est-à-dire à ses gestes, à sa posture et à sa mimique.

Plusieurs patients sont anxieux, même si, parfois, leur anxiété est bien dissimulée. Durant l'entrevue, l'infirmière doit tenir compte de l'anxiété du patient. Elle doit essayer de le rassurer en lui montrant qu'elle comprend ce qu'il dit et ce qu'il ressent.

L'utilisation d'un questionnaire facilite le déroulement de l'entrevue, car l'infirmière peut ainsi obtenir dans l'ordre des renseignements plus pertinents. Il existe un grand nombre de questionnaires de ce genre. Dans beaucoup de services de soins infirmiers, on se sert d'un questionnaire type permettant d'obtenir des renseignements particuliers sur les patients qu'on y accueille. Ce questionnaire type reflète le modèle conceptuel suivi à l'intérieur du service ainsi que la philosophie qui gouverne les soins et l'idée qu'on se fait de l'être humain, de la pratique infirmière et de la santé en général. Il ne faut cependant pas oublier que ces questionnaires types n'ont d'autre but que d'orienter l'entrevue. Il faut, par conséquent, les adapter aux réactions, aux problèmes et aux besoins de chaque patient.

À mesure que l'infirmière gagnera de l'expérience dans ce domaine, elle pourra mettre au point son propre questionnaire qu'elle adaptera selon les circonstances pour recueillir les renseignements essentiels. Ces renseignements doivent représenter une évaluation du patient dans une perspective holistique qui tient compte de ses besoins fondamentaux ainsi que de son degré de bien-être. Il existe différents modèles pouvant servir de cadre d'évaluation des besoins du patient, c'est-à-dire de ses besoins d'ordre physique, psychologique, affectif, intellectuel, développemental, social, culturel, et spirituel, par exemple, les modes

fonctionnels de santé (Gordon, 1987), et les modes d'adaptation (Roy, 1980).

À l'encadré 6-1, nous présentons un questionnaire qui pourrait aider l'infirmière pendant l'entrevue, mais, dans les faits, comme nous l'avons précisé, les questions qu'elle doit poser dépendent de la réaction du patient.

Parfois, il peut être préférable de demander au patient de remplir lui-même le questionnaire. Si elle opte pour cette méthode, l'infirmière doit vérifier et clarifier avec lui les renseignements qu'il a fournis et obtenir des données supplémentaires pour définir ses besoins en soins infirmiers.

Tout au long de l'entrevue, l'interaction avec le patient permet à l'infirmière de recueillir des données et, en même temps, d'amorcer une relation thérapeutique efficace. Pour mener à bien cette tâche, elle doit faire appel aux techniques de la communication thérapeutique qui sont résumées au tableau 6-1.

---

## *Encadré 6-1*
## *Exemple de questionnaire type*

### *État de santé actuel*

*Objectif:* se concentrer tout d'abord sur les faits qui préoccupent le plus le patient.

*Entrée en matière suggérée:* «Pour quelles raisons avez-vous été admis au centre hospitalier?*»
- Quel est le plus important malaise que vous ressentez?
- Quand est-ce que les symptômes se sont manifestés pour la première fois?
- Qu'avez-vous fait lorsque vous avez remarqué ces symptômes?
- Avez-vous trouvé un moyen de soulager ces symptômes?
- Pensez-vous aller mieux ou plus mal? (déterminer si l'état du patient s'améliore ou s'aggrave)
- Comment vous sentez-vous maintenant?
- Que savez-vous à propos de votre maladie ou de votre état?
- Comment vous soignez-vous chez vous lorsque vous vous sentez mal?
- De quelle façon la maladie affecte-t-elle votre mode de vie? Depuis combien de temps votre mode de vie a-t-il changé?
- Quels sont les facteurs qui aggravent ou améliorent votre état?
- Prenez-vous des médicaments?
- Souffrez-vous d'allergies? (à des aliments, à des médicaments)
- Qu'est-ce qui vous inquiète le plus?
- Que vous a-t-on dit au sujet du traitement ou des examens diagnostiques qui vous ont été prescrits?
- Quelle est votre principale source de renseignements?

### *Antécédents médicaux*

*Objectif:* poser des questions permettant de connaître le passé du patient ainsi que ses expériences afin de déterminer ses besoins†.

*Entrée en matière suggérée:* «Il me serait utile de connaître vos antécédents médicaux.»
- Parlez-moi un peu de vous, de votre famille, de votre mode de vie.
- Que faites-vous pour essayer de vous maintenir en bonne santé?
- Comment réagissez-vous habituellement lorsque vous êtes malade?
- À qui demandez-vous généralement de l'aide?

- Quel type de travail faites-vous?
- Votre maladie vous gêne-t-elle dans votre travail?
- Comment aimez-vous être traité lorsque vous êtes malade?
- Quels sont vos principales activités, vos passe-temps et vos loisirs préférés?

### *Besoins en soins infirmiers*

*Objectif:* déterminer par quels moyens on peut soutenir le patient et l'aider à utiliser ses ressources de façon optimale.

*Entrée en matière suggérée:* «Quels sont, à votre avis, vos besoins, vos forces et vos limites?»
- Qu'aimeriez-vous faire pour mieux vous sentir?
- De quel genre d'aide avez-vous besoin?
- Quelles sont les personnes qui pourraient vous aider?
- En quoi est-ce que la maladie perturbe votre vie quotidienne?
- De quelle manière votre maladie pourrait-elle affecter votre famille?
- Quelle est l'aspect qui vous semble le plus difficile?
- Quels sont les aliments que vous aimez le plus et quels sont ceux que vous n'aimez pas?
- Quelles sont vos habitudes de sommeil?
    Vous couchez-vous toujours à la même heure?
    Aimez-vous garder une veilleuse allumée?
    Combien d'oreillers utilisez-vous?
- Avez-vous des troubles de miction? Allez-vous normalement à la selle?
- Souffrez-vous de troubles de vue ou d'ouïe? Votre mobilité est-elle limitée?
- Aimeriez-vous qu'un membre de votre famille ou un ami reste auprès de vous?
- Qu'est-ce qui vous ennuie le plus à propos de votre hospitalisation?
- Qu'est-ce qui vous manquera le plus pendant votre séjour au centre hospitalier?
- Combien de temps pensez-vous rester au centre hospitalier?
- Y a-t-il quelque chose que vous ne comprenez pas tout à fait bien?
- Qu'est-ce que l'équipe soignante pourrait faire pour vous aider davantage?

* En demandant au patient des renseignements d'ordre général, on l'incite souvent à exposer ses problèmes et ses besoins de façon ouverte et précise. Si les questions posées permettent d'obtenir les renseignements appropriés, il est souvent inutile de poser des questions plus précises.

† Tout au long de l'entrevue, l'infirmière peut évaluer le statut socioculturel du patient, ainsi que son niveau de développement et de scolarité, de même que sa volonté d'apprendre.

**TABLEAU 6-1.**    *Techniques de communication thérapeutique*

| Technique | Définition | Valeur thérapeutique |
|---|---|---|
| Écoute | Processus actif qui permet de capter les informations et d'observer les réactions au message reçu. | L'infirmière peut communiquer au patient par des signes non verbaux l'intérêt qu'elle lui porte. |
| Silences | Moments de communication non verbale entre les interlocuteurs. | L'infirmière communique au patient par son silence qu'elle accepte d'avance toute réponse qu'il lui donnera. |
| Information | Énoncés qui permettent de définir les rôles exercés ainsi que les objectifs et les limites de l'interaction. | L'infirmière fait savoir au patient ce qu'elle attend de lui. |
| Questions ouvertes | Questions d'ordre général qui aident le patient à décider de l'orientation qu'il veut donner à l'interaction. | Le patient peut décider quels sont les renseignements les plus pertinents qu'il veut communiquer et se sent encouragé à continuer. |
| Réduction des distances | Diminution de l'espace physique qui sépare l'infirmière du patient. | En se rapprochant du patient, l'infirmière peut lui faire sentir qu'elle l'accepte et qu'elle s'intéresse à lui. |
| Remarques | Énoncés qui prouvent au patient que ce qu'il dit est utile et qu'il a un rôle important à jouer. | L'infirmière prouve au patient qu'il joue un rôle prépondérant dans la relation thérapeutique. |
| Reformulation | Paraphrase des principales idées et pensées exprimées par le patient. | L'infirmière peut vérifier ainsi si elle a bien compris les propos du patient. |
| Reflet | Renvoi des idées, des sentiments, des questions ou du contenu du message de l'interlocuteur, comme si l'on devenait son miroir. | L'infirmière essaie ainsi de montrer au patient que ses idées, ses sentiments et son interprétation ont de l'importance. |
| Clarification | Demande de renseignements supplémentaires pour mieux comprendre le message reçu. | L'infirmière prouve qu'elle désire comprendre le message du patient. |
| Validation | Vérification de la signification que le patient prête à certains mots. | L'infirmière prouve qu'elle veut saisir parfaitement le message du patient. |
| Focalisation | Questions ou phrases qui aident le patient à cerner un problème particulier ou à mieux l'expliquer. | L'infirmière peut orienter la conversation de façon à cerner les sujets importants. |
| Récapitulation | Bref exposé des principaux sujets abordés pendant l'entrevue. | L'infirmière aide ainsi le patient à trier les renseignements qu'il a fournis. La récapitulation des données pertinentes permet aussi de tirer certaines conclusions. |
| Planification | Décision d'un commun accord des objectifs des futures interactions et de l'orientation à leur donner. | Confirmation du rôle joué par le patient dans la relation. |

(Source: S. J. Sundeen et coll. *Nurse-Client Interaction: Interpreting the Nursing Process.* St. Louis, C. V. Mosby, 1989)

## PROFIL DU PATIENT

L'infirmière peut dresser le profil du patient en fonction de son état physique et affectif, de sa réaction à la maladie et à l'hospitalisation et de l'ordre des priorités.

Le profil du patient permet de déterminer les facteurs physiques, psychologiques et affectifs qui traduisent la présence d'un problème et le besoin de soins infirmiers. Pour établir le profil du patient, l'infirmière doit se servir des sens de la vue, de l'ouïe, du toucher et de l'odorat, de son savoir-faire et des techniques appropriées de communication. Pour dresser un profil précis, l'infirmière utilise le profil initial mais elle fait aussi appel à d'autres moyens: techniques d'examen physique, méthodes et stratégies qui permettent d'évaluer les comportements et la modification de l'exercice du rôle.

Grâce à l'examen physique, on peut déterminer les changements intervenus dans le fonctionnement des systèmes et des appareils corporels ainsi que les limites physiques du patient, en même temps que les forces et les atouts qui pourraient l'aider à surmonter les obstacles.

- Pour que l'examen physique puisse lui donner des renseignements utiles, l'infirmière doit maîtriser les techniques d'inspection, de palpation, de percussion et d'auscultation. Elle doit également posséder des connaissances de base solides en anatomie, en physiologie et en pathologie.

Étant donné que l'examen physique joue un rôle essentiel dans l'établissement du profil du patient et qu'il fait appel à des techniques particulières qu'il faut apprendre et perfectionner sans cesse, nous y avons consacré un chapitre complet, soit le chapitre 7. Nous indiquons également les données à relever pour chaque maladie dans le chapitre où figure la description de la maladie. Nous invitons l'étudiante à lire attentivement ces explications, car elle doit apprendre à observer étroitement le patient en se servant de sa vue, de son ouïe et de son toucher, et à interpréter les résultats de son examen.

À la fin de l'entrevue et de l'examen physique, l'infirmière doit expliquer au patient de quelle façon elle utilisera les données et lui faire part des conclusions qu'elle a tirées. Elle doit également lui demander de participer avec les membres de sa famille ou avec la personne clé dans sa vie à l'élaboration du plan de soins. Par ailleurs, cette étape de la démarche de soins infirmiers permet au patient de connaître l'infirmière et d'établir avec elle une communication.

## AUTRES SOURCES DE DONNÉES

L'infirmière peut également obtenir des données sur le patient en interrogeant les membres de sa famille, les personnes clés dans sa vie ou d'autres membres de l'équipe de soins et en consultant son dossier de santé. Selon les besoins immédiats du patient, elle peut recueillir ces données avant d'établir le profil du patient. Quel que soit l'ordre dans lequel elle organise son travail, l'infirmière doit utiliser toutes les sources de données pour déterminer les soins à administrer. L'étude du dossier du patient lui permet de prendre connaissance du trouble qui a incité celui-ci à consulter.

Habituellement, le médecin pose un diagnostic médical provisoire au moment où le patient est admis au centre hospitalier. Il est essentiel de comprendre le processus physiopathologique qui sous-tend ce diagnostic, car l'entrevue, à elle seule, ne permet pas de cerner les effets des altérations physiologiques, les raisons du traitement prescrit et les complications possibles. Après avoir consulté le dossier, l'infirmière est plus à même de prévoir les problèmes qui pourraient survenir, de déterminer les interventions qui pourraient les résoudre et d'assurer en collaboration avec les autres membres de l'équipe la continuité des soins.

## INSCRIPTION DES DONNÉES RECUEILLIES

L'infirmière doit inscrire les renseignements obtenus lors de la collecte des données dans le dossier du patient. L'utilisation de dossiers orientés vers les problèmes (SOAP: données *s*ubjectives, données *o*bjectives, *a*nalyse et *p*lanification) permet d'inscrire de manière systématique et organisée tous les renseignements nécessaires pour repérer les besoins du patient et pour les satisfaire. Il faut utiliser lors de cette démarche la méthode scientifique de résolution de problèmes. Les éléments qui composent le dossier sont les données initiales, la liste des problèmes, les notes d'évolution et le résumé du plan de congé. Ce type de dossier favorise la communication entre les membres de l'équipe soignante, la coordination de la planification des interventions et la continuité des soins. Le dossier remplit également d'autres fonctions :

- C'est un document juridique qui peut être utilisé par le centre hospitalier et le personnel responsable des soins en cas de poursuites.

- C'est un outil qui permet de vérifier la qualité et la pertinence des soins dispensés et de s'assurer que les normes de la pratique ont été respectées.

- C'est une source de données utiles pour la recherche, l'enseignement et la planification à court et à long terme.

En premier lieu, il faut inscrire dans le dossier du patient les *données initiales*, c'est-à-dire toutes les données recueillies lors de l'admission du patient dans l'établissement de soins. Il s'agit des antécédents médicaux, des données tirées du bilan de santé, du profil du patient dressé par l'infirmière, de l'examen physique effectué par le médecin et des profils établis par d'autres professionnels de la santé, tels que le travailleur social, le pharmacien, la diététiste, le dentiste, le physiothérapeute ou l'inhalothérapeute. Le dossier contient également les résultats des examens diagnostiques et radiologiques ainsi que tous les autres renseignements transmis par d'autres membres de l'équipe qui participent aux soins du patient. Chaque établissement décide de la forme et du contenu de cette base de données. Les membres de toutes les disciplines qui inscrivent des données au dossier doivent le faire dans la même section. Si certains d'entre eux utilisent un autre système que celui des dossiers orientés vers les problèmes, il est parfois très difficile de créer une base de données intégrées. Dans ce cas, la direction des soins infirmiers doit déterminer le type de renseignements dont il faut disposer pour tous les patients en essayant d'éviter le plus possible les doubles entrées.

Ceux qui utilisent le dossier orienté vers les problèmes depuis longtemps savent qu'il faut fixer des limites de temps pour cerner les problèmes du patient le plus rapidement possible après son admission. La figure 6-2 illustre un exemple de formulaire de profil du patient. Dans certains centres hospitaliers, les infirmières utilisent des formulaires spéciaux pour établir le profil initial du patient lors de l'admission. Les données qu'elles y inscrivent servent de base de comparaison au moment où des changements surviennent dans l'état du patient (voir la figure 6-3).

## ANALYSE ET INTERPRÉTATION DES DONNÉES

Après avoir terminé la collecte des données, l'infirmière passe à l'étape suivante de la démarche de soins infirmiers, soit l'analyse et l'interprétation des données. Dès qu'elle a dressé le bilan de santé et le profil du patient, elle doit organiser, analyser et interpréter les données recueillies et déterminer les besoins du patient en soins infirmiers.

- Le diagnostic infirmier est l'énoncé d'un problème de santé actuel ou potentiel que l'infirmière a la compétence et l'autorisation de traiter.

Contrairement aux médecins, les infirmières ne disposent pas encore d'une taxonomie des catégories de diagnostics. Jusqu'à récemment, on trouvait peu de données sur la classification des diagnostics infirmiers dans les ouvrages traitant des soins infirmiers. Durant les années 70, on a assisté aux premières tentatives d'élaboration d'une nomenclature pour inventorier et classifier les diagnostics que l'infirmière doit formuler dans sa pratique.

*(suite à la page 191)*

Date: *Le 15 septembre 1994*

*Renseignements généraux*

Nom: *Marcel Jodoin*          Date de naissance: *20-06-1938*     Sexe: *M*

Adresse: *9819, rue Georges V*

Nom du conjoint ou d'une personne clé: *Anne – 50 ans*

Adresse: *même*

État matrimonial:     Célibataire ☐     Marié(e): ☑     Divorcé(e): ☐     Veuf(veuve): ☐

Religion: *Catholique*          Pratiques religieuses: *Va à l'église tous les dimanches.*

Profession: *Menuisier*

Depuis combien de temps: *Depuis 32 ans. Le client a sa propre entreprise depuis 20 ans.*

Professionnel traitant: *Dr Despins, omnipraticien*

Assurance: *Croix bleue*

Raison d'admission (selon le client): *«Pour savoir pour quelle raison j'ai la diarrhée depuis 3 semaines.»*

*Maladie actuelle*

Début: *Il y a 3 semaines*          Soudain ou graduel: *Soudain*

Durée: *Jusqu'à maintenant*

Symptômes: *Diarrhée liquide, pas de crampes ni de douleurs abdominales*

Facteur déclenchant: *Après un repas, diarrhée soudaine*

Méthodes de soulagement: *Un peu de soulagement quand il mange des repas légers*

Attentes à l'égard du personnel soignant: *«Faire cesser la diarrhée» et «m'annoncer que je n'ai pas un cancer de l'estomac».*

*Antécédents*

Maladies     Maladies infantiles: *Rougeole, oreillons et varicelle*

Traumatismes et hospitalisations: *(1) amygdalectomie à 12 ans (2) jambe fracturée à 46 ans*

Opérations: *Voir ci-dessous*

Maladies graves: *Aucune*

Allergies:     Type: *Roses, pas d'allergie connue à un médicament ou à un aliment*

Réactions: *Éternuements, écoulement nasal*

Traitements: *Néo-synéphrine*

Immunisation: *À jour*

Habitudes: Éthanol: *6 bières/jour*     Tabac: *2 paquets/jour depuis 20 ans*     Drogue: *aucune*

Durée:

Médicaments: Sur ordonnance: *Aucun*

Automédication: *Néo-synéphrine*

Habitudes de sommeil: *Habituellement, se couche à 23h et se lève à 6h.*

Activités physiques: *Joue au tennis ou au raquetball 3 fois par semaine.*

Habitudes alimentaires: *Un déjeuner-dîner généreux et une salade au souper.*

Heures de travail: *Travaille de 50 à 60 heures par semaine.*

**Figure 6-2.**   Profil du patient

*Antécédents familiaux*

Santé des parents, des frères/sœurs, du conjoint, des enfants : _____

Analyse des facteurs de risque: cancer, maladies cardiaques, diabète sucré, néphropathies, hypertension, troubles mentaux.

*Sa mère est morte d'un cancer de l'estomac à l'âge de 58 ans; son père est mort à 75 ans d'une crise cardiaque; son frère est mort d'un cancer de l'estomac à l'âge de 42 ans; ses deux sœurs, âgées de 50 et 48 ans, sont en santé; il a un fils de 31 ans en bonne santé.*

*Environnement*

Propreté : *Vit dans une maison rénovée en ville.*

risque : *Criminalité*

Agents polluants : *Gaz d'échappement des autos.*

*Profil psychosocial et culturel*

Langue : *Français*

Groupe social : *Voisins*

Ressources communautaires : *L'église*

Tempérament : *Sociable, parle beaucoup, demande si ses symptômes sont reliés au cancer.*

Stade de développement : *Un homme adulte qui semble assumer les responsabilités du rôle d'adulte.*

Examen des systèmes et appareils : _____

Tête, yeux, oreilles, nez et gorge :

Tête : Maux de tête : *à l'occasion*     Étourdissements : *Non*

Vue : Dernier examen de la vue : *Il y a deux mois*

Lunettes : *Oui, bifocales*

Lentilles cornéennes : _____ Rigides _____ Souples _____ Permanentes _____

Vue brouillée : *Non*

Diplopie : *Non*  Douleur : *Non*  Inflammation : *Oui, pendant la saison des allergies*

Intervention chirurgicale : *Non*

Ouïe : Altérée : *Non*  Type de prothèse auditive : _____

Douleur : *Non*  Drainage : *Non*  Boudonnements : *À l'occasion*

Nez : Rhinites allergiques : *Oui*  Type d'allergène : *Roses*

Méthode de soulagement : *Néo-synéphrine*

Nombre de rhumes par année : *1*

Polypes : *Non*

Sinus : *Pas de problèmes de sinus*

Saignements de nez : *Non*

Gorge et bouche : Date du dernier examen dentaire : *Il y a six mois*

Prothèses dentaires : *Non*

Troubles du langage : _____

Problèmes de déglutition : *Non*

Voies respiratoires : Toux : *Au lever*     Expectorations : *Au lever*

Dyspnée : *Non*     Dyspnée à l'effort : *Non*

Tolérance à l'effort : *Joue au raquetball trois fois par semaine*

Dernière radiographie pulmonaire : *Aujourd'hui*

Douleur : *Non*     Hémoptysie : *Non*

**Figure 6-2.** (suite)

Appareil circulatoire :    Douleur : *Non*                    Palpitations : *Non*

Œdème : *Non*            Engourdissement : *Non*            Picotements : *Non*

Changement de couleur des téguments : *Non*

Changement au cuir chevelu : *Non*

Changement dans la répartition des poids sur les membres : *Non*

Syncope : *Non*

Alimentation :    *Bonne, sauf ces trois dernières semaines.*

Nausées : _____    Vomissements : _____

Élimination (intestinale) :

Habituelle : *Tous les deux jours.*

Emploi de laxatifs : *Non*

Colostomie : _____    Iléostomie : _____

Constipation : _____    Diarrhée : *Depuis trois semaines.*

Melæna : _____

Incontinence urinaire : *Non*

Infections : *Une fois, il y a 10 ans*

Hématurie : *Non*            Cathéter : *Non*

Organes génitaux :

Grossesse : *s/o*            Enfants : _____

Dernier test PAP : *s/o*        Résultats : *s/o*        Dernières règles : *s/o*

Menstruations abondantes : *s/o*        Pertes vaginales : *s/o*

Auto-examen des seins : *s/o*        Problèmes de prostate : *Non*

Système neurologique :

Confusion : *Non*            Convulsions : *Non*

Paralysie : *Non*        Paresthésie : *Non*        Faiblesse : *Non*

Incoordination : *Non*        Maux de tête : *Soulagés avec 650 mg d'acide acitylsalicyclique*

Appareil locomoteur :

Douleur : *Non*            Raideur : *Non*

Activités physiques : *Raquetball 3 fois par semaine.*

Peau :

Érythèmes : *Non*        Lésions : *Non*        Couleur : *Blanche*

Texture : *Lisse*            Turgescence : *Bonne*

*Figure 6-2.* (suite)

**HSL HÔPITAL SAINT-LUC**
Centre hospitalier affilié à l'Université de Montréal

## COLLECTE DES DONNÉES

**ARRIVÉE** _____     _____ _____
sur pied, civière, fauteuil roulant          date          heure

_____     _____
domicile, transfert (nom du centre)          accompagné de

_____
curatelle, cure fermée, ordonnance de cour

**RAISON D'ADMISSION:** _____

**HOSPITALISATION(S) ANTÉRIEURE(S)** non ☐ si oui: _____
nombre, raison, réactions

_____

**HOSPITALISATION ACTUELLE** _____
réactions, impacts

**PERSONNE(S) À JOINDRE** _____     _____     _____
nom (si vit seul indiquer NIL)          Téléphones: bureau          domicile

_____     _____     _____
nom (si vit seul indiquer NIL)          Téléphones: bureau          domicile

**LANGUE - RELIGION - CULTURE** particularités non ☐ si oui, lesquelles: _____

_____

**DOULEUR** non ☐ si oui _____
Site(s)

aucune _____ spécifier l'intensité _____ la pire     Type (battement, élancement, serrement, crampe, brûlement, picotement)
0                                        100

_____ durée, fréquence          facteur(s) déclenchant(s), moyen(s) de soulagement

**SIGNES VITAUX** T° _____ Pouls _____ Resp. _____ P.A. _____
préciser (rectale, axillaire)     site, fréquence, caractéristique     fréquence, caractéristique     position s'il y a lieu

**TAILLE** _____ **MASSE** _____ si données non disponibles _____
raison

## COMMUNIQUER AVEC SES SEMBLABLES                    Problème(s)   non ☐   oui ☐

**NIVEAU DE CONSCIENCE** _____
préciser (somnolent, comateux, agité, ralenti...)

**ORIENTATION** _____
préciser (désorienté: temps - espace - personne, halluciné...)

**NIVEAU AFFECTIF** _____
préciser (anxieux, déprimé, agressif, méfiant, euphorique...)

**CAPACITÉ DE S'EXPRIMER** _____
préciser (aveugle, muet, aphasique, négatif...)

_____
moyens verbaux et non verbaux utilisés

**PROTHÈSE(S)/ORTHÈSE(S)** non ☐ oui ☐ _____
préciser (auditive, visuelle...)

## ÉVITER LES DANGERS                    Problème(s)   non ☐   oui ☐

**VIOLENCE POTENTIELLE ENVERS LUI-MÊME** non ☐ oui ☐ _____
préciser (auto-mutilation, intoxication, idée ou geste suicidaire...)

**VIOLENCE POTENTIELLE ENVERS LES AUTRES** non ☐ oui ☐ _____
préciser (menaces, injures, coups, morsures...)

**VICTIME DE VIOLENCE** non ☐ oui ☐ _____
préciser (menaces, coups, viol...)

**ALLERGIE(S) CONNUE(S)** non ☐ oui ☐ _____
préciser (médicaments, aliments, animaux...)

**DROGUE** non ☐ oui ☐ _____ **ALCOOL** non ☐ oui ☐ _____
préciser                                                      préciser

**MÉDICATION** non ☐ oui ☐ capable d'identifier ses médicaments non ☐ oui ☐

| Nom, dose, fréquence | Nom, dose, fréquence |
|---|---|
|  |  |
|  |  |
|  |  |
|  |  |
|  |  |
|  |  |

En sa possession ☐   remis à la famille ☐   remis à l'infirmière ☐

DOSSIER D.S.I. 1988
3301065                                                                                PAGE 1

RELIURE

*Figure 6-3.* Formulaire du profil initial du patient

MALADIE(S) CONNUE(S)   non ☐   oui ☐ _____
préciser

TRAITEMENT(S) EN COURS   non ☐   oui ☐ _____
préciser (accès vasculaire, pompe à insuline, stimulateur cardiaque...)

_____

CYTOLOGIE VAGINALE   accepte ☐   refuse ☐

RISQUE DE CHUTE   non ☐   oui ☐ _____   RISQUE DE FUGUE   non ☐   oui ☐ _____

### BOIRE ET MANGER                                      Problème(s)   non ☐   oui ☐

Si oui _____
préciser, moyen(s) utilisé(s)

_____

PROTHÈSE(S) DENTAIRE(S)   non ☐   oui ☐ _____
préciser
DIÈTE   non ☐   oui ☐ _____
préciser

### ÉLIMINER                                             Problème(s)   non ☐   oui ☐

Si oui _____
préciser, moyen(s) utilisé(s)

_____

STOMIE   non ☐   oui ☐ _____
type et soins

### RESPIRER                                             Problème(s)   non ☐   oui ☐

Si oui _____
préciser, moyen(s) utilisé(s)

_____

TABAGISME   non ☐   oui ☐ _____
nombre/jour

### SE MOUVOIR ET MAINTENIR UNE BONNE POSTURE            Problème(s)   non ☐   oui ☐

Si oui _____
préciser, moyen(s) utilisé(s)

_____

PROTHÈSE(S)/ORTHÈSE(S)   non ☐   oui ☐ _____
préciser
DROITIER ☐   GAUCHER ☐

### ÊTRE PROPRE ET PROTÉGER SES TÉGUMENTS                Problème(s)   non ☐   oui ☐

Si oui _____
préciser, moyen(s) utilisé(s)

_____

RISQUE D'ULCÈRE DE PRESSION   non ☐   oui ☐

ULCÈRE(S) DE PRESSION _____
site                              stade              dimensions

_____
site                              stade              dimensions

### DORMIR ET SE REPOSER                                 Problème(s)   non ☐   oui ☐

Si oui _____
problème(s), moyen(s) utilisé(s)

_____

### SE VÊTIR ET SE DÉVÊTIR, S'OCCUPER DE FAÇON À SE RENDRE UTILE, SE RÉCRÉER, APPRENDRE...

_____
problème(s), moyen(s) utilisé(s)

_____

_____

RENSEIGNEMENTS OBTENUS :   bénéficiaire ☐   autre : _____
préciser

SIGNATURE DE L'INFIRMIÈRE _____        DATE        HEURE

RELIURE

PAGE 2

***Figure 6-3.***   (suite)

(Source : Hôpital Saint-Luc dans P. A. Potter et A. G. Perry, *Soins infirmiers : Théorie et pratique,* Montréal, ERPI, 1990)

| Numéro du problème | Date | Problème | Inactif ou résolu | Date de résolution |
|---|---|---|---|---|
| *1* | *7/8/89* | *Masse au sein dr.* | *Résolu* | *7/9/89* |
| *2* | *7/9/89* | *Mastectomie dr. partielle* | | |
| *3* | *8/9/89* | *Altération de la mobilité physique, reliée à la douleur au niveau de l'incision* | *Résolu* | *9/9/89* |
| *4* | *7/10/89* | *Perturbation du concept de soi* | | |
| *5* | *7/11/89* | *Soutien familial inadéquat* | | |

**Figure 6-4.** Liste de problèmes d'un dossier du patient orienté vers les problèmes (SOAP)
(Source: P. A. Potter et A. G. Perry, *Soins infirmiers: Théorie et pratique,* Montréal, ERPI, 1990)

La notion de diagnostic infirmier s'est surtout développée depuis les années 80. La publication de normes et critères de compétences par diverses associations professionnelles d'infirmières et d'infirmiers a sans doute beaucoup contribué à l'évolution de cette notion et à l'implantation des diagnostics infirmiers dans l'exercice de la profession. En 1982, un nouvel organisme, l'Association nord-américaine du diagnostic infirmier (ANADI), a été fondé.

Avant 1986, il n'existait qu'une liste alphabétique des diagnostics infirmiers. Lors de la septième conférence nationale de l'ANADI, la première taxonomie des diagnostics infirmiers a été adoptée. Cette taxonomie a été révisée lors des conférences subséquentes. En 1989, des associations d'infirmières, de concert avec l'ANADI, ont proposé que les diagnostics infirmiers approuvés soient inscrits dans la dixième édition de la Classification Internationale des Maladies (CIM-10), publiée par l'Organisation mondiale de la santé. En 1990, lors de la conférence biennale de l'ANADI, l'association adoptait officiellement la définition suivante du diagnostic infirmier:

Le diagnostic infirmier est un jugement clinique que l'infirmière porte sur les réactions d'une personne, d'une famille ou d'une collectivité à un problème de santé actuel ou potentiel ou à un processus biologique. Grâce aux diagnostics infirmiers, les infirmières disposent d'un vocabulaire commun pour décrire les problèmes des patients, peuvent choisir plus facilement les interventions et ont des points de repère pour évaluer les soins.

Les catégories de diagnostics de l'ANADI sont de plus en plus utilisés. Cependant, il faut les valider davantage et en élargir l'utilisation. Même si elle n'est pas encore complète, la liste des diagnostics infirmiers de l'ANADI doit être constamment mise à l'essai. Cet outil devrait être utilisé quotidiennement par les infirmières pour leur permettre de se familiariser avec ses paramètres et dégager ses forces et ses faiblesses. D'autre part, l'ANADI poursuit ses recherches dans ce domaine et, grâce à cet effort commun, la profession dans son ensemble continuera d'évoluer. Bien que l'infirmière soit responsable de la coordination des interventions et qu'elle travaille de façon autonome, ce n'est qu'en collaborant avec le médecin et les autres membres de l'équipe pluridisciplinaire qu'elle pourra améliorer les soins dispensés au patient. Or, c'est à partir du diagnostic infirmier que l'infirmière pourra nommer et résoudre des problèmes précis et orienter ses interventions. La formulation exacte du problème du patient devient alors une norme de pratique infirmière que tous ceux qui

travaillent avec le plan de soins peuvent comprendre. La prestation des soins s'en trouve par le fait même améliorée. Nous présentons à l'encadré 2-2 la liste des diagnostics infirmiers qui ont été adoptés lors de la neuvième conférence de l'ANADI qui a porté sur la classification des diagnostics infirmiers*.

Bien que des recherches supplémentaires sur les diagnostics infirmiers et sur leur formulation soient encore nécessaires, nous avons utilisé le terme *diagnostic infirmier* chaque fois que nous avons appliqué la démarche de soins infirmiers à une situation en particulier. Les cliniciennes et les étudiantes peuvent utiliser les diagnostics infirmiers acceptés, mais aussi en formuler d'autres qui leur semblent mieux adaptés aux problèmes de santé actuels ou potentiels qu'elles rencontrent dans leur pratique. Grâce à la formulation et à l'utilisation de diagnostics infirmiers supplémentaires, la taxonomie pourra s'enrichir et élargir le champ des connaissances des sciences infirmières.

Avant de formuler des diagnostics infirmiers pour un patient en particulier, l'infirmière regroupe les données qui ont des caractéristiques communes. Ces regroupements de données permettent de repérer les problèmes qui nécessitent une intervention infirmière. Le rôle des diagnostics infirmiers est de définir ces problèmes.

Il est important de se rappeler que les diagnostics infirmiers *ne sont ni* des diagnostics médicaux, *ni* des traitements médicaux, *ni* des examens diagnostiques, *ni* des problèmes auxquels l'infirmière se heurte lorsqu'elle soigne un patient. Ils *ne portent pas* non plus sur le matériel utilisé pour exécuter un traitement médical. Les diagnostics infirmiers *sont* les problèmes de santé actuels ou potentiels que l'infirmière peut résoudre par ses interventions. Ils relèvent de la pratique autonome de l'infirmière. En d'autres mots, ils décrivent, en termes succincts, les problèmes du patient pour guider l'infirmière dans l'élaboration du plan de soins infirmiers.

Afin que le diagnostic soit plus complet, il doit englober les manifestations et l'étiologie du trouble dont souffre le patient. Voici, par exemple, les diagnostics infirmiers qui

---

* Dans ce manuel, nous avons adhéré autant que possible à la liste officielle des diagnostics infirmiers de l'ANADI. Toutefois, comme les diagnostics infirmiers évoluent, certains domaines n'ont pas encore été abordés. Ainsi, certains des diagnostics infirmiers employés dans ce texte ne figurent pas sur la liste officielle de l'ANADI. En outre, la mention «risque de» a été ajoutée à certains diagnostics acceptés afin de sensibiliser les infirmières à la nécessité de suivre de près l'état du patient à la recherche de complications possibles.

## Encadré 6-2
## *Catégories de diagnostics infirmiers approuvés par l'ANADI (1992)*

Allaitement efficace
Allaitement inefficace
Allaitement interrompu
Altération de l'élimination urinaire
Altération de la communication verbale
Altération de la mobilité physique
Altération de la perception sensorielle (préciser): auditive, gustative, kinesthésique, olfactive, tactile, visuelle
Altération des mécanismes de protection
Altération des opérations de la pensée
Anxiété (préciser le niveau)
Atteinte à l'intégrité de la muqueuse buccale
Atteinte à l'intégrité de la peau
Atteinte à l'intégrité des tissus
Chagrin dysfonctionnel
Chagrin par anticipation
Conflit décisionnel
Conflit face au rôle parental
Constipation
Constipation colique
Déficit de volume liquidien
Déficit nutritionnel
Dégagement inefficace des voies respiratoires
Déni non constructif
Détresse spirituelle
Diarrhée
Difficulté à se maintenir en santé
Difficulté dans l'exercice du rôle d'aidant naturel
Diminution de l'irrigation tissulaire (préciser): cardiopulmonaire, cérébrale, gastro-intestinale, périphérique, rénale
Diminution du débit cardiaque
Douleur
Douleur chronique
Dysfonctionnement sexuel (préciser)
Dysréflexie
Excès de volume liquidien
Excès nutritionnel
Fatigue
Gestion inefficace du programme thérapeutique
Hyperthermie
Hypothermie
Incapacité (partielle ou totale) d'avaler
Incapacité (partielle ou totale) d'utiliser les toilettes
Incapacité (partielle ou totale) de s'alimenter
Incapacité (partielle ou totale) de se laver / d'effectuer ses soins d'hygiène
Incapacité (partielle ou totale) de se vêtir / de soigner son apparence
Incapacité d'organiser et d'entretenir le domicile
Incapacité de maintenir une respiration spontanée
Incapacité de s'adapter à un changement dans l'état de santé
Incontinence fécale
Incontinence urinaire à l'effort
Incontinence urinaire fonctionnelle
Incontinence urinaire par réduction du temps d'alerte
Incontinence urinaire réflexe
Incontinence urinaire vraie

Intolérance à l'activité
Intolérance au sevrage de la ventilation assistée
Isolement social
Manque de connaissances (préciser)
Manque de loisirs
Mode d'alimentation inefficace chez le nouveau-né / nourrisson
Mode de respiration inefficace
Négligence de l'hémicorps (droit ou gauche)
Non-observance (préciser)
Perte d'espoir
Perturbation chronique de l'estime de soi
Perturbation dans l'exercice du rôle
Perturbation dans l'exercice du rôle parental
Perturbation de l'estime de soi
Perturbation de l'identité personnelle
Perturbation de l'image corporelle
Perturbation de la croissance et du développement
Perturbation de la dynamique familiale
Perturbation de la sexualité
Perturbation des échanges gazeux
Perturbation des habitudes de sommeil
Perturbation des interactions sociales
Perturbation situationnelle de l'estime de soi
Peur
Pseudo-constipation
Réaction post-traumatique
Recherche d'un meilleur niveau de santé (préciser les comportements)
Rétention urinaire
Risque d'accident
Risque d'altération de la température corporelle
Risque d'aspiration
Risque d'atteinte à l'intégrité de la peau
Risque d'excès nutritionnel
Risque d'infection
Risque d'intolérance à l'activité
Risque d'intoxication
Risque de déficit de volume liquidien
Risque de perturbation dans l'exercice du rôle parental
Risque de suffocation
Risque de syndrome d'immobilité
Risque de trauma
Risque de violence envers soi ou envers les autres
Risque élevé d'automutilation
Risque élevé de difficulté dans l'exercice du rôle d'aidant naturel
Risque élevé de dysfonctionnement neurovasculaire périphérique
Sentiment d'impuissance
Stratégies d'adaptation défensives
Stratégies d'adaptation familiale efficaces (potentiel de croissance)
Stratégies d'adaptation familiale inefficaces (absence de soutien)
Stratégies d'adaptation familiale inefficaces (soutien compromis)
Stratégies d'adaptation individuelle inefficaces
Syndrome de déracinement
Syndrome du traumatisme de viol
Syndrome du traumatisme de viol (réaction mixte)
Syndrome du traumatisme de viol (réaction silencieuse)
Thermorégulation inefficace

s'appliquent à un patient souffrant de polyarthrite rhumatoïde, compte tenu des caractéristiques et de l'étiologie de ce trouble (les manifestations ont été omises):

- altération de la mobilité physique reliée à la diminution de l'amplitude des mouvements articulaires;
- incapacité de s'alimenter, de se laver, de se vêtir et d'utiliser les toilettes reliée à la fatigue et à la raideur des articulations;
- perturbation de l'estime de soi reliée à la perte d'autonomie;
- déficit nutritionnel relié à la fatigue et à une alimentation insuffisante.

Une fois qu'elle a élaboré des diagnostics infirmiers précis, l'infirmière est prête à les inscrire dans le dossier du patient et à planifier les soins infirmiers qui pourront résoudre les problèmes qu'ils sous-tendent.

## INSCRIPTION DES DIAGNOSTICS INFIRMIERS DANS LE DOSSIER DU PATIENT

Les diagnostics infirmiers du patient doivent être inscrits dans le plan de soins infirmiers. Un *problème* est tout ce qui inquiète le patient, qui représente un danger pour sa santé, qui doit être solutionné ou qui préoccupe l'un des membres de l'équipe soignante.

## PLANIFICATION

Une fois que l'infirmière a formulé les diagnostics infirmiers, elle passe à l'étape suivante de la démarche de soins infirmiers, soit la planification. Lors de cette étape, l'infirmière doit:

1. établir l'ordre de priorités des diagnostics infirmiers;
2. fixer les objectifs de soins (à court, à moyen et à long terme);
3. inventorier les interventions infirmières particulières qui permettront d'atteindre les objectifs fixés;
4. inventorier les interventions interdépendantes;
5. inscrire les diagnostics infirmiers, les objectifs et les interventions dans le plan de soins infirmiers.

Lors de cette étape, l'infirmière doit également communiquer aux autres membres de l'équipe pluridisciplinaire toutes les données qui traduisent des besoins en matière de santé auxquels ceux-ci peuvent mieux répondre.

## ORDRE DE PRIORITÉS DES DIAGNOSTICS INFIRMIERS

L'infirmière et le patient ou les membres de sa famille établissent conjointement l'ordre de priorités des diagnostics infirmiers. Il peut arriver que le patient et l'infirmière aient un ordre de priorités différent. S'ils n'accordent pas la même importance à un problème de santé, ces divergences doivent être résolues de façon acceptable pour les deux. Il faut considérer l'urgence des problèmes, les troubles les plus graves étant prioritaires. On peut se servir de la hiérarchie des

besoins de Maslow pour déterminer l'ordre des priorités. D'après Maslow, les besoins physiologiques passent en premier. Une fois que les besoins physiologiques ont été satisfaits, il faut établir de nouveau l'ordre des priorités selon l'urgence des besoins à un autre niveau de la hiérarchie (voir les pages 173 et 174).

Une fois que l'infirmière a établi l'ordre de priorités des diagnostics infirmiers, elle doit fixer les objectifs à court, à moyen et à long terme et choisir les interventions qui lui permettront de les atteindre. Le patient et les membres de sa famille doivent participer à l'établissement des objectifs. Les objectifs à court terme peuvent être atteints rapidement; les objectifs à moyen et à long terme seront atteints ultérieurement. Ces objectifs sont souvent axés sur la prévention, l'enseignement sanitaire préventif et la réadaptation. Voici, par exemple, les objectifs fixés pour un patient diabétique, dont le diagnostic infirmier est «non-observance de la diète reliée à un manque de connaissances concernant le régime alimentaire prescrit».

| | |
|---|---|
| Objectif à court terme: | Suivre un régime pour diabétiques de 6300 kJ divisé en trois repas et une collation. |
| Objectif à moyen terme: | Planifier des menus pour une semaine en se fondant sur le système des équivalences. |
| Objectif à long terme: | Observer le régime alimentaire prescrit. |

Dans la mesure du possible, le patient et les membres de sa famille doivent participer à la prise des décisions à propos des interventions infirmières qui permettent d'atteindre les objectifs. Leur participation à la planification des interventions favorise leur collaboration par la suite. Le choix éclairé d'interventions infirmières et d'objectifs dépend de la capacité de l'infirmière de reconnaître les forces et le potentiel du patient et des membres de sa famille, de comprendre les modifications physiopathologiques qui peuvent apparaître et d'être sensible aux réactions affectives, psychologiques et intellectuelles du patient à la maladie. Par ailleurs, le savoir-faire de l'infirmière, son expérience clinique et sa connaissance des ressources influencent également le choix des interventions qui lui semblent appropriées pour résoudre le problème mis en lumière par les diagnostics infirmiers.

## OBJECTIFS DE SOINS

Les objectifs de soins définissent des critères de comportement. Ils doivent être réalistes et mesurables. Il est préférable d'utiliser, dans la mesure du possible, des critères uniformisés énoncés par l'établissement pour le groupe particulier dont le patient fait partie. Toutefois, si l'on veut que les objectifs de soins soient réalistes, il faut aussi les adapter en fonction du potentiel du patient à résoudre ses problèmes et fixer le délai à l'intérieur duquel il doit les atteindre.

- Les objectifs qui définissent un comportement escompté permettent de déterminer si le patient est en voie de résoudre ses problèmes ou du moins s'il fait des progrès dans ce sens.

En outre, ils servent de critère d'évaluation de l'efficacité des interventions infirmières.

- Le délai fixé permet de vérifier l'efficacité des interventions infirmières et de déterminer si des soins supplémentaires ou différents deviennent nécessaires.

## PLANIFICATION DES SOINS EN ÉQUIPE

Idéalement, tout le travail de planification des soins infirmiers devrait se faire en équipe. Les infirmières devraient collaborer avec les autres membres de l'équipe soignante, avec le patient et les membres de sa famille, ainsi qu'avec des personnes ressources qui œuvrent dans divers organismes sociosanitaires ou communautaires. Le médecin, quant à lui, prescrit le traitement médical. Il joue le rôle de conseiller, d'enseignant et de personne ressource. En outre, les conseils d'une clinicienne spécialiste sont souvent très utiles.

Étant donné que le plan de soins est destiné au patient, ce dernier a toujours son mot à dire. Puisque le principal objectif du plan est d'aider le patient à se prendre en charge, on doit l'accepter en tant qu'individu et respecter son droit à l'autodétermination. Le plan étant orienté en fonction des objectifs qu'il doit atteindre et de ses capacités, le patient a le droit d'exprimer ses sentiments et de faire valoir son opinion au sujet des soins qu'il reçoit. On devrait l'informer constamment de son état de santé actuel (lorsque cela est possible), des changements qui sont apportés au plan de soins, du rôle exercé par les différents professionnels de la santé et des ressources dont il peut disposer.

Il ne faut jamais oublier que le patient a une famille dont les membres doivent également s'adapter aux changements entraînés par la maladie de leur proche. Ceux-ci devraient donc également participer à la planification des soins, car ils peuvent apporter des renseignements utiles sur les réactions du patient et des suggestions intéressantes. Par ailleurs, ils devraient être informés du plan de soins.

Il ne faut pas non plus négliger le fait que le patient est membre d'une collectivité et les organismes communautaires qui peuvent lui venir en aide ont un rôle à jouer dans la planification des soins. En d'autres termes, l'infirmière doit connaître les services communautaires auxquels le patient peut recourir après avoir reçu son congé et leur communiquer les objectifs fixés afin de faciliter, par la suite, la prise de décisions concernant le type de services dont le patient aura besoin. Très souvent, on peut trouver dans un simple annuaire téléphonique toutes les ressources dont on peut disposer dans la localité, par exemple, les agences de soins à domicile, les services sanitaires, les services d'entretien, les services de livraison de repas chauds («popotes roulantes»), les services sociaux et les services de loisirs. L'accès à ces ressources aidera énormément le patient qui fait face à une longue réadaptation.

En raison des coupures budgétaires, les patients quittent plus rapidement le centre hospitalier. Or, souvent au moment du congé, ils ont des besoins complexes exigeant le recours à des techniques de pointe. C'est pourquoi on doit commencer la planification du congé dès l'admission du patient au centre hospitalier. Cette planification permettra d'assurer les soins à domicile dont il aura besoin. La planification du congé doit être faite par toute l'équipe de soins.

## RÉDACTION DU PLAN DE SOINS INFIRMIERS

La dernière étape de la planification des soins est la rédaction du plan de soins infirmiers. L'infirmière qui rédige ce plan peut ainsi communiquer les renseignements suivants à tous les membres de l'équipe soignante:

1. les diagnostics infirmiers et leur ordre de priorités;
2. les objectifs de soins en termes de comportements souhaitables;
3. les délais à l'intérieur desquels chaque objectif doit être réalisé;
4. la liste des interventions infirmières à exécuter, énoncées par des verbes d'action;
5. les résultats escomptés, en termes de comportements souhaitables.

Les renseignements portés au plan de soins doivent être rédigés en termes simples et concis pour être facilement compris par toute l'équipe. Il faut prévoir de l'espace pour inscrire la réaction du patient aux interventions infirmières, c'est-à-dire les résultats observés. Il ne faut pas oublier que le plan de soins doit être constamment modifié, au fur et à mesure que les problèmes du patient et l'ordre de priorités des interventions changent, que certains problèmes sont résolus et que de nouvelles données sur l'état du patient viennent s'ajouter au dossier. Pendant l'exécution des interventions infirmières, on doit évaluer et inscrire les réactions du patient et modifier le plan de soins en conséquence. Un plan de soins infirmiers correctement élaboré et constamment mis à jour permet de résoudre les problèmes définis par les diagnostics infirmiers et de satisfaire les besoins du patient. (On trouvera un exemple de plan de soins aux pages 196 et 197.)

## EXÉCUTION

L'exécution du plan de soins vient normalement après la planification. En exécutant le plan de soins, l'infirmière amorce ou mène à terme les interventions qui permettront d'atteindre les objectifs de soins. L'exécution du plan de soins incombe à l'infirmière, mais le patient et les membres de sa famille ainsi que les autres membres de l'équipe pluridisciplinaire y participent également, selon les besoins. L'infirmière doit coordonner le travail de toutes les personnes qui participent à l'exécution du plan.

- L'exécution est la mise en œuvre du plan de soins infirmiers.
- Les objectifs à court, à moyen et à long terme déterminent l'ordre dans lequel les interventions infirmières sont exécutées.
- Pendant qu'elle exécute les interventions, l'infirmière doit continuellement observer le patient et sa réaction aux soins.
- Le plan de soins infirmiers est modifié en fonction de l'état de santé du patient, de ses problèmes et de ses réactions ainsi que du changement de l'ordre de priorités.

L'étape de l'exécution englobe toutes les interventions infirmières qui visent à résoudre les problèmes du patient et à satisfaire ses besoins en matière de santé. Nous avons déjà parlé de certains de ces besoins (voir les pages 173 et 174).

Nous exposerons les besoins particuliers suscités par une maladie donnée dans le chapitre où figure la description de cette maladie.

## CATÉGORIES GÉNÉRALES D'INTERVENTIONS INFIRMIÈRES

Le champ d'exercice de l'infirmière est très vaste et ses interventions portent sur des domaines aussi variés que l'hygiène, le bien-être, la respiration, l'élimination, l'alimentation, l'environnement, l'enseignement, le counseling, etc. L'infirmière doit faire preuve de jugement et savoir prendre des décisions éclairées afin de choisir chaque fois les interventions infirmières appropriées, en se fondant sur des principes physiologiques.

- Toutes les interventions infirmières gravitent autour du patient; elles visent l'atteinte des objectifs. Elles sont fondées sur des principes scientifiques. L'infirmière doit les exécuter avec confiance, en se montrant empathique et prête à accepter et à comprendre les réactions du patient.

Certains actes infirmiers sont autonomes, d'autres sont interdépendants. L'infirmière exécute une intervention interdépendante lorsqu'elle administre un médicament ou un traitement prescrit par le médecin ou lorsqu'elle travaille de concert avec d'autres membres de l'équipe soignante pour atteindre des objectifs précis. Puisqu'il s'agit d'interventions interdépendantes, l'infirmière ne doit pas suivre aveuglément les directives des autres membres de l'équipe soignante. Elle doit plutôt les examiner attentivement et les remettre en question, le cas échéant.

## RÉPARTITION DES TÂCHES

L'infirmière peut déléguer certaines tâches particulières à d'autres membres de l'équipe de soins infirmiers. Elle doit toutefois connaître les capacités et les limites de chacune de ces personnes, choisir l'intervenant le plus qualifié pour exécuter la tâche en question et en superviser l'exécution. La personne choisie doit recevoir tous les renseignements dont elle a besoin pour mener à bien son travail. Elle ne doit jamais oublier que son seul but est de satisfaire les besoins du patient.

Souvent, des membres de plusieurs disciplines doivent participer aux soins du patient. Pour assurer la continuité des soins dispensés, l'infirmière doit communiquer verbalement et par écrit aux intervenants concernés tous les renseignements sur les réactions du patient aux soins et les changements qui doivent être apportés au plan de soins. La mise à jour constante de ce plan est d'une importance capitale pour assurer la coordination et la continuité des soins.

## INSCRIPTION DES RÉSULTATS

L'étape de l'exécution prend fin une fois que les interventions infirmières ont été menées à bien et que les réactions du patient ont été notées dans le dossier. Ces notes doivent être concises, précises et objectives. Elles doivent:

- porter sur les diagnostics infirmiers;
- décrire les interventions nfirmières et les réactions du patient à ces interventions;
- inclure toutes les données pertinentes.

L'évaluation ne peut être faite qu'à partir d'un dossier complet. Les renseignements qu'il renferme permettent d'évaluer la réaction du patient aux interventions infirmières en termes de comportement, c'est-à-dire de comparer les résultats obtenus aux critères définis.

***Notes d'évolution.*** Les notes d'évolution sont introduites par un numéro et l'intitulé du problème ou du diagnostic infirmier correspondant. Elles sont rédigées jour après jour en utilisant la méthode scientifique de résolution de problèmes (voir à la page 197). Elles sont narratives et rédigées d'après la méthode SOAPIE:

**S** Données subjectives (symptômes décrits par le patient)
**O** Données objectives (signes observés par le professionnel de la santé)
**A** Analyse de la situation (conclusion tirée par le professionnel de la santé à partir des données subjectives et objectives)
**P** Plan (immédiat ou futur, incluant l'enseignement au patient)
**I** Intervention (soins administrés au patient, actes exécutés à sa place ou actes exécutés de concert avec lui)
**E** Évaluation (résultats des interventions infirmières)

On utilise des feuilles de surveillance pour suivre ou pour évaluer un problème ou une réaction qu'on ne peut pas décrire par une simple note ou qu'il faut mesurer par plusieurs paramètres à intervalles réguliers. On peut également utiliser ces feuilles pour noter les activités de l'infirmière et du patient, comme les traitements et les soins quotidiens.

- Les notes d'évolution constituent la pièce maîtresse d'un dossier orienté vers les problèmes. Elles permettent d'évaluer constamment l'état du patient et donnent une rétroaction sur ses réactions et sur l'efficacité du plan de soins. Pour assurer la continuité des soins, les intervenants doivent inscrire les notes d'évolution sur un même formulaire.

La note d'évolution doit commencer par la date, l'heure, le numéro du problème et l'intitulé (voir la figure 6-5). Elle doit englober les éléments suivants:

***Données subjectives.*** Les données subjectives sont des informations sur les symptômes mentionnés par le patient ou par sa famille. Il faut inscrire les renseignements suivants: apparition du symptôme (date, heure, type), intensité, qualité, siège, irradiation, nombre d'épisodes, moment de la journée où il se manifeste, moyens de les soulager (repos, position, médicament), facteurs déclenchants, facteurs aggravants, symptômes connexes, évolution globale et effets sur le mode de vie du patient.

***Données objectives.*** Ces données englobent les observations cliniques ou les résultats des examens diagnostiques liés au problème. Voici les renseignements qu'il faut inclure selon le cas: siège, taille, forme, couleur, température, degré d'humidité et consistance. Il faut également noter l'absence ou la présence d'œdème, l'amplitude des mouvements

# Exemple d'un plan de soins personnalisé

M. Joseph Lemieux, 50 ans, consultant en gestion, a été admis au centre hospitalier sur la recommandation de son médecin. L'examen médical courant, qu'il avait subi trois mois auparavant, avait révélé une hypertension essentielle (pression artérielle de 170/110) et une diminution de la «clearance» de la créatinine urinaire. Durant les trois mois suivants, malgré la diétothérapie prescrite, la pression artérielle n'a pas pu être abaissée. M. Lemieux a cependant admis qu'il n'avait pas suivi scrupuleusement le régime alimentaire à faible teneur en sel et en cholestérol que son médecin lui avait recommandé, car son travail est extrêmement prenant et que, en plus, il s'occupe avec sa femme de ses deux filles adolescentes. Il boit de 5 à 7 tasses de café par jour et ne boit d'alcool que lors de ses sorties. M. Lemieux mesure 1 m 75 et pèse 90 kg. À son admission au centre hospitalier, l'examen physique a révélé une pression artérielle de 162/112, un pouls de 96 battements par minute, 20 respirations par minute, une température de 37 °C et un léger œdème aux chevilles et aux pieds. M. Lemieux dit que ses pieds sont «toujours enflés le soir». On a décidé de l'hospitaliser pendant quelques jours afin de mieux évaluer son état et d'amorcer un traitement. Les recommandations du médecin, à l'admission, étaient les suivantes: activités à volonté, administration de Lasix à raison de 40 mg deux fois par jour, prise des signes vitaux toutes les quatre heures pendant les heures d'éveil, diète de 6300 kJ par jour, faible en cholestérol et ne contenant que 1 g de sodium.

### Diagnostics infirmiers

1. Difficulté à se maintenir en santé reliée au stress, à l'obésité et à une consommation de caféine excessive.
2. Non-observance de la diète reliée à un horaire de travail chargé et irrégulier et au rôle exigeant exercé à la maison.

### Plan de soins pour le premier diagnostic infirmier

#### Objectifs

À court terme:  Pression artérielle de 140/90 au cours de l'hospitalisation
À moyen terme: Maintien de la pression artérielle dans les limites de la normale

| Interventions infirmières | Résultats |
|---|---|
| Mesurer la pression artérielle en position couchée, assise et debout toutes les 4 heures. | La pression artérielle se situe entre 162/112 et 138/98 depuis l'admission. Les variations des pressions systolique et diastolique sont inférieures à 5 mm Hg lors des changements de position. Les pressions artérielles du bras gauche et du bras droit sont identiques. La pression artérielle maximale mesurée entre la journée qui a suivi l'admission et l'heure du congé a été de 138/98. |
| Déceler la présence d'un déséquilibre hydrique: ingesta et excreta | Ingesta: 1850 mL Excreta: 1685 mL Léger œdème des pieds, tard dans la soirée. |
| Inciter le patient à alterner les périodes de repos et d'activité. | Le patient reste au lit une heure durant la matinée et deux heures durant l'après-midi; il débranche le téléphone lorsqu'il se repose. Le patient s'est réveillé plusieurs fois durant la nuit. Après l'administration de 30 mg de Dalmane, au coucher, il a dormi pendant 8 heures. |
| Limiter le nombre de visiteurs et éviter les interactions stressantes. | La femme et les filles du patient lui rendent visite le soir. Elles restent auprès de lui deux heures. Après ces visites, le patient est calme et détendu. La femme et les filles du patient sont conscientes du fait qu'il faut diminuer le stress; elles ne parlent au patient que des activités familiales habituelles. |
| Expliquer au patient le lien entre le stress affectif et le fonctionnement physiologique. | Le patient a décrit avec justesse le lien entre le stress et l'hypertension. |
| Recommander au patient de déterminer les stimuli qui engendrent du stress. | Le patient a reconnu les facteurs de stress suivants: Contraintes professionnelles qu'il s'impose lui-même: il ne veut pas refuser les nouveaux clients. Surveillance assidue des activités scolaires et des loisirs de ses filles. |

---

## Exemple d'un plan de soins personnalisé (suite)

| Interventions infirmières | Résultats |
|---|---|
| Encourager le patient à déterminer les modifications lui permettant de réduire le stress. | Le patient a dit qu'il commencera à refuser les nouveaux clients.<br><br>Le patient a reconnu le besoin de réduire le nombre d'heures de travail. Il s'est promis de travailler 8 heures par jour au maximum.<br><br>Le patient a discuté avec sa femme et ses filles et ils ont décidé que sa femme et lui participeront à tour de rôle aux activités des filles; tous les membres de la famille ont montré beaucoup de sollicitude. |
| Expliquer au patient que l'obésité et la caféine sont des facteurs de risque qui aggravent l'hypertension. | Le patient a décrit correctement les effets de l'obésité et de la caféine sur la pression artérielle.<br><br>Le patient a décidé de se joindre aux «Weight Watchers»; par le passé, il a obtenu de bons résultats grâce à ce programme.<br><br>Le patient boit une tasse de café au petit déjeuner et il prend du café décaféiné l'avant-midi, au déjeuner et au dîner; il se dit satisfait de ce régime. |

---

articulaires, la faiblesse, la douleur provoquée par un mouvement ou la sensibilité au toucher. Certaines infirmières inscrivent sous cette rubrique les actes infirmiers, d'autres inscrivent leurs interventions immédiates à la section réservée au plan.

*Analyse.* L'intervenant qui écrit une note SOAPIE recueille les données objectives et subjectives puis formule une conclusion à partir de l'analyse et de l'interprétation de ses observations relatives à l'état du patient ou à sa situation. Si ces données correspondent à l'intitulé du problème, il est inutile d'ajouter ici beaucoup de renseignements supplémentaires. L'une des façons d'analyser l'évolution est d'évaluer l'état du patient par rapport aux données antérieures en utilisant des termes tels que *amélioration, aggravation, détérioration, état stationnaire*. S'il s'agit d'un nouveau problème, les données subjectives et objectives doivent inciter à une nouvelle analyse du cas. Si l'intitulé du problème ne correspond pas aux données subjectives et objectives, on peut évaluer rapidement la logique ou la justesse des renseignements inscrits.

*Plan.* Si le plan initial est bien organisé et correctement élaboré, l'infirmière doit continuer de le suivre. Cependant, elle doit le modifier à mesure qu'elle recueille de nouveaux renseignements. Lorsqu'elle rédige cette partie de la note d'évolution, elle doit toujours préciser si de nouveaux renseignements sont nécessaires et mentionner les soins et les traitements administrés et l'enseignement dispensé au patient et aux membres de sa famille.

*Intervention et évaluation.* Les infirmières utilisent les mêmes dossiers orientés vers les problèmes que les autres professionnels de la santé. Toutefois, certaines praticiennes recommandent d'ajouter à la note d'évolution deux précisions de plus pour mieux évaluer la démarche clinique et pour suivre les normes établies par les organismes de réglementation de la pratique. Il s'agit des interventions infirmières immédiates (par exemple, lever la tête du lit, effectuer un drainage postural) et de leur évaluation (l'intervention a-t-elle été efficace ou inefficace?) par rapport aux résultats observés. Parfois, cette évaluation n'apparaîtra que dans la note d'évolution suivante, car l'infirmière a besoin de plus de temps pour observer la réaction du patient à l'intervention.

| | |
|---|---|
| 19/1/93<br>16 h 30 | Anxiété, reliée au manque de connaissances sur l'intervention chirurgicale |

S— «Je suis nerveux, car je ne sais pas comment ce sera après l'opération.»

O— Le patient pose beaucoup de questions sur l'intervention. Il n'en a jamais subi auparavant. Sa femme est à ses côtés. Elle le soutient.

A— L'anxiété est reliée au manque de connaissances. Le patient ne sait pas ce qui l'attend, car il n'a jamais subi d'intervention auparavant.

P— Enseignement préopératoire habituel à donner. Exercices de respiration profonde et de toux à montrer et expliquer. Soins infirmiers postopératoires à expliquer et brochure explicative à remettre. S. Talbot, inf.

I— Procédés préopératoires normaux expliqués. Exercices de respiration profonde et de toux enseignés. Brochure explicative sur les soins infirmiers postopératoires remise.

E—Le patient se dit moins nerveux; il sait mieux ce qui l'attend.

***Figure 6-5.*** Exemples de notes d'évolution utilisant les systèmes SOAPIE (Source: P. A. Potter et A. G. Perry, *Soins infirmiers: Théorie et pratique*, Montréal, ERPI, 1990)

À la lumière de ces explications, on peut facilement comprendre pourquoi les notes d'évolution versées au dossier du patient ont de l'importance du point de vue légal.

On trouve à l'encadré 6-3 les principaux points dont il faut se souvenir lors de la rédaction des notes d'évolution versées dans un dossier orienté vers les problèmes.

## ÉVALUATION

L'évaluation est l'étape finale de la démarche de soins infirmiers. Son but est d'établir les réactions du patient aux interventions infirmières et de déterminer dans quelle mesure les objectifs de soins ont été atteints. L'évaluation porte sur le

## Encadré 6-3
## Comment rédiger des notes d'évolution orientées vers les problèmes

**Ce qu'il faut faire avant de rédiger des notes d'évolution orientées vers les problèmes :**

1. Avoir sous les yeux la liste des problèmes du patient.

2. Considérer l'état du patient à la lumière de chacun des problèmes énumérés. Faut-il ajouter ou envisager de nouveaux problèmes à la suite des observations ou des interactions de la journée ?

3. Lire les toutes dernières notes afin de se tenir au courant des plans de soins en cours et de ne pas répéter inutilement des renseignements qui ont déjà été inscrits.

4. Choisir les problèmes les plus pressants, en tenant toujours compte des troubles graves (par exemple : un infarctus du myocarde peut menacer la vie, mais si l'état du patient est relativement stable ou que le médecin vient de l'examiner, l'anxiété aiguë dont il souffre devient prioritaire, car elle nuit considérablement au bien-être).

5. Inscrire tous les renseignements contenus dans les données ou dans le plan de soins qu'on ignorait au moment où les notes précédentes ont été rédigées ; déterminer l'efficacité ou l'inefficacité du plan (par exemple : signes vitaux, poids, réaction aux interventions infirmières).

6. Toujours commencer les notes par la date, l'heure, le numéro du problème et son intitulé. Inscrire les données objectives et subjectives en tenant compte des facteurs que nous avons mentionnés. Inscrire toutes les données relatives au suivi ainsi que les renseignements qui viennent d'être recueillis.

7. Faire une évaluation globale de chaque problème, en présentant les données comme on les comprend. Avant de rédiger des notes sur les réactions à des médicaments ou à des traitements qu'on ne connaît pas suffisamment bien, il faut s'informer, car les nouveaux renseignements obtenus pourraient non seulement être utiles aux autres membres de l'équipe soignante, mais aussi faire apparaître le problème sous un autre angle.

8. Réviser le plan de soins en fonction de chaque problème. Préparer un nouveau plan si un nouveau problème surgit. Ne jamais oublier les trois facteurs suivants :
   a) *Besoin de renseignements supplémentaires,* par exemple, les observations particulières qui pourraient mieux expliquer le problème.
   b) *Interventions infirmières,* à savoir, les mesures particulières qu'on pourrait proposer ou adopter afin de résoudre le problème (par exemple : demander au patient de se tourner, de tousser et de prendre des respirations profondes toutes les heures pendant 24 heures).
   c) *Enseignement au patient ou aux membres de sa famille,* à savoir, les notions déjà enseignées ou les plans d'enseignement à exécuter.

9. Écrire une note d'évolution chaque fois que l'on veut signaler un élément important et surtout un changement intervenu dans l'état du patient. Certains jours, la même équipe ou la même infirmière doit rédiger de nombreuses notes d'évolution, d'autres jours, il peut arriver qu'une seule note soit rédigée.

---

plan de soins infirmiers, à savoir les diagnostics infirmiers, les objectifs et les interventions infirmières.

L'évaluation permet de répondre aux questions suivantes :

- Les diagnostics infirmiers étaient-ils justes ?
- Le patient a-t-il atteint les objectifs fixés ?
- Le patient a-t-il atteint les objectifs dans le délai prévu ?
- Les problèmes du patient, mis en lumière par les diagnostics infirmiers, ont-il été résolus ?
- Les besoins du patient en soins infirmiers ont-ils été satisfaits ?
- Les interventions infirmières devraient-elles être poursuivies, modifiées ou arrêtées ?
- Des problèmes imprévus et qui n'ont pas fait l'objet de soins sont-ils apparus ?
- Quels sont les facteurs qui ont pu contribuer au succès ou à l'échec du plan de soins infirmiers ?
- Faut-il changer l'ordre des priorités ?
- Faut-il modifier les objectifs ?

Les données objectives qui permettent de répondre à ces questions doivent être recueillies en utilisant toutes les sources, à savoir, le patient, les membres de sa famille ou une personne clé dans sa vie, les autres infirmières et les autres membres de l'équipe pluridisciplinaire. Ces données doivent être inscrites au dossier du patient et doivent être corroborées par l'observation directe.

## MODIFICATION DU PLAN DE SOINS

Toutes les méthodes d'évaluation utilisées doivent tenir compte du plan de soins infirmiers. Pour évaluer la réaction du patient aux interventions infirmières, il faut comparer son comportement réel aux critères qui avaient été établis. La modification du plan de soins, le cas échéant, doit se faire en fonction de ces renseignements.

Il faut se poser, à ce moment, la question suivante : « Que pourrait-on faire pour améliorer les soins infirmiers ? » Il faudrait peut-être essayer d'autres interventions infirmières, fixer de nouveaux objectifs, changer l'ordre des priorités ou établir des critères d'évaluation plus réalistes. Les soins dispensés au patient doivent être évalués constamment et de façon approfondie. Il faut ensuite décider des changements, modifier le plan de soins et déterminer les interventions qui aideront davantage le patient.

## *Encadré 6-4*
## *Les étapes de la démarche de soins infirmiers*

### *Collecte de données*

1. Effectuer le bilan de santé du patient.

2. Établir le profil du patient et faire un examen physique.

3. Interroger les membres de la famille du patient ou les personnes clés dans sa vie.

4. Étudier le dossier de santé.

5. Organiser et résumer les données recueillies.

### *Exécution*

1. Mettre à exécution le plan de soins infirmiers.

2. Coordonner les activités du patient, de sa famille et des personnes clés dans sa vie, des autres membres de l'équipe soignante et des autres membres de l'équipe pluridisciplinaire.

3. Noter les réactions du patient aux interventions.

### *Analyse et interprétation des données*

1. Déterminer les problèmes du patient.

2. Reconnaître les manifestations caractéristiques de ces problèmes.

3. Reconnaître les causes des problèmes.

4. Énoncer les diagnostics infirmiers de façon concise et précise.

### *Évaluation*

1. Recueillir des données objectives.

2. Comparer le comportement du patient face aux objectifs fixés. Déterminer dans quelle mesure les objectifs ont été atteints.

3. Faire participer à l'évaluation le patient, sa famille, les personnes clés dans sa vie, les membres de l'équipe soignante et les autres membres de l'équipe d'évaluation.

4. Reconnaître les modifications à apporter aux diagnostics infirmiers, aux objectifs, aux interventions infirmières et aux résultats escomptés.

5. Poursuivre toutes les étapes de la démarche de soins infirmiers, c'est-à-dire la collecte de données, l'analyse et l'interprétation des données, la planification, l'exécution et l'évaluation.

### *Planification*

1. Établir l'ordre de priorités des diagnostics infirmiers.

2. Fixer des objectifs.
   a) Établir des objectifs à court, à moyen et à long terme.
   b) Établir des objectifs réalistes et mesurables.
   c) Fixer un délai pour l'obtention de ces résultats.

3. Choisir les interventions infirmières qui permettront d'atteindre les objectifs.

4. Rédiger un plan de soins infirmiers.
   a) Inclure les diagnostics infirmiers, les objectifs, les interventions, et les délais fixés.
   b) Noter les renseignements de façon précise, concise et systématique.
   c) Mettre le plan à jour en fonction des changements dans les besoins et les problèmes du patient.

5. Faire participer le patient, les membres de sa famille ou des personnes clés dans sa vie, les membres de l'équipe soignante et les autres membres de l'équipe pluridisciplinaire à toutes les étapes de la planification.

# RÉSUMÉ

La démarche de soins infirmiers est une méthode délibérée d'identification et de résolution de problèmes en vue de répondre aux besoins en matière de santé et de soins infirmiers du patient. Les étapes de la démarche de soins infirmiers sont la collecte de données, l'analyse et l'interprétation des données, la planification, l'exécution et l'évaluation. La démarche de soins infirmiers est un processus continu et chaque étape est reliée à toutes les autres. L'évaluation et la modification du plan de soins contribuent à l'évolution constante de la démarche clinique de l'infirmière et rendent compte de la qualité des soins administrés.

On récapitule à l'encadré 2-4 les étapes de la démarche de soins infirmiers.

## Bibliographie

### Ouvrages

Alfaro R. Applying Nursing Diagnoses and Nursing Process: A Step-by-Step Guide. Philadelphia, JB Lippincott, 1989.

Bates B. A Guide to Physical Examination and History Taking. Philadelphia, JB Lippincott, 1991.

Bowers AC and Thompson JM. Clinical Manual of Health Assessment. St Louis, CV Mosby, 1988.

Carpenito LJ. Handbook of Nursing Diagnosis 1989-90. Philadelphia, JB Lippincott, 1989.

Carpenito LJ. Nursing Care Plans: Nursing Diagnoses and Collaborative Problems. Philadelphia, JB Lippincott, 1991.

Carpenito LJ. Nursing Diagnosis: Application to Clinical Practice. Philadelphia, JB Lippincott, 1989.

Carroll-Johnson RM (ed). Classification of Nursing Diagnoses. Proceedings of the Eighth Conference, North American Nursing Diagnosis Association. Philadelphia, JB Lippincott, 1989.

Gordon M. Manual of Nursing Diagnosis 1988-1989. St Louis, CV Mosby, 1989.

Gordon M. Nursing Diagnosis: Process and Application. New York, McGraw-Hill, 1987.

Guzzeta CE et al. Clinical Assessment Tools for Use with Nursing Diagnoses. St Louis, CV Mosby, 1989.

Jones DA and Lepley MK. Health Assessment Manual. St Louis, CV Mosby, 1986.

Maas M, Buckwalter KC, and Hardy M. Nursing Diagnoses and Interventions for the Elderly. Menlo Park, CA, Addison-Wesley Nursing, 1991.

Malasanos L et al. Health Assessment. St Louis, CV Mosby, 1990.

McFarland GK and McFarlane EA. Nursing Diagnosis & Intervention. Planning for Patient Care. St Louis, CV Mosby, 1989.

Sundeen SJ et al. Nurse-Client Interaction: Implementing the Nursing Process. St Louis, CV Mosby, 1989.

Tucker SM. Patient Care Standards: Nursing Process, Diagnosis, and Outcome. St Louis, CV Mosby, 1988.

Wesorick B. Standards of Nursing Care: A Model for Clinical Practice. Philadelphia, JB Lippincott, 1989.

Weber J. Nurses' Handbook of Health Assessment. Philadelphia, JB Lippincott, 1988.

Yura H and Walsh MB. The Nursing Process: Assessing, Planning, Implementing, Evaluating. Norwalk, CT, Appleton and Lange, 1988.

### Revues

*Les articles de recherche en sciences infirmières sont marqués d'un astérisque.*

#### Démarche de soins infirmiers

Baltz PS. Operationalizing standards of care in the acute care setting. ANNA J 1988 Apr; 15(2):110-112, 147.

Mangiafico B and Fischer K. Standards of care: Fitting the pieces together. Nurs Manage 1987 Jan; 18(1):62-63.

Moss AR. Determinants of patient care: Nursing process or nursing attitudes? J Adv Nurs 1988 Sep; 13(5):615-620.

Polaski AL et al. A multidimensional teaching-learning strategy for the nursing process. Nurs Educ 1988 Jul/Aug; 13(4):19-23.

Santo-Novak DA. Seven keys to assessing the elderly. Nursing 1988 Aug; 18(8):60-63.

Schamel K. How to assess the patient on long-term care. RN 1987 Oct; 50(10):65-68.

Seigel H. Nurses improve hospital efficiency through a risk assessment model at admission. Nurs Manage 1988 Oct; 19(10):38-46.

Spillane RK. Assessment: Getting the patient's point of view—early. Nurs Manage 1987 May; k8(5):20, 22, 24, 27-28.

* Travis SS. Observer-rated functional assessments for institutionalized elders. Nurs Res 1988 May/Jun; 37(3):138-143.

#### Plans de soins

Hinson DK and Bush C. Corporate standards for nursing care. An integral part of a computerized care plan. Comput Nurs 1988 Jul/Aug; 6(4):141-146.

MacLeod F and MacTavish M. Solving the nursing care plan dilemma: Nursing diagnosis makes the difference. J Nurs Staff Dev 1988 Spring; 4(2):70-73.

#### Analyse et interprétation des données

Avant KC. The art and science in nursing diagnosis development. Nursing Diagnosis 1990 Apr/Jun; 1(2):51-56.

Berry KN. Let's create diagnoses psych nurses can use. Am J Nurs 1987 May; 87(5):707-708.

Blackmer KM. Implementing nursing diagnoses. Nurs Manage 1989 Sep; 20(9):80J, 80N, 80P.

Brennan PF and Romano CA. Computers and nursing diagnoses. Issues in implementation. Nurs Clin North Am 1987 Dec; 22(4):935-941.

Bulchek GM. An evaluation guide to assist with implementation of nursing diagnosis. Nursing Diagnosis 1990 Jan/Mar; 1(1):18-23.

* Chang BL et al. Self-care deficit with etiologies: Reliability of measurement. Nursing 1990 Jan/Mar; 1(1):31-36.

Clough JG and Hall K. Writing institutional criteria sets for nursing diagnoses: From idea to implementation. J Nurs Qual Assur 1987 Feb; 1(2):31-42.

Creason NS. How do we define our diagnoses? Am J Nurs 1987 Feb; 87(2):230-231.

Derdiarian A. A valid profession needs valid diagnoses. Nurs Health Care 1988 Mar; 9(3):137-140.

Fehring RJ. Methods to validate nursing diagnoses. Heart Lung 1987 Nov; 16(6):625-629.

Fitzpatrick JJ et al. NANDA taxonomy I: Proposed ICD-CD 10 version. Appl Nurs Res 1989 May; 2(2):90-91.

Fitzpatrick JJ et al. Translating nursing diagnosis into ICD code. Am J Nurs 1989 Apr; 89(4):193-195.

Gordon M. Implementation of nursing diagnoses. An overview. Nurs Clin North Am 1987 Dec; 22(4):875-879.

Gordon M. Toward theory-based diagnostic categories. Nursing Diagnosis 1990 Jan/Mar; 1(1):5-11.

* Hardy MA. A pilot study of the diagnosis and treatment of impaired skin integrity: Dry skin in older persons. Nursing Diagnosis 1990 Apr/Jun; 1(2):57-63.

Herberth L and Gosnell DJ. Nursing diagnosis for oncology nursing practice. Cancer Nurs 1987 Feb; 10(1):41-51.

Jenny J. Classifying nursing diagnoses: A self-care approach. Nurs Health Care 1989 Feb; 10(2):83-88.

* Johnson CF and Hales LW. Nursing diagnosis anyone? Do staff nurses use nursing diagnosis effectively? J Contin Educ Nurs 1989 Jan/Feb; 10(1):30-35.

Krenz M, Karlik B, and Kinery S. A nursing diagnosis based model: Guiding nursing practice. J Nurs Adm 1989; 19(5):32-36.

Logan J and Jenny J. Deriving a new nursing diagnosis through qualitative research: Dysfunctional ventilatory weaning response. Nursing Diagnosis 1990 Jan/Mar; 1(1):37-43.

Loomis ME. Discussion: Psychosocial nursing diagnosis. Arch Psychiatr Nurs 1988 Dec; 2(6):357–359.

Lunney M. Accuracy of nursing diagnoses: Concept development. Nursing Diagnosis 1990 Jan/Mar; 1(1):12–17.

Maas ML. Nursing diagnoses in a professional model of nursing: Keystone for effective nursing administration. J Nurs Adm 1986 Dec; 16(12): 39–42.

Maas ML, Hardy MA, and Craft M. Some methodologic considerations in nursing diagnosis research. Nursing Diagnosis 1990 Jan/Mar; 1(1): 24–30.

Maibusch RM. Implementing nursing diagnoses. Nurs Clin North Am 1987 Dec; 24(4):955–969.

McCourt AE. Implementation of nursing diagnoses through integration with quality assurance. Nurs Clin North Am 1987 Dec; 22(4):899–904.

McLane AM. Measurement and validation of diagnostic concepts: A decade of progress. Heart Lung 1987 Nov; 16(6):616–624.

Mehmert PA. A nursing information system. The outcome of implementing nursing diagnoses. Nurs Clin North Am 1987 Dec; 22(4):943–953.

Mehmert PA, Deckel CA, and McKeighen RJ. Computerizing nursing diagnosis. Nurs Manage 1989 Jul; 20(7):24–30.

Popkiss-Vawter et al. Should we diagnose strengths? Am J Nurs 1987 Sep; 87(9):1211–1212, 1216.

Radwin LE. Research on diagnostic reasoning in nursing. Nursing Diagnosis 1990 Apr/Jun; 1(2):70–77.

Rantz M and Miller TV. How diagnoses are changing in long-term care. Am J Nurs 1987 Mar; 87(3):360–361.

Roberts SL. Physiologic nursing diagnoses are necessary and appropriate for critical care. Focus Crit Care 1988 Oct; 15(5):42–47.

Treu M and Brague J. Introducing nursing diagnosis throughout the hospital. Nurs Manage 1987 Jul; 18(4):94–95.

* Woodtli A. Identification of nursing diagnoses and defining characteristics: Two research models. Res Nurs Health 1988 Dec; 11(6):399–406.

*Inscription des données*

Aimino PA. Perioperative nursing documentation. Developing the record and using care plans. AORN J 1987 Jul; 46(1):73–86.

Deane D, McElroy MJ, and Alden S. Documentation: Meeting requirements while maximizing productivity. Nurs Econ 1986 Jul/Aug; 4(4):174–178.

* Edelstein J. A study of nursing documentation. Nurs Manage 1990 Nov; 21 (11):40–46.

Halford G, Burkes M, and Pryor TA. Measuring the impact of bedside terminals. Nurs Manage 1989 Jul; 20(7):41–45.

Haller KB. Systematic documentation of practice. MCN 1987 Mar/Apr; 12(2):152.

Knight S. Assessment to discharge, this form does it all. RN 1989 Jul; 52(7): 36–40.

Miller P and Pastorino C. Daily nursing documentation can be quick and thorough! Nurs Manage 1990 Nov; 21 (11) 47–49.

Morrissey-Ross M. Documentation. If you haven't written it, you haven't done it. Nurs Clin North Am 1988 Jun; 23(2):363–371.

Rich PL. Make the most of your charting time. Nursing 1987 May; 17(5): 68–73.

Schmidt D et al. Charting for accountability. Nurs Manage 1990 Nov; 21 (11) 50–52.

Stanfield V. Perioperative documentation: Integrating nursing diagnoses on the patient record. AORN J 1987 Oct; 46(4):699–701, 703–704.

Tribulski J. Why aren't nurses using this valuable tool? RN 1989 Dec; 52(12): 54–59.

Werley HH, Devine EC, and Zorn CR. Nursing needs its own minimum data set. Am J Nurs 1988 Dec; 88(12):1651–1653.

# 7
# ENSEIGNEMENT AU PATIENT

*OBJECTIFS D'APPRENTISSAGE*

*Après avoir étudié ce chapitre, vous devriez être en mesure de réaliser ce qui suit:*

1. *Décrire le but et le rôle de l'enseignement de la santé.*

2. *Expliquer la notion d'observance du traitement.*

3. *Reconnaître les variables qui influent sur l'observance du traitement.*

4. *Reconnaître les variables qui entravent l'observance du traitement chez la personne âgée.*

5. *Reconnaître les variables qui affectent la volonté d'apprendre.*

6. *Décrire les stratégies qui renforceront les capacités d'apprentissage des personnes âgées.*

7. *Préciser quel est le lien entre le processus d'enseignement et d'apprentissage et la démarche de soins infirmiers.*

8. *Rédiger un plan d'enseignement.*

## SITUATION ACTUELLE DE L'ENSEIGNEMENT DE LA SANTÉ

Aujourd'hui en Amérique du Nord, plus personne ne conteste le rôle de la promotion de la santé ni la nécessité des auto-soins. Cependant, ces notions resteraient théoriques sans un enseignement adéquat. De nos jours, l'un des plus grands défis que doivent relever les infirmières est de satisfaire les besoins d'apprentissage du public en matière de santé. Celles-ci sont de plus en plus conscientes de l'importance de leur rôle d'enseignantes. L'enseignement de la santé est devenu une tâche primordiale de l'infirmière et constitue l'une de ses principales responsabilités. Au Québec, par exemple, l'enseignement est inscrit dans les normes de la pratique et fait partie des critères de compétence de l'infirmière.

- L'enseignement est un élément essentiel des soins infirmiers. Son but est de promouvoir, de maintenir et de rétablir la santé et de favoriser l'adaptation du patient à une incapacité fonctionnelle.

Au cours des dernières années, l'importance prise par l'enseignement s'explique, en partie, par le fait que les chefs de file de la profession ont reconnu le droit du public à recevoir des soins attentifs en même temps qu'une solide formation en matière de santé. On doit enseigner aujourd'hui à une population mieux informée, qui sait poser des questions pertinentes à propos de la santé, des soins administrés et des services auxquels elle peut avoir recours. En raison de l'importance que notre société accorde aux questions sanitaires et à la responsabilité de chacun de maintenir sa santé et de prévenir la maladie, il incombe à tous les professionnels de la santé, et plus particulièrement aux infirmières, de sensibiliser davantage le public à cet égard.

Les personnes qui souffrent de maladies chroniques forment l'un des groupes pour qui l'enseignement de la santé est un besoin primordial. Étant donné que l'espérance de vie de la population continue de s'accroître, le nombre des malades chroniques devrait augmenter. Les chefs de file de notre profession croient fermement que les personnes qui souffrent de maladies chroniques et leur famille ont le droit de recevoir autant de renseignements que possible en matière de santé afin de leur permettre de participer activement à leurs soins. Grâce à l'enseignement reçu, le patient et sa famille peuvent mieux s'adapter à la maladie, suivre le traitement prescrit et apprendre comment résoudre les nouveaux problèmes. L'enseignement aide à réduire les hospitalisations, qui sont fréquentes quand le patient et sa famille ne comprennent pas le traitement prescrit.

- Le but de tout programme d'enseignement est d'inciter le patient et sa famille à vivre le plus sainement possible et de leur fournir des moyens pour réaliser un plein potentiel de santé.

Dans son travail quotidien, lors de ses contacts avec les personnes malades ou bien portantes, l'infirmière doit être consciente de son rôle d'enseignante. Le patient et sa famille ont la liberté de décider s'ils veulent ou non apprendre. Cependant, l'infirmière doit leur présenter tous les renseignements dont ils ont besoin pour prendre une décision éclairée. Elle doit aussi les sensibiliser à leurs besoins d'apprentissage.

En raison de tous les changements que le système socio-sanitaire a subi au cours de la dernière décennie, des compressions budgétaires et de la nécessité de rentabiliser les soins, l'enseignement de la santé a dû prendre une nouvelle orientation. Il peut devenir un outil de relations publiques et une stratégie qui vise à réduire le coût des soins, car il permet d'écourter la durée de l'hospitalisation. Par ailleurs, si on part du principe que de bonnes relations entre les infirmières et les patients peuvent réduire considérablement le nombre de poursuites pour faute professionnelle, l'enseignement, qui favorise la consolidation de telles relations, permet ainsi d'éliminer certaines dépenses importantes.

Un grand nombre d'organismes sociosanitaires mettent au point des programmes d'enseignement gratuits ou peu coûteux destinés non seulement aux malades et à leurs familles, mais aussi à toute la collectivité. Il s'agit, entre autres, de programmes de promotion de la perte de poids, de la lutte contre le tabagisme, du conditionnement physique, tout comme de rencontres prénatales, de cours de gardiennage, et de cours dispensés aux grands-parents ou aux adultes qui cohabitent avec des parents âgés. Il arrive souvent que ces cours soient donnés par des infirmières qui possèdent une bonne expérience en enseignement de la santé.

## OBSERVANCE DU TRAITEMENT

Il est très important que l'infirmière enseigne au patient et à sa famille l'importance de l'observance du traitement. On parle souvent de *«fidélité au traitement»* pour désigner ce comportement. Toutefois, à notre avis, le terme *«observance»* convient mieux, car il sous-entend que le patient est prêt à prendre en charge son traitement, c'est-à-dire qu'il est prêt à assumer un rôle plus actif pour modifier son attitude à l'égard de la santé.

L'observance du traitement ne va pas sans une volonté de la part du patient d'apporter un ou plusieurs changements à son mode de vie. Il devra peut-être prendre des médicaments, suivre un régime, réduire ses activités, être attentif aux signes et symptômes de sa maladie, prendre certaines mesures d'hygiène, se présenter à des examens périodiques de suivi et se soumettre à un certain nombre de soins prophylactiques

ou à divers examens diagnostiques. On ne peut ignorer ni dénigrer le fait que de nombreux patients ne respectent pas le traitement qui leur a été prescrit. Les taux d'observance des traitements prophylactiques ou pharmacologiques sont généralement très bas, particulièrement lorsqu'un tel traitement est complexe et de longue durée. Le comportement du patient qui n'observe pas le traitement qui lui a été prescrit et les causes de la non-observance ont fait l'objet de nombreuses études dont les résultats sont souvent peu concluants. Il ne semble pas y avoir une cause prédominante de la non-observance. L'observance du traitement dépendrait plutôt d'un grand nombre de variables en constante interaction. En voici la liste :

- les variables démographiques, telles que l'âge, le sexe, la race, le statut social, la situation financière et le degré d'instruction ;
- les variables physiques, telles que la gravité des symptômes et le soulagement que le traitement peut apporter ;
- les variables thérapeutiques, telles que la complexité du traitement et ses effets secondaires indésirables ;
- les variables psychosociales, telles que l'intelligence, l'attitude à l'égard des professionnels de la santé, l'acceptation ou le refus de la maladie, les croyances religieuses ou culturelles.

Même si le patient et sa famille ont certaines connaissances en matière de santé, de maladie et de prévention, ces connaissances, à elles seules, ne renforcent pas l'observance absolue du traitement. Toutefois, il a été prouvé que, chez certains patients, on pouvait indiscutablement améliorer l'observance par des programmes d'enseignement et de motivation. Le problème de la non-observance est un problème de taille qu'il faut savoir résoudre pour aider les patients et leur famille à s'engager dans des activités d'autosoins et à acquérir le niveau de santé le plus élevé possible.

Les contrats écrits, qu'ils passent avec l'infirmière, semblent parfois inciter certains patients à suivre leur traitement. Cette méthode est fondée sur les principes du renforcement positif et du changement de comportement. On commence par fixer des objectifs modestes, faciles à atteindre, et on passe, par la suite, à des objectifs plus ambitieux.

L'infirmière joue un rôle très important lorsqu'elle enseigne au patient l'importance de l'observance et le guide en ce sens. Elle doit évaluer toutes les variables qui pourraient influer sur l'observance du traitement et utiliser ces renseignements lorsqu'elle met au point et exécute le plan d'enseignement destiné au patient. Dans la plupart des cas, la famille doit participer aux séances d'enseignement.

## GÉRONTOLOGIE

La non-observance du traitement est un problème particulièrement important chez les personnes âgées. En effet, les personnes âgées souffrent souvent d'une ou de plusieurs maladies chroniques qui sont généralement compliquées par des épisodes aigus. Elles reçoivent habituellement de nombreux médicaments. Hormis ces problèmes, d'autres variables influent également sur l'observance du traitement, telles que l'hypersensibilité aux médicaments et à leurs effets secondaires, la difficulté de s'adapter aux changements et au stress, la perte de mémoire, les réseaux de soutien insuffisants, les vieilles habitudes d'automédication avec des agents en vente libre, la perte de l'acuité visuelle et auditive et une mobilité réduite.

Afin d'inciter la personne âgée à suivre son traitement, on doit consacrer beaucoup de temps et d'énergie à l'évaluation de toutes les variables qui pourraient affecter ce type de comportement. En outre, on doit évaluer les forces aussi bien que les faiblesses du patient et faire en sorte que les forces puissent compenser, dans la mesure du possible, les faiblesses. Pour la personne âgée plus particulièrement, les soins doivent être continus et bien coordonnés, faute de quoi le travail d'un professionnel de la santé pourrait contrecarrer celui accompli par un autre.

# NATURE DE L'ENSEIGNEMENT ET DE L'APPRENTISSAGE

Si l'on considère que l'apprentissage est l'acquisition de nouvelles connaissances, de nouvelles attitudes ou de nouvelles habiletés et l'enseignement, un acte qui permet d'apprendre, on comprend facilement que l'enseignement et l'apprentissage constituent un processus interactif. Il faut donc que l'enseignant et l'apprenant participent activement à ce processus pour obtenir le résultat escompté, à savoir une modification du comportement. L'enseignant ne doit pas accabler l'apprenant de ses connaissances, mais lui servir plutôt de «facilitateur» de l'apprentissage. Personne ne sait exactement comment l'apprentissage se produit ni dans quelle mesure il est déterminé par l'enseignement. Bien qu'aucune théorie de l'apprentissage ne puisse, à elle seule, expliquer ce phénomène, on a pu établir certains principes généraux d'apprentissage et d'enseignement.

## VOLONTÉ D'APPRENDRE

De nombreuses variables internes ou externes peuvent influencer le comportement de l'apprenant et la situation d'apprentissage. L'une des plus importantes est la volonté d'apprendre. Pour mieux comprendre cette variable, nous allons examiner l'importance de son aspect physique et affectif ainsi que l'influence de l'expérience de vie.

*L'aspect physique* est d'une importance capitale, car, tant que le patient n'est pas physiquement apte à apprendre, toute tentative de lui enseigner quoi que ce soit sera futile et n'apportera que des frustrations de part et d'autre. En effet, le patient qui souffre d'une douleur aiguë est incapable de détourner son attention de la douleur suffisamment longtemps pour pouvoir se concentrer sur ce que l'infirmière essaie de lui enseigner. De même, le patient qui éprouve des difficultés respiratoires concentre toute son énergie sur sa respiration plutôt que sur l'apprentissage.

- La hiérarchie des besoins, établie par Maslow, nous permet de mieux comprendre l'importance de l'aspect physique de la volonté d'apprendre.

*L'aspect affectif* détermine la motivation du patient. Le patient qui n'a pas accepté sa maladie ou la menace qu'elle représente n'a aucune volonté d'apprendre. Si le traitement qui lui est recommandé ne lui convient pas ou s'il perturbe ses activités, il peut consciemment refuser l'apprentissage. Tant que le patient n'éprouve pas le besoin d'apprendre ou ne s'en sent pas capable, l'enseignement est difficile. Toutefois, il n'est pas toujours judicieux d'attendre qu'il soit prêt à apprendre, car le moment opportun pourrait ne jamais se présenter. Parfois l'infirmière doit déployer des efforts considérables pour inciter le patient à apprendre. La maladie et la menace qu'elle représente s'accompagnent habituellement d'anxiété et de stress. L'infirmière qui sait reconnaître les réactions du patient à sa maladie ou aux facteurs qui menacent sa santé peut lui donner des explications et des consignes simples pour atténuer son angoisse et pour lui insuffler la volonté d'apprendre. La famille du patient pourrait alors lui fournir une aide précieuse. Par ailleurs, il ne faut pas oublier que l'apprentissage provoque normalement une légère anxiété du fait qu'il entraîne des changements de comportement. Ce type d'anxiété peut souvent devenir une motivation.

Pour renforcer la volonté d'apprendre, l'infirmière doit créer une ambiance agréable et chaleureuse, se montrer empathique et établir des objectifs d'apprentissage réalistes que le patient et la famille pourront atteindre.

La rétroaction sur les progrès réalisés constitue, elle aussi, un facteur qui saura renforcer la volonté d'apprendre. Cette rétroaction devrait être présentée sous la forme de renforcements positifs, si le patient a atteint ses objectifs ou sous la forme de suggestions constructives lui permettant de s'améliorer, dans le cas contraire.

*L'expérience de vie* est un facteur dont il faut tenir compte lorsqu'on évalue la volonté d'apprendre. Le niveau d'instruction du patient et son vécu, en général, déterminent en grande partie la façon dont il abordera l'apprentissage. La personne qui a peu d'instruction est parfois incapable de comprendre le contenu du matériel didactique qu'on lui présente. La personne qui a connu des difficultés d'apprentissage par le passé peut se montrer méfiante à l'égard de tout nouvel apprentissage. Afin qu'un patient puisse adopter certains comportements lui permettant d'atteindre le plus haut niveau de santé possible, il doit posséder certaines connaissances et être doté de certaines facultés physiques et intellectuelles. Faute d'un tel bagage, l'apprentissage pourrait lui être très difficile. Par exemple, le patient qui n'est pas sensibilisé aux principes de la nutrition ne peut pas comprendre les restrictions alimentaires qui lui sont imposées. De même, la personne qui n'est pas tournée vers l'avenir sera incapable d'apprécier à sa juste valeur toute l'importance de la prophylaxie. Enfin, la personne qui ne comprend pas l'utilité de l'apprentissage en ce qui la concerne repoussera tous les efforts de l'enseignant.

Par conséquent, l'expérience de vie est étroitement liée à l'aspect affectif de la volonté d'apprendre, car la motivation est accrue lorsque la personne devient consciente du besoin d'apprendre et lorsque les tâches d'apprentissage lui semblent faciles, intéressantes et utiles.

- Avant de mettre en route un programme d'enseignement, l'infirmière doit évaluer les capacités physiques et affectives du patient qui déterminent sa volonté d'apprendre, sa capacité d'adopter de nouveaux comportements lui permettant de s'engager dans le processus d'apprentissage ainsi que l'intérêt de la famille à participer au processus. En se fondant sur cette évaluation, elle pourra fixer des objectifs d'apprentissage réalistes.

- Afin d'encourager le patient à participer activement au processus d'apprentissage et à prendre la responsabilité des progrès enregistrés, l'infirmière doit élaborer, en obtenant sa collaboration et celle de sa famille, des objectifs mutuellement acceptables.

## MILIEU D'APPRENTISSAGE

Même si la présence de l'enseignante n'est pas constamment nécessaire, la plupart des patients et des familles qui essaient d'adopter de nouveaux comportements auront besoin des conseils d'une infirmière-enseignante, au moins pendant un certain temps. L'interaction entre le patient, sa famille et l'infirmière qui s'efforce de satisfaire leurs besoins d'apprentissage peut être plus ou moins structurée, selon les méthodes et les techniques d'enseignement utilisées.

Pour faciliter l'apprentissage, l'infirmière doit choisir les variables externes qui pourraient aider le patient à mieux apprendre. Elle doit, par exemple, choisir le cadre physique qui lui semble le plus propice et où des éléments tels que la température de la pièce, l'éclairage, etc., sont le mieux adaptés à la situation. Elle doit aussi enseigner au moment opportun. Il serait peu avantageux d'essayer d'enseigner un nouveau comportement au patient qui est fatigué ou qui doit se rendre à un examen diagnostique ou à un traitement qui l'inquiète, car il sera alors incapable de se concentrer sur l'apprentissage. En planifiant l'horaire des séances d'enseignement, l'infirmière devrait tenir compte de l'heure où les membres de la famille rendent visite au patient en prévision de leur participation.

## MÉTHODES ET OUTILS D'ENSEIGNEMENT

Pour faciliter l'apprentissage, l'infirmière doit également choisir les méthodes et les outils d'enseignement les mieux adaptés aux besoins de chaque patient.

La *lecture ou les explications* constituent des méthodes d'enseignement très courantes. Un tel enseignement doit cependant être toujours suivi de discussions permettant au patient et à sa famille d'exprimer leurs sentiments et leurs inquiétudes, de poser des questions et d'éclaircir des notions mal comprises ou mal interprétées.

L'*enseignement à un groupe de patients* peut être approprié dans certains cas. Un tel enseignement peut non seulement satisfaire les besoins d'apprentissage mais également le besoin d'appartenance. En effet, des patients ayant des problèmes ou des besoins communs peuvent échanger librement avec les autres membres du groupe et se sentir épaulés et compris. Toutefois, l'infirmière doit se rappeler que ce type d'enseignement ne convient pas à tous les patients et que, par conséquent, certains ne pourraient tirer aucun profit d'une telle méthode. Lorsqu'elle enseigne à un groupe, elle doit évaluer et suivre chacun des participants afin de s'assurer qu'il a acquis les connaissances et les techniques qui lui sont nécessaires.

Les *démonstrations et les travaux pratiques* sont souvent des éléments essentiels qu'il faut intégrer aux programmes d'enseignement au patient et à sa famille, particulièrement lorsqu'ils doivent apprendre certaines tâches bien définies. L'infirmière exécute la tâche devant le patient et, ensuite, lui laisse suffisamment de temps pour qu'il puisse s'y exercer. Quand du matériel spécial est nécessaire pour exécuter une tâche, par exemple, des seringues d'insuline, des sacs ou des pansements pour la colostomie, l'infirmière doit fournir au patient du matériel semblable à celui qu'il utilisera après sa sortie du centre hospitalier. En effet, la plupart des patients n'arrivent pas à exécuter une tâche si le matériel n'est pas exactement identique à celui utilisé lors de l'apprentissage.

Le *matériel didactique* de toutes sortes, par exemple, des livres, des dépliants, des photographies, des films, des diapositives, des bandes audio et vidéo, des maquettes, des guides d'apprentissage programmé et des modules d'apprentissage assisté par ordinateur, peut considérablement aider le patient et sa famille. Tout ce matériel, adéquatement utilisé, devient un outil précieux, car il permet de sauver beaucoup de temps et d'argent. Toutefois, l'infirmière doit passer en revue l'ensemble du matériel didactique qu'elle veut présenter au patient et à sa famille pour s'assurer qu'il répond à ses besoins d'apprentissage particuliers.

Le *renforcement et le suivi* ont un rôle important à jouer, car l'apprentissage est un processus de longue durée. Le patient n'apprend pas instantanément et l'apprentissage doit être renforcé. Par conséquent, une seule séance n'est jamais suffisante. Il faut plutôt prévoir un suivi prolongé pour que le patient et sa famille puissent gagner de plus en plus de confiance en leurs capacités de mettre en pratique les notions acquises. De plus, pendant les séances de suivi, l'infirmière pourra évaluer les progrès réalisés par le patient et planifier des séances supplémentaires, si le besoin s'en fait sentir. Elle doit également tenir compte du fait que le patient et sa famille pourraient être incapables d'appliquer à la maison les notions apprises en milieu hospitalier. Par conséquent, il faudrait prévoir le suivi du patient à domicile, seule méthode permettant de s'assurer qu'il sait mettre en pratique ce qu'il a appris et qu'il tire un maximum de profit de son apprentissage.

## GÉRONTOLOGIE

Les changements normaux apportés par le vieillissement affectent les capacités d'apprentissage du patient âgé. L'infirmière qui enseigne à une personne âgée doit l'aider à s'y adapter, sans jamais prendre pour acquis que l'âge avancé est un obstacle à l'apprentissage. De nombreuses études ont montré que les adultes du troisième âge peuvent assimiler *et* mémoriser les renseignements reçus si les données sont pertinentes, si elles leur sont présentées à un rythme adéquat et si elles sont suivies d'une rétroaction appropriée. L'infirmière doit aussi savoir que les changements apportés par le vieillissement varient considérablement d'une personne à l'autre. Par conséquent, elle doit évaluer l'état physiologique et psychologique de chaque patient avant de commencer l'enseignement.

Les modifications des facultés cognitives qui surviennent avec l'âge sont le ralentissement du fonctionnement cognitif et du temps de réaction, la diminution de la mémoire immédiate et une moindre capacité de concentration. Ces modifications sont souvent exacerbées par le cortège de maladies dont souffre la personne âgée. Pour faciliter l'apprentissage de la personne âgée, on devrait lui présenter lentement un petit nombre de renseignements à la fois, répéter fréquemment l'information et renforcer l'apprentissage par la lecture, le matériel audiovisuel et les travaux pratiques. Par ailleurs, l'enseignement devrait avoir lieu dans une pièce aussi tranquille que possible pour que la personne âgée ne soit pas distraite.

Les modifications des fonctions sensorielles qui surviennent avec l'âge affectent également l'apprentissage. Pour que le patient dont les facultés visuelles sont affaiblies puisse lire, il faut lui présenter des documents écrits en gros caractères, de lecture facile, imprimés sur du papier mat. Étant donné que le sens chromatique est souvent altéré, un texte imprimé en plusieurs couleurs, où certaines notions sont soulignées en gras, n'offre aucun avantage. Pour maximiser les capacités d'écoute du patient, l'enseignante doit parler clairement, d'une voix normale ou basse, en s'installant face à la personne pour qu'elle puisse lire sur ses lèvres. Elle pourrait aussi renforcer ses explications par des gestes ou des jeux de physionomie.

Les membres de la famille devraient participer aux séances d'enseignement, car ils peuvent rappeler par la suite au patient les instructions reçues et renforcer ainsi l'apprentissage. Par ailleurs, les membres de la famille peuvent également fournir des données utiles sur la vie du patient et sur ses besoins d'apprentissage.

Les chances de réussite sont plus grandes lorsque l'infirmière, les autres membres de l'équipe soignante et la famille du patient âgé travaillent en collaboration. On peut dire que l'apprentissage chez les patients âgés a donné de bons résultats s'ils se montrent davantage capables d'accomplir les autosoins, si l'estime de soi s'améliore et si la volonté d'apprendre s'accroît.

# ▶ DÉMARCHE DE SOINS INFIRMIERS ENSEIGNEMENT AU PATIENT

Le processus d'enseignement et d'apprentissage fait partie intégrante de la démarche de soins infirmiers. Les étapes de la démarche, à savoir, la collecte de données, l'analyse et l'interprétation des données, la planification, l'exécution et l'évaluation sont identiques à celles de toute démarche clinique, mais l'infirmière doit constamment garder à l'esprit que le principal objectif visé est l'apprentissage. Elle doit donc tenir compte des principes et des variables du processus d'apprentissage et se servir de diverses techniques et stratégies d'enseignement pour pouvoir mieux répondre aux besoins d'apprentissage du patient et de sa famille.

## ▷ *Collecte de données*

L'étape de la collecte de données est identique à celle que nous avons présentée au chapitre précédent. Cependant, l'objectif visé est la collecte systématique de données sur les besoins d'apprentissage du patient et de sa famille ainsi que sur la volonté d'apprendre. Il faut recueillir des renseignements sur toutes les variables externes ou internes qui affectent la volonté d'apprendre du patient. L'infirmière pourrait se servir d'un questionnaire type pour recueillir tous les renseignements pertinents sur les besoins d'apprentissage du patient et sur sa volonté d'apprendre. Certains questionnaires types permettent de recueillir des données très générales sur l'état de santé du patient. D'autres portent plus particulièrement sur les pharmacothérapies courantes ou sur les maladies. Même si ces questionnaires sont très utiles pour la collecte des données, on doit les adapter aux réactions, aux problèmes et aux besoins de chaque patient. Aussitôt les données recueillies, l'infirmière doit les organiser, les analyser, les

interpréter et les résumer afin de déterminer les besoins d'apprentissage du patient.

## ▷ *Analyse et interprétation des données*

Après avoir analysé et interprété les données concernant tout particulièrement les besoins d'apprentissage du patient, l'infirmière formule des énoncés diagnostiques succincts qui seront à la base du plan d'enseignement.

## ▷ *Planification*

Une fois qu'elle a pu établir les besoins d'apprentissage du patient, grâce à l'analyse et à l'interprétation des données, l'infirmière peut passer à l'étape de la planification du processus d'enseignement et d'apprentissage. Comme dans toute autre démarche clinique, lors de l'élaboration du plan d'enseignement, elle doit :

1. établir l'ordre de priorités des diagnostics infirmiers ;
2. fixer les objectifs d'apprentissage à court, à moyen et à long terme ;
3. inventorier les stratégies d'enseignement spécifiques qui permettront d'atteindre les objectifs ;
4. inscrire dans le plan d'enseignement les diagnostics infirmiers, les objectifs, les stratégies d'enseignement et les résultats escomptés.

Comme chaque fois qu'elle s'engage dans une démarche de soins, l'infirmière doit établir l'ordre de priorités des diagnostics en collaboration avec le patient et les membres de sa famille. À cette étape de son travail, elle doit déterminer les besoins d'apprentissage les plus urgents, qui seront les premiers auxquels elle devra répondre.

Une fois l'ordre des priorités établi, l'infirmière doit fixer les objectifs à court, à moyen et à long terme et déterminer les stratégies d'enseignement qui aideront le patient à les atteindre. Les études ont montré que l'enseignement est plus efficace lorsque les objectifs du patient correspondent à ceux de l'infirmière. Pour que l'apprentissage fondé sur des objectifs soit efficace, il faut définir en premier lieu des objectifs réalistes et adéquats, c'est-à-dire des objectifs qui tiennent compte des capacités du patient et de sa famille. L'infirmière doit fixer les objectifs en fonction des besoins de chaque patient et, plus précisément, des besoins que celui-ci perçoit. Ces objectifs doivent convenir à l'infirmière, au patient et à sa famille. En faisant participer le patient et sa famille à l'élaboration des objectifs et à la planification subséquente des stratégies d'enseignement, l'infirmière peut les inciter à collaborer à l'exécution du plan d'enseignement.

Les objectifs devraient être énoncés en termes de modifications souhaitables du comportement du patient. Dans la mesure du possible, les objectifs doivent être réalistes, observables et mesurables. Comme dans toute autre démarche clinique, on doit également fixer une limite de temps pour la réalisation des objectifs d'apprentissage. Les objectifs servent de critères permettant d'évaluer l'efficacité des stratégies d'enseignement.

Au cours de l'étape de planification, l'infirmière doit décider dans quel ordre elle présentera les notions qu'elle doit enseigner. Grâce à une synopsis, elle pourra mieux organiser la matière à couvrir et s'assurer que toutes les données utiles ont été présentées. Dans le même temps, l'infirmière choisit et prépare le matériel didactique dont elle aura besoin pour son enseignement.

La dernière étape de la planification de l'enseignement est la rédaction du plan d'enseignement. Voici les renseignements qu'il faut y inclure et communiquer à toutes les infirmières de l'équipe de soins :

1. Les diagnostics infirmiers qui reflètent le mieux les besoins d'apprentissage du patient, par ordre de priorités.
2. Les objectifs visés.
3. Les stratégies d'enseignement, présentées en utilisant des verbes d'action.
4. La limite de temps prévue pour atteindre chacun des objectifs.
5. Les résultats observés, c'est-à-dire la réaction effective du patient (à inscrire dans le plan d'enseignement).

Les mêmes règles de rédaction et de révision qui s'appliquent au plan de soins infirmiers s'appliquent également au plan d'enseignement. (On trouve à l'encadré 7-1, un exemple de plan d'enseignement. On remarquera que ce plan d'enseignement est tout simplement le prolongement du plan de soins infirmiers.)

## ▷ *Exécution*

Après avoir élaboré le plan d'enseignement, l'infirmière passe à l'étape d'exécution à laquelle doivent participer le patient, sa famille et tous les membres de l'équipe soignante. L'infirmière doit coordonner les activités de toutes ces personnes en suivant pas à pas le plan d'enseignement.

- Pendant l'exécution, le maître mot est la souplesse, car on doit évaluer constamment les réactions du patient et de sa famille aux différentes stratégies d'enseignement et dégager les changements à apporter au plan d'enseignement, le cas échéant.

Pour inciter le patient à apprendre et pour soutenir sa motivation, l'infirmière devrait se montrer très créative. Elle devrait aussi anticiper les nouveaux besoins d'apprentissage qui pourraient surgir après le départ du patient du centre hospitalier et qui ne se sont pas manifestés pendant l'hospitalisation. Ce n'est qu'ainsi qu'elle pourra aider le patient à mettre en pratique, chez lui, les connaissances acquises pendant son séjour au centre hospitalier. L'étape d'exécution prend fin lorsque les stratégies d'enseignement ont été mises en œuvre et que toutes les réactions du patient aux diverses interventions ont été inscrites dans son dossier. Grâce à ces renseignements, on pourra évaluer dans quelle mesure le patient a pu atteindre les objectifs fixés et arriver aux résultats escomptés.

## ▷ *Évaluation*

L'évaluation est la dernière étape du processus. Elle permet de déterminer la réaction du patient et de sa famille aux stratégies d'enseignement et de mesurer jusqu'à quel point les objectifs ont été atteints. Lors de l'évaluation du processus d'enseignement et d'apprentissage, l'infirmière devrait pouvoir répondre à la même question que celle qu'elle se pose lors de toute autre démarche clinique, à savoir : «Que pourrait-on faire pour améliorer l'enseignement ?» Cette question devrait cependant porter sur l'apprentissage et la réponse devrait déterminer s'il faut ou non apporter des changements au plan d'enseignement.

On ne devrait jamais prendre pour acquis que l'enseignement mène à l'apprentissage. On peut cependant se servir d'une gamme de techniques d'évaluation pour mesurer les changements de comportement qui prouvent que l'apprentissage a bel et bien eu lieu. Il s'agit, par exemple, de la mesure directe du comportement à l'aide d'échelles d'évaluation, de listes de critères ou de descriptions précises d'un comportement donné et des mesures indirectes, comme l'interrogation orale ou écrite. La mesure du comportement réel (mesure directe) est la méthode la plus précise et la plus adéquate dans le cas de la plupart des situations d'apprentissage. Toutefois, chaque fois que cela est possible, on devrait compléter cette mesure par des mesures indirectes. Lorsqu'on utilise plusieurs méthodes, les données obtenues sont plus fiables, puisque chacune des méthodes comporte une certaine marge d'erreur.

La mesure de l'apprentissage n'est que le début de l'étape d'évaluation. Il faut ensuite interpréter les données et apprécier la qualité de l'apprentissage et de l'enseignement. Cette sorte d'évaluation devrait être effectuée régulièrement tout au long du programme d'enseignement, puis, à sa fin et à certains intervalles, par la suite. Il est très souhaitable d'évaluer l'apprentissage après que le patient ait quitté le centre hospitalier, mais une telle évaluation n'est pas toujours réalisable, car elle prend du temps, coûte cher et exige une grande disponibilité de la part du personnel infirmier. Toutefois, la coordination du travail et l'échange d'informations entre le personnel infirmier du centre hospitalier et les intervenants des services communautaires pourraient rendre une telle évaluation possible.

- Il ne faut jamais oublier que l'évaluation n'est pas l'étape finale du processus d'apprentissage et d'enseignement. Les données recueillies au cours de l'évaluation devraient être utilisées pour réorienter l'enseignement de façon à améliorer les réactions du patient et les résultats observés.

# *RÉSUMÉ*

L'objectif de l'enseignement de la santé est de sensibiliser le patient et sa famille à des notions lui permettant d'acquérir le plus haut degré de santé possible. Le processus d'apprentissage et d'enseignement fait partie de la démarche de soins infirmiers et englobe les mêmes étapes cycliques et interdépendantes que toute autre démarche clinique, à savoir, la collecte de données, l'analyse et l'interprétation des données, la planification, l'exécution et l'évaluation. Toutes les étapes sont interreliées. Toutes les étapes sont interreliées. L'évaluation constante permet de savoir si le plan d'enseignement est toujours approprié et de prouver la qualité de l'enseignement dispensé. À l'encadré 7-2, on trouve quelques consignes qui pourraient aider l'infirmière engagée dans le processus d'enseignement.

# Encadré 7-1
# Exemple de plan d'enseignement*

Les données recueillies sur les besoins d'apprentissage de M. Lemieux
ont révélé les éléments suivants:

Quelques connaissances de base sur le lien entre le stress et les
fonctions physiologiques
Mode de vie stressant
Repas irréguliers
Antécédents de non-observance de la diétothérapie
Manque de connaissances sur les restrictions diététiques

## Diagnostic infirmier

Non-observance de la diète reliée au manque de connaissances sur
les restrictions diététiques et au mode de vie

## Objectifs

À court terme: Observer rigoureusement la diétothérapie.
À long terme: Modifier le mode de vie pour réduire les facteurs de stress affectifs et ambiants.

| Stratégies d'enseignement | Objectifs d'apprentissage/ résultats escomptés | Résultats observés |
|---|---|---|
| Adresser le patient à une diététiste. Renforcer les consignes de la diététiste concernant le régime: 6300 kJ; 1 g de sodium; faible teneur en cholestérol. | Le patient explique la nécessité de suivre un régime à cause de ses symptômes. Le patient trouve des moyens pour rendre son régime compatible avec l'alimentation de sa famille. | Le patient a su donner des explications précises. La conjointe a planifié le menu de la semaine de toute la famille en tenant compte des modifications à apporter à l'alimentation de son mari. Le patient a reconnu le besoin de prévoir l'horaire des repas afin de manger à des heures régulières. Le patient a téléphoné aux «Weight Watchers» et a décidé de s'inscrire à ce programme la semaine prochaine. |
| Discuter avec le patient et sa conjointe de la nécessité de modifier le mode de vie. | Le patient réduit le nombre d'heures de travail pendant la semaine et la fin de semaine. Le patient planifie des périodes quoti-diennes de repos et de relaxation. Le patient partage avec sa conjointe les responsabilités liées aux activités de leurs filles. | Le patient et sa conjointe prennent ensemble des décisions en vue de modifier leur mode de vie de façon à réduire le stress; dans leurs projets d'avenir, ils tiennent compte des activités de leurs filles. Le patient et sa conjointe déterminent l'horaire des activités de la semaine et de la fin de semaine en prévoyant des périodes de repos et de relaxation; le patient est conscient du fait qu'un emploi du temps souple est souhaitable. |
| Informer le médecin soignant du fait que le patient a besoin d'un renforcement du plan de l'enseignement. | Le patient suit rigoureusement sa diétothérapie. | |

* On trouve les renseignements de base dans le plan de soins personnalisé, pages 196 et 197.

## Encadré 7-2
# Conduite à tenir lors de l'enseignement au patient

### Collecte de données

1. Évaluer la volonté d'apprendre du patient.
   a) Quels sont les comportements du patient relatifs à la santé et ses croyances à cet égard ?
   b) Quel est le degré d'adaptation psychosociale du patient ?
   c) Le patient est-il prêt à apprendre ?
   Est-il capable d'apprendre ces comportements ?
   Quels renseignements supplémentaires doit-on obtenir à son sujet ?
   Quelles sont ses attentes ?
   Que veut-il apprendre ?
2. Organiser, analyser, interpréter et inscrire les données recueillies.

### Analyse et interprétation des données

Formuler les diagnostics infirmiers qui reflètent les besoins d'apprentissage du patient.

1. Déterminer les besoins d'apprentissage du patient, leurs caractéristiques et leur origine.
2. Énoncer des diagnostics infirmiers concis et précis.

### Planification

1. Établir l'ordre de priorités des diagnostics infirmiers qui reflètent les besoins d'apprentissage du patient.
2. Fixer les objectifs d'apprentissage à court, à moyen et à long terme en collaboration avec le patient.
3. Inventorier les stratégies d'enseignement qui peuvent aider le patient à atteindre les objectifs fixés.
4. Établir les résultats escomptés.
5. Rédiger un plan d'enseignement.
   a) Inclure les diagnostics, les objectifs, les stratégies d'enseignement et les résultats escomptés.
   b) Organiser la matière à enseigner en une séquence logique.
   c) Rédiger une synopsis.
   d) Choisir le matériel didactique approprié.
   e) Prévoir un plan d'enseignement suffisamment souple pour pouvoir l'adapter aux nouveaux besoins d'apprentissage qui peuvent se manifester.
6. Faire participer le patient et sa famille ou d'autres personnes clés dans sa vie et tous les membres de l'équipe soignante à toutes les étapes de la planification.

### Exécution

1. Mettre en œuvre le plan d'enseignement.
2. Approfondir la matière à présenter.
3. Utiliser un langage que le patient peut comprendre.
4. Se servir du matériel didactique approprié.
5. Utiliser le matériel dont le patient se servira une fois qu'il aura quitté le centre hospitalier.
6. Encourager le patient à participer activement à l'apprentissage.
7. Inscrire dans le dossier toutes les réactions du patient aux activités d'enseignement.
8. Donner une rétroaction.

### Évaluation

1. Recueillir des données objectives.
   a) Observer le patient.
   b) Poser des questions au patient pour déterminer son niveau de compréhension.
   c) Utiliser des échelles d'évaluation, des listes de critères, des notes descriptives et soumettre le patient à une interrogation écrite, au besoin.
2. Évaluer les réactions du patient par rapport aux résultats escomptés. Déterminer jusqu'à quel point les objectifs ont été atteints.
3. Faire participer à l'évaluation le patient, sa famille ou d'autres personnes clés dans sa vie, les membres de l'équipe de soins infirmiers et les autres intervenants de l'équipe multidisciplinaire.
4. Déterminer les modifications qu'il faut apporter au plan d'enseignement.
5. Adresser le patient aux personnes ou organismes appropriés pour que son apprentissage soit renforcé après le congé du centre hospitalier.
6. Poursuivre toutes les étapes du processus d'enseignement : collecte de données, analyse et interprétation des données, planification, exécution et évaluation.

## Bibliographie

### Ouvrages

Haggard A. Handbook of Patient Education. Rockville, MD, Aspen Publishers, 1985.

Pender NJ. Health Promotion in Nursing Practice. Norwalk, CT, Appleton and Lange, 1987.

Rankin SH and Stallings KD. Patient Education: Issues, Principles, Practices. Philadelphia, JB Lippincott, 1990.

Redman B. The Process of Patient Education. St Louis, CV Mosby, 1988.

## Revues

*Les articles de recherche en sciences infirmières sont marqués d'un astérisque.*

Alywahby NF. Principles of teaching for individual learning of older adults. Rehabil Nurs 1989 Nov/Dec; 14(6):330–333.

Armstrong ML. Orchestrating the process of patient education: Methods and approaches. Nurs Clin North Am 1989 Sep; 24(3):597–604.

Ashby L and Travis S. Teach yourself how to teach an older patient. RN 1988 Apr; 53(4):25–27.

Bailey-Allen AM. Who is responsible for patient teaching? Orthop Nurs 1989 Jan/Feb; 8(1):53–54.

Baker K, Kuhlmann T, and Magliaro BL. Homeward bound. Discharge teaching for parents of newborns with special needs. Nurs Clin North Am 1989 Sep; 24(3):655–664.

Barr WJ. Teaching patients with life-threatening illnesses. Nurs Clin North Am 1989 Sep; 24(3):639–644.

Barron S. Documentation of patient education. Patient Educ Couns 1987 Feb; 9(1):81–85.

Bartlett EE. Patient education can lower costs, improve quality. Hospitals 1989 Nov 5; 63(21):88.

Breeze W. Educational readiness in hospitalized adults. Today's OR Nurse 1987 July; 9(7):28–32.

Brillhart B and Steward A. Education as the key to rehabilitation. Nurs Clin North Am 1989 Sep; 24(3):675–680.

Close A. Patient education: A literature review. J Adv Nurs 1988 Mar; 13(2):202–213.

Criteria for the development of health promotion and education programs. Am J Public Health 1987 Jan; 77(1):89–92.

DeMuth JS. Patient teaching in the ambulatory setting. Nurs Clin North Am 1989 Sep; 24(3):645–654.

Derdiarian AK. Effects of information on recently diagnosed cancer patients' and spouses' satisfaction with care. Cancer Nurs 1989 Oct; 12(5):285–292.

Diehl LN. Client and family learning in the rehabilitation setting. Nurs Clin North Am 1989 Mar; 24(1):257–264.

Dobberstein K. Computer-assisted patient ed. Am J Nurs 1987 May; 87(5):697.

Duffy MM. Selecting educational materials for patients with limited reading abilities. ANNA J 1988 Apr; 15(2):114–117.

Ewing G. The nursing preparation of stoma patients for self-care. J Adv Nurs 1989 May; 14(5):411–420.

Foster SD. Evaluating patient learning. MCN 1987 Mar/Apr; 12(2):131.

Foster SD. The role of education in discharge planning. MCN 1988 Nov/Dec; 13(6):403.

Fulton ML and Coulter SJ. Alternative means of patient education. Nurs Manage 1989 Nov; 20(11):58–60.

Gessner BA. Adult education. The cornerstone of patient teaching. Nurs Clin North Am 1989 Sep; 24(3):589–595.

* Gilden JL. The effectiveness of diabetes education programs for older patients and their spouses. J Am Geriatr Soc 1989 Nov; 37(11):1023–1030.

Harrison LL. The patient education bridge. MCN 1989 Jan/Feb; 14(1):51.

Hicks S. The nurse and the patient: Partners in education. Can Crit Care Nurs J 1987 Sep/Oct; 4(3):18–22.

Higgins MG. Learning style assessment: A new patient teaching tool? J Nurs Staff Dev 1988 Winter; 4(1):14–18.

Hussey LC and Gilliland K. Compliance, low literacy, and locus of control. Nurs Clin North Am 1989 Sep; 24(3):605–611.

Johnson EA and Jackson JE. Teaching the home care client. Nurs Clin North Am 1989 Sep; 24(3):687–693.

Kick E. Patient teaching for elders. Nurs Clin North Am 1989 Sep; 24(3):681–686.

Lemphers C. Adult education strategies important for nurses. AARN News Lett 1989 Jan; 45(1):14–15.

Luker K and Caress A. Rethinking patient education. J Adv Nurs 1989 Sep; 14(9):711–718.

MacIssac AM, Rivers R, and Adamson CB. Multiple medications. Is your patient caught in the storm? Nursing 1989 Jul; 19(7):60–64.

Marchiondo K and Kipp C. Establishing a standardized patient education program. Crit Care Nurse 1987 May/Jun; 7(3):58, 60–64, 66.

McCabe BJ et al. A strategy for designing effective patient education materials. J Am Diet Assoc 1989 Sep; 89(9):1290–1292, 1295.

Molzahn AE and Northcott HC. The social bases of discrepancies in health/illness perceptions. J Adv Nurs 1989 Feb; 14(2):132–140.

* Mooney MA. Use of adult education principles in medication instruction. J Contin Educ Nurs 1987 May; 18(3):89–92.

Morrow D, Leirer V, and Sheikh J. Adherence and medication instructions. Review and recommendations. J Am Geriatr Soc 1988 Dec; 36(12):1147–1159.

* Murray PJ. Rehabilitation information and health beliefs in the post-coronary patient: Do we meet their information needs? J Adv Nurs 1989 Aug; 14(8):686–693.

Oberst MT. Perspectives on research in patient teaching. Nurs Clin North Am 1989 Sep; 24(3):621–628.

Ruzicki DA. Realistically meeting the educational needs of hospitalized acute and short-stay patients. Nurs Clin North Am 1989 Sep; 24(3):629–637.

Sansivero GE and Murray SA. Safe management of chemotherapy at home. Oncol Nurs Forum 1989 Sep/Oct; 16(5):711–713.

Siegel H. Nurses improve hospital efficiency through a risk assessment model at admission. Nurs Manage 1988 Oct; 19(10):38–40, 42, 44, 46.

Smith CE. Overview of patient education. Opportunities and challenges for the twenty-first century. Nurs Clin North Am 1989 Sep; 24(3):583–587.

Smith CE. Patient teaching. It's the law. Nursing 1987 Jul; 17(7):67–68.

Speers AT. Patient education: Theory and practice. J Nurs Staff Dev 1989 May/Jun; 5(3):121–126.

Stewart RB and Caranasos GJ. Medication compliance in the elderly. Med Clin North Am 1989 Nov; 73(6):1551–1563.

Stone S et al. Comparison between videotape and personalized education for anticoagulant therapy. J Fam Pract 1989 Jul; 29(1):55–57.

Taylor RA. Making the most of your time for patient teaching. RN 1987 Dec; 52(12):20–21.

* Tilley JD, Gregor FM, and Thiessen V. The nurse's role in patient education: Incongruent perceptions among nurses and patients. J Adv Nurs 1987 May; 12(3):291–301.

Tripp-Reimer T and Afifi LA. Cross-cultural perspectives on patient teaching. Nurs Clin North Am 1989 Sep; 24(3):613–619.

Weinrich SP, Boyd M, and Nussbaum J. Adapting strategies to teach the elderly. J Gerontol Nurs 1989 Nov; 15(11):17–21.

Wilson-Barnett J. Patient teaching or patient counseling? J Adv Nurs 1988 Mar; 13(2):215–222.

# PROBLÈMES D'ORDRE ÉTHIQUE DANS LES SOINS INFIRMIERS EN MÉDECINE ET EN CHIRURGIE

*OBJECTIFS D'APPRENTISSAGE*

*Après avoir étudié ce chapitre, vous devriez être en mesure de réaliser ce qui suit:*

1. *Aborder les problèmes généraux d'éthique et définir les problèmes d'ordre éthique qui se posent dans les soins infirmiers.*
2. *Reconnaître les divers dilemmes éthiques qui se présentent couramment à l'infirmière qui travaille en médecine et en chirurgie.*
3. *Énoncer les stratégies qui peuvent aider à la prise de décisions d'ordre éthique.*

Ces dernières années, on se préoccupe beaucoup des divers problèmes d'ordre éthique auxquels on se heurte dans la vie quotidienne. Dans le domaine de la santé, tout particulièrement, les problèmes d'ordre éthique se sont multipliés à cause d'un grand nombre de facteurs tels que les progrès techniques, l'espérance de vie prolongée, la pénurie de ressources et le champ d'activités élargi de l'infirmière. Par le passé, puisque les moyens de combattre la maladie étaient limités, l'infirmière avait comme principale tâche d'aider et de rassurer. Aujourd'hui, grâce aux techniques de pointe, on peut souvent prolonger considérablement la vie des patients. Cependant, on peut, à juste titre, soulever un certain nombre de questions à ce sujet: Est-il toujours approprié de recourir aux techniques de pointe? Sinon, pour quelle raison? À qui incombe la responsabilité de cette décision? Le recours aux nouvelles techniques permettant de sauver la vie d'un prématuré ou de prolonger la vie d'un mourant est très controversé. En effet, ces techniques peuvent augmenter les chances de survie ou prolonger l'espérance de vie, mais elles sont aussi, parfois, un «couteau à deux tranchants». Même si, de nos jours, les techniques de pointe ont amélioré sensiblement la qualité de vie de la plupart des gens, elles ne font parfois que prolonger une pénible agonie au prix de soins très onéreux. Actuellement, environ 11 % du produit national brut est réservé aux soins de santé. À cause de la pénurie de ressources, certains économistes prétendent que chez les personnes âgées, par exemple, les techniques de pointe ont été mal utilisées. Cependant, une telle affirmation nous oblige à nous demander s'il est moral de rationner les soins en prenant l'âge comme critère.

Enfin, la nouvelle définition des soins infirmiers a changé considérablement le champ d'activité des infirmières. Dans sa déclaration de principes, intitulée *Nursing: A Social Policy Statement* (1980), l'American Nurses Association donne la définition suivante des soins infirmiers: «le diagnostic et le traitement des modes de réaction de l'être humain à des problèmes de santé actuels ou potentiels». Compte tenu de cette définition, les infirmières devraient participer activement à la prise de décisions d'ordre éthique étant donné que toute question soulevée à propos des soins de santé s'apparente aux réactions de l'être humain. Toutefois, cette idée est souvent contestée par les gestionnaires des établissements de santé qui préfèrent cantonner les infirmières dans des rôles traditionnels plutôt que de changer les structures administratives. Dans les établissements où les infirmières jouent un rôle important au sein de l'équipe pluridisciplinaire, les soins dispensés aux patients sont améliorés lorsque la communication entre les divers intervenants est privilégiée. Les infirmières qui pratiquent dans ce type d'établissements doivent être tenues au courant des problèmes d'ordre éthique. Elles doivent aussi aider les patients à exprimer leurs inquiétudes d'ordre moral.

Depuis les 10 dernières années, l'enseignement de l'éthique fait partie du programme de formation des infirmières. Toutefois, les synopsis et le nombre d'heures de cours varient d'un établissement d'enseignement à l'autre. Personne ne conteste le fait que les infirmières doivent d'abord apprendre les techniques de base qui leur permettront, à la fin de leurs études, de dispenser aux patients des soins sûrs et compétents. Toutefois, au fur et à mesure qu'elles gagnent de l'expérience, les problèmes d'ordre éthique priment sur les problèmes techniques rencontrés dans la pratique. C'est la raison pour laquelle, dans ce chapitre, nous aborderons plusieurs questions d'ordre éthique. Pour mieux explorer ce domaine, nous commencerons par définir l'éthique et présenter ses fondements théoriques. L'infirmière disposera ainsi d'une base sur laquelle elle pourra fonder ses propres recherches dans ce domaine. En effet, en comprenant le rôle qu'elle doit jouer lors de la prise de décisions d'ordre éthique, elle pourra franchir les diverses étapes proposées par le modèle analytique de prise de décisions et, devant un problème d'ordre éthique, prendre position en pleine connaissance de cause. Le «jargon» propre à cette discipline peut en rebuter plusieurs, mais il est relativement facile de le maîtriser.

# DÉFINITION DE L'ÉTHIQUE

## ÉTHIQUE ET MORALE

L'*éthique* ou la *morale* est la science du bien ou du mal. Elle a pour objet l'action humaine et la conduite des êtres humains. Le terme «éthique» vient du mot grec *ethos*, qui signifie «mœurs», et le terme «morale» est dérivé du mot latin *mores* qui a la même signification.

L'éthique est l'étude philosophique de la morale. Elle se base sur des théories, des règles, des principes ou des codes de conduite qui déterminent la «bonne» façon d'agir. La morale, quant à elle, porte davantage sur un sens personnel de valeurs, valeurs qui sont souvent influencées par les normes et les attentes de la société. Par exemple, les parents inculquent à leurs enfants l'idée qu'il ne faut pas voler. Cette règle fait partie du code de conduite admis et pratiqué par la société et l'individu peut l'inclure d'emblée dans sa propre hiérarchie de valeurs. Du point de vue de l'éthique toutefois, il doit analyser pourquoi il ne faut pas voler en se fondant sur l'idée que voler est une action qui va à l'encontre de principes moraux fondamentaux comme le respect de la personne, la justice et la fidélité (loyauté). On peut, par conséquent, dire que l'éthique est une étude systématique et rigoureuse des idées morales, tandis que la morale est l'ensemble des règles de conduite que l'individu considère comme valables sans les remettre en question. Étant donné que la différence entre les deux termes est mince, de nombreux auteurs les considèrent comme synonymes. C'est la raison pour laquelle nous les utiliserons ici indistinctement.

# ÉTUDE DE L'ÉTHIQUE

On peut aborder l'étude systématique de l'éthique de quatre façons différentes, selon que l'on considère qu'il s'agit d'une science normative ou non normative.

Dans une perspective *non normative*, on peut aborder l'étude de l'éthique sous l'angle de la *métaéthique* et sous l'angle de l'*éthique descriptive*. En abordant cette science dans la perspective de la métaéthique, les philosophes essaient de comprendre les notions et leur signification. Par exemple, que signifie être «bon», «vertueux» ou «juste»? La distinction que nous avons essayé de faire entre morale et éthique illustre bien l'approche métaéthique. Dans le domaine des soins de la santé, l'analyse de la notion de «consentement éclairé» est également un exemple d'approche métaéthique. Les infirmières savent que les patients doivent donner leur consentement avant de subir une intervention chirurgicale, mais, parfois, elles se demandent, à juste titre, si le patient a été suffisamment renseigné pour donner son consentement en pleine connaissance de cause. L'analyse du problème global posé par le consentement éclairé relève, par conséquent, de la métaéthique.

On peut également aborder l'étude de l'éthique dans une perspective non normative, sous l'angle de l'*éthique descriptive*. Dans ce cas, les philosophes et les chercheurs inventorient divers comportements et croyances, sans émettre à leur égard aucun jugement de valeur. Une telle approche est neutre du point de vue moral. Les historiens, les anthropologues ou les sociologues abordent de cette manière l'étude du comportement de différentes collectivités. Par exemple, l'une des pratiques courantes des Inuit était d'installer les vieillards sur une banquise et de les laisser mourir puisqu'ils ne peuvent plus participer activement à la vie de la communauté. Lorsqu'on fait une recherche descriptive sur ce type de pratique, il n'y a pas lieu de discuter si cette forme d'euthanasie est acceptable ou non du point de vue moral. On se limite tout simplement à décrire la pratique comme telle. Au fur et à mesure que le champ des recherches sur les problèmes d'ordre éthique en soins infirmiers s'élargira, l'approche descriptive permettra aux infirmières d'inventorier plus adéquatement les principes moraux de leurs consœurs.

Il faut cependant se rappeler que, par définition, l'éthique est plutôt une science *normative*. En disant «on devrait» ou «il faudrait», on cherche à reconnaître un comportement moralement acceptable et, selon une démarche systématique faisant appel à la théorie et aux principes moraux, on essaie, en réalité, de répondre à une question normative du type: «Que devrait-on faire dans les circonstances?» L'*éthique normative générale* étudie des problèmes qui ne relèvent d'aucun domaine particulier. Par exemple, de quelle manière les gouvernements devraient-ils collaborer pour assurer la paix dans le monde? Lorsque ce genre de questions est posé dans le cadre d'une discipline en particulier, on entre dans le domaine de l'*éthique appliquée*. Les théories d'éthique et les principes moraux généraux servent de cadre pour résoudre des problèmes déterminés dans un grand nombre de disciplines. Le Grand Larousse définit, par exemple, la bioéthique comme l'ensemble des problèmes posés par la responsabilité morale des médecins et des biologistes dans leurs recherches théoriques et dans les applications pratiques de ces recherches. Mais on peut élargir cette définition et y inclure d'autres problèmes d'éthique médicale, clinique ou sanitaire. Les problèmes moraux posés par les soins infirmiers font partie d'une catégorie à part, étant donné les nombreuses questions morales particulières à cette profession. Cependant, les problèmes d'ordre éthique que l'infirmière peut rencontrer dans sa pratique ont souvent une portée plus vaste et relèvent de l'éthique de la prestation de soins en général car il est parfois difficile de séparer nettement les divers domaines. Toutefois, étant donné que l'infirmière «soigne» plutôt qu'elle ne «guérit», et qu'elle suit dans son travail un code de déontologie qui lui dicte une conduite professionnelle, il faut absolument comprendre que les problèmes d'ordre éthique posés par les soins infirmiers ne sont pas nécessairement analogues aux problèmes d'ordre éthique rencontrés par les médecins.

## PROBLÈMES D'ÉTHIQUE ET DILEMMES MORAUX

Les questions d'ordre éthique auxquelles doit faire face l'infirmière dans l'exercice de sa profession sont complexes, et elle se heurte souvent à de véritables *dilemmes*. Il s'agit de situations dans lesquelles elle doit faire un choix entre deux solutions qui peuvent lui sembler également acceptables ou également inacceptables. Ces dilemmes, qui peuvent survenir dans des situations apparemment banales, mettent en conflit plusieurs principes ou préceptes moraux contradictoires. Le choix, quel qu'il soit, peut avoir des conséquences inacceptables et l'infirmière devra opter pour «le moindre mal». Par exemple, dans le cas d'un patient gravement malade, si l'on part du principe que la vie est sacrée, on devra choisir le traitement qui prolonge la vie le plus longtemps possible. Mais, on se rend souvent compte que le matériel qu'on utilise dans ce but ne fait en réalité que prolonger les souffrances du patient. Par conséquent, aucune des deux solutions n'est satisfaisante: si on continue le traitement, on prolonge les souffrances, si on l'arrête, le patient mourra. Lorsque le patient est incapable de prendre lui-même des décisions, on est confronté à un véritable dilemme moral. Toutefois, si le patient peut exprimer son point de vue et s'il dit: «Je veux vivre, coûte que coûte... Aidez-moi comme vous pouvez», alors, même si l'infirmière croit qu'il est moralement inacceptable de poursuivre le traitement, elle doit le faire. L'adulte qui est capable de décider de son sort est en droit de le faire et c'est sa décision qui prime. Il s'agit donc d'un problème d'ordre éthique plutôt que d'un dilemme moral étant donné que l'infirmière ne se heurte pas à des préceptes moraux contradictoires. Si elle part du principe qu'il faut respecter la décision du patient, elle ne peut que poursuivre le traitement.

Jameton (1984) a reconnu deux autres types de problèmes d'ordre éthique que l'infirmière doit résoudre dans sa pratique. Le premier problème est celui de l'*incertitude*. Dans un tel cas, bien qu'il soit impossible de déterminer les principes moraux qui s'appliquent, on éprouve nettement la sensation que quelque chose ne va pas. Prenons l'exemple d'une personne âgée qui, après une intervention chirurgicale, se sent mal. On nous dira, par exemple: «L'intervention a réussi, mais, en raison de nombreux autres troubles, ce patient ne se rétablit pas.» Fréquemment, il faut prodiguer à cette personne des soins infirmiers complexes, car, à cause de l'alitement prolongé, elle ne peut plus se déplacer ni mener à bien sans aide les activités d'autosoins ou d'autres activités de la vie

quotidienne. Bien que les traitements médicaux soient peu nombreux, en raison de son état, la personne ne peut pas quitter le centre hospitalier. Avec le temps, cependant, elle reçoit moins d'attention que les autres patients plus malades ou «plus intéressants». Bien que les infirmières se rendent compte que la personne en question ne reçoit pas toute l'attention qu'elle mérite, elles n'arrivent pas à définir avec précision la conduite qu'elles devraient adopter du point de vue de l'éthique.

Le deuxième problème d'ordre éthique que soulève Jameton est celui de la *détresse* morale. Dans ce cas, bien que l'infirmière sache quelle conduite adopter, elle ne peut pas agir comme elle le voudrait à cause des contraintes imposées par l'établissement où elle pratique. Par exemple, un patient demande à l'infirmière s'il a le cancer. Le chirurgien et la famille ont décidé de lui cacher le diagnostic. Du point de vue de l'éthique professionnelle, les patients doivent être informés du diagnostic, s'ils le demandent. Idéalement, le médecin devrait communiquer ce renseignement en présence de l'infirmière dont le rôle est d'aider le patient à comprendre les termes utilisés et d'évaluer ses réactions au diagnostic. L'infirmière de notre exemple peut vivre une véritable détresse sur le plan moral, car elle risque d'être congédiée si elle dévoile ce genre de renseignement sans l'accord du médecin ou de la famille.

Quoiqu'il en soit, il faut distinguer dans chaque circonstance l'aspect médical et l'aspect moral d'une question et séparer les données médicales précises des préceptes moraux. La formation du médecin porte surtout sur la prophylaxie et la guérison et n'en fait pas nécessairement un expert de la morale. De la même façon, lors de la collecte de données, l'infirmière peut découvrir que le patient n'a pas les mêmes valeurs ou croyances que les siennes; elle doit cependant les accepter. Les infirmières devraient discuter sans crainte des divers problèmes d'ordre éthique, mais il est important de préciser que ce genre de dialogue peut mettre mal à l'aise certaines personnes. Lorsque tous les membres de l'équipe pluridisciplinaire peuvent exprimer librement leurs inquiétudes et lorsqu'ils arrivent à résoudre un problème d'ordre éthique de façon acceptable pour tout le monde, la communication au sein de l'équipe s'améliore considérablement.

Résumé: L'explication des notions reliées à l'éthique nous facilite la compréhension de la philosophie morale. Généralement parlant, on peut aborder l'éthique de diverses façons. Lorsqu'on essaie de répondre à des questions portant sur un plan d'action précis, on touche au domaine de l'éthique normative. Dans l'étude de l'éthique appliquée, on se sert de problèmes d'éthique générale pour prendre une décision moralement acceptable dans une discipline en particulier.

## THÉORIES FONDAMENTALES

Les théories éthiques permettent aux philosophes de répondre à la question «Que faut-il faire?» selon les règles de la morale, qui constituent les assises d'un jugement ou d'un acte normatif.

Il existe deux principales théories éthiques: la théorie téléologique et la théorie déontologique. Nous les présentons brièvement afin d'aider l'infirmière à distinguer les deux cadres de références qu'elle devrait utiliser lorsqu'elle prend des décisions d'ordre éthique. Pour mieux comprendre les théories éthiques, nous invitons le lecteur à prendre connaissance des ouvrages cités dans la bibliographie.

## THÉORIE TÉLÉOLOGIQUE ET UTILITARISTE

La *téléologie,* du mot grec *telos* («fin, but»), est l'étude de la finalité. Cette doctrine, appelée également «finalisme», porte sur les conséquences des actes de l'être humain. L'utilitarisme, qui est la théorie morale qui s'est le plus inspirée du finalisme, énonce comme principe de base que l'intérêt général ou particulier doit être la règle de nos actions. D'après cette théorie, toutes les actions de l'être humain devraient avoir comme conséquence «le plus grand bien du plus grand nombre». De ce fait, lorsqu'on doit prendre des décisions d'ordre moral, on doit essayer de prendre des décisions dont les conséquences seront bonnes ou, tout au moins, des décisions qui atténuent les conséquences néfastes.

L'un des principaux partisans de l'utilitarisme, le philosophe John Stuart Mill, constate que tout jugement moral doit se fonder sur le principe de l'utilité, qu'il appelle le «principe du plus grand bonheur possible». Pour Mill, une action est utile dans la mesure où elle a comme finalité le bonheur, et elle est néfaste dans le cas contraire*. Les finalités souhaitables sont la liberté et l'absence de douleur. On peut décider d'appliquer la perspective utilitariste à des lois et à des règles morales précises qui visent le bonheur du plus grand nombre. La théorie de Mill peut sembler hédoniste, mais pour ce philosophe le plaisir ou l'utilité sont pris dans un sens différent de celui que nous prêtons habituellement à ces mots. Néanmoins, d'autres philosophes utilitaristes ajoutent au principe du plaisir des valeurs telles que la connaissance, la santé et l'amitié, qui permettent aussi à l'individu d'atteindre le plus grand bonheur.

La doctrine téléologique de la finalité a été souvent critiquée. Son plus grand inconvénient est qu'il est difficile de mesurer les diverses valeurs intrinsèques et que de telles mesures ne sauraient être précises. En effet, comment pourrait-on mesurer et comparer avec exactitude des notions telles que bonheur, plaisir, santé, amitié? Par ailleurs, il est parfois difficile de choisir une action morale dont les conséquences seraient «le plus grand bien du plus grand nombre». Comment pourrait-on justifier, sur le plan moral, des décisions qui pourraient avoir des conséquences néfastes pour certains individus faisant partie d'un groupe minoritaire? Enfin, la théorie téléologique a été critiquée du fait qu'elle ne s'intéresse qu'à la finalité. Peut-on excuser les moyens ou les comportements immoraux qu'on adopte pour atteindre un but moralement acceptable? De tels problèmes remettent sans doute en question l'approche téléologique. Nous examinerons la théorie déontologique afin d'essayer de les résoudre.

## THÉORIE DÉONTOLOGIQUE

Le terme déontologie vient du mot grec *deon* qui signifie «devoir ou obligation». On peut mieux comprendre la théorie déontologique ou formaliste quand on la compare à la théorie utilitariste. Contrairement à la théorie utilitariste, qui ne s'intéresse qu'aux conséquences directes des actes, la théorie déontologique analyse les normes morales qu'il faut suivre quelles que soient leurs conséquences. Ces normes morales découlent de divers principes moraux universels (à l'encadré 8-1, nous énonçons les principes les plus fondamentaux). Contrairement aux utilitaristes, les formalistes jugent plus important de justifier les actions morales que de se préoccuper de leurs conséquences ou de leurs résultats spécifiques.

Tout comme les téléologistes, les formalistes abordent cette philosophie sous divers angles. On peut classer les formalistes en deux catégories: les partisans du monisme (pour les adeptes de cette philosophie, tous les principes moraux peuvent être réduits à un seul) et ceux du pluralisme (adeptes de plusieurs principes moraux). Nous donnerons des exemples concrets pour mieux expliquer les différences de point de vue.

Emmanuel Kant, philosophe allemand du XVIIIe siècle a eu une influence considérable sur les adeptes de la doctrine formaliste. Selon Kant, la morale doit, en dernier lieu, se fonder sur la raison, faculté que tout esprit rationnel possède. L'intention à la source des actions n'est véritablement morale que lorsqu'elle est exclusivement déterminée par la volonté de faire son devoir. L'action morale est donc *l'action faite par devoir, et non conformément au devoir;* elle tire sa valeur morale non pas du but qu'elle vise ni de la chose qu'elle réalise, mais du principe en vertu duquel la personne veut l'accomplir. Par conséquent, l'être humain doit être bienveillant et choisir ses actions par devoir. Il doit donc analyser les motifs qui le poussent à l'action. Par exemple, l'infirmière qui avoue qu'elle a administré par erreur un médicament à un patient parce qu'elle a peur d'être punie si l'on découvre plus tard son acte et non pas parce qu'elle s'inquiète des effets nocifs éventuels, n'agit pas *par* devoir, mais seulement *conformément* au devoir; s'il revêt la forme du devoir, son acte n'est pas motivé par la volonté de faire son devoir.

Kant aborde la morale dans une perspective moniste, c'est-à-dire qu'il réduit tous les principes à un seul impératif moral absolu et universel, qui est l'*impératif catégorique.* L'impératif catégorique est une règle qu'on doit suivre inconditionnellement et, bien qu'il ne constitue pas en lui-même un principe moral, il détermine tous les principes moraux acceptables. La première formule de l'impératif catégorique de Kant* est la suivante: «Agis uniquement d'après la maxime qui fait que tu peux vouloir en même temps qu'elle devienne une loi universelle**.» Cette formule rappelle la «règle d'or», énoncée par les téléologistes et le principe moral du respect des personnes. La deuxième formule de Kant, à laquelle il accordait une grande importance, se lit comme suit: «Agis de telle sorte que tu traites l'humanité, aussi bien dans ta personne que dans la personne de tout autre, toujours en même temps

* Mill, J. S. «Utilitarianism», in Reiser S. Dyck A. et Curran W. (éd.), *Ethics in Medicine: Historical Perspectives and Contemporary Concerns.* Cambridge, MA, MIT Press, 1871/1977.

* Kant, E., *Fondements de la métaphysique des mœurs,* Paris, Librairie Delagrave, 1967.

** *Idem,* p. 136. *Cf. Dictionnaire encyclopédique Quillet.* Paris Librairie Aristide Quillet, 1969.

## Encadré 8-1
# Principes moraux fondamentaux

Principes moraux servant à justifier les actions morales.

### Autonomie
Dérivé du grec *autos* («soi») et *nomos* («règle» ou «loi»), ce terme signifiait au départ le droit de se gouverner par ses propres lois. Actuellement son sens s'est élargi aux droits individuels de liberté, d'autodétermination, de vie privée et de choix. Un individu autonome est celui qui se détermine selon des règles librement choisies.

### Bienfaisance
C'est le devoir de faire du bien et de promouvoir des actions dont le but est de faire du bien (par exemple, la bonté, la gentillesse, la générosité). Peut inclure la «bienveillance», c'est-à-dire la volonté de ne pas faire de mal.

### Confidentialité
Ce principe est relié à la notion de respect de la vie privée. L'infirmière ne doit divulguer à quiconque les renseignements que le patient lui a confiés, à moins de le faire dans l'intérêt du patient ou de la société.

### Principe du double effet
Principe qui peut justifier moralement certaines actions qui peuvent avoir à la fois des conséquences favorables et néfastes. Le principe du double effet est gouverné par les quatre critères suivants:
1. L'action par elle-même est moralement bonne ou neutre.
2. L'intention sincère de la personne était d'obtenir un effet favorable et non pas un effet néfaste (l'effet néfaste peut être prévisible, mais ne doit pas être prémédité).
3. L'effet favorable n'est pas obtenu par le biais de l'effet néfaste.
4. L'effet favorable est plus fort que l'effet néfaste ou au moins de force égale.

### Loyauté
Selon ce principe, il ne faut pas trahir ni manquer à ses promesses. On a le devoir de rester fidèle à ses engagements qu'ils soient implicites ou explicites.

### Justice
Prise dans un sens large, la notion de justice suppose que des cas semblables devraient être traités de façon similaire. Dans un sens plus restreint, la justice peut être distributive ou punitive (commutative). La justice distributive donne à chaque individu la part qui lui revient. Les diverses théories de la justice distributive se basent sur l'idée que la répartition doit se faire:
A. de façon équitable
B. selon les besoins de chacun
C. selon l'effort fourni
D. selon la contribution à la société
E. selon le mérite
F. selon les stipulations de la loi

La justice commutative est, d'une certaine façon, une justice punitive qui mesure l'équivalence des obligations et des charges.

### Bienveillance
Volonté de faire du bien, de ne pas nuire à autrui et de le préserver du mal. Pour certaines personnes, la bienveillance s'apparente à la bienfaisance et ne pas faire de mal devient alors un devoir moral.

### Paternalisme
Tendance à limiter intentionnellement l'autonomie d'une personne sous prétexte de la protéger, d'augmenter son bien-être, de la secourir ou de satisfaire ses besoins. La personne paternaliste voudrait protéger autrui du mal même si, par ses actes, elle entrave son autonomie ou sa liberté.

### Respect de la personne
Même si on associe souvent l'idée du respect de la personne à celle du respect de son autonomie, cette notion est plus large. On entend par respect de la personne, le respect de ses choix et de ses droits.

### Caractère sacré de la vie
La vie est le bien le plus précieux. Par conséquent, toutes les formes de vie, même la vie strictement biologique, doivent avoir préséance sur la qualité de vie.

### Véracité
Il s'agit de la qualité de la personne qui s'oblige à rester authentique et s'impose le devoir de dire la vérité dans toute circonstance et de toujours être sincère avec autrui.

---

comme une fin, et jamais simplement comme moyen\*.» Cette perspective est diamétralement opposée à l'utilitarisme, qui ne s'intéresse qu'à la finalité. Il est important de souligner cette différence lorsqu'on réfléchit à la finalité de la recherche médicale. Même si, par leur participation à une étude clinique, les patients font avancer les connaissances scientifiques, il ne faut pas prendre les sujets humains pour un simple moyen permettant d'atteindre cet objectif. Avant d'obtenir leur consentement, il faut leur donner tous les renseignements et s'assurer qu'ils participent de leur plein gré.

La principale critique qu'on peut faire à Kant est qu'il ne précise pas quels sont les principes moraux qui ont préséance et qu'il ne suggère pas une attitude à adopter lorsque plusieurs actions (devoirs) entrent en conflit. D'autres philosophes formalistes ont essayé de répondre à ces questions.

W. D. Ross, philosophe britannique du XXe siècle, a élaboré une structure déontologique basée sur le pluralisme des règles morales. Pour Ross, il existe deux types de devoirs: les devoirs *prima facie* et les devoirs réels. Un devoir *prima facie* est un devoir qu'il faut accomplir de prime abord, toutes choses étant égales, c'est-à-dire lorsque le devoir en question n'entre pas en conflit avec un autre, équivalent ou plus

---

\* *Idem*, p. 150. *Cf. Dictionnaire encyclopédique Quillet.* Paris, Librairie Aristide Quillet, 1969.

important. Par exemple, la morale interdit de dire des mensonges; toutefois, on peut à l'occasion mentir si un devoir d'ordre supérieur s'impose (par exemple, celui de ne pas faire de mal à autrui). Cependant, ni Ross ni les autres formalistes ne précisent quels sont les principes moraux qui sont les plus importants ou qui ont préséance.

## THÉORIE DE LA VERTU

Contrairement aux théories déontologiques et téléologiques mentionnées ci-dessus, qui mettent l'accent sur des principes ou des actes précis et sur les conséquences de nos actions, les théories morales de la vertu mettent l'accent sur les traits de caractère de l'individu. Elles s'inspirent de l'œuvre d'Aristote et de Platon qui affirmaient que seul l'individu qui cultive des comportements vertueux peut avoir une conduite morale. Pour ces philosophes, la vertu est la disposition à accomplir une sorte d'actes moraux par un effort de volonté. Par conséquent, selon Aristote, la question morale est: «Qui devrais-je être?» plutôt que: «Qu'est-ce que je devrais faire?» Toutefois, les vertus peuvent revêtir plusieurs formes. Par exemple, pour la religion, la foi, l'espoir, l'amour et la charité sont des vertus. La question que l'on doit alors se poser est la suivante: «Quelles sont les vertus morales?» On pourrait dire que les vertus morales sont les traits de caractère qui poussent l'individu à agir de façon morale et responsable. Étant donné que cette réponse est vague, certains philosophes refusent de considérer que la théorie de la vertu est une théorie morale maîtresse. Pour eux, la théorie de la vertu est l'un des corollaires fondamentaux des autres théories éthiques normatives. D'après leur raisonnement, nombre de ces vertus découlent de divers principes moraux. Par exemple, des vertus comme la bonté et la probité découlent des principes moraux de la bienfaisance et de la justice, respectivement. Toutefois, il faut avoir une connaissance de base de la philosophie de la vertu, car, récemment, les recherches descriptives sur le raisonnement moral ont de nouveau souligné l'importance de cette perspective morale.

## APPROCHE PLURALISTE

En comparant les théories morales, on peut mieux comprendre l'évolution de la philosophie morale. Même si, selon certains philosophes, le raisonnement moral doit se fonder sur une théorie morale en particulier, dans la pratique une telle démarche est impossible. Pour illustrer la nécessité de s'inspirer de plusieurs approches, selon le cas, prenons comme exemple le problème de la pénurie des ressources dans un centre hospitalier où on est en train d'examiner la possibilité d'allouer des fonds à la mise sur pied d'un programme de transplantations cardiaques et pulmonaires. On prévoit que, durant la première année, cinq candidats subiront de telles interventions chirurgicales. Toutefois, la mise sur pied d'un tel programme engage des dépenses considérables. Par conséquent, pour le financer, il faudrait fermer quatre services de consultations externes. Le conseil d'administration vote contre l'implantation de ce programme, car le nombre de personnes soignées en consultations externes est supérieur au nombre de candidats à la transplantation. Ici, le raisonnement moral a été inspiré de la théorie utilitariste du «plus grand bien du plus

grand nombre». Comme on peut le constater, la théorie utilitariste peut jouer un rôle important dans la prise de décisions qui portent sur un problème de rentabilité à grande échelle.

Mais, prenons un autre exemple. On a admis au service des soins intensifs une femme de 87 ans souffrant d'insuffisance cardiaque. Le médecin responsable de ce service décide de muter cette patiente au service des soins généraux pour laisser la place à un patient plus jeune et dont les chances de survie sont plus grandes. Mais, puisque cette patiente âgée a besoin de soins intensifs, les infirmières qui s'occupent d'elle s'opposent à cette décision en se basant sur les principes moraux du respect de la personne et de la bienveillance (la volonté de ne pas nuire). Dans ce cas, la décision morale s'inspire du formalisme et de ses principes moraux universels. Il est donc évident que, selon les circonstances, le raisonnement moral peut se fonder sur une théorie morale plutôt que sur une autre. On ne doit cependant jamais partir du principe qu'une théorie morale est plus valable qu'une autre. Ces exemples nous montrent que la théorie utilitariste peut être valable lorsqu'on examine la rentabilité des soins à grande échelle, mais que le formalisme a des mérites précis lorsqu'il s'agit d'un patient en particulier.

L'étudiante doit comprendre la diversité des théories éthiques, car dans l'étude de cette discipline les idées fausses sont monnaie courante. Au début, en essayant de suivre rigoureusement certains préceptes moraux particuliers, elle peut facilement perdre pied. Elle doit donc évaluer plutôt le bien fondé de chaque théorie et l'appliquer lorsque les circonstances s'y prêtent. Elle doit également décider des vertus ou des comportements qu'elle veut cultiver dans la vie de tous les jours. Les infirmières doivent accepter le fait qu'elles ne peuvent évaluer les problèmes d'ordre éthique qu'elles rencontrent dans leur pratique si elles n'adoptent pas une approche pluraliste.

Résumé: Les théories éthiques qui s'appliquent le plus souvent dans le domaine des soins infirmiers sont la théorie téléologique ou utilitariste, qui porte plus particulièrement sur les conséquences de nos actes, et la théorie déontologique ou formaliste, qui prône le respect des principes moraux. Cependant, les philosophes abordent les questions d'ordre éthique sous divers angles. En pratique, il faut souvent combiner les théories. On dit alors que l'approche est pluraliste. Dans une telle perspective, les infirmières doivent s'appuyer sur les principes moraux universels chaque fois qu'elles se heurtent à un problème moral. Mais elles doivent également s'appuyer sur les vertus et comportements moraux ainsi que sur les devoirs et les règles dictés par leur profession lorsqu'elles doivent répondre à une question normative du type «Que devrais-je faire dans cette situation?»

## ÉTHIQUE ET SOINS INFIRMIERS

La profession d'infirmière et la société sont des entités indissociables. Les infirmières prodiguent leurs soins à tous les membres de la société, sans égard à la maladie dont ils souffrent ou à leur statut social et la société reconnaît que les infirmières sont des professionnelles qui agissent de façon responsable et qui respectent le code de déontologie. Dans ce contexte, on peut affirmer que l'infirmière qui essaie de se sortir d'un dilemme moral est confrontée à un problème d'ordre éthique appliquée.

Les infirmières ont des devoirs et des obligations envers la société, et leur pratique est régie par divers codes, tels que le Code de déontologie de l'Association des infirmières et des infirmiers du Canada et le Code de déontologie des infirmières et des infirmiers du Québec.

Ces codes d'inspiration pluraliste, qui s'appuient sur divers principes universels et sur les vertus du comportement professionnel, aident l'infirmière à prendre des décisions morales dans sa pratique.

En médecine et en chirurgie, l'infirmière est souvent confrontée à des dilemmes d'ordre éthique aussi nombreux que divers. Pour les résoudre, elle doit connaître la philosophie sous-jacente et appliquer ses préceptes à sa pratique. Étant donné que nous pensons que l'on peut approfondir tout raisonnement moral si l'on connaît les principales théories dans ce domaine, nous avons exposé, en détail, les fondements philosophiques de l'éthique professionnelle.

Les facteurs que nous avons mentionnés dans l'introduction nous ont aidé à mieux cerner le problème. Il est évident que l'infirmière abordera la dimension éthique de sa pratique surtout lorsqu'elle se heurtera à une question de vie ou de mort. Toutefois si l'on ne se préoccupe que de dilemmes de cet ordre, on aborde les problèmes d'ordre éthique sous un angle extrêmement étroit. Levine dit que:

> Les activités courantes posent sans cesse des problèmes d'ordre éthique, mais on préfère souvent ne pas les voir. Le comportement moral n'est pas l'étalage de la probité dans une situation de crise. C'est notre engagement quotidien envers les autres êtres humains et nos rapports quotidiens avec eux*.

Voici la perspective dans laquelle il faut considérer la profession et l'éthique des soins infirmiers. Les théories humanistes relatives aux soins infirmiers, qui englobent les aspects biopsychosociospirituels, forment le cadre holistique dans lequel l'infirmière doit travailler. Les infirmières qui respectent l'éthique professionnelle doivent non seulement résoudre les principaux dilemmes éthiques mais également appliquer les principes moraux, hélas trop souvent négligés, dans leurs interactions quotidiennes avec les patients. On trouvera plus loin des exemples de dilemme moral difficile à résoudre.

Fréquemment, dans la pratique quotidienne, on néglige le principe de la confidentialité. Lors de la collecte de données, on doit informer le patient de l'objet de cette évaluation et lui préciser que les données seront inscrites à son dossier. Parfois, les patients fourniront des renseignements qui n'ont aucun lien avec le diagnostic infirmier ou médical. Si les données ne sont pas pertinentes, l'infirmière doit se demander s'il est prudent de les inscrire dans le dossier du patient. Pendant son travail, elle doit souvent discuter du cas d'un patient avec d'autres membres de l'équipe soignante. Mais ces discussions doivent se dérouler derrière une porte close et non pas à la cafétéria ou dans un ascenseur où il y a de bonnes chances que d'autres personnes les entendent. Si les dossiers sont informatisés, il faut s'assurer que leur consultation n'est accessible qu'aux seules personnes qui sont directement chargées des soins.

Sur le plan moral, les infirmières ne doivent pas assumer qu'elles savent ce qui convient à leurs patients. Voici un bref exemple pour illustrer nos propos. Une patiente diabétique suit un régime très strict. Pour son anniversaire, les infirmières ont voulu lui faire la surprise de lui offrir un gâteau. Afin qu'elle puisse en manger un morceau, elles ont demandé à la cuisine qu'on ne lui envoie qu'un demi-sandwich pour le déjeuner. Quand elle a reçu son repas, la patiente s'est mise en colère. Les infirmières lui ont alors apporté le gâteau et la patiente s'est sentie très embarrassée. Quoiqu'il s'agisse d'un événement banal, qui ne constitue pas à l'origine un problème d'ordre éthique, on a appris ce jour-là une leçon importante. On aurait pu utiliser une stratégie différente en s'appuyant sur les principes de l'autonomie et du respect de la personne. On aurait dû souhaiter à la patiente joyeux anniversaire dès le matin et lui mentionner qu'elle recevra un gâteau au déjeuner. Dans ce cas, elle aurait pu choisir entre le sandwich et le gâteau. Son choix, qui n'était pas évident pour les infirmières, aurait pu être de recevoir le sandwich en entier et d'offrir le gâteau d'anniversaire à ses amis ou aux membres du personnel.

Les mesures de contention peuvent également représenter un dilemme moral. Lorsqu'elles appliquent des mesures de contention (qu'elles soient physiques ou pharmacologiques), les infirmières doivent peser attentivement le risque de limiter l'autonomie de la personne en fonction de la sécurité. Souvent l'utilisation de dispositifs de contention peut avoir des effets imprévisibles, car ils peuvent aggraver l'agitation ou la confusion. Les infirmières devraient évaluer les facteurs de risque et les données comportementales et physiologiques pour voir si les mesures de contention sont justifiées. Avant d'utiliser de telles mesures, elles peuvent demander aux membres de la famille ou à des bénévoles de rester au chevet du patient confus, apporter certains changements dans la pièce où il se trouve ou lui proposer des activités divertissantes. Lorsqu'elles prennent des décisions de cet ordre, les infirmières doivent également se préoccuper de la sécurité, et évaluer le risque de violence envers soi ou envers les autres.

Deux problèmes moraux qui sont directement liés au principe de la véracité (devoir de dire la vérité) peuvent se poser dans la pratique médicale et chirurgicale: l'utilisation d'un placebo et la divulgation du diagnostic au patient. La relation entre l'infirmière et le patient est une relation de confiance, ce qui implique que le patient et l'infirmière doivent toujours se dire la vérité. Dans la pratique, l'utilisation de placebos est de moins en moins fréquente mais, le cas échéant, on tente de justifier leur administration en s'appuyant sur le principe du paternalisme. Cependant la déception que peut engendrer l'utilisation d'un placebo peut miner considérablement la relation du patient avec l'infirmière. Par conséquent, on ne devrait administrer un placebo que lorsque le patient participe à la prise des décisions et qu'il sait que cette méthode peut faire partie des mesures thérapeutiques.

Les infirmières considèrent depuis très longtemps que la divulgation du diagnostic pose un problème moral. Souvent, les médecins et les familles cachent la vérité au patient pour ne pas augmenter sa détresse. Ils justifient leur décision en invoquant le principe du paternalisme. Les patients soupçonnent souvent qu'ils souffrent d'une maladie donnée et les questions précises qu'ils posent indiquent qu'ils sont prêts à connaître le diagnostic. Toutefois, par solidarité avec les autres professionnels de la santé, les membres de l'équipe soignante

* Levine, M., «Nursing ethics and the ethical nurse.» *Am J Nurs,* mai 1977 77(5): 845-847.

préfèrent souvent donner des explications évasives. Ce problème est vraiment très complexe, car il remet en question la probité de l'infirmière. Voici certaines stratégies qui pourraient aider l'infirmière à résoudre ce problème moral:

1. Ne jamais mentir au patient.
2. Lui fournir tous les renseignements concernant les interventions et les diagnostics infirmiers.
3. Faire part à la famille et au médecin du fait que le patient demande des renseignements.

Souvent les membres de la famille ne savent pas que le patient interroge sans cesse les infirmières. En connaissant mieux les faits, ils changeront peut-être d'avis. La divulgation du diagnostic est moralement acceptable, mais la façon dont on le divulgue a beaucoup d'importance. Lorsqu'elles renseignent les patients, les infirmières doivent se montrer compatissantes et attentionnées, car il ne suffit pas de préserver l'autonomie du patient, il faut aussi se préoccuper de ses sentiments, en vertu du principe moral du respect de la personne.

La mort et l'agonie constituent un dilemme moral auquel sont très souvent confrontées les infirmières qui dispensent des soins médicaux et chirurgicaux. Ce dilemme leur est difficile à résoudre à cause du fait qu'elles ont la tâche de guérir. En raison des progrès techniques, il peut être difficile d'accepter, dans un tel contexte, «qu'on ne peut plus rien faire» ou que les traitements de pointe ne peuvent prolonger la vie qu'au prix d'énormes souffrances. Lorsqu'elle doit résoudre des problèmes moraux d'une telle ampleur, l'infirmière doit surtout réfléchir à son rôle de soignante.

L'ordre de «ne pas réanimer» place souvent l'infirmière devant un dilemme moral. Lorsque le patient est capable de prendre des décisions, son souhait de ne pas être réanimé doit être respecté, en vertu des principes du respect de l'autonomie ou du respect de la personne. Toutefois, l'infirmière devrait se rappeler que ce genre de décision *ne lui interdit en rien* de continuer à administrer des soins, bien au contraire. Souvent, ces patients ont besoin de beaucoup de soins infirmiers et médicaux qui demandent de l'attention. Les médecins sont souvent réticents à ordonner de ne plus réanimer le patient, car ils craignent que les soins soient arrêtés. Or, tous les patients doivent être bien soignés et bénéficier des interventions de l'infirmière, sans égard à leur état.

L'utilisation de narcotiques pour soulager la douleur des patients qu'il ne faut pas réanimer place également les infirmières devant un dilemme. Les patients souffrant de douleurs aiguës peuvent avoir besoin de fortes doses d'analgésiques, mais ces médicaments peuvent altérer la fonction respiratoire. Le risque de dépression respiratoire ne devrait pas empêcher l'infirmière d'essayer de soulager la douleur. Dans cette situation, pour justifier ses actes, elle peut s'appuyer sur le principe du double effet. Le but des interventions est de soulager la douleur et la souffrance pour améliorer le bien-être du patient et non de provoquer intentionnellement une dépression respiratoire. Il est donc justifié d'administrer des analgésiques aux patients qui ne doivent pas être réanimés. Toutefois, on doit suivre de près l'état de leur fonction respiratoire et signaler au médecin tout signe de dépression respiratoire.

On a beaucoup discuté du problème moral soulevé par l'alimentation et l'hydratation. Pour un grand nombre de soignants l'alimentation et l'hydratation font partie des besoins fondamentaux. Puisqu'ils ne s'agit pas à leurs yeux de «mesures effractives», ils veulent satisfaire ces besoins à tout prix. Toutefois, selon d'autres soignants, l'alimentation et l'hydratation sont des moyens qui prolongent inutilement l'agonie. Face à un tel dilemme, l'infirmière doit peser les risques et les avantages pour le patient. L'évaluation de l'effet néfaste nécessite une analyse attentive des raisons pour lesquelles le patient demande qu'on arrête de l'alimenter et de lui fournir des liquides. Bien que le principe du respect de l'autonomie ait de l'importance et qu'il soit prôné par les codes de déontologie de la pratique infirmière, il est parfois impossible de le respecter. Dans le cas de patients qui sont incapables de prendre des décisions éclairées, le problème est encore plus complexe et de nombreuses poursuites pour faute professionnelle le prouvent. Actuellement, il existe pour chaque cas une jurisprudence particulière. Par conséquent, l'infirmière ne peut s'appuyer sur des règles précises. En général, on fournit au patient des aliments et des liquides dans son propre intérêt. Cependant, l'alimentation et l'hydratation constituent parfois des tentatives futiles pour le maintenir en vie. Ce dilemme est l'un des plus difficiles de tous ceux auxquels les professionnels de la santé doivent faire face. C'est la raison pour laquelle ils doivent l'analyser avec beaucoup d'attention sans oublier qu'ils ont la responsabilité de protéger les êtres vulnérables, en respectant leurs droits fondamentaux.

Résumé: Les soins infirmiers médicaux et chirurgicaux soulèvent des problèmes moraux très divers. Souvent, c'est un problème important et retentissant qui pousse l'infirmière à réfléchir pour la première fois à des questions d'ordre éthique. Parce que son rôle est de soigner, elle ne doit pas négliger les interactions de tous les jours. Bien que les problèmes moraux puissent varier, les principes philosophiques fondamentaux restent les mêmes. L'infirmière doit se familiariser avec ces principes, sur lesquels elle doit appuyer ses réflexions. Elle pourra ainsi mieux comprendre qu'il est impossible de trancher nettement dans ce domaine et justifier ses actes moraux. Nous avons essayé de souligner ici quelques problèmes qui se posent à l'infirmière dans sa pratique. À l'encadré 8-2, nous indiquons les étapes d'une analyse éthique. Pour approfondir ces notions, le lecteur peut consulter la bibliographie donnée à la fin de ce chapitre.

# ÉTHIQUE PRÉVENTIVE

Comme nous l'avons déjà mentionné, il y a dilemme chaque fois qu'il faut choisir entre deux solutions également inacceptables. La décision qu'on prend dans ce cas est celle du «moindre mal». Toutefois, diverses stratégies peuvent aider l'infirmière à prendre des décisions morales. Nous disons que ces stratégies sont préventives, car elles peuvent servir à résoudre des problèmes ultérieurs, grâce à l'expérience qu'on en tire.

Souvent, le professionnel de la santé est confronté à un dilemme lorsqu'il n'est pas certain des souhaits du patient. Au moment de l'admission au centre hospitalier, le patient peut être en pleine possession de ses moyens, mais les changements physiologiques ou cognitifs qui interviennent dans son état peuvent affecter, par la suite, ses capacités en ce sens. C'est la raison pour laquelle on devrait obtenir des

## *Encadré 8-2*
# *Étapes d'une analyse éthique*

Ces quelques règles pourront aider les infirmières lors de la prise de décisions d'ordre éthique. Elles correspondent au processus actif de prise de décisions qui accompagne chaque démarche de soins infirmiers (voir le chapitre 2).

### *Collecte de données*

1. Évaluer l'aspect moral (ou éthique) du problème.
   Il s'agit des aspects éthiques, juridiques et professionnels de la situation.
   A. S'agit-il d'une situation *conflictuelle*? (conflit entre divers principes d'ordre éthique ou diverses obligations professionnelles)
   B. Existe-t-il des conflits au niveau des *procédés*? (par exemple, qui devrait prendre les décisions? Y a-t-il des conflits entre les membres de l'équipe soignante, les membres de la famille, les gardiens et le patient?)
   C. Quelles sont les personnes clés mises en cause et quelles sont celles que la décision pourrait affecter?

### *Planification*

2. Traiter les renseignements.
   A. Inclure les renseignements suivants: antécédents médicaux, choix de traitement, diagnostics infirmiers, données juridiques, valeurs, croyances et religion du patient.
   B. Distinguer entre les valeurs et les croyances et les faits concrets.
   C. Évaluer la capacité du patient de prendre des décisions.
   D. Préciser toute autre donnée pertinente qui devrait être relevée.
   E. Reconnaître les questions d'ordre éthique et moral et les contradictions qu'elles peuvent comporter.

### *Exécution*

3. Inventorier les solutions possibles.
   Décider si les solutions sont conformes à certains principes moraux et aux codes déontologiques. On peut choisir l'une ou l'autre des approches ci-dessous ou les deux à la fois et en comparer les résultats.

   #### *Approche utilitariste*

   A. Prévoir les conséquences des différentes solutions.
   B. Déterminer si chacune de ces conséquences sera négative ou positive.
   C. Choisir la conséquence qui pourrait s'avérer la plus positive ou qui pourrait assurer «le plus grand bien du plus grand nombre».

   #### *Approche déontologique*

   A. Reconnaître les principes moraux qui s'appliquent.
   B. Comparer les solutions proposées en s'appuyant sur ces principes moraux.
   C. En cas de conflit, choisir la solution qui se base sur le principe moral d'un ordre plus élevé.

### *Évaluation*

4. Décider et évaluer la décision.
   A. Quel est l'acte le plus moral?
   B. Quelles sont les raisons d'ordre éthique qui justifient cette décision?
   C. Quelles sont les raisons d'ordre éthique qui s'opposent à cette décision?
   D. Quels sont les arguments qu'on peut invoquer pour écarter les raisons qui s'opposent à cette décision?

---

renseignements pertinents sur les valeurs et les croyances du patient lors de la première collecte de données.

Les *directives par anticipation* peuvent également fournir des renseignements valables et peuvent aider les soignants dans la prise de décisions. Les directives par anticipation doivent prendre la forme d'un document en bonne et due forme dans lequel le patient précise ses volontés avant son hospitalisation. Le *testament biologique* est un exemple de directive par anticipation. Souvent le testament de vie n'est pris en considération que chez les patients en phase terminale.

Étant donné qu'il est difficile de définir avec précision le seuil de la phase terminale, il n'est pas toujours respecté. Ce document est souvent rédigé lorsque la personne est en bonne santé et il n'est pas rare que celle-ci change d'avis quand sa maladie évolue. Si tel est le cas, elle peut toujours annuler le document. Un autre type de directive par anticipation est la désignation d'un *exécuteur testamentaire* qui, selon la volonté du patient, doit prendre des décisions à sa place. Dans ce cas, le patient peut formuler ses souhaits sur un grand nombre de problèmes. En tant que telle, cette procuration est une directive par

## Encadré 8-3
## Analyse de cas

Nous avons indiqué à l'encadré 8-2 les étapes à suivre lors de la prise de décisions d'ordre éthique. Voici maintenant un exemple concret.

M. G. âgé de 68 ans, est admis au service de médecine et de chirurgie à cause de vomissements et d'une douleur abdominale dont il souffre depuis un mois. Ses selles contiennent du sang depuis 48 heures. M. G. est un cadre supérieur à la retraite. Il vit actuellement avec sa femme. Ses trois enfants adultes ont quitté la maison familiale. Il dit que depuis qu'il a pris sa retraite, il joue au golf, fait du bénévolat à l'église et un peu de bricolage à la maison.

Un examen complet du tractus gastro-intestinal a révélé la présence d'une masse au niveau du côlon et un risque de perforation. On décide sans délai de pratiquer une intervention chirurgicale exploratrice. Avant l'intervention, le patient se montre très anxieux et dit à l'infirmière qu'il a peur. En plus, il lui dit: «J'espère qu'ils ne trouveront rien de grave, même si les chances sont faibles. Je ne sais pas quoi faire. Mon frère est mort à l'hôpital, il y a deux ans, et c'était horrible. Je ne veux pas mourir comme lui; il était branché à une multitude de machines et de tubes. Je ne voudrais pas que ma femme reste seule, mais j'hésite à lui en parler pour ne pas l'inquiéter. Je prie pour que tout aille bien. Heureusement, j'ai toujours cru en Dieu.»

L'intervention a relevé la présence d'un cancer avec métastases. En tant que mesure palliative, on a retiré la masse qui obstruait l'intestin et pratiqué une colostomie transverse. Cependant, il y a des risques élevés de septicémie au niveau de la perforation. M. G. est revenu de la salle de réveil. On lui a prescrit des liquides intraveineux, des antibiotiques et des narcotiques. Le médecin a ordonné «de ne pas le réanimer». L'infirmière a remis en question cet ordre, mais le médecin lui a répondu: «Il n'y a rien d'autre à faire dans son cas.»

### Collecte des données

1. S'agit-il ici d'une situation conflictuelle?
   Oui. Dans ce cas, un conflit existe entre les principes moraux du droit à l'autonomie, du respect de la personne, de la bienfaisance et du paternalisme.

2. Existe-t-il des conflits au niveau des procédés?
   Oui. Il y a un conflit au niveau des procédés entre le médecin et l'infirmière, car le patient n'a pas participé à la prise de décision.

### Planification

*Faits:* Cancer avancé avec métastases. Le médecin pense que la chimiothérapie est inutile étant donné que la maladie est avancée. Il prescrit donc les autres traitements du fait que «il n'y a rien d'autre à faire dans ce cas».

D'un point de vue juridique, le patient est capable de prendre des décisions.

Bien que l'infirmière ne soit pas en principe contre l'ordre de ne pas réanimer, elle s'inquiète du fait que le patient n'a pas été consulté. Elle pense que le médecin a porté un jugement de valeur en disant qu'il n'y avait rien d'autre à faire. Elle croit qu'il est absolument nécessaire de connaître les désirs de M. G., compte tenu de ses valeurs et de ses croyances. Même si elle croit que M. G. aurait été d'accord avec l'ordre du médecin, elle est d'avis qu'on aurait pu, en le consultant, mieux déterminer la quantité d'analgésique à lui administrer pour lui permettre de rester et de discuter de sa situation avec sa famille et les membres du clergé.

*Allégations morales*

*Médecin:* En maintenant l'ordre de ne pas réanimer, on agit dans l'intérêt du patient, car on lui évite des souffrances inutiles (solution 1).

*Infirmière:* Le patient et sa famille auraient dû participer au processus de prise de décisions (solution 2).

### Exécution

Les deux solutions du dilemme moral sont présentées ci-dessus sous forme d'allégations morales. On doit maintenant les analyser à la lumière de certains principes moraux universels.

*Solution 1:* Elle se base sur les principes du paternalisme et de la bienfaisance. Le médecin décide de ne pas tenir compte du droit à l'autonomie de M. G., essentiellement parce qu'il veut son bien et qu'il refuse de le faire souffrir davantage. Dans ce cas, dans le rapport entre l'effet bénéfique et l'effet nocif, l'effet nocif l'emporte, car il faudrait faire souffrir davantage M. G. pour qu'il puisse être capable de prendre une décision difficile, quand aucun autre traitement ne peux l'aider.

*Solution 2:* Cette allégation est fondée sur les principes du droit à l'autonomie, du respect de la personne et de la bienfaisance. L'Infirmière croit que M. G., en tant qu'adulte responsable, a le droit de prendre ses décisions. Selon le principe du respect de la personne, non seulement doit-on admettre que la personne a le droit de choisir, mais aussi qu'elle a le droit de faire son choix, libre de toute contrainte extérieure. En outre, l'infirmière croit que dans le rapport entre l'effet bénéfique et l'effet nocif, l'effet bénéfique l'emporte. Il est vrai qu'il serait plus avantageux que M. G. puisse participer à la prise de cette décision étant donné qu'il pourrait demander de l'aide au clergé et à sa famille. Enfin, l'infirmière peut justifier son allégation compte tenu du code de déontologie de l'Association des infirmières et infirmiers du Canada, à savoir: «L'infirmière doit respecter les valeurs et les besoins individuels du patient. Cette obligation se fonde sur le respect du patient et sur la reconnaissance du droit qu'il a de choisir et de contrôler les soins qu'on lui destine.» (AIIC, 1985) Par ailleurs, comme chaque patient est unique, on ne peut pas présumer que tous les patients réagiront de la même façon en apprenant leur diagnostic. Cette infirmière pense qu'on devrait donner tous les renseignements au patient et le laisser prendre ses propres décisions. Elle aura, quant à elle, la responsabilité d'évaluer les *réactions* du patient et de le réconforter.

### Évaluation

Nous avons proposé ici un dilemme moral difficile à résoudre. Certaines personnes pourraient dire qu'il n'y a qu'une seule solution valable (soit celle de faire participer le patient à la prise de la décision), du fait qu'il s'agit d'un adulte responsable. Toutefois, l'allégation du médecin, à savoir que le patient ne devrait pas souffrir davantage, est tout aussi valable, car elle se base sur des principes moraux

## *Encadré 8-3* (suite)

universels. Si le médecin ne s'était pas appuyé sur ces principes mais tout simplement sur l'idée qu'il n'y a rien d'autre à faire, son argument ne serait pas valable, car il se serait basé sur des valeurs et des croyances personnelles.

Toutefois, face à deux solutions ou à deux allégations morales également valables, on doit opter pour celle d'un ordre supérieur. Dans ce cas, les principes du droit à l'autonomie et du respect de la personne priment sur le principe du paternalisme. Bien que le principe de la bienfaisance soit considéré comme un principe moral élevé, dans ce cas, il a moins de poids que le droit à l'autonomie et le respect de la personne, étant donné que M. G. a toujours la

faculté de prendre des décisions. Par conséquent, la solution 2 serait la décision juste dans une perspective morale.

Étant donné qu'il n'est pas toujours facile de déterminer la solution la plus juste sur le plan de la morale, nous voulons souligner que les différents professionnels de la santé qui participent activement aux soins doivent toujours prendre ensemble ce type de décisions. Puisque les décisions d'ordre moral sont difficiles à prendre, chaque membre de l'équipe soignante devrait tenir compte des opinions de tous les autres et les respecter. Grâce au dialogue et en laissant de côté les préjugés, on pourra habituellement trouver ensemble la solution qui permettra d'agir dans l'intérêt du patient.

---

anticipation ayant plus de poids mais dont le rôle varie selon les juridictions de chaque province. Toutefois, même dans les provinces où ils ne sont pas officiellement reconnus, ces documents fournissent des renseignements très utiles. En effet, ils permettent aux professionnels de la santé de connaître les souhaits que le patient a formulés avant d'être dans une situation où il ne peut plus communiquer ses désirs.

Les infirmières ne doivent pas non plus oublier que le *comité d'éthique de l'établissement* peut les aider à résoudre certains dilemmes. Le rôle de ces comités peut varier d'un établissement à l'autre. Dans certains centres hospitaliers, le comité a comme seul mandat de mettre au point des règlements. Dans d'autres, son rôle est surtout didactique ou consultatif. Étant donné que les membres de ces comités ont habituellement une solide expérience dans le domaine de la prise de décisions d'ordre éthique, les infirmières ne devraient pas hésiter à les consulter, le cas échéant.

L'importance accrue qu'on accorde à la prise de décisions d'ordre éthique a donné lieu à la création de nombreux programmes de formation continue qui peuvent prendre la forme de petits séminaires ou d'ateliers, mais aussi de cours universitaires en bonne et due forme. Les infirmières peuvent se renseigner auprès des universités ou de leur association professionnelle sur les cours auxquels elles peuvent s'inscrire.

Enfin, durant la dernière décennie, on a publié de nombreux ouvrages sur l'éthique clinique. Dans les revues consacrées aux soins infirmiers, on trouve un grand nombre d'articles traitant de problèmes d'ordre éthique. De nombreux manuels portant également sur l'éthique clinique en général ou, plus particulièrement, sur l'éthique des soins infirmiers. Ces manuels constituent d'excellentes sources de référence pour les infirmières, car on y explique en détail les théories morales et les dilemmes auxquels elles sont confrontées dans leur pratique. L'American Nurses Association publie également des documents qui peuvent aider les infirmières dans ce domaine.

## RÉSUMÉ

L'étude de l'éthique est ardue, car il s'agit d'un sujet très complexe. Une fois qu'on a compris la terminologie et le cadre philosophique du problème, la prise de décisions d'ordre

éthique devient plus facile. Au fur et à mesure que l'éthique clinique évolue, les infirmières ont accès à un plus grand nombre de renseignements utiles. Grâce à ces renseignements, elles pourront mieux comprendre les problèmes d'ordre éthique et résoudre les dilemmes éthiques qui se présenteront à elles. Il est essentiel que les infirmières participent activement à la prise de décisions d'ordre éthique pour être le porte-parole du patient, un rôle essentiel qu'elles doivent jouer dans la pratique. Voir l'encadré 8-2, pour les diverses étapes du processus de prise de décisions éthiques.

## *Bibliographie*

### *Ouvrages*

#### *Éthique clinique*

American Hospital Association: Report of the Special Committee on Biomedical Ethics. Values in Conflict: Resolving Ethical Issues in Hospital Care. American Hospital Association, 1985.

Beauchamp T and Childress J. Principles of Biomedical Ethics, 3rd ed. New York, Oxford University Press, 1989.

Beauchamp T and Walters LR (eds). Contemporary Issues in Bioethics, 3rd ed. Belmont, CA, Wadsworth Publishing, 1989.

Callahan D. Setting Limits: Medical Goals in an Aging Society. New York, Simon and Schuster, 1987.

Cranford R and Doudera AE (eds). Institutional Ethics Committees and Health Care Decision Making. Ann Arbor, MI, Health Administration Press, 1984.

Doudera AE and Peters JD (eds). Legal and Ethical Aspects of Treating Critically Ill Patients. Ann Arbor, MI, Aupha Press, 1982.

Engelhardt HT. The Foundations of Bioethics. New York, Oxford University Press, 1986.

Fletcher J, Quist N, and Jonsen A. Ethics Consultation in Health Care. Ann Arbor, MI, Health Administration Press, 1989.

Frankena W. Ethics, 2nd ed. Englewood Cliffs, NJ, Prentice-Hall, 1973.

Friedman E (ed). Making Choices: Ethical Issues for Health Care Professionals. American Hospital Publishing, 1986.

Gert B. Morality: A New Justification of the Moral Rules. New York, Oxford University Press, 1988.

Kant I. Grounding for the metaphysics of morals. In Ellington JW (trans). Kant's Ethical Philosophy. Indianapolis, IN, Hackett Publishing, 1983. (Original work published 1785)

Lynn J (ed). By No Extraordinary Means: The Choice to Forego Life-Sustaining Food and Water. Bloomington, IN, Indiana University Press, 1986.

MacIntyre A. After Virtue. Notre Dame, IN, Notre Dame Press, 1984.

Macklin R. Mortal Choices: Ethical Dilemmas in Modern Medicine. Boston, Houghton Mifflin, 1987.

Mill JS. Utilitarianism. In Reiser S, Dyck A, and Curran W (eds). Ethics in Medicine: Historical Perspectives and Contemporary Concerns. Cambridge, MA, MIT Press, 1871/1977.

Office of Technology Assessment: U.S. Congress. Life-Sustaining Technologies and the Elderly. Washington, DC, U.S. Government Printing Office, 1987.

Pellegrino E and Thomasma D. For the Patient's Good: The Restoration of Beneficence in Health Care. New York, Oxford University Press, 1988.

President's Commission for the Study of Ethical Problems in Medicine and Biomedical and Behavioral Research. Deciding to Forego Life-Sustaining Treatment. Washington, DC, U.S. Government Printing Office, 1983.

President's Commission for the Study of Ethical Problems in Medicine and Biomedical and Behavioral Research. Making Health Care Decisions, Vol 1: Report. Washington, DC, U.S. Government Printing Office, 1983.

President's Commission for the Study of Ethical Problems in Medicine and Biomedical and Behavioral Research. Securing Access to Health Care, Vol 1: Report. Washington, DC, U.S. Government Printing Office, 1983.

Reich W. Encyclopedia of Bioethics. New York, Free Press, 1978.

Ross WD. The Right and the Good. Oxford, Clarendon Press, 1930.

Stout J. Ethics After Babel: The Languages of Morals and Their Discontents. Boston, Beacon Press, 1988.

The Hastings Center. Guidelines on the Termination of Life-Sustaining Treatment and the Care of the Dying. New York, The Hastings Center, 1987.

Veatch R. A Theory of Medical Ethics. New York, Basic Books, 1981.

Weir R. Abating Treatment with Critically Ill Patients. New York, Oxford University Press, 1989.

Wong C and Swazey J (eds). Dilemmas of Dying: Policies and Procedures Not to Treat. Boston, GK Hall Medical Publishers, 1981.

### Morale

Belenky M, Clinchy B, Goldberger N, and Tarule J. Women's Ways of Knowing. New York, Basic Books, 1986.

Brabeck M (ed). Who Cares? Theory, Research, and Educational Implications of the Ethic of Care. New York, Praeger, 1989.

Gilligan C. In a Different Voice: Psychological Theory and Women's Development. Cambridge, MA, Harvard University Press, 1982.

Gilligan C, Ward J, and Taylor J (eds). Mapping the Moral Domain. Cambridge, MA, Harvard University Press, 1988.

Ketefian S. Moral Reasoning and Ethical Practice in Nursing: An Integrative Review. New York, National League for Nursing, 1988.

Kittay E and Meyers D (eds). Women and Moral Theory. Rowman & Littlefield Publishers, 1987.

Kohlberg L. Essays on Moral Development, Vol 1: The Philosophy of Moral Development. San Francisco, Harper & Row, 1981.

Kohlberg L. Essays on Moral Development, Vol 2: The Psychology of Moral Development. San Francisco, Harper & Row, 1984.

Noddings N. Caring: A Feminine Approach to Ethics & Moral Education. Berkeley, CA, University of California Press, 1984.

Rest J. Moral Development: Advances in Research and Theory. New York, Praeger, 1986.

### Éthique des soins infirmiers

American Nurses Association. Nursing: A Social Policy Statement. Kansas City, MO, American Nurses Association, 1980.

American Nurses Association. Ethics in Nursing Practice and Education. Kansas City, MO, American Nurses Association, 1980

American Nurses Association. Ethics References for Nurses. Kansas City, MO, American Nurses Association, 1982.

American Nurses Association. Code for Nurses with Interpretive Statements. Kansas City, MO. American Nurses Association, 1985.

American Nurses Association. Ethical Dilemmas Confronting Nurses. Kansas City, MO, American Nurses Association, 1985.

American Nurses Association. Ethics in Nursing: Position Statements and Guidelines. Kansas City, MO, American Nurses Association, 1988.

Bandman E and Bandman B. Nursing Ethics in the Life Span. Norwalk, CT, Appleton–Century–Crofts, 1985.

Benjamin M and Curtis J. Ethics in Nursing. New York, Oxford University Press, 1981.

Benner P and Wrubel J. The Primacy of Caring: Stress and Coping in Health and Illness. Menlo Park, CA, Addison-Wesley Publishing, 1989.

Curtin L and Flaherty J. Nursing Ethics: Theories and Pragmatics. Bowie, MD, Robert J Brady, 1982.

Davis A and Aroskar M. Ethical Dilemmas and Nursing Practice. New York, Appleton–Century–Crofts, 1978.

Fowler M and Levine-Ariff J. Ethics at the Bedside. Philadelphia, JB Lippincott, 1987.

Jameton A. Nursing Practice: The Ethical Issues. Englewood Cliffs, NJ, Prentice-Hall, 1984.

Ketefian S. Moral Reasoning and Ethical Practice in Nursing: An Integrative Review. New York, National League for Nursing, 1988.

* Leininger M. The phenomenon of caring: Importance, research questions and theoretical considerations. In Leininger M (ed). Caring: An Essential Human Need. Detroit, Wayne State University Press, 1988.

Murphy C. The moral situation in nursing. In Bandman E and Bandman B (eds). Bioethics and Human Rights. Boston, Little, Brown, and Co, 1978.

Murphy C and Hunter H. Ethical Problems in the Nurse–Patient Relationship. Boston, Allyn and Bacon, 1983.

Paterson J and Zderad L. Humanistic Nursing. New York, National League for Nursing, 1988.

Pence T. Ethics in Nursing: An Annotated Bibliography. New York, National League for Nursing, 1983.

Thompson J and Thompson H. Bioethical Decision Making for Nurses. Norwalk, CT, Appleton–Century–Crofts, 1985.

Veatch R and Fry S. Case Studies in Nursing Ethics. Philadelphia, JB Lippincott, 1987.

Watson J. Nursing: Human Science and Human Care. New York, National League for Nursing, 1988.

### Revues

*Les articles de recherche en sciences infirmières sont marqués d'un astérisque.*

Annas G. Do feeding tubes have more rights than patients? The Hastings Center Report 1986 Feb; 16(1):26–28.

Aroskar M. Anatomy of an ethical dilemma: The theory. Am J Nurs 1980 Apr; 80(4):658–660.

Bedell S and Delbanco J. Survival after cardiopulmonary resuscitation in the hospital. N Engl J Med 1983 Sep; 309(10):569–575.

Bedell S and Delbanco J. Choices about cardiopulmonary resuscitation in the hospital. N Engl J Med 1984 Apr; 310(17):1089–1093.

Brennan T. Do-not-resuscitate orders for the incompetent patient in the absence of family consent. Law, Medicine & Health Care 1986; 14(1):13–19.

Cassel C. Care of the dying: The limits of law, the limits of ethics. Law, Medicine & Health Care 1989 Fall; 17(3):232–233.

* Cassells J and Redman B. Preparing students to be moral agents in clinical nursing practice: Report of a National Study. Nurs Clin North Am 1989 Jun; 24(2):463–473.

* Crisham P. Measuring moral judgment in nursing dilemmas. Nurs Res 1981 Mar/Apr; 30(2):104–110.

Crowley M. Feminist pedagogy: Nurturing the ethical ideal. Adv Nurs Sci 1989 Apr; 11(3):53–61.

Cunningham N and Hutchinson S. Myths in health care ethics. Image: Journal of Nursing Scholarship 1990 winter; 22(4):235–238.

Davis A. Ethics rounds with intensive care nurses. Nurs Clin North Am 1979 Mar; 14(1):45–55.

Davis A. Helping your staff address ethical dilemmas. J Nurs Adm 1982 Feb; 12(2):9–13.

* Davis A. Clinical nurses' ethical decision making in situations of informed consent. Adv Nurs Sci 1989 Apr; 11(3):63–69.

Davis A. New developments in international nursing ethics. Nurs Clin North Am 1989 Jun; 24(2):571–577.

Donovan C. Toward a nursing ethics program in an acute care setting. Top Clin Nurs 1983 Oct; 5(3):55–62.

Ellison P and Walwork E. Withdrawing mechanical support from the brain-damaged neonate. Dimens Crit Care Nurs 1986 Sep/Oct; 5(5):284–293.

Engelhardt HT and Rie MA. Intensive care units, scarce resources, and conflicting principles of justice. JAMA 1986 Mar 7; 255(9):1159–1164.

Evans R. Health care technology and the inevitability of resource allocation and rationing decisions: Part 1. JAMA 1983 Apr 15; 249(15):2047–2052.

Evans R. Health care technology and the inevitability of resource allocation and rationing decisions: Part 2. JAMA 1983 Apr 22; 249(16):2208–2219.

Gadow S. Clinical subjectivity: Advocacy with silent patients. Nurs Clin North Am 1989 Jun; 24(2):535–541.

* Gaul A. Ethics content in baccalaureate degree curricula: Clarifying the issues. Nurs Clin North Am 1989 Jun; 24(2):475–483.

Grady C. Ethical issues in providing nursing care to human immunodeficiency virus–infected populations. Nurs Clin North Am 1989 Jun; 24(2):523–534.

* Jameton A and Fowler M. Ethical inquiry and the concept of research. Adv Nurs Sci 1989 Apr; 11(3):11–24.

* Ketefian S. Critical thinking, educational preparation, and development of moral judgment among selected groups of practicing nurses. Nurs Res 1981 Mar/Apr; 30(2):98–103.

* Ketefian S. Moral reasoning and moral behavior among selected groups of practicing nurses. Nurs Res 1981 May/Jun; 30(3):171–176.

Ketefian S. Moral reasoning and ethical practice in nursing: Measurement issues. Nurs Clin North Am 1989 Jun; 24(2):509–521.

Knox L. Ethical issues in nutritional support nursing: Withholding and withdrawing nutritional support. Nurs Clin North Am 1989 Jun; 24(2):427–436.

Levine M. Nursing ethics and the ethical nurse. Am J Nurs 1977 May; 77(5):845–847.

Lumpp Sister F. The role of the nurse in the bioethical decision-making process. Nurs Clin North Am 1979 Mar; 14(1):13–21.

Micetich K, Steinecker P, Thomasma D. Are intravenous fluids morally required for a dying patient? Arch Intern Med 1983 May; 143:975–978.

Miller T. Do-not-resuscitate orders: Public policy and patient autonomy. Law, Medicine & Health Care 1989 Fall; 17(3):245–255.

Mitchell C. Code gray: Ethical dilemmas in nursing. Nurs Life 1986 Jan/Feb; 6(1):18–23.

Mitchell C. Ethical dilemmas in nursing: Part 2. Nurs Life 1986 Mar/Apr; 6(2):26–30.

Murphy P. The role of the nurse on hospital ethics committees. Nurs Clin North Am 1989 Jun; 24(2):551–556.

Omery A. Values, moral reasoning and ethics. Nurs Clin North Am 1989 Jun; 24(2):499–508.

Paris J and Reardon F. Court responses to withholding or withdrawing artificial nutrition and fluids. JAMA 1985 Apr 19; 253(15):2243–2245.

Parker RS. Measuring nurses' moral judgments. Image: Journal of Nursing Scholarships 1990 winter; 22(4):213–218.

Rabkin M, Gillerman G, and Rice N. Orders not to resuscitate. N Engl J Med 1976 Aug; 295(7):364–366.

Reed P. Nursing theorizing as an ethical endeavor. Adv Nurs Sci 1989 Apr; 11(3):1–9.

Salladay S and McDonnell Sr. M. Spiritual care, ethical choices, and patient advocacy. Nurs Clin North Am 1989 Jun; 24(2):543–549.

Smith S and Davis A. Ethical dilemmas: Conflicts among rights, duties and obligations. Am J Nurs 1980 Aug; 80(8):1463–1466.

Suber D and Tabor W. Withholding of life-sustaining treatment from the terminally ill, incompetent patient: Who decides? Part 2. JAMA 1982 Nov 19; 248(19):2431–2432.

Swartz M. The patient who refuses medical treatment: A dilemma for hospitals and physicians. Am J Law Med 1985; 11(2):147–194.

Symposium of Bioethical Issues in Nursing. Nurs Clin North Am 1979 Mar; 14:1–91.

Theis EC. Ethical issues: A nursing perspective. N Engl J Med 1986 Nov 6; 315(19):1222–1224.

Twomey J. Analysis of the claim to distinct nursing ethics: Normative and nonnormative approaches. Adv Nurs Sci 1989 Apr; 11(3):25–32.

Wise CT. Understanding advance directives. Virginia Nurse 1991 Spring; 59(1):8–11.

Wurzbach ME. The dilemma of withholding or withdrawing nutrition. Image: Journal of Nursing Scholarship 1990 winter; 22(4):226–230.

Yarling R. Ethical analysis of a nursing problem: Part 1. Supervisor Nurse 1978 May; 9:40–50.

Yarling R. Ethical analysis of a nursing problem: Part 2. Supervisor Nurse 1978 Jun; 9:28–34.

Yarling R and McElmurry B. Rethinking the nurse's role in "do not resuscitate" orders: A clinical policy proposal in nursing ethics. Adv Nurs Sci 1983 Jul; 5(4):1–12.

Yeo M. Integration of nursing theory and nursing ethics. Adv Nurs Sci 1989 Apr; 11(3):33–42.

# 9
# PROMOTION DE LA SANTÉ

## OBJECTIFS D'APPRENTISSAGE

*Après avoir étudié ce chapitre, vous devriez être en mesure de réaliser ce qui suit:*

1. *Définir les notions de santé, de bien-être et de promotion de la santé.*

2. *Décrire les principes de promotion de la santé suivants: responsabilité personnelle, alimentation, lutte contre le stress et activité physique.*

3. *Déterminer les variables qui influent sur les activités de promotion de la santé chez les enfants, les jeunes, les adultes d'âge moyen et les personnes âgées.*

4. *Décrire le rôle de l'infirmière dans la promotion de la santé.*

Ces dernières années, les activités de promotion de la santé ont pris un véritable essor. Les professionnels de la santé dont le seul but était, par le passé, de guérir la maladie se tournent maintenant vers la prévention et accordent une attention considérable à l'amélioration de l'état par le biais de la modification du mode de vie et des facteurs qui prédisposent aux maladies.

La notion de promotion de la santé découle de la nouvelle définition donnée à la santé et va de pair avec la tendance actuelle de placer le bien-être sur un continuum ayant à l'une de ses extrémités la mort et, à l'autre, un niveau optimal de santé. La santé n'est plus l'absence totale de maladie et on ne la définit plus en fonction de la qualité du fonctionnement physiologique. Aujourd'hui, lorsqu'on parle de *santé,* on pense au fonctionnement physique, psychologique, affectif, social et spirituel qui permet à l'être humain d'assumer ses rôles et ses responsabilités et de se réaliser dans un grand nombre de domaines. La santé est, de nos jours, un état dynamique qui change sans cesse et qu'on mesure d'après la capacité de la personne d'utiliser ses facultés et ses habiletés de façon à réaliser son plein potentiel à chaque instant de son existence. La personne dont l'état de santé est optimal réussit à réaliser son plein potentiel sans égard à l'invalidité dont elle peut souffrir.

La notion de bien-être découle de cette définition de la santé. En effet, la quête du *bien-être,* qui comporte plusieurs degrés, est une démarche délibérée et consciente dont le but est d'atteindre un niveau optimal de santé. On ne peut acquérir le bien-être sans s'engager dans un processus qu'il faut planifier soigneusement. Pour atteindre le degré le plus élevé de santé possible, il faut adopter certains comportements et un certain mode de vie. Cependant, le bien-être est une expérience individuelle. En effet, la personne souffrant d'une maladie chronique ou d'une quelconque invalidité peut atteindre un niveau de bien-être analogue ou même supérieur à celui d'une personne en parfaite santé physique, car, encore une fois, le bien-être équivaut à la réalisation du plein potentiel de l'individu à l'intérieur de certaines limites sur lesquelles il n'a aucune emprise.

Un grand nombre de recherches ont montré que nos actes influencent notre état de santé. Les maladies chroniques, comme les maladies cardiovasculaires, les cancers du poumon et du côlon, la bronchopneumopathie chronique obstructive, l'hypertension, la cirrhose, l'ulcère gastroduodénal et les infections par le virus de l'immunodéficience humaine [VIH] sont étroitement liées à certaines habitudes de vie. En somme, l'état de santé d'une personne reflète en grande partie son mode de vie.

**TABLEAU 9-1.** *Plan d'ensemble pour la promotion de la santé*

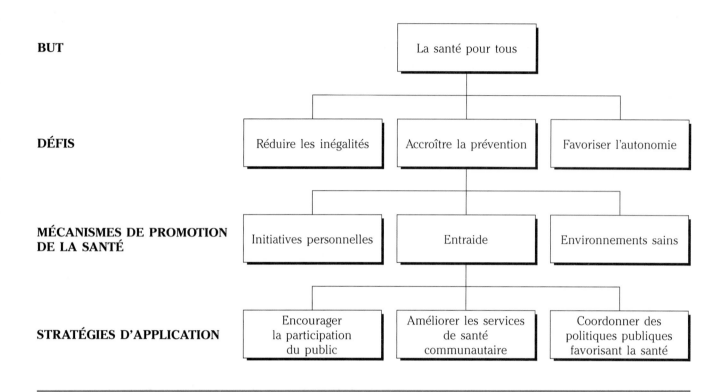

En 1986, le ministre de la Santé et du Bien-être social du Canada a publié un plan d'ensemble pour promouvoir la santé des Canadiens (voir le tableau 9.1), «La santé pour tous: Plan d'ensemble pour la promotion de la santé.» Ce plan proposait «une façon d'aider les Canadiens à faire face aux nouveaux défis en matière de santé». On utilise officiellement l'expression *promotion de la santé* qui prend souvent le sens du terme évolution.

La promotion de la santé est vue comme une démarche visant à compléter et à renforcer l'infrastructure sanitaire existante.

Le tableau 9.1 illustre le but, les défis, les mécanismes de promotion de la santé et les stratégies d'application du plan d'ensemble pour la promotion de la santé.

En 1985, une enquête a été réalisée auprès de «ménages» canadiens. Elle portait sur de grands thèmes touchant les comportements, les attitudes et les connaissances en matière de santé. Cette étude a fourni des données utilisables par les planificateurs pour le *Plan d'ensemble pour la promotion de la santé,* mis sur pied en 1986. L'enquête, reprise en 1990, portait aussi sur quelques nouveaux sujets. Parmi les sujets abordés, on trouve l'état de santé, la santé au travail, l'environnement, la santé sexuelle et la prévention des MTS, l'exercice, etc.

Les principaux résultats ont été publiés et on peut se les procurer en appelant Santé et Bien-être social Canada (Enquête sur la santé au Canada, 1990 — rapport technique, 1993).

# DÉFINITION DE LA PROMOTION DE LA SANTÉ

Les activités de *promotion de la santé* sont celles qui, se basant sur les comportements positifs, aident la personne à cultiver les ressources qui lui permettent de maintenir ou d'améliorer son bien-être et sa qualité de vie. Il s'agit des activités dans lesquelles s'engage la personne qui ne souffre d'aucun symptôme pour se maintenir en santé sans recourir à l'aide d'un membre de l'équipe soignante. La promotion de la santé se fonde sur le bien-être potentiel de l'individu. Son but est de l'encourager à modifier ses habitudes, son mode de vie et son environnement de façon à améliorer sa santé et son bien-être. Il s'agit d'un processus actif, qui ne peut être ni prescrit ni dicté. Chaque personne doit, par conséquent, décider des changements qu'elle est prête à adopter pour améliorer son état de santé et atteindre un niveau plus élevé de bien-être en faisant certains choix délibérés.

Pour faciliter le processus de promotion de la santé, on a mis au point toute une gamme d'outils d'évaluation de l'état de la personne. En règle générale, on les utilise pour recueillir des renseignements sur ses pratiques d'hygiène et sur son mode de vie ainsi que certaines données connexes telles que son âge, son sexe et sa race ainsi que ses antécédents médicaux et familiaux. Ces renseignements servent à déterminer les forces et les faiblesses de son mode de vie et de ses pratiques d'hygiène. Par la suite, grâce à ces données, on peut plus facilement la conseiller dans le choix des comportements qu'elle doit adopter pour se maintenir en santé.

On a tant parlé de santé, de bien-être et de promotion de la santé dans les ouvrages de vulgarisation, les bulletins de nouvelles et les revues spécialisées que, en réaction à cette avalanche d'informations, le public s'est mis en quête de renseignements sur la santé. Les professionnels de la santé et les établissements sociosanitaires se sont empressés de répondre à cette demande. Au départ, les programmes de promotion de la santé n'étaient offerts que dans les centres hospitaliers, mais maintenant ils sont implantés en milieu communautaire (par exemple, écoles, églises, bureaux et usines). Le lieu de travail est d'ailleurs rapidement devenu un milieu propice de diffusion de tels programmes, car les employeurs se sont aperçus qu'ils peuvent réduire, grâce à eux, les dépenses associées à l'absentéisme, à l'hospitalisation, à l'invalidité, au roulement excessif de personnel et à la mort prématurée.

# PRINCIPES DE PROMOTION DE LA SANTÉ

La promotion de la santé est un processus actif qui s'appuie sur les principes de responsabilité personnelle, d'alimentation, de lutte contre le stress et d'activité physique.

## RESPONSABILITÉ PERSONNELLE

Aucun programme de promotion de la santé ne peut donner des résultats si les participants n'assument pas pleinement leur responsabilité, c'est-à-dire s'ils n'ont pas pleine conscience du fait qu'ils sont, eux seuls, responsables de leur vie et de leur bien-être. En effet, seul l'individu peut choisir un mode de vie qui lui permettra de se maintenir en santé. De plus en plus de gens reconnaissent l'influence considérable du mode de vie sur la santé et évitent les comportements qui les exposent à des risques élevés, tels que le tabagisme, l'alcoolisme, la toxicomanie, la suralimentation, la conduite en état d'ébriété, les pratiques sexuelles à risque et tout autre comportement nocif. Ils assument par conséquent la responsabilité de choisir des comportements qui favorisent la santé, tels que la pratique régulière d'activités physiques, le port de la ceinture de sécurité et l'observance d'un régime alimentaire équilibré.

Pour encourager le public à accepter la responsabilité de prendre en charge sa propre santé, on a utilisé toute une gamme de techniques qui vont des programmes didactiques en bonne et due forme aux simples méthodes de récompense et aux contrats personnels. Selon les études, aucune technique n'est supérieure aux autres. Il semble plutôt que la responsabilité en matière de santé que chaque personne est prête à assumer dépend de sa volonté et de ses motivations profondes. Les programmes de promotion de la santé sont des outils importants qui encouragent les gens à assumer la responsabilité de leur santé et à adopter des comportements ayant sur elle un effet positif.

## ALIMENTATION

On a plus parlé de l'alimentation que de tout autre principe de promotion de la santé. D'innombrables ouvrages et articles traitent de sujets tels les régimes alimentaires spéciaux, les aliments naturels et certaines substances nocives, par exemple, le sucre, le sel, le cholestérol et les additifs alimentaires. On admet généralement qu'une alimentation équilibrée est essentielle à la santé.

Pour adhérer au principe de l'alimentation équilibrée, il faut comprendre son importance et le lien entre l'alimentation inadéquate et la maladie. Il faut aussi suivre un régime alimentaire qui fournit tous les éléments nutritifs essentiels provenant d'aliments naturels plutôt que d'aliments fabriqués et raffinés et réduire la consommation de sucre, de sel, de matières grasses, de caféine, d'alcool, d'additifs alimentaires et de produits de conservation.

Au chapitre 7, «Examen physique et bilan nutritionnel», nous donnons des renseignements détaillés à ce propos, expliquons les signes physiques qui traduisent l'état nutritionnel et parlons de mesures anthropométriques, de méthodes d'évaluation de l'alimentation, des quatre principaux groupes d'aliments, des rations quotidiennes recommandées et du poids santé.

## LUTTE CONTRE LE STRESS

La lutte contre le stress est un élément majeur de la promotion de la santé, car les études ont montré les effets délétères du stress sur la santé et la relation de cause à effet entre le stress et les maladies infectieuses, les accidents de la route et certaines maladies chroniques. Le stress est inhérent au mode de vie nord américain et l'un des fléaux de notre société urbaine «high tech» où l'on s'impose sans cesse un rendement excessif. C'est la raison pour laquelle on déploie de plus en plus d'efforts pour encourager la population à combattre le stress qui entrave le rendement. Les programmes de promotion de la santé axés sur la gestion du stress englobent souvent l'apprentissage de techniques de relaxation, le conditionnement physique et la modification des facteurs qui génèrent le stress. Au chapitre 9, «Stress et adaptation», nous donnons de plus amples renseignements sur la gestion du stress, notamment l'évaluation des facteurs de risque élevé, et présentons les techniques qui permettent de combattre le stress telles que la relaxation profonde et l'imagerie mentale.

## ACTIVITÉ PHYSIQUE

L'activité physique fait également partie des principes de base de la promotion de la santé. Le lien entre la santé et la bonne condition physique a fait l'objet d'un grand nombre de recherches qui ont démontré qu'un programme régulier d'exercices peut favoriser la santé dans la mesure où l'activité physique améliore le fonctionnement des appareils circulatoire et respiratoire, diminue les taux de cholestérol et les lipoprotéines de basse densité, favorise la perte de poids en augmentant la dépense énergétique, retarde l'apparition de l'ostéoporose et améliore la souplesse, la force musculaire globale et l'endurance. Malgré tous ces avantages, l'activité physique peut être dangereuse si l'on ne s'y engage pas graduellement en augmentant lentement l'intensité. Tout programme d'exercices devrait être personnalisé en fonction de l'âge, de l'état physique et des facteurs de risque cardiovasculaire connus. Un programme d'exercices approprié peut avoir une influence considérable sur le rendement, l'aspect physique et l'état général de la personne.

# PROMOTION DE LA SANTÉ : PROCESSUS DE TOUTE UNE VIE

La promotion de la santé s'adresse à tous les groupes d'âges et doit être poursuivie tout au long de la vie. Les études ont montré que les pratiques d'hygiène de la mère pendant la grossesse peuvent avoir une influence positive ou négative sur la santé de son enfant. Par conséquent, la promotion de la santé doit être abordée en période prénatale et poursuivie tout au long de l'enfance, de l'âge adulte et du troisième âge.

## ENFANTS

Pendant de nombreuses années, le dépistage a été un aspect important de la médecine pédiatrique, car on pensait qu'il suffisait de dépister les troubles de santé en bas âge et de les soigner aussitôt pour améliorer l'état de santé de l'enfant. De nos jours, la promotion de la santé va beaucoup plus loin. En effet, elle ne se limite pas au simple dépistage mais vise par-dessus tout la promotion d'une bonne hygiène de vie à partir de la prime enfance. Étant donné qu'on se forme des habitudes de santé et qu'on adopte des pratiques d'hygiène durant les premières années de la vie, les enfants sont beaucoup plus réceptifs aux attitudes positives à l'égard de la santé qu'à l'âge adulte. C'est pourquoi de plus en plus de programmes sont destinés aux enfants d'âge scolaire dans le but de les inciter à adopter de bonnes pratiques d'hygiène. Mais, au lieu de s'attacher aux conséquences négatives de pratiques telles que le tabagisme, les activités sexuelles à risque, l'alcoolisme, la toxicomanie et la mauvaise alimentation, on souligne l'importance d'acquérir des valeurs positives, de bâtir l'estime de soi et d'adopter une bonne hygiène de vie. Les programmes sont conçus de façon à plaire à ce groupe d'âge en particulier et de rendre l'apprentissage enrichissant, amusant et intéressant.

## JEUNES ET ADULTES D'ÂGE MOYEN

Chez les jeunes et les adultes d'âge moyen, la promotion de la santé devrait jouer un rôle plus important que chez les autres groupes d'âges, car, dans l'ensemble, ces personnes s'intéressent aux problèmes de santé et d'hygiène. D'ailleurs, ce groupe a réagi positivement aux études portant sur l'influence des habitudes de vie sur la santé. Les personnes très motivées n'ont pas nécessairement besoin de se faire aider à modifier leur mode de vie dans le but d'améliorer leur santé et leur bien-être. Toutefois, de plus en plus d'adultes souhaitant améliorer leur santé ont recours à des programmes de promotion de la santé qui les aident à apporter les modifications voulues

à leur mode de vie, tels les programmes axés sur l'acquisition du bien-être général, l'abandon de la cigarette, l'exercice, le conditionnement physique, la réduction du poids et la lutte contre le stress. Par ailleurs, étant donné l'importance accordée à la santé durant les années où les adultes sont en âge de procréer, les jeunes s'intéressent de plus en plus à des programmes qui traitent de la santé prénatale, du rôle parental, de la planification des naissances et des problèmes de santé de la femme. Les adultes d'âge moyen, quant à eux, s'intéressent également aux programmes de dépistage, comme le dépistage du cancer, de l'hypertension, du diabète et des troubles auditifs. Les programmes destinés aux personnes souffrant de certaines maladies chroniques, telles que le cancer, le diabète, les maladies cardiovasculaires et les maladies pulmonaires, sont également très recherchés. Il est de plus en plus évident que la maladie chronique n'interdit pas à quiconque d'être bien portant et de ressentir un niveau élevé de bien-être. Tout au contraire, malgré les limites imposées par une maladie chronique, on peut atteindre un niveau optimal de santé si l'on adopte une attitude positive et de bonnes pratiques d'hygiène.

Toutefois, la motivation personnelle, à elle seule, n'étant pas toujours suffisante, on implante en divers milieux des programmes de promotion de la santé. Souvent, après une journée de travail, les adultes se montreront peu empressés de se rendre à un endroit éloigné et d'accès difficile pour faire de l'exercice, apprendre des notions d'hygiène ou essayer d'arrêter de fumer. C'est la raison pour laquelle on a facilité l'accès aux programmes de promotion de la santé. Même si une vaste gamme de programmes sont encore offerts dans les centres hospitaliers des grandes villes seulement, les centres communautaires dispensent un grand nombre de cours dans les écoles élémentaires, les écoles secondaires, les cégeps, les centres de loisirs et les églises. Par ailleurs, des manifestations à visée sanitaire sont souvent organisées dans des salles municipales et centres commerciaux. Grâce à la volonté de rendre accessibles à la population les programmes de promotion de la santé, on a pu satisfaire les besoins en la matière de beaucoup d'adultes qui, autrement, n'auraient pas pu adopter un mode de vie plus sain.

La promotion de la santé a également fait son entrée dans les bureaux et les usines. En effet, les employeurs se préoccupent de plus en plus des dépenses élevées entraînées par le traitement de maladies liées aux habitudes de vie. Ils se préoccupent également de l'absentéisme accru et, par voie de conséquence, de la perte de productivité. C'est pourquoi plusieurs entreprises implantent des programmes de promotion de la santé sur les lieux de travail. Certaines entreprises engagent des spécialistes chargés d'élaborer et de mettre sur pied des programmes de promotion de la santé sur mesure, tandis que d'autres utilisent des programmes préparés d'avance par des établissements de santé ou par des entreprises privées spécialisées dans ce domaine. Habituellement, les programmes offerts dans les entreprises sont axés sur le dépistage, le counseling, le conditionnement physique, la sensibilisation à une alimentation équilibrée, la sécurité au travail et le combat du stress. Par ailleurs, on déploie des efforts pour promouvoir un milieu de travail sain et sans dangers. Plusieurs entreprises d'envergure possèdent des installations sportives et offrent également des programmes de promotion de la santé aux employés à la retraite. Si tous ces programmes se révèlent profitables, c'est-à-dire s'ils permettent réellement de réduire les dépenses liées aux problèmes de santé, les employeurs considéreront qu'ils ont judicieusement investi leur argent et ce fait incitera un plus grand nombre d'entreprises à offrir des programmes de promotion de la santé dans le cadre des avantages sociaux consentis aux employés.

## PERSONNES ÂGÉES

La promotion de la santé est tout aussi importante chez les personnes âgées que chez les autres groupes d'âges. Malgré le fait que 80 % des personnes de plus de 65 ans souffrent d'au moins une maladie chronique et qu'environ 50 % de la population âgée est limitée dans ses activités, les personnes âgées forment un groupe qui peut tirer un grand profit des programmes de promotion de la santé. En effet, les études ont montré que les personnes âgées sont très soucieuses de leur santé et que la plupart d'entre elles ont à cet égard une attitude positive et désirent prendre des mesures pour améliorer leur santé et leur bien-être. Bien qu'il soit impossible d'éliminer les maladies chroniques et l'invalidité, les personnes âgées peuvent tirer profit des activités qui les aideront à atteindre un niveau optimal de santé.

Les programmes de promotion de la santé destinés aux personnes âgées sont analogues à ceux destinés aux autres groupes d'âges, soit des programmes axés sur le conditionnement physique et l'exercice, l'alimentation, la sécurité et la lutte contre le stress. Bien qu'au départ, les personnes âgées aient hésité plus que les jeunes à s'engager dans des programmes d'exercice et de conditionnement physique, actuellement, elles sont de plus en plus nombreuses à y participer. Les études ont montré que plus de 50 % des personnes de plus de 65 ans ne font pas d'exercice de façon régulière. Toutefois, ce taux diminue graduellement puisque les personnes âgées sont plus sensibilisées aux avantages des activités physiques, soit l'amélioration de la fonction cardiopulmonaire, la perte de poids et l'augmentation de la force musculaire, de l'endurance et de la souplesse. Les programmes d'exercices destinés aux personnes âgées, à l'instar de tous les autres, dépendent des capacités physiques individuelles. Il faut commencer à s'entraîner lentement et, souvent, suivre les recommandations du médecin. Il existe même des programmes destinés aux personnes âgées obligées de se déplacer en fauteuil roulant ou de garder le lit.

Chez la personne âgée, une alimentation appropriée est primordiale, car les carences sont fréquentes et prédisposent à la dépression, à la confusion, aux céphalées, à la fatigue et à l'irritabilité. Aussi, un counseling en matière d'alimentation est essentiel non seulement pour la renseigner à propos de l'alimentation équilibrée, mais aussi pour lui expliquer les aliments qu'elle doit éviter. Il faut tenir compte à cet égard de certains facteurs physiologiques tels que l'altération du goût ou de l'odorat et les problèmes dentaires. On peut parfois remédier aux problèmes de carences par le simple ajustement des prothèses dentaires. Il faut également tenir compte, chez la personne âgée comme chez tout le monde, de variables psychosociales telles que les revenus, la culture et les habitudes alimentaires.

Dans le cadre de la promotion de la santé, la promotion de la sécurité est tout aussi importante, sinon plus. En effet, les personnes âgées sont particulièrement exposées aux blessures par suite de chutes et d'accidents d'automobile. Dans de nombreux cas, les chutes pourraient être évitées si le milieu physique était modifié et si la personne âgée avait à domicile certains dispositifs de sécurité. Les personnes âgées devraient savoir que leur acuité visuelle est réduite la nuit parce que l'oeil est moins capable de s'adapter à l'obscurité. Les veilleuses gardées allumées et l'interdiction de conduire quand la visibilité est réduite ne sont que quelques exemples de mesures de protection contre les accidents. Il est également important d'inciter les personnes âgées à boucler leur ceinture de sécurité, et promouvoir le bon usage des médicaments, car dans ce groupe d'âge la consommation est considérable. Souvent, les personnes âgées ne respectent pas l'ordonnance du médecin et ajoutent aux médicaments sur ordonnance des médicaments en vente libre. Ainsi, les programmes communautaires de promotion de la santé chez les personnes âgées commencent à s'attacher aux divers aspects de la sécurité particulièrement importants chez ce groupe d'âge.

Enfin, les techniques de lutte contre le stress ne devraient pas être réservées aux plus jeunes, car le stress provoque tout autant de problèmes chez les personnes âgées. En effet, ces dernières subissent de fortes tensions engendrées par la mise à la retraite, le manque d'argent, les problèmes de santé, les déménagements forcés, la perte du conjoint, le sentiment d'impuissance et le désespoir. Pour diminuer l'impact de tous les facteurs de stress, on essaie d'aider l'adulte à planifier sa retraite. On a constaté que si la promotion de la santé commence dès l'adolescence et si la planification de la retraite se fait suffisamment tôt, les chances de réussite sont plus grandes que si on essaie de réduire le stress après que la personne âgée a vécu des événements traumatisants qui lui ont semblé insurmontables. Plusieurs entreprises offrent des programmes de préparation à la retraite pour aider leurs employés à prévoir les changements qu'ils doivent apporter à leur vie à ce moment-là. Étant donné que la population âgée continue de croître, un plus grand nombre de programmes de ce genre devraient être mis sur pied. Les organismes sociosanitaires reconnaissent ce besoin et commencent à offrir de tels programmes qui se fondent sur le principe que le vieillissement n'est pas synonyme de maladie et d'inutilité et qu'il ne doit pas empêcher la personne âgée de prendre en charge sa santé et son bien-être.

Les ministères de la Santé provincial et fédéral et les divers organismes sociosanitaires ont mis au point un grand nombre de programmes de promotion de la santé pour répondre aux besoins des personnes âgées. Les entreprises publiques et privées ont bien réagi à cette initiative et de nouveaux programmes sont implantés dans les centres hospitaliers, les centres de loisirs, les résidences de personnes âgées, etc.

## PROGRAMMES DE PROMOTION DE LA SANTÉ

Comme nous l'avons expliqué, la promotion de la santé est un processus qui se poursuit toute la vie durant. Elle devrait préoccuper les personnes des deux sexes, provenant de tous les milieux socioéconomiques et culturels, qu'elles soient bien portantes ou atteintes d'invalidité ou de maladies chroniques. Aussi, les programmes de promotion de la santé sont très divers. On peut les classer dans les catégories suivantes: dépistage de la maladie, bien-être, sécurité, traitements, etc.

## *Encadré 9-1*
## *Programmes de promotion de la santé*

### *Dépistage des maladies*

Cancer
Diabète
Retard de croissance et de développement
Maladies cardiaques
Hypertension
Auto-examens (seins, testicules)
Troubles auditifs, troubles d'élocution

### *Bien-être*

Exercice aérobique
Vieillissement
Prévention de l'alcoolisme
Prévention du cancer
Préparation à l'accouchement
Prévention de la toxicomanie
Exercice physique
Bien-être général
Prévention des maladies cardiaques
Santé mentale
Alimentation
Conditionnement physique et entraînement
Planification de la retraite
Cours prénatals
Combat du tabagisme
Combat du stress
Prévention des accidents vasculaires cérébraux
Perte de poids
Santé de la femme

### *Sécurité*

Prévention des accidents
Sécurité des enfants
Premiers soins
Sécurité des nourrissons
Utilisation de médicaments
Prévention de l'intoxication
Pratiques sexuelles sans risque
Prévention des blessures sportives

### *Traitement des maladies*

Alcoolisme
Arthrite
Cancer
Diabète
Toxicomanie
Maladies cardiaques
Hypertension
Douleur
Maladies pulmonaires

### *Divers*

Cours de gardiennage
Réanimation cardiopulmonaire
Cours destinés au personnel soignant
Planification familiale
Cours destinés aux grands-parents
Cours destinés aux parents
Éducation sexuelle
Cours destinés aux frères et sœurs

Nous présentons à l'encadré 9-1 des exemples de chacune de ces catégories de programmes qui peuvent se matérialiser sous forme de conférences ou d'ateliers, de groupes d'entraide, de foires et salons, ou de cours assistés par ordinateur. L'endroit où ces programmes sont dispensés dépend des besoins du groupe cible : écoles, entreprises, services de garde, centres de loisirs et centres commerciaux. Le mouvement en faveur de la promotion de la santé est en plein essor et un grand nombre de programmes et d'activités, qui étaient jusqu'à présent offerts seulement dans les centres hospitaliers, sont actuellement mis sur pied par les centres communautaires afin de pouvoir toucher et aider un plus grand nombre de gens.

promotion de la santé. Bien souvent, elles ont suscité la création de programmes de promotion de la santé ou ont dirigé, à la demande des consommateurs, des équipes multidisciplinaires qui ont mis au point des programmes de prestation de services sanitaires dans divers milieux.

À titre de professionnelles, les infirmières ont la responsabilité de promouvoir toutes les activités sanitaires qui favorisent le bien-être, l'épanouissement et la réalisation de soi. Lors de tous leurs contacts avec le public, elles doivent saisir l'occasion de promouvoir des attitudes positives à l'égard de la santé et des comportements qui permettent à l'individu de l'améliorer.

## *Soins infirmiers et promotion de la santé*

En raison de leur expérience en matière d'hygiène et de soins, de leur crédibilité accrue et de la confiance que leur accorde le public, les infirmières ont un rôle vital à jouer dans la

## *Nouvelles tendances*

Compte tenu des progrès actuels enregistrés dans le domaine de la promotion de la santé, on peut entrevoir les tendances qui devraient se profiler à l'horizon. Le gouvernement et les employeurs doivent se montrer de plus en plus dynamiques dans leurs efforts de réduire les dépenses engagées dans les soins. Les activités de promotion de la santé sur les lieux de travail devront être beaucoup plus intenses et les compagnies d'assurances pourront offrir des rabais aux clients qui s'engagent dans de telles activités. Quant au gouvernement, il doit imposer un plus grand nombre de règlements à l'industrie des soins de la santé et exiger la mise sur pied de programmes de promotion de la santé et du bien-être dans le but de diminuer les dépenses.

On devra créer des programmes spéciaux de promotion de la santé destinés aux enfants et aux personnes âgées. On peut d'ores et déjà prévoir qu'un grand nombre de ces programmes seront préparés à l'intention des enfants d'âge scolaire, particulièrement à ceux de 8 à 12 ans, chez qui on cherchera à promouvoir une bonne hygiène de vie dès la prime enfance. À la longue, ces programmes pourront améliorer la santé des générations futures et, par conséquent, permettre de mieux gérer le coût des soins de santé.

On peut aussi prévoir que les personnes âgées, dont le nombre ne cesse de croître, deviendront le public cible des programmes de promotion de la santé. En effet, vers le milieu du XXIe siècle, les Nord-Américains de plus de 65 ans formeront 20 % de la population. On pense que cette génération de personnes âgées sera beaucoup plus autonome, plus responsable de sa santé et plus soucieuse d'obtenir des moyens permettant d'améliorer sa qualité de vie et son bien-être. Les personnes âgées forment donc un groupe cible de première importance pour les programmes et les activités de promotion de la santé.

La promotion de la santé n'est certainement pas le seul moyen de résoudre les problèmes de santé actuels. Il s'agit toutefois d'un outil important nous permettant de satisfaire les besoins en matière de santé des individus et de la société en général.

# RÉSUMÉ

La promotion de la santé est un processus actif qui tient compte du potentiel de bien-être de la personne et dont le but est de l'encourager à modifier ses habitudes personnelles, son mode de vie et son milieu de façon à améliorer sa santé et à mieux vivre. La promotion de la santé s'appuie sur les principes de la responsabilité personnelle, de l'alimentation, de la lutte contre le stress et de l'activité physique. Il ne s'agit pas d'un processus réservé à certains groupes d'âges, mais plutôt d'une démarche que les hommes et les femmes bien portants ou malades, issus de milieux socio-économiques et culturels différents doivent poursuivre toute leur vie. Dans cette optique, la promotion de la santé est également un objectif important pour les personnes atteintes de maladies chroniques ou d'invalidité.

Les infirmières jouent un rôle vital dans la promotion de la santé. En effet, elles participent à la création des programmes et dirigent des équipes multidisciplinaires chargées de la prestation de services visant l'amélioration du bien-être. La promotion d'attitudes positives à l'égard de la santé et de comportements appropriés pour la maintenir fait désormais partie des fonctions de l'infirmière, quel que soit le cadre dans lequel elle pratique.

# Bibliographie

## Ouvrages

Creek SF and Mettler M. A Healthy Old Age: A Source Book for Health Promotion with Older Adults. New York, Haworth Press, 1984.

Edelman C and Mandle CL. Health Promotion Throughout the Lifespan. St Louis, CV Mosby, 1990.

Ewies L and Simnett I. Promoting Health: A Practical Guide to Health Education. New York, John Wiley & Sons, 1985.

Greene WH and Simons-Morton BG. Introduction to Health Education. New York, Macmillan, 1984.

Kar SB. Health Promotion Indicators and Actions. New York, Springer Publishing Co, 1989.

Murray RB and Zentner JP. Nursing Assessment and Health Promotion Through the Life Span. Englewood Cliffs, NJ, Prentice-Hall, 1989.

O'Donnell MP and Ainsworth TH. Health Promotion in the Workplace. New York, John Wiley & sons, 1984.

## Revues

*Les articles de recherche en sciences infirmières sont marqués d'un astérisque.*

Anderson RC and Fox R. Ethical issues in health promotion and health education. AAOHN J 1987 May; 35(5):220–223.

Armstrong DM. Nursing leads wellness promotion: Overview. Nurs Admin Q 1987 Spring; 11(3):13–14.

* Brown MA and Waybrant KM. Health promotion, education, counseling, and coordination in primary health care nursing. Public Health Nurs 1988 Mar; 5(1):16–23.

Califano JA. America's health care revolution: Health promotion and disease prevention. J Am Diet Assoc 1987 Apr; 87(4):437–440.

Criteria for the development of health promotion and education programs. Am J Public Health 1987 Jan; 77(1):89–92.

Duffy ME. Health promotion in the family: Current findings and directives for nursing research. J Adv Nurs 1988 Jan; 13(1):109–117.

Duffy ME and Pender NJ (eds). Conceptual Issues in Health Promotion. Proceedings of a Wingspread Conference. Racine, WI, Sigma Theta Tau International, Honor Society of Nursing.

Fielding JE and Piserchia PV. Frequency of worksite health promotion activities. Am J Public Health 1989 Jan; 79(1):16–20.

Fries JF, Green LW, and Levine S. Health promotion and the compression of morbidity. Lancet 1989 Mar 4; 1(8636):481–483.

Hoffman S. Wellness promotion in women's health care. Nurs Admin Q 1987 Spring; 11(3):38–40.

Larson EB. Health promotion and disease prevention in the older adult. Geriatrics 1988 Dec; 43:31–39.

Lindberg SC. Adult preventive health screening: 1987 update. Nurse Pract 1987 May; 12(5):19–32.

Maglacas AM. Health for all: Nursing's role. Nurs Outlook 1988 Mar/Apr; 36(2):66–71.

Matheis-Kraft C and York L. The hospital as wellness educator. Nurs Manage 1989 Jan; 20(1):72.

Pender NJ et al. Development and testing of the health promotion model. Cardiovasc Nurs 1988 Nov/Dec; 24(6):41–43.

Platakis J. Promoting health and wellness in the elderly. Nurs Admin Q 1987 Spring; 11(3):42–43.

Progress toward achieving the 1990 national objectives for physical fitness and exercise. JAMA 1989 Aug 11; 262(6):746, 748, 753.

Pruitt RH. Economics of health promotion. Nurs Econ 1987 May/Jun; 5(3): 118, 119–123.

Rielly PA, Gunn JL, and Sadowski AJ. Health and life styles: Employee wellness. Nurs Admin Q 1987 Spring; 11(3):29–35.

Surgeon General's workshop on health promotion and aging: Summary recommendations of the medication working group. JAMA 1989 Oct 6; 262(13):1755.

Tzirides E. Health outreach program: Marketing the "Health Way." Nurs Manage 1988 Apr; 19(4):55-57.

* Walker SN et al. Health-promoting life styles of older adults: Comparisons with young and middle-aged adults, correlates and patterns. Adv Nurs Sci 1988 Oct; 11(1):76-90.

Wilson RW, Patterson MA, and Alford DM. Services for maintaining independence. J Gerontol Nurs 1989 Jun; 15(6):31-37.

Year 2000 national health objectives. JAMA 1989 Oct 13; 262(14):1919, 1923.

# PROGRÈS DE LA RECHERCHE EN SCIENCES INFIRMIÈRES

## MAINTIEN DE LA SANTÉ ET BESOINS EN MATIÈRE DE SANTÉ

Puisque, ces dernières années, les chefs de file de la profession ont souligné le besoin d'études qui permettent de créer une base de données scientifiques propres à la profession et d'ordonner les connaissances acquises, la recherche actuelle porte sur les répercussions des interventions infirmières sur l'état des patients. Le but de ces recherches est de décrire et d'expliquer la pratique infirmière, de prévoir son avenir et de démontrer l'importance des sciences infirmières.

Les études que nous présentons illustrent les recherches récentes qui portent en premier lieu sur les modèles conceptuels, le diagnostic infirmier et l'efficacité des interventions infirmières. Bien que, dans certains cas, les groupes étudiés soient restreints, que le champ d'application de l'étude soit peu étendu et qu'on ne puisse pas toujours généraliser les résultats, les conséquences de ces recherches pour la pratique infirmière méritent d'être considérées et explorées davantage.

▷ C. C. Hoch, *«Assessing delivery of nursing care»*, J Gerontol Nurs, *janvier 1987; 13(1): 10-17.*

L'objet de cette étude était de comparer l'efficacité du modèle d'adaptation de Roy et du modèle des systèmes de Neuman à diminuer la dépression chez les retraités et à augmenter la satisfaction qu'ils tirent de la vie. Quarante-huit résidants d'une importante maison de retraite de banlieue ont participé à cette étude. Ces sujets ont été répartis au hasard dans trois groupes. Dans le premier groupe on a appliqué le modèle de Roy et dans le deuxième, celui de Neuman. Le troisième groupe servait de témoin. Chaque groupe était constitué de 16 personnes du même âge ayant pris leur retraite à la même époque.

L'objectif de l'étude était la diminution de la dépression et l'augmentation de la satisfaction qu'on tire de la vie. Le protocole, qui tenait compte de variables telles que l'état de la personne, l'identification des facteurs de stress, l'établissement et l'atteinte des objectifs, était différent pour chaque groupe en fonction du modèle conceptuel utilisé. Le premier était basé sur le modèle de Roy et le deuxième, sur celui de Neuman. Le troisième ne se fondait sur aucun modèle conceptuel. Chacun de ces groupes s'est réuni une fois par semaine pendant six semaines consécutives. Les réunions ont été dirigées par la même infirmière clinicienne. Pour administrer les prétests et les post-tests, on s'est servi de la liste de déterminatifs de la dépression et de l'index de satisfaction face à la vie.

Les résultats des post-tests ont révélé que, d'après les scores, dans les groupes Roy et Neuman, la dépression avait diminué alors qu'elle avait augmenté dans le groupe témoin. On n'a toutefois noté aucune différence significative entre les résultats du groupe Roy et ceux du groupe Neuman. Par ailleurs, les sujets des groupes Roy et Neuman étaient beaucoup plus satisfaits de leur vie que ceux du groupe témoin. On n'a toutefois signalé aucune différence significative entre les résultats du groupe Roy et ceux du groupe Neuman. Cependant, la portée de cette étude est limitée, car les sujets provenaient d'une seule maison de retraite de banlieue et une seule clinicienne était chargée des interventions thérapeutiques pour les trois groupes.

***Soins infirmiers.*** Une intervention infirmière planifiée et orientée vers un objectif, qui suit un modèle conceptuel (que ce soit celui de Roy ou celui de Neuman), peut s'avérer plus efficace que celle qui ne se fonde sur aucun cadre de référence.

▷ E. E. Dittmann et M. T. Gould, *«Refinement of nursing diagnosis skills: The effect of clinical nurse specialist teaching and consultation»*, J Contin Educ Nurs, *septembre-octobre 1987; 18(5): 157-159.*

Cette étude portait sur le rôle de la clinicienne spécialiste et sur deux stratégies qui peuvent aider les infirmières à perfectionner leurs techniques de diagnostic infirmier. Elle a été menée auprès de 12 infirmières provenant de deux unités de soins où la pratique se fonde sur l'utilisation des diagnostics infirmiers. Elles ont été réparties en deux groupes, selon l'unité de soins où elles travaillaient. Lors de cette étude, on a utilisé 30 notes SOAP rédigées par les participantes. On a mis au point un outil d'évaluation des diagnostics infirmiers selon 12 critères qui mesuraient la pertinence des diagnostics infirmiers contenus dans les notes SOAP. Cet outil a été utilisé lors du prétest et du post-test.

Les deux groupes de participantes ont suivi 5 cours de 30 minutes sur l'utilisation des diagnostics infirmiers, donnés par 2 cliniciennes spécialistes et ont effectué, par la suite, des travaux pratiques. Les résultats ont montré que chez l'un des groupes d'infirmières les scores du prétest étaient plus bas que chez l'autre groupe, mais qu'ils se sont améliorés considérablement lors du post-test. On n'a observé aucune différence importante entre les scores du prétest et ceux du post-test chez l'autre groupe. Les infirmières de ce second groupe ont ensuite bénéficié d'une séance de consultation individuelle avec les cliniciennes spécialistes et leurs scores lors du deuxième post-test se sont considérablement améliorés.

***Soins infirmiers.*** (1) On devrait évaluer minutieusement les aptitudes des infirmières avant de planifier des cours de perfectionnement. (2) Étant donné que ces aptitudes peuvent varier d'une unité à l'autre, on devrait mettre sur pied des programmes de formation en fonction des besoins particuliers de chaque unité. (3) Les cliniciennes spécialistes peuvent améliorer l'apprentissage.

▷ *C. F. Johnson et L. W. Hales, « Nursing diagnosis anyone? Do staff nurses use nursing diagnosis effectively? »,* J Contin Educ Nurs, *janvier-février 1989; 20(1): 30-35.*

Bien que les diagnostics infirmiers soient habituellement considérés comme l'un des éléments essentiels de la démarche de soins infirmiers, les chercheures ont voulu déterminer s'il existe une différence entre le rôle qu'on leur prête en théorie et l'usage qu'on en fait en pratique. On a étudié la méthode d'utilisation des diagnostics infirmiers sur un échantillon composé de 82 infirmières nouvellement embauchées dans trois unités de soins différentes (médecine et chirurgie, maternité et soins intensifs) d'un centre hospitalier d'une région métropolitaine.

Toutes les participantes ont suivi un cours de quatre heures qui portait sur la démarche de soins infirmiers et sur l'importance du diagnostic infirmier. On s'est servi d'un outil de prétest et de post-test qui a permis de mesurer l'utilité théorique et l'application pratique des diagnostics infirmiers. Les résultats du post-test ont révélé une augmentation considérable des connaissances et la volonté d'utiliser et de promouvoir la démarche de soins infirmiers dans la pratique.

Quatre à six semaines plus tard, on a examiné trois dossiers préparés par chaque infirmière pour vérifier s'ils contenaient tous les documents prévus par la démarche de soins infirmiers, soit le bilan de santé, la liste des problèmes, les notes d'évolution et la feuille de surveillance. Bien qu'on ait noté une amélioration globale pour ce qui est de l'adhésion à la démarche et de l'inscription des données, les formules n'étaient pas adéquatement remplies. Lorsqu'on a comparé le travail des infirmières des trois unités de soins, on a constaté que les infirmières de la maternité utilisaient le plus les diagnostics infirmiers, suivies par les infirmières du service de soins intensifs. Les infirmières qui dispensaient des soins dans le secteur de la médecine et de la chirurgie ont obtenu les résultats les plus faibles.

***Soins infirmiers.*** (1) Les programmes d'enseignement continu favorisent l'acquisition de connaissances et engendrent une attitude favorable à l'égard des diagnostics infirmiers et de leur utilisation. (2) Il faudrait évaluer les divers degrés d'utilisation des diagnostics infirmiers, selon le champ d'exercice, afin de déterminer les besoins d'apprentissage et les stratégies qui permettront d'en accroître l'usage.

▷ *L. R. Eriksen, « Patient satisfaction: an indicator of nursing care quality? »,* Nurs Manage, *juillet 1987; 18(7): 31-35.*

Une étude descriptive de corrélation a permis d'examiner le lien qui existe entre la qualité des soins infirmiers et la satisfaction du patient à cet égard. On a utilisé la méthode de contrôle de la qualité des soins infirmiers pour mesurer les soins dispensés et l'échelle d'évaluation de la satisfaction du patient pour évaluer ce paramètre.

L'étude a été menée auprès de 136 patients d'un grand centre hospitalier, choisis au hasard. Les critères de sélection incluaient l'orientation par rapport aux personnes et l'orientation spatiotemporelle, un âge de 21 ans au moins, la capacité de répondre à un questionnaire en anglais et une hospitalisation de 24 heures au minimum.

Cette étude n'a pas prouvé l'existence d'un lien fort, solide et positif entre les variables. Toutefois, on a signalé certains résultats intéressants. On a constaté que le lien entre la qualité des soins infirmiers et la satisfaction des patients à cet égard s'est avéré le plus positif pour ce qui est de la courtoisie et de l'orientation spatiale. Les liens négatifs concernaient les soins physiques et l'enseignement permettant au patient de s'adapter à sa maladie et à son état.

***Soins infirmiers.*** (1) La satisfaction du patient ne devrait pas constituer le seul critère d'évaluation de la qualité des soins infirmiers. (2) Il faut expliquer aux patients qu'il est parfois nécessaire de recourir à des interventions infirmières qui peuvent entraîner une gêne physique, une détresse affective et des conflits. Il est également essentiel de personnaliser les soins infirmiers. (3) La courtoisie et l'attention portée à l'entourage du patient font croître la satisfaction de ce dernier.

▷ *M. J. Bull, « Influence of diagnosis-related groups on discharge planning, professional practice, and patient care »,* J Prof Nurs, *novembre-décembre 1988; 4(6): 415-421.*

L'auteur a présenté les résultats d'une étude portant sur le travail des équipes multidisciplinaires de huit centres hospitaliers du Mid-West américain. On a utilisé la planification du congé pour évaluer les réactions de la direction du centre hospitalier au travail de l'équipe multidisciplinaire. On a posé des questions ouvertes aux sujets (gestionnaires, infirmières, travailleurs sociaux, médecins œuvrant dans des centres hospitaliers, petits, moyens et grands et professionnels travaillant dans des établissements spécialisés dans les soins à domicile et des centres de soins prolongés, qui participaient à la planification du congé). Les entrevues portaient surtout sur l'exécution des interventions en équipe et sur les changements subséquents intervenus dans la pratique quotidienne. Les questions spécifiques concernaient les changements apportés à la planification du congé et leur influence sur le travail des intervenants qui dispensent des soins à domicile ou qui travaillent dans les centres de soins prolongés. En tout, 118 personnes ont été interrogées. L'étude a montré que le travail d'équipe a une influence considérable sur la planification du congé, sur la pratique professionnelle et sur les soins dispensés aux patients. La planification du congé a entraîné la mise sur pied d'un programme régulier de visites chez tous les patients et l'amélioration de la communication et de la coopération entre les professionnels de la santé, les patients et les membres de leur famille. La pratique professionnelle a été influencée par le raccourcissement de la durée de l'hospitalisation et des consultations externes et par la pénurie de professionnels chargés de l'enseignement portant sur le travail d'équipe. Les soins au patient ont été influencés positivement par une meilleure participation des membres de la famille à la planification du congé et par un plus grand intérêt pour les autosoins et l'autonomie. Parmi les effets négatifs, on peut citer le congé prématuré donné à des patients ayant des problèmes complexes, ce qui a augmenté le stress subi par la famille, et un besoin criant de services complémentaires de soins à domicile ou de centres de soins prolongés. Les professionnels de la santé ont signalé qu'il était impossible de satisfaire les besoins du patient si l'on respecte les règlements relatifs au raccourcissement de la durée de l'hospitalisation.

***Soins infirmiers.*** (1) Lors de l'évaluation de la planification du congé, il faut tenir compte des besoins de la famille du patient. (2) Les infirmières doivent participer aux travaux de l'équipe multidisciplinaire et défendre les droits des patients. (3) La résolution des conflits devrait faire partie intégrante de la formation des infirmières et des programmes de perfectionnement de l'équipe soignante.

▷ ***J. D. Tilley, F. M. Gregor et V. Thiessen, « The nurse's role in patient education : Incongruent perceptions among nurses and patients »,* J Adv Nurs, *mai 1987; 12(3) : 291-301.***

Le but de cette étude a été de décrire les perceptions des patients et des infirmières du rôle d'enseignante de l'infirmière et d'évaluer si ces perceptions étaient similaires ou différentes. L'échantillon était composé d'infirmières et de patients provenant de deux centres hospitaliers universitaires du Canada. On a formé 38 dyades infirmières-patients dont 23 provenaient des services de cardiologie de l'un des centres hospitaliers, et 15 d'un service de médecine générale, de l'autre. Tous les patients, sauf trois qui se trouvaient dans le service de médecine générale et qui souffraient d'une maladie respiratoire, avaient été hospitalisés par suite d'un diagnostic d'infarctus aigu du myocarde.

On a mis au point un questionnaire destiné à l'infirmière et on a fixé des rendez-vous avec les patients. On a également préparé deux séries complémentaires de questions, la première pour mesurer la perception des infirmières relativement à la quantité et à la qualité de l'enseignement au patient qu'elles effectuaient en pratique et qu'elles auraient dû effectuer en théorie, et la deuxième pour mesurer la perception du patient relativement à ces mêmes variables.

D'après les résultats de l'étude, la perception des infirmières et celle des patients quant au rôle d'enseignante de l'infirmière sont différentes. Pour les patients, les infirmières constituaient une source de renseignements. Toutefois, lorsqu'on leur a demandé quel était l'intervenant qu'ils préféraient consulter pour connaître des faits précis sur leur maladie, ils ont plus fréquemment désigné le médecin. À cette même question posée aux infirmières, celles-ci ont répondu que les patients préféraient que l'enseignement de ce type soit donné par l'infirmière. On a également relevé une différence entre la perception des infirmières et celle des patients relativement au moment opportun de l'enseignement. Pour les infirmières, le moment opportun était la veille du congé et pour les patients, le début de l'hospitalisation, puisque, à leur avis, ils avaient davantage besoin de savoir ce qui allait leur arriver que de recevoir des renseignements sur leur congé. Enfin, les infirmières avaient tendance à penser, à tort, que leur désir d'enseigner aux patients était partagé par ces derniers.

***Soins infirmiers.*** (1) Les infirmières ne doivent pas prendre pour acquis que leurs perceptions des besoins du patient en matière d'enseignement sont identiques aux attentes de ce dernier; par conséquent, l'évaluation des perceptions des patients relativement à leurs besoins d'apprentissage est essentielle. (2) Il faut évaluer le type de renseignements que souhaitent obtenir les patients hospitalisés et le moment opportun pour les leur fournir. (3) Les infirmières doivent clairement définir leur rôle d'enseignante.

*partie* 3

Collecte des données

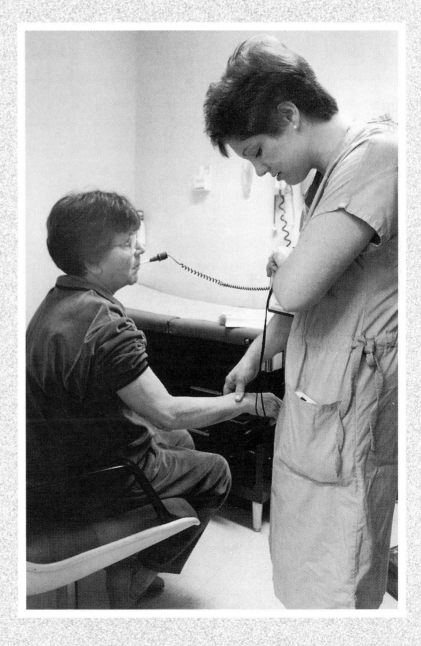

# 10
# ENTREVUE: BILAN DE SANTÉ

## OBJECTIFS D'APPRENTISSAGE

*Après avoir étudié ce chapitre, vous devriez être en mesure de réaliser ce qui suit:*

1. *Décrire le rôle de l'infirmière pendant la collecte de données.*

2. *Exposer les considérations d'ordre éthique dont il faut tenir compte pour protéger les droits du patient lors de la collecte de données.*

3. *Reconnaître les facteurs ambiants qui favorisent la conduite de l'entrevue.*

4. *Établir le bon usage d'un formulaire de collecte de données.*

5. *Préciser les principaux éléments de la collecte de données.*

6. *Expliquer l'influence des facteurs culturels, ethniques, religieux et socio-économiques ainsi que du bagage de connaissances du patient sur le déroulement de l'entrevue.*

7. *Décrire les principales modifications qu'il faudrait apporter au déroulement de l'entrevue avec une personne âgée.*

8. *Conduire une entrevue dans le but d'effectuer la collecte de données.*

---

L'entrevue est d'une importance capitale, car c'est lors de cette étape de la démarche de soins que l'infirmière établit sa relation avec le patient. C'est l'entrevue qui détermine aussi la qualité de cette relation et qui permet à l'infirmière d'obtenir suffisamment de renseignements pour faire une évaluation approfondie de l'état de santé du patient et pour constituer une base de données qui servira à poser les jugements cliniques. Les comportements qu'elle doit adopter pendant l'entrevue et les techniques nécessaires pour effectuer la collecte des renseignements appropriés sont très précis. L'infirmière doit les apprendre et surtout les perfectionner tout au long de sa carrière.

---

## RÔLE DE L'INFIRMIÈRE

Le champ d'activité de l'infirmière s'élargit sans cesse. Dans sa pratique, elle doit exercer des fonctions interdépendantes et indépendantes. Dans sa démarche de soins, elle doit se servir de diverses techniques pour effectuer la collecte de données dont l'examen physique. Elle doit formuler ensuite les diagnostics infirmiers et planifier les interventions appropriées à la situation du patient et de sa famille.

On ne peut parler de soins prodigués par une équipe pluridisciplinaire sans tenir compte de l'interdépendance entre tous les membres de cette équipe, soit les médecins, les infirmières, les nutritionnistes, les travailleurs sociaux et autres, chacun mettant à profit ses connaissances et ses aptitudes pour contribuer à la résolution des problèmes du patient. La collecte de données et le bilan de santé ont changé de forme. Les divers centres hospitaliers et autres établissements ont mis au point des outils qui reflètent la philosophie et la conception qui leur sont propres. Idéalement, les données recueillies par l'infirmière devraient se greffer sur les données obtenues par les autres membres de l'équipe soignante. Elles doivent cependant porter précisément sur les aspects qui relèvent de la compétence de l'infirmière.

# BILAN DE SANTÉ

Tout au long de la collecte des données, et notamment lorsqu'elle établit le bilan de santé, l'infirmière doit s'intéresser au profil psychosocial et culturel du patient et de sa famille. Elle doit explorer en profondeur les facteurs ambiants ainsi que le mode de vie et les activités quotidiennes du patient. Un grand nombre d'infirmières sont également responsables de la collecte de données sur les maladies actuelles du patient, ses antécédents médicaux, ses antécédents familiaux et le bilan fonctionnel. Auparavant, il appartenait au médecin d'explorer ces domaines afin d'établir l'anamnèse. Maintenant, ces investigations font souvent partie du bilan de santé effectué par l'infirmière et lui permettent d'établir le profil global du patient qui porte autant sur sa santé que sur ses maladies. C'est la raison pour laquelle il est plus approprié de parler d'un bilan de santé que d'une anamnèse ou d'antécédents médicaux ou infirmiers. Le bilan de santé que nous présentons ici combine des éléments de l'anamnèse, établie habituellement par le médecin, et de la collecte de données, effectuée par l'infirmière. Au bilan fonctionnel et au profil du patient s'ajoutent des renseignements sur ses relations personnelles et familiales, son mode de vie, ses pratiques d'hygiène et ses stratégies d'adaptation. Ces composantes du bilan de santé constituent la charpente de la collecte de données effectuée par l'infirmière. Celle-ci doit cependant se montrer souple et les adapter, au besoin, selon la philosophie de l'établissement où elle pratique et les besoins de ses patients.

Pour bien jouer son rôle lors de la collecte des données nécessaires à l'établissement du bilan de santé, l'infirmière doit connaître: (1) les considérations d'ordre éthique dont elle doit tenir compte, (2) les techniques de communication nécessaires à la conduite d'une entrevue et (3) les questions qu'il faut poser pour établir le bilan de santé.

# CONSIDÉRATIONS D'ORDRE ÉTHIQUE

Chaque fois que l'on veut obtenir des renseignements sur une personne, celle-ci a le droit de connaître la raison pour laquelle on veut obtenir ces renseignements et l'usage qu'on veut en faire. Pour cette raison, l'infirmière doit non seulement se présenter et préciser son rôle, mais aussi expliquer en détail au patient ce qu'est un bilan de santé, comment elle va conduire l'entrevue et quel usage elle fera des données recueillies.

Il faut que le patient soit entièrement informé de tous les aspects du processus de collecte de données et qu'il prenne librement la décision de s'y prêter. Un cadre intime pendant l'entrevue favorise l'établissement d'une relation de confiance entre le patient et l'infirmière et favorise une communication ouverte et honnête.

Après l'entrevue, l'infirmière doit choisir les renseignements portant sur l'état de santé du patient qui sont pertinents et n'inscrire que ceux-là sur le formulaire de collecte des données (voir le chapitre 6, page 189). Elle ne doit pas inscrire sur ce formulaire certains renseignements très personnels ou des données très confidentielles (casier judiciaire,

toxicomanie) qu'après consultation avec l'infirmière en chef, son supérieur hiérarchique ou le médecin. En effet, certains patients communiquent à l'infirmière des données très confidentielles et, dans ce cas, il est sage de partager la responsabilité de l'usage qu'on en fera avec une autre personne compétente.

Une fois l'entrevue terminée et les données notées, il faut garder le formulaire dûment rempli dans un endroit sûr et n'en laisser l'accès qu'aux intervenants directement engagés dans les soins du patient. Il s'agit d'une garantie supplémentaire de confidentialité qui favorise le maintien de normes élevées de pratique.

# CONDUITE À TENIR PENDANT LA COLLECTE DE DONNÉES

- Lors de l'entrevue, l'infirmière doit garder à l'esprit le fait que le patient est une personne unique. Elle doit le mettre à l'aise et assurer son bien-être.

La personne qui vient consulter en raison d'un trouble particulier est presque toujours anxieuse. Elle ne comprend peut-être pas toute la signification de ses symptômes. Son anxiété est aggravée par les soucis relatifs à un changement éventuel de son mode de vie et aux inconvénients qu'une maladie pourrait entraîner. Elle se sent impuissante, car sa santé et son bien-être matériel dépendent d'autrui.

Pour réduire l'anxiété du patient, l'infirmière doit se présenter, définir son rôle au sein de l'équipe soignante et expliquer ce qu'est un bilan de santé. Elle peut également expliquer au patient que le bilan de santé sera utilisé pour reconnaître les troubles qui les préoccupent tous deux. Elle doit le rassurer à propos du fait que tous les renseignements qu'il communique sont confidentiels et que seuls les intervenants directement engagés dans ses soins pourront consulter son dossier.

L'infirmière doit faire le nécessaire pour que l'entrevue se déroule dans un cadre intime. Si des visiteurs sont présents, il faut leur demander de quitter la pièce étant donné que le patient pourrait trouver difficile de communiquer des renseignements importants en leur présence (même s'il s'agit de proches). Toutefois, si le patient exprime le désir qu'un membre de sa famille assiste à l'entrevue, il faut que l'infirmière accepte la présence de cette personne, surtout qu'elle pourrait obtenir de sa part des renseignements supplémentaires que le patient pourrait omettre de mentionner ou qu'il serait incapable de communiquer. Par ailleurs, les sources de distraction, comme une télé ou une radio en marche, doivent être éliminées.

L'infirmière doit mener l'entrevue sans jamais perdre de vue le fait qu'elle doit mettre le patient à l'aise et satisfaire son besoin de considération et de respect de soi. Avant de commencer, elle doit s'assurer qu'il est à l'aise. Si l'entrevue a lieu dans une chambre d'hôpital, elle doit lui demander s'il aimerait avoir un oreiller de plus ou s'il préfère rester assis plutôt que couché. Le patient qui s'essouffle rapidement peut se sentir plus à l'aise en position assise qu'en position couchée. Avant de commencer l'entrevue, l'infirmière doit s'assurer que le patient n'est pas gêné par un besoin urgent d'aller à la toilette ou par de la douleur.

- Pendant l'entrevue, l'infirmière doit encourager le patient à s'exprimer librement et sans détours.

Le but de l'entrevue est d'obtenir tous les renseignements qui pourraient, par la suite aider l'infirmière à poser des jugements justes et à reconnaître les problèmes prioritaires du patient. Pour ce faire, il faut créer une ambiance qui encourage le patient à s'exprimer spontanément. La spontanéité est influencée par le cadre physique et le comportement de l'infirmière.

Le patient doit se sentir à l'aise autant que possible, et l'infirmière doit l'inciter à décrire librement et honnêtement tous les problèmes qui le préoccupent. Par la communication non verbale, elle peut encourager le patient à s'exprimer librement. Elle peut, par exemple, inciter le patient à élaborer sur un sujet ou à continuer son exposé en hochant la tête en signe d'acquiescement. Un regard interrogateur indiquera au patient qu'il doit clarifier certains points obscurs.

Le plus souvent, l'infirmière doit poser des questions ouvertes. «Comment pouvons-nous vous aider?» «Voulez-vous m'en parler?» «Qu'avez-vous ressenti alors?» sont des questions appropriées contrairement à d'autres, du genre: «La douleur était-elle forte?» «Le symptôme ne se manifeste-t-il que certains jours de la semaine?» Il faut donc obtenir les données par des questions ouvertes, faute de quoi le patient peut essayer «d'aider l'infirmière» en lui fournissant la réponse qu'il pense qu'elle veut obtenir.

Toutefois, il n'est pas nécessaire de poser des questions ouvertes tout au long de l'entrevue. Afin d'obtenir des détails qui sont importants pour l'analyse d'une situation, il faut parfois poser des questions directes qui laissent une certaine latitude dans les réponses. Par exemple, une question du genre: «Est-ce que la douleur se manifeste surtout à l'heure des repas?» permet à la personne de répondre par «oui» ou par «non». De même, une question comme: «Est-ce que la douleur survient avant le repas, au cours du repas ou après le repas?» permet au patient de choisir une réponse. Ces questions, plus directes, peuvent être posées plus tard au cours de l'entrevue, après que le patient a eu l'occasion de s'exprimer aussi librement que possible et que l'infirmière a gagné sa confiance.

Il faut se rappeler qu'on ne peut aborder tous les patients de la même façon. Il est évident que l'infirmière doit parfois se montrer plus directive avec certaines personnes. Ce n'est que la pratique et l'expérience qui lui enseigneront à quel moment elle doit changer de technique d'entrevue.

- Pour établir le bilan de santé du patient, l'infirmière se sert d'un questionnaire qui oriente sa conduite et adapte la séquence des questions de façon à ce qu'elles s'intègrent bien dans la conversation.

Le formulaire du bilan de santé est un simple outil qui aide l'infirmière à recueillir les données qui portent sur l'état de santé du patient. Pour cette raison, elle ne doit pas mémoriser les rubriques ni suivre les étapes pas à pas, mais plutôt adapter les questions selon son interlocuteur. Par exemple, si le patient parle d'un problème en particulier et si l'infirmière l'interrompt pour lui poser des questions à propos de son travail, de sa formation ou de ses relations familiales, elle risque de ne jamais obtenir certaines données essentielles.

L'infirmière doit également *écouter* le patient pendant qu'il répond aux questions. Rien ne lui interdit de prendre quelques notes pendant l'entrevue, en évitant toutefois de perturber son interlocuteur, de décourager l'échange de regards ou de donner à l'entretien une tournure impersonnelle.

- Pendant l'entrevue, l'infirmière doit prouver qu'elle comprend la nature et l'intensité du trouble du patient.

Pendant l'entrevue, il ne faut pas se limiter à poser des questions et à attendre des réponses. Les réactions non verbales de l'infirmière aux propos du patient et sa capacité d'écoute démontrent l'intérêt qu'elle porte à ses préoccupations. Un tel comportement est souvent très rassurant et permet que l'entrevue devienne en soi un geste thérapeutique.

Si, pendant l'entrevue, le patient garde quelques instants de silence, il se peut qu'il soit submergé par ses émotions ou qu'il cherche ses mots pour décrire avec précision certains événements. L'infirmière doit respecter ce silence et résister à l'envie de le rassurer pendant une crise de larmes, en affirmant, par exemple, que tout finira par s'arranger. Peut-être que tout ne finira pas par s'arranger et de telles promesses seront vaines. Par ailleurs, l'infirmière a beaucoup à apprendre en analysant les inquiétudes et l'anxiété du patient. Parfois, une affirmation du genre: «Vous avez l'air triste» ou «Vous avez l'air inquiet» encouragera la personne à parler de ses sentiments et permettra à l'infirmière de lui prouver son empathie.

Pendant toute l'entrevue, l'infirmière doit montrer qu'elle comprend les croyances et les attitudes du patient et qu'elle les respecte même si elles sont diamétralement opposées aux siennes. Des commentaires du genre: «Je refuse de croire que vous pensez cela» n'ont pas leur place. Il est en effet peu probable que quelqu'un dise spontanément quelque chose qu'il ne pense pas pendant une entrevue de ce genre. L'infirmière doit donc éviter de porter des jugements de valeur, surtout lorsqu'elle aborde des sujets comme la sexualité, la toxicomanie, l'alcoolisme et les origines ethniques.

- Pendant l'entrevue, l'infirmière doit tenir compte du bagage culturel du patient.

Les attitudes à l'égard des relations familiales, du rôle de la femme et de la santé, tout comme celles à l'égard de la douleur, de la maladie et de l'hospitalisation, doivent être acceptées, car elles sont déterminées par le vécu de l'individu et dépendent de son bagage culturel.

- Pendant l'entrevue, l'infirmière doit analyser ses propres sentiments et attitudes.

Le comportement du patient peut parfois sembler désobligeant et éveiller l'hostilité de l'infirmière, sa colère, son anxiété et même, parfois, sa répugnance. Un professionnel n'a pas le droit de laisser voir de tels sentiments aux patients. Même inconsciemment, l'infirmière peut laisser paraître son irritation, son ennui ou ses doutes. À cause de ses peurs, elle peut se sentir très mal à l'aise face à des personnes qui souffrent de certaines maladies. Compte tenu de ses principes moraux, elle peut parfois avoir du mal à établir des relations avec un alcoolique ou un toxicomane ou encore avec une personne dont la maladie a été provoquée par certaines pratiques sexuelles ou par un certain mode de vie. Les professionnels de la santé traitent souvent avec mépris, hostilité ou colère la personne qui s'est infligée elle-même une maladie. Ces sentiments sont souvent plus intenses lorsque le patient est sous l'influence de l'alcool ou des drogues. L'infirmière doit dans ce cas analyser les raisons qui la poussent à rejeter la personne qui se trouve devant elle.

- Pendant l'entrevue, l'infirmière doit appliquer les principes de la communication non verbale et apprendre à reconnaître les gestes qui traduisent une attitude défensive, l'hostilité, la méfiance, l'impatience, etc.

L'infirmière doit apprendre à réagir au langage corporel de la même façon qu'elle réagit aux paroles. Souvent, l'expression verbale du patient ne correspond pas à son langage corporel, par exemple s'il parle d'un événement heureux de sa vie et que son visage se crispe. L'infirmière peut réagir à ces contradictions en les lui signalant.

- Pendant l'entrevue, l'infirmière doit communiquer d'une façon qui correspond au niveau de compréhension de son interlocuteur.

L'infirmière doit tenir compte du bagage de connaissances du patient et de son niveau de langage. Les patients dont la langue maternelle n'est pas le français et ceux qui ont eu peu de contacts avec le réseau sociosanitaire peuvent ne pas comprendre les termes familiers aux professionnels de la santé. Pour cette raison, l'infirmière doit poser des questions qui puissent être facilement comprises par le patient et sa famille. Pendant les séances de counseling, elle doit utiliser le moins de termes techniques possible. Même si le patient ne comprend pas les termes qu'elle utilise, il est peu vraisemblable qu'il l'interrompe pour demander des explications, par peur de passer pour un ignorant. Par conséquent, pour vérifier si son interlocuteur a bien saisi les explications, l'infirmière peut lui poser quelques questions très simples.

Un deuxième facteur qui influence le niveau de compréhension du patient est son bagage culturel. Une femme qui vient d'un pays du tiers-monde n'a pas la même perception de la santé qu'une femme née et élevée dans une banlieue de Montréal. La grossesse, par exemple, ne la préoccupera probablement pas avant le début des contractions. Par conséquent, elle ne comprendra pas la nécessité des soins prénatals recommandés par les professionnels de la santé. Une femme venant d'un pays où l'obésité est le reflet de l'aisance matérielle et un attribut prisé par les hommes ne comprendra pas la nécessité de suivre un régime amaigrissant et de perdre du poids. Certaines femmes d'origine asiatique ne se plaignent pas lorsqu'elles ont mal, et même si la douleur est intense, refusent de prendre des analgésiques. L'infirmière doit tenir compte de ces différences lorsqu'elle s'entretient avec une personne d'une autre origine ethnique que la sienne.

Elle doit également tenir compte du vécu des personnes ayant un bagage culturel analogue au sien. Une fille unique peut se montrer moins capable de surmonter les problèmes engendrés par la maternité que la femme qui a été élevée au sein d'une famille de huit enfants et qui s'est occupée de ses frères et sœurs.

- Avant de terminer, l'infirmière doit résumer les données recueillies et s'assurer que le patient a compris les principaux points dont il a été question.

Avant de terminer, l'infirmière doit s'assurer que le patient n'a plus de questions à poser. Pour éclaircir les points restés obscurs, elle doit résumer les réponses du patient. Ainsi, elle lui donnera la possibilité de corriger les renseignements qu'elle a mal compris et d'ajouter des précisions qui lui semblent importantes.

# CONTENU DU BILAN DE SANTÉ

Lors de sa première rencontre avec le patient et sa famille (à l'exception des cas d'urgence), l'infirmière doit tout d'abord constituer une *base de données,* tâche qui peut lui incomber en partie ou en totalité. Cependant, quel que soit le cas, elle doit bien connaître le genre de renseignements qu'elle devrait obtenir. Il s'agit des données suivantes :

1. Renseignements personnels
2. Source des données
3. Raison de l'admission
4. Maladie ou problème actuel de santé
5. Bilan fonctionnel
6. Profil du patient

## RENSEIGNEMENTS PERSONNELS

Les renseignements personnels sont des données d'ordre général qui aident à mieux définir le contexte dans lequel s'est déclaré le trouble ou la maladie. Il s'agit du nom, de l'adresse, de l'âge, du sexe, de l'état matrimonial, de la profession et des origines ethniques du patient. Certaines infirmières préfèrent établir le profil du patient à cette étape de l'entrevue, mais la plupart pensent qu'un profil complet ne peut être établi tant qu'on n'a pas gagné la confiance du patient. Par ailleurs, un patient qui a des douleurs ou un autre problème tout aussi pressant ne fera vraisemblablement pas confiance à un intervenant qui lui pose des questions sur sa profession ou son statut matrimonial plutôt que sur le problème qui l'a incité à demander des soins.

## SOURCE DES DONNÉES

Ce n'est pas toujours le patient lui-même qui fournit les renseignements. Par exemple, lorsqu'il s'agit d'un jeune enfant, d'une personne désorientée, troublée ou inconsciente, ou encore d'un malade dans le coma ou souffrant de troubles psychiatriques graves, les données seront souvent communiquées par l'accompagnateur. L'infirmière doit donc évaluer la fiabilité du patient, et la pertinence des renseignements qu'il communique. Par exemple, les patients hystériques seront vraisemblablement incapables de fournir des renseignements fiables, et le déni de la réalité fait partie des mécanismes de défense des toxicomanes et des alcooliques. L'infirmière doit être capable d'évaluer les renseignements qu'elle reçoit (d'après le contexte de l'entrevue dans son ensemble) et n'inscrire dans le dossier du patient que ceux qui sont pertinents.

## RAISON DE L'ADMISSION

La raison de l'admission est le principal symptôme qui incite le patient à consulter. Les questions du genre: «Pour quelle raison demandez-vous des soins?» ou «Pourquoi avez-vous été admis au centre hospitalier?» permettent habituellement de découvrir le symptôme principal. Une fois que le patient a expliqué son problème, l'infirmière doit le noter en le mettant entre guillemets pour indiquer que ce sont les termes du patient. Toutefois, une explication du genre: «C'est le docteur Lefebvre qui m'envoie» n'est pas une raison d'admission. Bien qu'on puisse inscrire ce renseignement à la rubrique des données personnelles, il faut demander au patient la raison pour laquelle il est allé voir le docteur Lefebvre et c'est cette donnée qu'il faut inscrire comme raison de l'admission. Si le patient a été admis dans un but précis, il faut l'inscrire également (par exemple, «cholécystectomie»).

Souvent, le patient peut présenter plusieurs troubles et, dans ce cas, il y aura plusieurs raisons d'admission. Il faut les inscrire dans l'ordre de priorités que leur accorde le patient et les explorer séparément, s'il s'agit de troubles séparés, ou globalement, s'il s'agit de plusieurs manifestations d'un même trouble.

## MALADIE OU PROBLÈME ACTUEL DE SANTÉ

L'exploration des faits reliés à la maladie actuelle demande souvent une connaissance approfondie de la physiopathologie et de l'évolution naturelle de la maladie en question. Si, par exemple, on ne connaît pas les manifestations d'un infarctus aigu du myocarde, il est difficile de cerner les données pertinentes. L'évolution de la maladie est un facteur important qui peut aider l'infirmière à poser le jugement clinique approprié. L'examen physique a son utilité, mais il révèle d'habitude des manifestations qui sont les conséquences prévisibles des faits que le patient a relatés.

La maladie actuelle pourrait par ailleurs être un épisode qui s'insère dans un processus pathologique. Un épisode de coma acidocétosique, par exemple, fait partie de la suite d'événements qui caractérisent l'évolution naturelle du diabète. Dans ce cas, l'infirmière doit examiner l'évolution globale de l'état du diabétique afin de pouvoir situer adéquatement le trouble actuel. Bien que l'épisode de ce coma soit un fait saillant dans le récit du patient, l'infirmière ne doit pas perdre de vue l'évolution naturelle de la maladie; elle doit également tenir compte de ce contexte lorsqu'elle inscrit cette donnée au dossier.

Les faits que le patient relate doivent former un récit cohérent. Ce récit devrait inclure des renseignements tels que la nature des symptômes, l'endroit où ils sont apparus et les circonstances entourant leur apparition (à la maison, au travail, après une dispute, après un effort), de même que leurs caractéristiques et leur évolution. Il faut aussi préciser des détails tels que l'automédication, les interventions médicales, l'évolution et les effets du traitement et la perception qu'a le patient de la cause ou de la signification de son trouble.

Les symptômes précis (douleurs, céphalées, fièvre, modification des habitudes d'élimination) doivent être décrits avec précision. Pour pouvoir analyser un symptôme, l'infirmière doit connaître son siège (et la zone d'irradiation en cas de douleur), son intensité, sa gravité et sa durée. Elle doit aussi savoir si le symptôme est permanent ou intermittent et connaître les facteurs qui l'aggravent ou qui le soulagent ainsi que toutes les manifestations connexes dont le patient pourrait être conscient.

Les manifestations connexes sont les symptômes qui apparaissent en même temps que le symptôme qui a incité le patient à consulter. La présence ou l'absence de manifestations connexes peut renseigner utilement sur l'origine ou la gravité du trouble et aider à poser un diagnostic juste. Les manifestations connexes peuvent être révélées par l'examen des systèmes ou des appareils directement touchés par le symptôme principal. Par exemple, si le patient se plaint d'un symptôme vague comme la fatigue ou la perte de poids, on procédera à un examen physique général. Cependant, si le principal symptôme est une douleur thoracique, on ne procédera qu'à un examen des appareils gastro-intestinal et cardiopulmonaire. Quoi qu'il en soit, il faut inscrire tous les résultats positifs ou négatifs, afin d'être en mesure de mieux cerner le problème par la suite.

## BILAN FONCTIONNEL

Le bilan fonctionnel ou la revue des systèmes et appareils est une méthode systématique permettant de recueillir des données sur toutes les parties du corps et d'inventorier les symptômes passés ou actuels. Elle permet de s'assurer qu'aucun renseignement important n'a été oublié. Encore une fois, l'infirmière doit inscrire toutes les réponses à ses questions, qu'elles soient négatives ou affirmatives. Si le patient répond par l'affirmative, elle doit analyser le symptôme selon la méthode indiquée à la section consacrée à l'évolution de la maladie actuelle. Il n'est pas nécessaire d'inscrire les troubles déjà mentionnés; il suffit d'indiquer la rubrique où se trouvent ces données (par exemple, «voir les antécédents médicaux»). Le bilan fonctionnel comprend un aperçu global de l'état de santé ainsi que les symptômes reliés à chacun des appareils et systèmes. On peut lui donner la forme d'une liste de vérification intégrée au bilan de santé. L'un des avantages d'une telle liste est qu'elle peut être consultée facilement et qu'elle laisse peu de place aux oublis. Voir l'encadré 10-1 pour un exemple de bilan fonctionnel sous forme de liste.

## PROFIL DU PATIENT

On établit le profil du patient à partir des données personnelles obtenues au début de l'entrevue. Un profil complet est essentiel à l'analyse des problèmes du patient, de son aptitude à les résoudre et du genre d'aide que l'équipe soignante peut lui fournir.

Les renseignements recueillis à cette étape de l'entrevue sont très personnels et subjectifs. L'infirmière doit encourager

# Encadré 10-1
## Revue des systèmes et appareils

Entourer les réponses affirmatives et en noter les détails. Souligner les réponses négatives pour indiquer l'absence de symptômes.

### Données générales

Poids habituel
Modification du poids
Modification de l'appétit
Transpiration nocturne

Faiblesse
Fatigue
Fièvre

### Peau et phanères

Éruptions cutanées
Modification de la couleur
Sécheresse
Modification de l'état des ongles

Prurit
Tumeurs ou masses
Modification de la pilosité

### Tête

Céphalées
Traumatismes

Étourdissements

### Yeux

Vision (de près et de loin)
Lunettes ou lentilles cornéennes
Photophobie
Diplopie

Vue brouillée
Douleur
Infection
Démangeaisons

### Oreilles

Ouïe
Douleur
Infection
Excès de cérumen

Pratiques d'hygiène
Acouphènes
Vertiges

### Nez et sinus

Écoulements
Allergies
Obstruction

Épistaxis
Douleur
Rhumes fréquents

### Bouche et gorge

Maux de gorge
Problèmes de déglutition
Goût
Gencives
Dentition

Prothèse complète ou partielle
Enrouement
Lésions (lèvres,
   langue, muqueuses)
Hygiène

### Cou

Rigidité
Inflammation
Douleur

Tuméfaction des glandes
Trouble thyroïdien

### Seins

Douleur
Engorgement
Fréquences de l'auto-examen

Écoulement des mamelons
Bosses

### Appareil locomoteur

Douleur ou
   crampes musculaires
Douleur, tuméfaction
   ou raideur des
   articulations
Traumatismes

Douleurs lombaires ou
   antécédents de blessure
Limitation de la mobilité
Capacité de mener à bien
   les activités de la vie
   quotidienne

### Glandes

Intolérance à la chaleur
   ou au froid
Transpiration excessive

Modification de la pilosité
Soif, faim ou miction
   excessives

### Appareil respiratoire

Toux
Essoufflement
Hémoptysie
Respiration sifflante
Expectorations
   (couleur, quantité)

Asthme
Infections récurrentes des
   voies respiratoires
   supérieures

### Appareil cardiovasculaire

Essoufflement
Dyspnée à l'effort
Orthopnée
Douleurs thoraciques
Palpitations
Dyspnée paroxystique nocturne

Phlébite
Froideur ou engourdissement
   des membres
Œdème
Varices
Claudication

### Appareil gastro-intestinal

Anorexie
Nausées
Vomissements
Indigestion
Diarrhée
Douleurs
Constipation

Hématémèse
Méléna
Ictère
Intolérance alimentaire
Modification des habitudes
   d'élimination intestinale
Hémorroïdes

### Appareil génito-urinaire

Nycturie
Rétention urinaire
Infection
Mictions impérieuses

Dysurie
Incontinence urinaire
Mictions fréquentes
Hématurie

## Encadré 10-1 (suite)

### Appareil reproducteur

#### Femmes

Menstruations (âge à l'apparition des premières règles, longueur du cycle, durée des règles, abondance du flux, crampes, saignements intermittents, date des dernières règles)

Nombre de grossesses, d'accouchements d'enfants vivants, d'avortements

Chez la femme ménopausée: âge où les règles ont cessé, symptômes, saignements

Pertes vaginales

Dyspareunie

Pratiques contraceptives

Prurit

Maladies transmissibles sexuellement

#### Hommes

| | |
|---|---|
| Douleurs | Maladies transmises sexuellement |
| Écoulements | |
| Engorgements | Pratiques contraceptives |
| Sensibilité | |

### Système nerveux

| | |
|---|---|
| Syncopes | Engourdissements ou picotements |
| Convulsions | |
| Paralysie | Problèmes d'élocution ou de déambulation |
| Faiblesse | |
| Étourdissements | Tremblements |
| Vertiges | Pertes de mémoire |
| | Pertes sensorielles |

### Système hématopoïétique

| | |
|---|---|
| Transfusions sanguines | Hématomes ou saignements au moindre traumatisme |
| Anémie | |

le patient à exprimer librement et ouvertement ses sentiments, ses valeurs et ses expériences. Habituellement, elle commence par poser des questions ouvertes, d'ordre général, puis passe ensuite à des questions plus directes quand elle a besoin d'élucider certains faits. Le patient est souvent moins anxieux si l'infirmière commence par lui poser des questions moins personnelles (par exemple, lieu de naissance, profession, niveau d'instruction) pour passer, par la suite, à des questions plus personnelles (par exemple, activité sexuelle, image corporelle et capacités d'adaptation).

Le profil du patient est établi selon le modèle conceptuel des soins infirmiers adopté par le milieu. Toutefois, on y retrouve toujours ces données:

1. Stade de développement
2. Scolarité et profession
3. Environnement (milieu physique, vie spirituelle, relations interpersonnelles)
4. Mode de vie (schémas et habitudes)
5. Concept de soi
6. Réaction au stress.

Voir l'encadré 10-2 pour un modèle de profil du patient.

**Stade de développement.** L'infirmière demande d'abord au patient de lui raconter brièvement sa vie. Elle lui pose des questions à propos de son lieu de naissance et des endroits où il a vécu afin de l'inciter à lui relater les premières années de sa vie. Pour découvrir les expériences de l'enfance et de l'adolescence qui ont pu le marquer, elle peut lui poser des questions du genre: «Pouvez-vous me raconter des faits de votre enfance ou de votre adolescence qui m'aideront à mieux vous connaître?» L'infirmière doit inciter le patient à passer brièvement en revue les premières années de sa vie en soulignant les événements et les circonstances ayant une importance particulière. Parfois, le patient ne peut se rappeler aucun fait qui lui semble assez important pour être communiqué. Par ailleurs, il peut saisir l'occasion pour parler de ses échecs ou de ses succès personnels, de ses crises de développement ou de mauvais traitements affectifs ou physiques.

**Scolarité et profession.** Le patient peut se sentir menacé par des questions reliées à sa situation matérielle et à sa scolarité. L'infirmière doit, par conséquent, obtenir ces renseignements indirectement. En demandant par exemple au patient de parler de son travail pour obtenir des renseignements sur le rôle qu'il exerce, sur ses tâches et sur la satisfaction qu'il retire de son travail. Il est parfois nécessaire de poser des questions directes à propos des emplois antérieurs et des objectifs de carrière si le patient ne donne pas ces renseignements spontanément.

Il est plus judicieux de poser au patient des questions à propos de la formation qui lui a été nécessaire pour obtenir son emploi actuel que de lui demander s'il a obtenu son diplôme d'études secondaires.

**Environnement.** Il s'agit du milieu physique dans lequel une personne vit et des dangers auxquels elle est exposée, de sa vie spirituelle, de son bagage culturel, de ses relations interpersonnelles et de son réseau de soutien.

**Milieu physique.** Il faut interroger le patient à propos du type de logement qu'il occupe (appartement, duplex, maison unifamiliale), du quartier qu'il habite et de la sécurité et du confort qu'on y retrouve. L'infirmière essaie de connaître les dangers auxquels il peut être exposé comme l'isolement, une protection insuffisante, les risques d'incendie, la pollution

## Encadré 10-2
## Profil du patient

### Passé

Lieu de naissance
Endroits où la personne a déjà vécu
Expériences importantes pendant l'enfance et l'adolescence

### Scolarité et profession

Emplois antérieurs
Emploi ou fonction actuelle
Date de l'embauche
Scolarité
Satisfaction d'ordre professionnel et objectifs de carrière

### Environnement

#### Milieu physique

Logement (type de logement, quartier, risques)

#### Vie spirituelle

Rôle de la religion dans la vie
Croyances religieuses relatives à la perception de la santé
    et de la maladie
Pratiques religieuses

### Relations interpersonnelles

Bagage ethnique (langue parlée, habitudes et valeurs, pratiques
    utilisées pour se maintenir en santé ou pour se guérir)
Relations familiales et réseau de soutien (vie de famille, exercice
    du rôle, modes de communication, réseau de soutien)
Amitiés (qualité des relations)

### Mode de vie

#### Habitudes

Sommeil (heure du coucher, nombre d'heures de sommeil nocturne,
    mesures de bien-être, qualité du sommeil)
Activités physiques (type, fréquence, durée)
Alimentation (liste des aliments consommés au cours des 24 der-
    nières heures, idiosyncrasies, restrictions)
Loisirs (type d'activités, temps consacré)
Caféine (café, thé, cola, chocolat) — quantité
Tabac (cigarettes, pipe, cigare, marijuana) — quantité par jour, depuis
    combien d'années, désir d'arrêter
Alcool — type, quantité, consommation au cours de la dernière année
Drogues — type, quantité, voie d'administration

### Concept de soi

Concept actuel de soi
Perception de soi dans l'avenir
Image corporelle (degré de satisfaction, problèmes)
Sexualité — perception de soi en tant qu'homme ou femme
Qualité des rapports sexuels
Problèmes reliés à la sexualité ou aux pratiques sexuelles

### Réaction au stress

Principaux soucis ou problèmes actuels
«Petites misères» de la vie
Expérience du même genre de problème
Stratégies d'adaptation par le passé et résultats
Stratégies d'adaptation actuelles et résultats prévus
Attentes nourries à l'égard de la famille, des amis et de l'équipe
    soignante

---

(par le bruit, par l'air ou par l'eau) et les installations sanitaires inadéquates.

*Vie spirituelle.* La spiritualité comporte la réflexion et
la méditation sur l'existence, la capacité d'accepter les défis
de la vie et le désir de trouver des réponses à des questions
personnelles. Pour la plupart des gens, la spiritualité est la
pratique d'une religion. Tout comme les influences culturelles, les valeurs et les croyances spirituelles déterminent le
comportement de la personne et sa façon de considérer ses
problèmes de santé et le réseau sociosanitaire en général.
Souvent, une maladie ou une crise du développement perturbe la spiritualité, car elle oblige à remettre en question
certaines valeurs. L'infirmière doit donc évaluer brièvement
les trois aspects suivants de la vie spirituelle :

1. Le rôle de la religion dans la vie du patient.
2. Les croyances religieuses relatives à la perception de la santé
   et de la maladie.
3. Les pratiques religieuses.

Pour obtenir des renseignements à ce sujet elle peut poser
des questions comme :

- Est-ce que la religion ou Dieu sont pour vous importants?
  *Si oui,* jusqu'à quel point?
  *Sinon,* quelle est la chose qui vous importe le plus dans la vie?

- Est-ce qu'il y a des pratiques religieuses qui vous semblent importantes?

- Est-ce que votre trouble de santé actuel vous pose des problèmes sur le plan spirituel?

*Relations interpersonnelles.* Les influences culturelles, la famille et les amis, et les réseaux de soutien forment
l'ensemble des relations interpersonnelles du patient.

*Bagage ethnique.* Les croyances et les pratiques
transmises d'une génération à l'autre constituent le bagage
ethnique et culturel. Elles s'expriment par la langue, la façon
de s'habiller, le choix des aliments, les comportements relatifs

à l'exercice du rôle et au maintien de la santé et les perceptions relatives à la santé et à la maladie. Leur influence sur la maladie et sur les rapports du patient avec l'équipe soignante ne doit jamais être sous-estimée. Pour cette raison, l'infirmière doit connaître l'origine ethnique du patient (origine culturelle et sociale) et ses racines (origine biologique). Voici le genre de questions qui l'aident à obtenir des données importantes:

- D'où viennent vos parents ou vos ancêtres? En quelle année ont-ils immigré?
- Quelle langue parlez-vous à la maison?
- Quelles sont les coutumes et les valeurs qui vous tiennent à cœur?
- Faites-vous quelque chose en particulier pour vous garder en bonne santé?
- Utilisez-vous des pratiques particulières pour vous soigner?

***Relations familiales et réseaux de soutien.*** Le profil du patient doit comporter une évaluation de sa vie familiale (nombre de membres, âges, rôles), de ses modes de communication et de son réseau de soutien. La famille traditionnelle est composée d'une mère, d'un père et des enfants, mais il ne faut pas oublier qu'il existe d'autres structures familiales. Pour certains, la «famille» est composée de personnes ayant des engagements communs ou des liens affectifs. Cette définition élargie permet d'englober le couple qui vit sous le même toit sans être marié, l'étudiant dont les colocataires constituent la «famille» et le célibataire qui vit seul mais qui a beaucoup d'amis sincères et un vaste réseau de soutien. Il est parfois essentiel que l'infirmière présente la situation familiale sous forme de génogramme.

***Mode de vie.*** En posant au patient des questions sur son mode de vie, l'infirmière peut obtenir des renseignements sur les comportements qu'il adopte pour se maintenir en santé. Il s'agit de ses habitudes de sommeil, de ses activités physiques, de son alimentation et de ses loisirs ainsi que de l'usage du tabac, de l'alcool, de drogues et du café. Si un grand nombre de gens donnent volontiers des renseignements à propos de leur sommeil ou de leurs loisirs, rares sont ceux qui répondent spontanément à des questions concernant leur consommation de tabac, d'alcool ou de drogues. Certains se sentent menacés par les questions de l'infirmière et sont portés à minimiser l'importance de leur consommation. Pour cette raison, celle-ci peut obtenir davantage de renseignements si elle demande par exemple: «Quel genre d'alcool aimez-vous prendre dans une soirée?» plutôt que: «Est-ce que vous buvez?» Il ne suffit pas de noter que le patient boit à l'occasion, mais de préciser le type d'alcool et la quantité consommée par jour ou par semaine (par exemple, deux verres de whisky tous les jours, depuis deux ans).

Si l'infirmière soupçonne une consommation excessive d'alcool, elle doit obtenir des données supplémentaires en posant des questions comme: «Est-ce que quelqu'un vous a déjà mentionné que vous pourriez avoir un problème de consommation d'alcool?» «Avez-vous déjà pensé à diminuer votre consommation d'alcool?». Elle peut obtenir de la même manière des données sur le nombre de cigarettes fumées par jour et sur la consommation de café.

Les questions à propos de l'usage de drogues suivent tout naturellement celles qui concernent l'usage du tabac, du café et de l'alcool. Si l'infirmière s'abstient de poser des jugements de valeur, le patient sera plus confiant et parlera plus facilement de l'usage de drogues. Il est souvent utile de poser des questions ouvertes plutôt que des questions auxquelles on ne peut répondre que par «oui» ou par «non». Étant donné que le nom des diverses drogues et des méthodes d'administration changent rapidement, l'infirmière doit parfois demander au patient d'expliquer les termes qu'il utilise.

***Concept de soi.*** Le concept de soi est le produit de nos expériences interpersonnelles; il se bâtit en fonction des réactions que les autres ont manifestées à notre égard. C'est l'impression que nous avons de nous-même, par suite de l'accumulation des perceptions et des interprétations de toute une vie. Parfois, pour connaître le concept de soi d'une personne, il suffit à l'infirmière de l'interroger sur le présent («Que pensez-vous de votre vie, en général?») et sur ses perspectives d'avenir («Quelle sera votre vie à l'avenir?» ou «Comment vous voyez-vous d'ici quelques années?»)

Les problèmes de santé peuvent menacer la perception de soi. L'image corporelle, c'est-à-dire l'image mentale qu'on se fait de soi, est perturbée au cours des crises normales de croissance (adolescence, grossesse, vieillissement) tout comme après certaines interventions médicales ou chirurgicales. L'hospitalisation même peut modifier la perception de soi en conférant un sentiment de faiblesse et d'impuissance. Les modifications apportées par certaines interventions chirurgicales, comme la colostomie ou la mastectomie, sont encore plus menaçantes pour l'image corporelle. Il est donc important que l'infirmière sache comment la personne se perçoit et comment elle perçoit son corps. Voici le genre de questions qui peuvent lui fournir des renseignements utiles:

- Quelle est la partie de votre corps qui vous plaît le plus?
- Quels seraient les changements que vous apporteriez à votre corps si vous pouviez le faire?
- Avez-vous des inquiétudes particulières par rapport à votre corps?

***Sexualité.*** Les questions sur la sexualité touchent un domaine très personnel. Parfois, l'infirmière est elle-même mal à l'aise de poser des questions à ce sujet et omet cet aspect important du profil du patient. Elle peut manquer de connaissances dans ce domaine ou être tourmentée par sa propre sexualité. Souvent, elle ne sait pas à quel moment ou de quelle manière obtenir ce genre de renseignements sans heurter le patient.

Elle doit intégrer les questions sur la sexualité aux questions relatives au mode de vie ou aux relations interpersonnelles ou les poser quand elle effectue l'examen de l'appareil génito-urinaire ou des organes reproducteurs. Parfois, il peut sembler plus facile de parler de la sexualité au moment où on parle des règles avec une femme, ou de l'appareil urinaire avec un homme.

Il est utile de commencer cette partie de la collecte de données en posant une question générale qui tient compte du stade de développement de la personne et de la présence ou de l'absence de relations intimes dans sa vie. Par exemple, lorsque l'infirmière parle de sexualité avec un adolescent, elle peut lui poser certaines questions comme:

- Avez-vous actuellement une amie très proche ou une relation très étroite?
- Certains adolescents de votre âge sont très intéressés par les relations sexuelles... Est-ce votre cas?

De telles questions peuvent inciter le patient à parler de ses inquiétudes concernant l'expression de la sexualité, la qualité de ses relations ou la contraception.

Que le patient soit jeune ou âgé, l'infirmière doit déterminer s'il a des rapports sexuels avant d'explorer les problèmes reliés à l'identité sexuelle, à la contraception ou à la qualité des rapports sexuels. Elle doit éviter de porter des jugements sur la fidélité, l'hétérosexualité ou les pratiques sexuelles et poser ses questions de manière à ce que le patient se sente libre de parler de sa vie sexuelle, peu importe son état matrimonial ou ses pratiques sexuelles. Les questions directes sont généralement moins menaçantes si on les introduit par des mots comme: «La plupart des gens pensent que...» ou «Un grand nombre de personnes ont peur de...», ce qui sous-entend que les sentiments et les comportements auxquels on fait allusion sont normaux. Ainsi, le patient sera incité à fournir des renseignements qu'il cacherait autrement de peur que ses comportements ou ses sentiments soient jugés anormaux ou répréhensibles.

Pendant toute la durée de l'entrevue, l'infirmière doit tenir compte des besoins du patient. S'il répond abruptement à ses questions ou s'il indique d'une façon ou d'une autre qu'il préfère ne pas continuer la discussion, elle doit poursuivre sa collecte de données sur un autre aspect. Toutefois, en introduisant le sujet de la sexualité, elle indique à son interlocuteur qu'elle est prête à discuter de ses problèmes sexuels et qu'elle est ouverte en tout temps à ce genre de discussion. (Voir le chapitre 17, pour plus de détails au sujet de la sexualité.)

***Réaction au stress.*** La façon dont on réagit au stress dépend de la capacité de s'y adapter adéquatement. En explorant les stratégies de lutte contre le stress utilisées antérieurement par le patient et sa perception du stress auquel il est présentement exposé, on peut déterminer sa capacité de s'adapter au stress. Il est très important de définir le soutien que le patient attend de sa famille, de ses amis et de l'équipe soignante.

normalement, de mener à bien ses activités physiques, mentales et sociales et d'assumer ses rôles. Les adeptes de ces nouveaux modèles croient qu'ils permettent d'aborder les questions de santé dans une perspective plus holistique que le modèle traditionnel. Les outils permettant l'évaluation de l'état de santé peuvent aider considérablement l'infirmière. Elle devrait donc les ajouter à ses propres outils de collecte de données.

Comme nous l'avons mentionné, le profil du patient constitue la charpente de la collecte traditionnelle de données et représente la contribution la plus notable de l'infirmière à la base de données recueillies sur le patient, ce qui se reflète par la formation dans ce domaine et l'importance accordée dans la pratique à cette étape de la démarche de soins infirmiers. L'importance que prend le profil du patient est habituellement déterminée par les besoins de celui-ci et par le modèle conceptuel adopté dans chaque établissement de soins ou centre hospitalier. Quoi qu'il en soit, la collecte des données est une partie essentielle de la démarche de soins infirmiers. Le profil du patient est un outil précieux que ses troubles soient aigus ou chroniques, et qu'il soit soigné dans un centre hospitalier, dans un service de consultation externe, dans un centre d'hébergement ou à domicile.

Les troubles de santé peu complexes (maux d'oreilles, amygdalectomie), qui peuvent être soignés rapidement, n'exigent habituellement pas une collecte de données aussi détaillées qu'une maladie grave. Si les troubles de santé du patient sont aigus et complexes ou si la maladie est chronique, on doit parfois obtenir des données plus précises que celles comprises dans le profil global. Sans égard au modèle utilisé, pendant la collecte des données, l'infirmière doit concentrer son attention sur des renseignements différents de ceux qui intéressent le médecin ou un autre membre de l'équipe soignante. Les renseignements qu'elle recueille sont complémentaires et la collecte de données favorise la collaboration avec les autres membres de l'équipe soignante qui apportent leur expérience et leur façon de voir la situation.

# AUTRES MODÈLES DE BILAN DE SANTÉ

Le modèle de bilan de santé que nous avons présenté n'est qu'un exemple parmi de nombreux autres. Certaines infirmières pensent que ce modèle traditionnel n'est utile qu'aux médecins étant donné qu'il ne porte pas exclusivement sur l'évaluation des modes de réactions humaines aux problèmes de santé actuels ou potentiels. Elles ont donc mis au point de nombreux autres modèles de collecte de données, comme le prototype de collecte de données basé sur les neuf modes de réactions humaines proposés par l'Association nord-américaine du diagnostic infirmier (ANADI): échanges, communication, relations, valeurs, choix, mouvement, perceptions, connaissances, sensations et sentiments. Bien que de plus en plus d'infirmières adoptent cette nouvelle forme de collecte de données, sa valeur ne fait pas encore l'unanimité.

De nouveaux modèles de collecte de données permettent d'évaluer l'état de santé et portent sur les répercussions de la maladie ou de l'invalidité sur le *fonctionnement*, c'est-à-dire sur la capacité de la personne de fonctionner

# GÉRONTOLOGIE

L'infirmière qui effectue une collecte de données auprès d'un patient âgé doit faire ce travail calmement, sans se précipiter. Étant donné que le patient âgé présente souvent des troubles auditifs et visuels, elle doit s'assurer que l'éclairage n'est pas trop violent mais suffisamment fort et que les bruits sont atténués dans la mesure du possible. Elle doit aussi se placer de façon que le patient puisse lire sur ses lèvres et voir ses expressions. Elle doit demander au patient ayant des troubles auditifs de porter son appareil auditif pendant l'entrevue.

Le patient âgé croit souvent que ses troubles physiques sont attribuables à l'âge plutôt qu'à une maladie qu'on peut traiter. Par ailleurs, les signes et symptômes de maladie chez les personnes âgées sont souvent différents de ceux qui se manifestent chez les patients plus jeunes. Par conséquent, l'infirmière doit poser des questions sur l'apparition de symptômes physiques subtils, sur les modifications récentes dans le fonctionnement et sur la détérioration du bien-être. Elle doit porter une attention toute particulière à tous les antécédents du patient et aux médicaments qu'il prend étant donné que la polypharmacie est courante chez les personnes âgées.

On ne doit pas présumer d'emblée que le patient âgé est incapable de fournir des renseignements justes, mais il est souvent utile de vérifier et de compléter les renseignements obtenus auprès des membres de sa famille, par exemple, le conjoint, un enfant adulte, un frère, une sœur, etc. Voir chapitre 22 pour d'autres détails sur la collecte de données auprès de la personne âgée.

# AUTRES ÉLÉMENTS DE LA COLLECTE DES DONNÉES

Après avoir effectué le bilan de santé et le profil du patient, l'infirmière doit passer à l'examen physique. Nous présentons au chapitre 7 les habiletés et les techniques de base nécessaires pour effectuer l'examen physique. On trouvera les observations et les évaluations particulières aux différentes maladies dans les chapitres consacrés à ces maladies. Les renseignements recueillis lors du bilan de santé et de l'examen physique peuvent indiquer la nécessité d'examens diagnostiques. Nous avons présenté au chapitre 6 les problèmes relatifs à la formulation de diagnostics infirmiers et à l'élaboration du plan de soins.

# RÉSUMÉ

La collecte de données est un processus complexe qui exige des connaissances précises qui doivent être appuyées par une expérience pratique. Il existe plusieurs façons d'aborder le patient et d'effectuer la collecte de données. On recommande à l'infirmière de mettre au point un style d'entrevue qui convient à sa personnalité. Le modèle de bilan de santé et les techniques d'entrevue que nous avons décrits dans ce chapitre ne sont que des exemples présentés dans le but d'aider l'infirmière à mettre au point sa propre méthode de collecte de données.

## Bibliographie

### Ouvrages

#### Entrevue

Bates B. A Guide to Physical Examination and History Taking, 5th ed. Philadelphia, JB Lippincott, 1991.

Bernstein L and Bernstein RS. Interviewing: A Guide for Health Professionals, 4th ed. New York, Appleton and Lange, 1985.

DeGowin E and DeGowin R. Bedside Diagnostic Examination, 5th ed. New York, Macmillan, 1987.

Enlow A. Interviewing and Patient Care. New York, Oxford University Press, 1986.

Gordon M. Manual of Nursing Diagnosis 1988–1989. St Louis, CV Mosby, 1989.

Gordon M. Nursing Diagnosis. Process and Application. New York, McGraw-Hill, 1987.

Guzzetta CE et al. Clinical Assessment Tools for Use with Nursing Diagnosis. St Louis, CV Mosby, 1989.

Hagopian GA, Hymovich DP, and Lynaugh JE. Clinical Assessment: A Guide for Study and Practice. Philadelphia, JB Lippincott, 1987.

Malasanos L, Barkauskas V, and Stoltengerg-Allen K. Health Assessment, 4th ed. St Louis, CV Mosby, 1990.

Seidel H et al. Mosby's Guide to Physical Examination. St Louis, CV Mosby, 1990.

### Revues

Applegate WB, Blass JP, and Williams TF. Instruments for the functional assessment of older patients. N Engl J Med 1990 Apr 26; 322(17): 1207–1214.

Barry PP and Ibarra M. Multidimensional assessment of the elderly. Hosp Pract [Off] 1990 Apr 15; 25(4):117–121, 124, 127–128.

Brown MD. Functional assessment of the elderly. J Gerontol Nurs 1988 May; 14(5):13–17.

Herth KA. The root of it all. Genograms as a nursing assessment tool. J Gerontol Nurs 1989 Dec; 15(12):32–37.

Hoeman SP. Cultural assessment in rehabilitation nursing practice. Nurs Clin North Am 1989 Mar; 24(1):277–287.

Holloran EJ. Computerized nurse assessments. Nurs Health Care 1988 Nov/Dec; 9(9):497–499.

Pinholt EM et al. Functional assessment of the elderly. Arch Intern Med 1987 Mar; 147(3):484–488.

Scher BB. Are checklists replacing good care? Nursing 1988 Jan; 18(1): 47.

Tompkins ES. In support of the discipline of nursing: A nursing assessment. Nurs Connect 1989 Fall; 2(3):21–29.

# 11
# EXAMEN PHYSIQUE ET BILAN NUTRITIONNEL

## OBJECTIFS D'APPRENTISSAGE

*Après avoir étudié ce chapitre, vous devriez être en mesure de réaliser ce qui suit:*

1. *Décrire les différentes composantes de l'examen physique, soit l'inspection, la palpation, la percussion et l'auscultation.*

2. *Utiliser les techniques d'inspection, de palpation, de percussion et d'auscultation pour effectuer l'examen physique.*

3. *Expliquer l'importance d'une bonne préparation du patient à l'examen clinique sur le plan physique, affectif et éducatif.*

4. *Utiliser les résultats de l'examen clinique, les mesures anthropométriques, les résultats des examens de laboratoire et les données sur l'apport alimentaire pour dresser un bilan nutritionnel.*

5. *Énumérer les facteurs qui peuvent altérer l'état nutritionnel de la personne âgée.*

L'examen physique fait partie intégrante de la collecte de données. Nous exposons dans ce chapitre les techniques de base et présentons le matériel utilisé couramment. La description détaillée de l'examen physique des divers appareils et systèmes, incluant les manipulations spéciales, se trouve aux chapitres qui traitent des différentes maladies. Étant donné que l'état nutritionnel du patient est un élément important de son profil global, nous avons consacré une grande partie de ce chapitre à la collecte des données sur l'alimentation.

## EXAMEN PHYSIQUE

L'examen physique vient habituellement après le bilan de santé. On l'effectue dans une pièce bien chauffée et bien éclairée. L'infirmière doit faire déshabiller le patient, le couvrir d'un drap et ne dénuder que la région à examiner. Elle ne doit jamais perdre de vue le bien-être physique et psychologique du patient. Elle doit aussi lui expliquer tous les procédés et leur justification. Si une manipulation en particulier peut provoquer une gêne, elle doit en prévenir le patient. L'infirmière qui effectue l'examen doit se laver les mains avant et immédiatement après; ses ongles doivent être courts afin de ne pas blesser le patient.

Pour pouvoir obtenir des données essentielles dans le moins de temps possible, l'examen doit être fait de façon systématique, ce qui permet de perfectionner les techniques utilisées. De plus, on favorise la collaboration du patient et on le met en confiance.

Le bilan de santé fournit à l'infirmière un tableau global de la situation. Elle doit par conséquent s'en servir comme guide pendant toutes les étapes de l'examen physique.

On effectue habituellement l'examen «de la tête aux pieds» dans l'ordre suivant:

- Téguments et phanères
- Tête et cou
- Thorax et poumons
- Seins
- Appareil cardiovasculaire
- Abdomen
- Rectum
- Organes génitaux
- Système nerveux
- Appareil locomoteur

Dans la pratique courante, on examine tous les appareils et systèmes pertinents, mais pas nécessairement dans l'ordre ci-dessus. Par exemple, pendant l'examen du visage, l'infirmière peut en déterminer la symétrie et, par conséquent, vérifier l'intégrité du 7e nerf crânien, de sorte qu'elle n'a pas à y revenir lors de l'évaluation du système nerveux. En procédant à l'examen des systèmes et appareils de cette façon, on peut non seulement gagner du temps, mais aussi éviter d'épuiser inutilement le patient en lui épargnant l'effort de changer constamment de position.

On ne procède pas toujours à un examen physique «complet». La plupart du temps, on n'effectue qu'un examen partiel pour répondre à un besoin précis. Si, par exemple, un étudiant en bonne santé de 20 ans doit se soumettre à un examen physique pour être admis dans une équipe de basketball et s'il ne signale aucun antécédent d'anomalies neurologiques, il est inutile d'effectuer l'évaluation complète du système nerveux. Par contre, si un patient se plaint d'engourdissements passagers et de diplopie, il faut procéder à une évaluation complète du système nerveux. De même, la personne souffrant de douleurs thoraciques de nature pleurétique devra se soumettre à un examen plus minutieux de la cage thoracique que la personne qui souffre, par exemple, de crampes aux jambes.

L'examen physique est une intervention qui exige du jugement et de la réflexion. Afin d'obtenir des résultats concrets, il faut se fonder sur tous les renseignements connus. En général, c'est le bilan de santé du patient qui guide l'infirmière au cours de l'examen physique et qui lui permet d'obtenir des données supplémentaires pour établir le profil global.

Pour être en mesure d'effectuer l'examen physique, l'infirmière doit en apprendre les techniques et les mettre en pratique en milieu clinique. Ce n'est que lorsqu'elle maîtrisera parfaitement les techniques de base de l'examen physique et qu'elle pourra les intégrer dans l'examen complet, que l'infirmière sera capable d'effectuer des examens de dépistage systématique comprenant une évaluation minutieuse d'un appareil ou système particulier et des manipulations spéciales.

Les outils de base dont se sert l'infirmière pour effectuer l'examen physique sont ses sens: la vue, l'odorat, le toucher et l'ouïe. Elle peut affiner sa vue et son ouïe par l'utilisation d'instruments spéciaux (par exemple, le stéthoscope, l'ophtalmoscope, l'otoscope). C'est par la pratique que l'infirmière gagnera de l'expérience, et par l'interprétation attentive de ses observations qu'elle pourra se perfectionner.

# CONDUITE DE L'EXAMEN PHYSIQUE

Pour effectuer l'examen physique, l'infirmière utilise quatre techniques de base: l'*inspection*, la *palpation*, la *percussion* et l'*auscultation*.

## INSPECTION

L'inspection est la première technique de base que l'infirmière utilise; elle exige un bon sens de l'observation. Habituellement, une inspection générale doit avoir lieu lors du premier contact avec le patient. L'infirmière se présente, serre la main du patient et échange avec lui quelques propos. Lors de ce bref échange, elle peut enregistrer beaucoup d'impressions et faire de nombreuses observations valables. Le patient est-il jeune ou vieux? (quel âge a-t-il? son aspect physique général correspond-il à son âge réel?); le patient est-il maigre ou obèse? est-il anxieux ou déprimé? son corps paraît-il normal ou est-il déformé d'une quelconque façon? (quelle partie est déformée? à quel degré par rapport à la normale?).

Il importe de noter les détails. Les énoncés vagues, d'ordre général, ne peuvent remplacer une description précise, basée sur une observation attentive:

1. *Le patient semble malade.* Qu'est-ce qui fait dire que le patient semble malade? Est-il pâle? Sa peau est-elle moite? Fait-il des grimaces de douleur? Est-il dyspnéique? Sa peau est-elle jaune ou cyanosée? Présente-t-il un oedème? Quelles sont les caractéristiques physiques ou les manifestations comportementales précises qui illustrent le fait qu'il semble «malade»?

2. *Le patient semble souffrir d'une maladie chronique.* Qu'est-ce qui permet de dire que le patient souffre d'une maladie chronique? Semble-t-il avoir perdu du poids? Le corps du patient qui a perdu du poids à cause d'un cancer ou d'un autre trouble entraînant une perte de la masse musculaire a un aspect différent du patient qui a juste perdu du poids, car la répartition de la perte n'est pas la même. L'état de la peau suggère-t-il la présence d'une maladie chronique? Est-elle pâle, déshydratée ou flasque à cause d'une perte de tissus sous-cutanés. Les professionnels de la santé omettent fréquemment d'inscrire dans les dossiers ces observations importantes.

Parmi les observations générales qu'il faut noter au cours de l'examen initial citons la posture et la stature, les mouvements du corps, l'élocution, l'état nutritionnel et la température corporelle.

***Posture et stature.*** La posture peut donner des indices importants sur la maladie dont souffre le patient. Par exemple, les patients qui souffrent de dyspnée grave préfèrent rester assis et se plaignent qu'ils étouffent quand on leur demande de s'étendre même pendant un bref moment. Les personnes souffrant d'emphysème restent assises avec le dos droit dans une posture tout à fait caractéristique. Elles étirent les bras vers l'avant et les placent de chaque côté du lit (position du tripode) afin que les muscles respiratoires accessoires soient dans une position qui facilite la respiration. Les patients souffrant de douleurs abdominales dues à une péritonite préfèrent rester en position couchée, sans bouger. Le moindre mouvement imprimé au lit peut les faire hurler de douleur. Les patients souffrant de douleurs abdominales provoquées par une colique hépatique ou néphrétique sont très agités. Ils peuvent se tordre dans le lit ou se lever et arpenter la pièce de long en large. Les patients atteints d'un syndrome méningé accompagné de céphalées ne peuvent pencher la tête ni fléchir les genoux sans que leur douleur soit exacerbée.

**Mouvements du corps.** On peut classer les anomalies des mouvements en deux grandes catégories: perturbation des mouvements volontaires ou involontaires et asymétrie des mouvements. Dans la première catégorie, on peut inclure les différents types de tremblements, certains se produisant au repos (maladie de Parkinson) et d'autres seulement lors d'un mouvement volontaire (ataxie cérébelleuse). D'autres types de tremblements peuvent se produire au repos comme à l'effort (délirium tremens, thyrotoxicose). Certains mouvements volontaires ou involontaires sont fins, d'autres très accentués, comme les spasmes convulsifs de l'épilepsie ou du tétanos et les convulsions choréiques des patients atteints de rhumatisme articulaire aigu ou de la maladie de Huntington.

L'asymétrie des mouvements est observée dans certaines maladies du système nerveux central, particulièrement l'accident vasculaire cérébral. Le patient peut présenter un affaissement d'un côté du visage ou être incapable de bouger normalement ses membres supérieurs ou inférieurs du côté droit ou gauche. Étant donné que le patient a moins de force du côté affecté, il ne peut pas se déplacer sans traîner le pied.

**Alimentation.** Il est important d'évaluer l'état nutritionnel du patient. Il faut noter l'obésité généralisée, par suite d'un apport énergétique excessif. Il importe de se rappeler que l'obésité localisée au tronc peut traduire un trouble endocrinien (maladie de Cushing) ou une corticothérapie prolongée. De même, une perte de poids généralisée est due à un régime amaigrissant, mais une perte de la masse musculaire peut traduire une maladie qui entrave la synthèse des protéines. Nous expliquons plus loin comment évaluer l'état nutritionnel.

**Élocution.** Les défauts d'élocution peuvent être dus à une maladie du SNC ou à une incapacité d'articuler à cause d'une lésion des nerfs crâniens. Une lésion du nerf laryngé récurrent ou une maladie qui provoque un oedème des cordes vocales peut provoquer une raucité de la voix. Chez les personnes atteintes de certaines maladies du SNC (sclérose en plaques), la voix peut être saccadée ou hésitante.

**Température corporelle.** La prise de la température corporelle doit faire partie de tout examen physique. La fièvre est une élévation de la température corporelle au-dessus de la normale. La température buccale normale est en moyenne de 37,0 °C. Chez certaines personnes toutefois une température de 36,6 °C est normale, et chez d'autres, une température de 37,3 °C est tout aussi normale. Chez les enfants qui s'agitent beaucoup par les journées chaudes, la température peut monter jusqu'à 37,7 °C et parfois même au-delà. La température doit toutefois baisser assez rapidement au repos. De plus, on observe des variations de un ou de deux degrés au cours de la journée. Chez la plupart des gens, la valeur la plus basse peut être mesurée tôt le matin. La température monte ensuite jusqu'aux environs de 37,3 à 37,5 °C, puis redescend au cours de la nuit.

## PALPATION

La palpation est une partie importante de l'examen physique. On peut, grâce à elle, examiner de nombreuses parties de l'organisme, qui sont invisibles à l'oeil nu. Par exemple, on peut palper les vaisseaux sanguins superficiels, les ganglions lymphatiques, la thyroïde, les organes abdominaux et pelviens et le rectum. Il faut noter que lors de l'examen de l'abdomen, on effectue l'auscultation *avant* la palpation et la percussion pour ne pas modifier les bruits intestinaux.

On peut également déceler par la palpation certains bruits organiques si leur intensité se situe entre des limites précises, par exemple certains bruits cardiaques ou certains frémissements vasculaires. Les frémissements provoquent une sensation de vibration qui ressemble au ronronnement d'un chat. Les vibrations de la voix, qui cheminent le long des bronches jusqu'à la périphérie des poumons, peuvent être décelées par palpation. Ces vibrations, qui portent le nom de *vibrations thoraciques* (ou vocales), peuvent être diminuées ou absentes dans certaines maladies pulmonaires.

## PERCUSSION

La percussion d'un organe produit des vibrations et des bruits qui sont transmis par les tissus. Les caractéristiques du bruit entendu dépendent, par conséquent, de la densité des tissus sous-jacents. La percussion est une technique difficile à maîtriser, mais qui permet de recueillir des renseignements importants sur les maladies touchant l'abdomen et le thorax. Il s'agit de percuter la paroi thoracique ou abdominale avec un plessimètre afin de produire des vibrations. Comme nous venons de l'expliquer, le bruit qu'on entend reflète la densité des tissus sous-jacents. Certains tissus ont à la percussion une sonorité particulière, que l'on désigne par les cinq termes suivants: *tympanisme, sonorité, hypersonorité, submatité* et *matité,* en allant du son le plus fort (tympanisme) au son le plus faible (matité); la durée est variable.

Le *tympanisme* est un son bourdonnant produit par la percussion d'un estomac contenant des bulles d'air. La *sonorité* caractérise des poumons remplis d'air. L'*hypersonorité* est audible lors de la percussion de tissus pulmonaires emphysémateux. La percussion du foie produit une *submatité* et la cuisse, une *matité.*

Voici comment une personne droitière doit effectuer la percussion (la personne gauchère doit inverser les mains) (voir la figure 11-1). Appuyer fermement la phalange distale du majeur gauche sur la paroi thoracique. Ne pas toucher la paroi avec les autres doigts pour ne pas atténuer les vibrations. La main droite devient le plessimètre. Le majeur droit doit percuter la phalange distale du majeur gauche juste en arrière de l'ongle. Si la percussion est forte, elle produira un son clair et court. Le mouvement de la main droite est surtout guidé par le poignet. L'avant-bras droit reste immobile. Plus le mouvement est rapide, plus le son produit est clair. Son intensité dépend de la force de percussion.

Grâce à la percussion, on peut observer des détails anatomiques normaux, par exemple la descente du diaphragme pendant l'inspiration. Le son produit par les tissus pulmonaires est normalement grave, tandis que celui produit par le diaphragme est mat. On peut aussi percuter les contours du cœur et déterminer l'importance d'un épanchement pleural ou le siège d'une atélectasie ou d'une pneumonie. Nous expliquerons les autres applications de cette technique dans la section consacrée à l'examen du thorax et de l'abdomen.

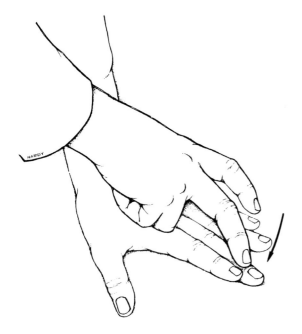

**Figure 11-1.** La percussion. Le majeur de la main droite (plessimètre) percute la phalange distale du majeur de la main gauche. Seule la phalange distale du majeur de la main gauche doit s'appuyer sur la surface à percuter. Le majeur de la main droite doit rester rigide, car il s'agit essentiellement d'un jeu du poignet. L'intensité et la clarté du son dépendent de la rapidité des mouvements de percussion.

## AUSCULTATION

Les bruits organiques sont produits par la circulation de l'air dans les structures creuses ou par la pression exercée par le déplacement des colonnes de liquide qui mettent en mouvement les structures solides. Des exemples de phénomènes acoustiques importants sur le plan clinique sont la circulation de l'air dans la trachée et les bronches (bruits respiratoires), la circulation de l'air qui passe dans les cordes vocales (vibrations vocales), la circulation de l'air dans les intestins (bruits intestinaux), la circulation du sang dans des vaisseaux obstrués (souffles) et la résistance qu'opposent au sang circulant les valvules fermées et les parois du cœur (bruits cardiaques). Les bruits physiologiques peuvent être normaux (par exemple, premier et deuxième bruits du cœur) ou pathologiques (souffle diastolique ou crépitations pulmonaires). Certains bruits normaux peuvent être déformés par un processus pathologique (par exemple, les bruits de la respiration sont modifiés quand l'air doit traverser les poumons d'un patient atteint de pneumonie lobaire).

Si les bruits produits par l'organisme sont d'une amplitude suffisante, ils engendrent des vibrations dans toutes les structures situées entre le tissu d'origine et la surface corporelle. Les vibrations émanant de la surface corporelle peuvent être captées directement par l'oreille ou, de façon plus précise, par le stéthoscope, un appareil indispensable à l'auscultation.

Le stéthoscope ne peut amplifier le bruit mais il le canalise, le rendant plus facile à discerner. Il comporte deux pièces : la cupule et la membrane, qui sont souvent réunies en une seule pièce pour former un pavillon. Pour changer de pièce, on tourne la tête du stéthoscope ou le pavillon. La cupule,

qui permet de mieux entendre les bruits de très basse fréquence, est un petit disque avec une base conique. Il faut placer la cupule de façon que toute sa surface touche légèrement la peau. Le disque plus large, la membrane, permet de capter les bruits de haute fréquence. On doit la placer fermement contre la peau.

Il faut tenir le pavillon du stéthoscope entre l'index et le majeur pour que le contact avec la surface de la peau soit ferme. Pendant l'auscultation, l'infirmière doit éviter de toucher le tube ou de frotter d'autres surfaces (cheveux, vêtements) pour ne pas être dérangée par les bruits parasites. Les écouteurs du stéthoscope doivent bien s'adapter au canal auditif et la longueur du tube ne doit pas dépasser 20 cm. Le tube en Y assure une meilleure transmission du son que le tube simple.

Les bruits produits par l'organisme, à l'instar de tous les autres sons, sont caractérisés par leur intensité, leur fréquence et leur tonalité. L'*intensité* des bruits physiologiques est habituellement faible. On peut rarement les discerner, sauf pour ce qui est des vibrations vocales, sans appliquer l'oreille ou le stéthoscope directement sur la surface du corps. La *fréquence* des sons organiques en fait de véritables bruits, puisqu'elle est variable, contrairement à celles des sons provenant des notes de musique ou du diapason. La fréquence peut être faible (auquel cas le bruit rappellera un grondement) ou élevée (auquel cas le bruit sera strident ou sifflant). La troisième caractéristique du bruit est la *tonalité*. Il s'agit de la caractéristique qui nous permet de distinguer, par exemple, les notes jouées au piano de celles jouées au violon. La qualité du son permet à l'infirmière de distinguer la respiration sifflante dont la tonalité est aiguë du souffle diastolique dont la tonalité est grave.

Dans les chapitres suivants, nous exposerons les diverses applications de l'inspection, de la palpation, de la percussion et de l'auscultation selon les différents systèmes ou appareils examinés.

## BILAN NUTRITIONNEL

L'alimentation joue un rôle important dans le maintien de la santé et dans la prévention des maladies. De nos jours, les maladies provoquées par les carences nutritionnelles sont rares, mais les troubles causés par des excès alimentaires ou des régimes déséquilibrés ont pris beaucoup d'importance et sont devenus l'une des principales causes de morbidité et de mortalité en Amérique du Nord. Parmi les troubles associés aux excès alimentaires, aux régimes déséquilibrés ou à la consommation insuffisante de certains éléments nutritifs, on note l'obésité, les coronaropathies, l'ostéoporose, la cirrhose et la diverticulite. Dans certaines maladies ou lésions, l'alimentation est un facteur essentiel de la guérison, qui améliore la résistance aux infections. Quand on établit le bilan nutritionnel, il faut noter l'excès de poids, la sous-alimentation, la perte de poids, la malnutrition, les carences de certains éléments nutritifs, les troubles métaboliques, les effets des médicaments sur l'alimentation, ainsi que des renseignements sur des problèmes particuliers.

Certains des signes et symptômes de troubles nutritionnels sont caractéristiques, tandis que d'autres peuvent aussi être attribuables à d'autres facteurs comme une mauvaise hygiène, l'exposition au soleil ou une maladie. Un signe physique qui évoque un trouble nutritionnel devrait être considéré comme un indice plutôt que comme un élément de diagnostic, car il pourrait aussi traduire, selon le cas, un trouble endocrinien, une maladie infectieuse, un trouble digestif ou un trouble affectant la capacité d'absorption, d'excrétion ou de stockage des éléments nutritifs.

On peut établir l'état nutritionnel par l'une ou l'autre des méthodes suivantes :

- bilan de santé et examen clinique;
- mesures anthropométriques;
- analyses de laboratoire;
- collecte de données sur l'alimentation.

## EXAMEN CLINIQUE

L'aspect physique traduit l'état nutritionnel. Bien que le signe physique le plus évident d'une bonne nutrition soit un poids normal par rapport à la taille, à l'ossature et à l'âge, l'état de certains tissus peut également refléter l'état nutritionnel général ou l'apport d'éléments nutritifs particuliers. Il s'agit des cheveux, de la peau, des dents, des gencives, des muqueuses, de la bouche et de la langue, des muscles squelettiques, de l'abdomen, des membres inférieurs et de la glande thyroïde (voir le tableau 11-1).

## MESURES ANTHROPOMÉTRIQUES

Les mesures anthropométriques les plus courantes sont la taille, le poids et la circonférence des muscles du bras et de l'avant-bras. Quand ces mesures font partie de la collecte des données, il faut utiliser des méthodes et des instruments normalisés. Ces mesures visent surtout à dépister la sous-alimentation, mais elles permettent également de déceler

l'obésité. Voir le tableau 11-2, pour le poids-idéal chez l'adulte et le tableau 11-3, pour la détermination du type d'ossature. Nous expliquons comment mesurer l'épaisseur du pli cutané et la circonférence du bras et du muscle brachial dans la section consacrée à la collecte de données sur l'alimentation du patient hospitalisé (voir le tableau 11-8).

## EXAMENS DE LABORATOIRE

Grâce aux analyses biochimiques, on peut déterminer la concentration tissulaire des éléments nutritifs et déceler les anomalies de leur métabolisme: analyses du sang (dosage des protéines, de l'albumine, des globulines, de la transferrine, de la vitamine A, de la carotène et de la vitamine C) et des urines (dosage de la créatinine, de la thiamine, de la riboflavine, de la niacine et de l'iode). Certaines de ces analyses permettent de déceler un taux insuffisant de l'élément nutritif étudié avant que les symptômes cliniques ou la carence ne soient manifestes. (Voir le tableau 11-4, pour l'interprétation des résultats des ces analyses.)

## COLLECTE DE DONNÉES SUR L'ALIMENTATION

Afin de déterminer l'apport habituel d'éléments nutritifs, on doit connaître la quantité et la qualité des aliments consommés habituellement ainsi que la fréquence à laquelle sont consommés certains aliments en particulier. Pour ce faire, l'infirmière peut demander au patient de tenir un journal des aliments consommés pendant une période donnée ou elle peut noter elle-même les aliments consommés. Si le patient doit tenir un journal, l'infirmière doit lui expliquer comment le faire.

**TABLEAU 11-1.** *Signes physiques de l'état nutritionnel*

| Région | Signes de bonne alimentation | Signes de mauvaise alimentation |
|---|---|---|
| Cheveux | Brillants, lustrés, vigoureux, cuir chevelu sain | Ternes, secs, cassants, décolorés |
| Visage | Apparence saine, coloration uniforme | Peau squameuse, boursouflée, cernes foncés au-dessus des joues et sous les yeux |
| Yeux | Clairs, brillants, humides | Membranes sèches (xérophtalmie), vascularité accrue, cornée molle (kératomalacie) |
| Lèvres | Souples et roses | Enflées, aux commissures (chéilite) |
| Langue | Rouge foncé, papilles en surface | Lisse, tuméfiée, de couleur rouge sang, lésions linguales, papilles atrophiées |
| Dents | Droites, éclatantes, bien espacées, sans caries | Cariées, tachetées (fluorose), mal implantées |
| Gencives | Fermes et roses | Spongieuses, rétractées; saignent facilement; bordures rouges |
| Glandes | Thyroïde de grosseur normale | Thyroïde hypertrophiée (goitre simple) |
| Peau | Lisse, hydratée, coloration normale | Rêche, sèche, squameuse, tuméfiée, atrophiée, pâle, hyperpigmentée ou hypopigmentée |
| Ongles | Durs, rosés | Souples, en cuillères, striés |
| Squelette | Bonne posture, absence de déformation | Mauvaise posture, côtes saillantes, jambes arquées, genoux cagneux |
| Muscles | Bien développés, fermes | Flasques, insuffisamment développés, atrophiés; mauvais tonus |
| Membres | Aucune sensibilité | Faibles et sensibles; présence d'œdème |
| Abdomen | Plat | Gonflé |
| Système nerveux | Réflexes normaux | Diminution ou perte des réflexes tendineux (genoux et chevilles) |

**TABLEAU 11-2.** *Le poids idéal d'après les statistiques des compagnies d'assurance-vie:*
*Tableaux des poids et des tailles de la Metropolitan Life Insurance Company, 1983*

| *Hommes* | | | | *Femmes* | | | |
|---|---|---|---|---|---|---|---|
| *Taille (mètre)* | *Petite ossature* | *Ossature moyenne* | *Forte ossature* | *Taille (mètre)* | *Petite ossature* | *Ossature moyenne* | *Forte ossature* |
| 1,58 | 58,2-60,9 | 59,5-64,1 | 62,7-68,2 | 1,48 | 46,4-50,5 | 49,5-55 | 53,6-59,5 |
| 1,60 | 59,1-61,8 | 60,5-65 | 63,6-69,5 | 1,50 | 46,8-51,4 | 50,5-55,9 | 54,5-60,9 |
| 1,63 | 60-62,7 | 61,4-65,9 | 64,5-70,9 | 1,53 | 47,3-52,3 | 51,4-57,3 | 55,5-62,3 |
| 1,65 | 60,9-63,6 | 62,3-67,3 | 65,5-72,7 | 1,55 | 48,2-53,6 | 52,3-58,6 | 56,8-63,6 |
| 1,68 | 61,8-64,5 | 63,2-68,6 | 66,4-74,5 | 1,58 | 49,1-55 | 53,6-60 | 58,2-65 |
| 1,70 | 62,7-65,9 | 64,5-70 | 67,7-76,4 | 1,60 | 50,5-56,4 | 55-61,4 | 59,5-66,8 |
| 1,73 | 63,6-67,3 | 65,9-71,4 | 69,1-78,2 | 1,63 | 51,8-57,7 | 56,4-62,7 | 60,9-68,6 |
| 1,75 | 64,5-68,6 | 67,3-72,7 | 70,5-80 | 1,65 | 53,2-59,1 | 57,7-64,1 | 62,3-70,5 |
| 1,78 | 65,5-70 | 68,6-74,1 | 71,8-81,8 | 1,68 | 54,5-60,5 | 59,1-65,5 | 63,6-72,3 |
| 1,80 | 66,4-71,4 | 70-75,5 | 73,9-83,6 | 1,70 | 55,9-61,8 | 60,5-66,8 | 65-74,1 |
| 1,83 | 67,7-72,7 | 71,4-77,3 | 74,5-85,5 | 1,73 | 57,3-63,2 | 61,8-68,2 | 66,4-75,9 |
| 1,85 | 69,1-74,5 | 72,7-79,1 | 76,4-87,3 | 1,75 | 58,6-64,5 | 63,2-70,5 | 67,7-78,3 |
| 1,88 | 70,5-76,4 | 74,5-80,9 | 78,2-89,5 | 1,78 | 60-65,9 | 64,5-70,9 | 69,1-78,6 |
| 1,90 | 71,8-78,2 | 75,9-82,7 | 80-91,8 | 1,80 | 61,4-67,3 | 65,9-72,3 | 70,5-80 |
| 1,93 | 73,6-80 | 77,7-85 | 82,3-94,1 | 1,83 | 62,7-68,6 | 67,3-73,6 | 71,8-81,4 |

\* Le poids des personnes âgées de 25 à 59 ans est basé sur le taux de mortalité le plus faible. Le poids est calculé en kilogrammes selon l'ossature (il faut tenir compte du poids des vêtements, soit 2,3 kg pour les hommes et 1,3 kg pour les femmes; souliers avec talons de 2,5 cm).
(Le tableau révisé des poids et des tailles a été établi d'après les statistiques des compagnies d'assurance-vie par la Metropolitan Life Insurance Company: men and women, copyright 1983, Metropolitan Life Insurance Company.)

***Journal alimentaire.*** On utilise le plus souvent le journal alimentaire pour l'étude de l'état nutritionnel. On demande au patient d'y inscrire tous les aliments consommés pendant une période donnée, habituellement entre trois et sept jours. On doit lui enseigner comment inscrire les renseignements. Cette méthode fournit des résultats assez précis si le patient inscrit sa consommation réelle et s'il est capable d'évaluer la quantité d'aliments consommés.

***Rappel de 24 heures.*** Selon cette méthode, on demande au patient d'indiquer tous les aliments qu'il a consommés au cours de la journée précédente et d'en évaluer les quantités.

Les renseignements recueillis par cette méthode ne représentent pas toujours fidèlement la consommation habituelle. C'est pourquoi, à la fin de l'entrevue, il faut demander au patient si la ration d'aliments de la journée précédente était semblable à celle des autres jours. Afin d'obtenir des renseignements supplémentaires sur la consommation type, l'infirmière doit connaître la fréquence à laquelle le patient consomme des aliments provenant des différents groupes.

Les renseignements d'ordre nutritionnel et les résultats des analyses de laboratoire sont en général plus précis que les données recueillies à l'examen physique, qui ne permettent pas de déceler des carences subcliniques, car elles ne révèlent que les carences suffisamment graves pour provoquer des signes manifestes. Un régime pauvre en éléments nutritifs, suivi pendant un certain temps, peut entraîner une baisse de la concentration sanguine de ces éléments. Faute d'une intervention nutritionnelle, des signes et symptômes caractéristiques peuvent se manifester.

## CONDUITE À TENIR PENDANT L'ENTREVUE

Comme nous l'avons mentionné au chapitre précédent, l'infirmière doit établir avec le patient une relation basée sur le respect et la confiance si elle veut être sûre qu'il se sente suffisamment à l'aise pour lui donner des renseignements exacts.

**TABLEAU 11-3.** *Détermination du type d'ossature par la largeur du coude*

| *Hommes* | | *Femmes* | |
|---|---|---|---|
| *Taille avec un talon de 2,5 cm* | *Largeur du coude* | *Taille avec un talon de 2,5 cm* | *Largeur du coude* |
| 1,58-1,60 | 6,4-7,3 | 1,48-1,50 | 5,7-6,4 |
| 1,63-1,70 | 6,7-7,3 | 1,53-1,60 | 5,7-6,4 |
| 1,73-1,80 | 7,0-7,6 | 1,63-1,70 | 6,0-6,7 |
| 1,83-1,90 | 7,0-7,9 | 1,73-1,80 | 6,0-6,7 |
| 1,93 | 7,3-8,3 | 1,83 | 6,4-7,0 |

Voici une méthode permettant d'évaluer le type d'ossature: étirer le bras et plier l'avant-bras à un angle de 90°. Garder la main ouverte et tourner le poignet vers le corps. À l'aide d'un adipomètre, mesurer l'espace entre les deux os proéminents qui se trouvent de chaque côté du coude. Si l'on ne dispose pas de cet instrument, placer le pouce et l'index d'une main sur ces deux os. Mesurer l'espace entre les doigts à l'aide d'une règle ou d'un ruban et déterminer le type d'ossature en se servant du tableau (ossature moyenne pour les femmes et les hommes). Un chiffre plus petit traduit une petite ossature et un chiffre plus grand, une grosse ossature.
(Données provenant de la Metropolitan Life Insurance Company, copyright 1983.)

**TABLEAU 11-4.** *Examens de laboratoire*

|  | Acceptable | Faible | Carence |
|---|---|---|---|
| Rétinol plasmique ($\mu$mol/L) | > 0,70 | de 0,35 à 0,70 | < 0,35 |
| Folate sérique (n mol/L) | > 14 | de 7 à 14 | < 7 |
| Folate dans les globules rouges (n mol/L) | > 340 | de 227 à 340 | < 227 |
| Vitamine $B_{12}$ sérique (p mol/L) | > 50 | de 75 à 150 | < 75 |
| Vitamine $B_6$ plasmatique (n mol/L) | > 14 | de 10 à 14 | < 10 |
| Acide ascorbique plasmatique ($\mu$mo/L) | > 30 | de 20 à 29 | < 20 |

(Source: D. A. Roe, Nutritional assessment of the elderly. World Rev Nutr Diet 48:107, 1986 par R. Nelson, Nutrition and Aging. Med Clin North Am 73(6):1541, 1989)

Pour commencer, l'infirmière se présente et explique le but de l'entrevue. Pendant le reste de l'entretien, elle doit se montrer souple et mener son entrevue de façon à permettre à son interlocuteur d'exprimer ses sentiments. En même temps, elle doit l'inciter à répondre aux questions précises qu'elle lui pose.

Sa façon de poser les questions peut avoir une influence sur la collaboration du patient. Pour favoriser la collaboration, l'infirmière doit s'abstenir de porter des jugements et d'exprimer sa désapprobation, soit directement, par un commentaire, soit indirectement, par l'expression de son visage. Par exemple, si le patient dit: «Nous mangeons de la chair de serpent à sonnettes en entrée», l'infirmière ne doit montrer ni sa surprise ni son dégoût par des grimaces ou par des propos désobligeants.

Parfois, il faut poser plusieurs questions pour recueillir toutes les données dont on a besoin. Voici un exemple de dialogue:

*L'infirmière:* «À quelle heure vous êtes-vous levée, hier matin?»
*La patiente:* «Je me suis levée à 6 h pour préparer le petit déjeuner de mon mari et j'ai pris une tasse de café en sa compagnie.»
*L'infirmière:* «Avez-vous mis quelque chose dans votre café?»
*La patiente:* «Seulement une cuillerée de sucre, rien d'autre.»
*L'infirmière:* «Avez-vous pris autre chose que du café?»
*La patiente:* «Non, pas à ce moment-là. J'ai pris mon petit déjeuner plus tard, vers 8 h.»

Pendant la collecte de données sur le type et la quantité d'aliments consommés, l'infirmière ne doit jamais poser des questions fermées du genre «Avez-vous mis du sucre ou de la crème dans votre café?» Elle ne doit pas non plus suggérer au patient des réponses sur la grosseur de la portion servie, mais plutôt formuler ses questions de façon à la déterminer sans équivoque. Par exemple, pour déterminer la grosseur d'un hamburger, elle doit poser la question suivante: «Combien de hamburgers préparez-vous avec 450 g de viande hachée?» Pour déterminer les portions de viande, de gâteau ou de tarte, on peut parfois se servir d'étalons connus (par exemple, part, morceau, tranche, etc.) ou inscrire les quantités en unités de mesure d'usage courant, par exemple en millilitres (ou en volume des contenants pour les boissons).

Quand le patient parle d'un plat cuisiné en particulier, comme du riz à l'espagnol ou du ragoût, on doit lui faire préciser les ingrédients et les quantités utilisées et les inscrire par ordre décroissant. Quand on inscrit la quantité de chaque ingrédient, il faut préciser si l'aliment a été consommé cru ou cuit et le nombre des portions préparées. Quand le patient a fini le rappel de 24 heures, on doit lui lire la liste des aliments consommés et lui demander s'il n'a rien oublié, par exemple, un fruit, un gâteau, un bonbon, une collation, un amuse-gueule, etc.

Pendant la collecte de données, l'infirmière doit également se renseigner sur la méthode de cuisson des aliments, sur leur provenance (dons, achats avec coupons primes), sur les habitudes d'achat, sur les suppléments de vitamines et de minéraux consommés régulièrement ainsi que sur les revenus du patient.

## ANALYSE ET INTERPRÉTATION DES DONNÉES SUR L'ALIMENTATION

Une fois la collecte de données sur l'alimentation terminée, on doit analyser la valeur nutritive des aliments. Pour ce faire, on peut utiliser les tableaux des taux quotidiens recommandés publiés par Santé et Bien-être social Canada. On calcule ensuite l'apport de chaque élément nutritif en grammes ou en milligrammes. L'apport nutritif total doit être exprimé en pourcentage du taux quotidien recommandé (voir le tableau 11-5).

On peut aussi se servir d'un tableau de taux quotidiens recommandés en fonction de l'âge, selon par exemple un guide des quatre groupes alimentaires de base (voir le tableau 11-6).

**TABLEAU 11-5.** *Taux quotidiens recommandés*

| Éléments nutritifs | Hommes | Femmes |
|---|---|---|
| Vitamine $B_6$ | 2,0 mg | 1,6 mg |
| Vitamine $B_{12}$ | 2,0 $\mu$g | 2,0 $\mu$g |
| Calcium (> 25 ans) | 800 mg | 800 mg |
| Calcium (< 23 ans) | 1200 mg | 1200 mg |
| Vitamine C | 60 mg | 60 mg |
| Folate | 200 $\mu$g | 180 $\mu$g |
| Vitamine K | 80 $\mu$g | 65 $\mu$g |
| Fer | 10 mg | 15 mg |
| Magnésium | 350 mg | 280 mg |
| Sélénium | 70 $\mu$g | 55 $\mu$g |
| Zinc | 15 mg | 12 mg |

(Source: National Research Council. *Recommended Dietary Allowances*, 10e édition, Washington, D.C. National Academy Press, 1989, copyright 1989, National Academy of Sciences)

TABLEAU 11-6. *Guide quotidien d'une bonne alimentation: les quatre groupes alimentaires de base*

| Groupes alimentaires | Rations recommandées | |
|---|---|---|
| | | Portions |
| **PRODUITS LAITIERS** | | |
| Lait, fromage cottage, crème glacée, yogourt | Enfants de moins de 9 ans | 2 à 3 |
| | Enfants de 9 à 12 ans | 3 à 4 |
| | Adolescents | 3 à 4 |
| | Adultes | 2 à 4 |
| | Femmes enceintes | 3 à 4 |
| | Mères allaitantes | 3 à 4 |
| **VIANDES ET SUBSTITUTS** | | |
| Bœuf, veau, porc, agneau, volaille, poisson (maigres) | de 50 à 100 g après cuisson, sans os: | 2 à 3 |
| Substituts: | 2 portions au total | |
|     Haricots secs, pois, lentilles | 125 à 250 mL | |
|     Beurre d'arachide | 30 mL | |
|     Œufs | 2 | |
|     Tofu | | |
| **FRUITS ET LÉGUMES** | | |
| Agrumes ou légumes verts foncés ou jaunes | 125 mL, 1 fruit entier; | 5 à 10 |
| | 1 portion riche en vitamine A | |
| Autres fruits ou légumes | 1 portion, riche en vitamine C | |
| |     ou 2 portions d'une source équivalente | |
| **PAIN ET CÉRÉALES** | | 5 à 12 |
| Pain, petit pain, biscuits, muffins | 1 tranche ou un petit pain | |
| Céréales prêtes à servir | Portion de 30 g | |
| Céréales cuites, gruau de maïs, macaroni, nouilles, riz, spaghetti | Portion de 125 à 200 mL; cuits 250 ml | |
| **DIVERS** | | |
| Crème, bacon, beurre, margarine, saindoux, huile, vinaigrette, olives, confiture, gelée, sucre, bonbons, gâteaux, tartes, boissons gazeuses, condiments, boissons alcoolisées, chips, pretzels, croustilles, etc. | Ces aliments fournissent la plus grande partie de l'apport énergétique de la journée. À consommer avec modération. | |

(Source: Santé et bien-être Canada (1992) *Pour mieux se servir du guide alimentaire*)

Le choix de la méthode d'évaluation de l'alimentation dépend de l'objectif fixé. Si l'on veut connaître l'apport de certains éléments nutritifs précis, comme la vitamine A, le fer ou le calcium, il faut utiliser le journal et analyser l'apport de l'élément étudié en se servant des listes officielles de composition et de valeur nutritive des aliments. On doit ensuite calculer le pourcentage du taux quotidien recommandé (voir le tableau 11-5), que représente l'apport de cet élément.

***Interprétation du rappel de 24 heures.*** À titre d'exemple, nous présentons au tableau 11-7 le rappel de 24 heures de madame Lebrun, une femme au foyer de 24 ans, pas très active. On y indique les différents aliments qu'elle a consommés aux divers moments de la journée ainsi que les quantités, exprimées en unités de mesure d'usage courant. En analysant ce profil, on peut constater que madame Lebrun consomme suffisamment d'aliments du groupe des pains et des céréales et d'aliments riches en vitamines A, mais insuffisamment d'aliments riches en calcium et en vitamine C. Par ailleurs, sa ration de protéines est légèrement insuffisante. Enfin, cette personne consomme trop d'aliments hyperénergétiques provenant des différents groupes. Le poids de madame Lebrun reflète ses habitudes alimentaires. En effet, il est de 19 % supérieur à la norme acceptée et est suffisant pour que madame Lebrun soit considérée comme obèse.

Le plan des interventions visant l'alimentation est basé sur les résultats de la collecte de données et sur le profil du patient. Les deux principaux objectifs sont:

- choisir les aliments appropriés pour obtenir un régime équilibré;
- consommer les aliments appropriés pour atteindre et maintenir le poids-santé.

## BILAN NUTRITIONNEL DU PATIENT HOSPITALISÉ

Dans un grand nombre de maladies, des altérations métaboliques peuvent entraîner un *bilan azoté négatif* (c'est-à-dire que la quantité d'azote excrétée est supérieure à la quantité absorbée). Quand ces maladies s'accompagnent d'anorexie, elles peuvent provoquer une malnutrition. On sait que la malnutrition retarde la cicatrisation des plaies, prédispose aux infections et prolonge l'alitement chez les patients hospitalisés.

Il a été établi que l'hospitalisation peut entraîner des carences nutritives. Or, l'état nutritionnel est l'un des principaux facteurs qui déterminent l'issue de la maladie et la durée de l'hospitalisation chez la plupart des patients. Les facteurs

**TABLEAU 11-7.**   *Modèle de questionnaire de rappel de 24 heures chez l'adulte*

| Nom : *Madame Lebrun* | Date du rappel : *le 3 avril* | Jour du rappel : *mardi* | Profession : *femme au foyer* |
|---|---|---|---|
| Âge : *24 ans* | Homme : _____ | Femme : _✓_ | % du poids par rapport au |
| Tailles : *1,63 m* | Poids : *67,3 kg* | Poids : *56,4 kg* | poids-santé : *119 %* |

| *Heure de repas* | *Type d'aliments* | *Quantité en unités de mesure courantes* | *Fréquence de consommation de divers aliments* | *Nombre de fois par jour — semaine — mois* | | |
|---|---|---|---|---|---|---|
| | | | | *J* | *S* | *M* |
| 6 h | café | 250 mL | Lait entier | | 4 | |
| | sucre | 5 mL | Lait écrémé | | | |
| | crème | 30 mL | Yogourt | | 3 | |
| | | | Fromage | | 3 | |
| 8 h | céréales Corn Flakes | 250 mL | Crème glacée | | 5 | |
| | lait entier | 125 mL | Bœuf | | 4 | |
| | | | Porc | | | 1 |
| Midi | sandwich | | Agneau | | | 1 |
| | pain blanc | 2 tranches | Poisson | | 1 | |
| | beurre d'arachide | 30 mL | Volaille | | 3 | |
| | pomme | 1 petite | Œufs | | 5 | |
| | café | 250 mL | Crème | 3 | | |
| | sucre | 5 mL | Beurre | | 3 | |
| | crème | 30 mL | Margarine | 3 | | |
| | | | Huile | 1 | | |
| 15 h | Coca-Cola ordinaire | 1 (cannette de 375 mL) | Vinaigrette | 1 | | |
| | tablette de chocolat | 1 de 45 g | Légumes vert-jaune | 1 | | |
| | | | Agrumes | | 3 | |
| 18 h 30 | filet de sole frit | 90 g | Légumineuses | | | |
| | haricots verts | 125 mL | Haricots | 1 | | |
| | pomme de terre bouillie | 1 moyenne | Pois chiche | | | 1 |
| | laitue | 250 mL | Lentilles | | | |
| | vinaigrette française | 30 mL | Pommes de terre | 1 | | |
| | muffin | 1 petit | Pain | 3 | | |
| | Café | 250 mL | Pâtes | | 4 | |
| | Sucre | 5 mL | Riz | | | |
| | Crème | 30 mL | Gâteaux | 1 | | |
| | | | Tartes | | 4 | |
| 22 h 30 | Gâteau au chocolat (de 20 cm) | 1/16 | Sucreries | 1 | | |
| | Coca-Cola ordinaire | 1 (cannette de 375 mL) | | | | |
| | | | Confitures, gelées | | 5 | |
| | | | Sucre | 3 | | |
| | | | Boissons alcoolisées | | | |
| | | | Boissons gazeuses | 3 | | |
| | | | Café, thé | 3 | | |
| | | | Croustilles, chips, etc. | 1 | | |
| | | | Suppléments de vitamines | | | |
| | | | Suppléments de minéraux | | | |

qui peuvent altérer l'état nutritionnel des patients hospitalisés sont les suivants :

- Administration prolongée de glucose et autres solutés par voie intraveineuse
- Jeûne à cause d'examens diagnostiques
- Administration par sonde d'une alimentation inadéquate (quantité insuffisante ou ingrédients mal choisis)
- Méconnaissance des besoins nutritionnels accrus entraînés par la présence d'une lésion ou d'une maladie.

De nombreux médicaments peuvent modifier également l'état nutritionnel. Certains peuvent couper l'appétit, irriter les muqueuses ou provoquer des nausées et des vomissements. D'autres peuvent modifier la flore intestinale ou entraver l'absorption des éléments nutritifs entraînant ainsi une malnutrition secondaire.

Faute d'un apport nutritionnel suffisant pour se procurer l'énergie dont il a besoin, l'organisme transforme les protéines en glucose, ce qui entraîne une perte constante de tissus musculaires. Les pertes ou les gains en protéines se reflètent

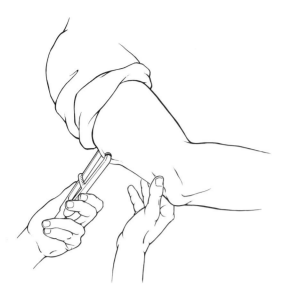

**Figure 11-2.** Mesure de l'épaisseur du pli cutané à l'aide d'un adipomètre

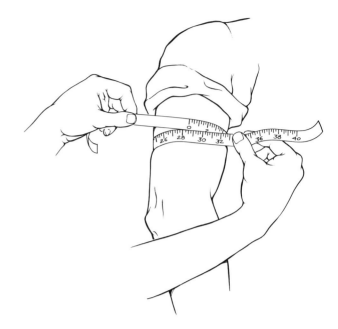

**Figure 11-3.** Mesure de la circonférence du muscle du bras à l'aide d'un ruban

dans le *bilan azoté*. Chez l'adulte dont le bilan azoté est équilibré, la quantité d'azote absorbée (d'origine alimentaire) est égale à celle excrétée (dans les urines, les selles et la transpiration). Un bilan azoté équilibré est un signe de bonne santé. Le *bilan azoté est positif* quand la quantité d'azote absorbée est supérieure à celle excrétée. Il s'agit d'un indice de croissance tissulaire, par exemple, lors de la grossesse, pendant l'enfance, au cours du rétablissement après une intervention chirurgicale et la formation de nouveaux tissus. Le bilan azoté est négatif quand les tissus se décomposent plus rapidement qu'ils ne se forment. Il peut être le résultat de la fièvre, d'une intervention chirurgicale, de brûlures, de certaines maladies débilitantes et de l'inanition. Par exemple, chaque gramme d'azote excrété qui n'est pas remplacé représente une perte de 6,25 g de protéines ou de 25 g de tissu musculaire. Par conséquent, un bilan azoté qui reste négatif pendant 10 jours, à raison de 10 g par jour, peut représenter une perte de 2,5 kg de tissu musculaire.

Dans certains centres hospitaliers, il existe un service de diététique et de traitement des troubles du métabolisme où travaille une équipe spécialisée comprenant un médecin, un pharmacien, une infirmière et une diététiste. Voici les paramètres selon lesquels on évalue l'état nutritionnel du patient hospitalisé :

1. Mesures anthropométriques
   Poids / taille
   Épaisseur du pli cutané du triceps
   Circonférence du bras et des muscles du bras à mi-longueur

2. Analyses biochimiques
   Albumine
   Transferrine
   Numération des lymphocytes
   Indice créatinine / taille
   Dosage du sodium, du potassium, de l'urée et de la créatinine urinaires

**TABLEAU 11-8.** *Mesures anthropométriques chez l'adulte —*
*valeurs normalisées et perte en pourcentage des valeurs normalisées*

| Valeur normalisée | 90 % de la valeur normalisée | 80 % de la valeur normalisée | 70 % de la valeur normalisée | 60 % de la valeur normalisée |
|---|---|---|---|---|
| *CIRCONFÉRENCE DU MILIEU DU BRAS (cm)* | | | | |
| 29,3 | 26,3 | 23,4 | 20,5 | 17,6 |
| 28,5 | 25,7 | 22,8 | 20,0 | 17,1 |
| *PLI CUTANÉ DU TRICEPS (cm)* | | | | |
| 12,5 | 11,3 | 10,0 | 8,8 | 7,5 |
| 16,5 | 14,9 | 13,2 | 11,6 | 9,0 |
| *CIRCONFÉRENCE DES MUSCLES DU BRAS À MI-LONGUEUR (cm)* | | | | |
| 25,3 | 22,8 | 20,2 | 17,7 | 15,2 |
| 23,2 | 20,9 | 18,6 | 16,2 | 13,9 |

(Source : S. G. Dudek, *Nutrition Handbook for Nursing Practice*, Philadelphia, J. B. Lippincott, 1987)

**TABLEAU 11-9.** *Interprétation des analyses biochimiques*

| Taux sériques | Carence | | |
| --- | --- | --- | --- |
| | *légère* | *moyenne* | *grave* |
| Albumine (g/L) | 35-32 | 32-28 | $< 28$ |
| Capacité de fixation du fer | 36-32 | 32-29 | $< 29$ |
| Numération lymphocytaire ($10^9$/L) | $1,8$-$1,5 \times 10^9$/L | $1,5$-$0,9 \times 10^9$/L | $< 0,9 \times 10^9$/L |

(Source : W. P. Steffee, Nutritional support of elderly patients. Clin Consult Nutr Support 2:5, 1982, par Nelson R. Nutrition and Aging. Med Clin North Am 73(6):1541, 1989)

Le poids est une mesure extrêmement importante, car une perte pondérale traduit un apport énergétique insuffisant. En cas d'inanition presque totale, la perte de poids indique une perte accrue de protéines provenant de la masse cellulaire de l'organisme. Les meilleurs indices anthropométriques de malnutrition (protéines-énergie) sont l'épaisseur du pli cutané du triceps (voir la figure 11-2), qui indique les réserves de tissus adipeux, et la circonférence du muscle du bras (voir la figure 11-3) qui indique l'état des réserves de protéines musculaires (voir le tableau 11-8).

Chez l'adulte, *de faibles concentrations sériques d'albumine et de transferrine* traduisent des carences en protéines au niveau des viscères. La perte est exprimée en pourcentage des valeurs normales (voir le tableau 11-9) et permet de déterminer la gravité de la malnutrition. Des dosages répétés de ces substances ainsi que de la préalbumine servent à l'évaluation des résultats de la diétothérapie.

Une réduction du nombre des lymphocytes chez les patients hospitalisés qui souffrent de malnutrition aiguë due au stress et à un régime hypoénergétique traduit une altération de l'immunité cellulaire.

Le bilan électrolytique permet d'évaluer la fonction rénale et la réaction métabolique à une perfusion d'électrolytes. L'indice créatinine/taille, calculé sur une période de 24 heures, permet d'évaluer l'état des tissus qui participent au métabolisme et révèle le degré de perte protéique en fonction du poids corporel souhaitable selon la taille du patient et sa masse cellulaire réelle.

L'infirmière peut jouer un rôle important dans l'évaluation de l'état nutritionnel de ses patients. Pour ce faire, elle peut se servir de ses propres outils d'évaluation si le centre hospitalier ne possède pas de questionnaire à cet effet. Elle peut ainsi reconnaître les patients chez qui un bilan nutritionnel plus poussé est nécessaire. Elle peut communiquer ses résultats à la diététiste et aux autres membres du service de nutrition.

## GRAVITÉ DES CARENCES NUTRITIONNELLES

Après avoir terminé le bilan nutritionnel du patient hospitalisé, il faut déterminer la gravité de la carence nutritionnelle dont il souffre (voir le tableau 11-9).

## GÉRONTOLOGIE

Les objectifs de la diétothérapie chez les personnes âgées sont le maintien de l'état nutritionnel et la correction des carences compte tenu du milieu où elles vivent et des maladies dont elles souffrent. Pour atteindre ces objectifs, il faut faire preuve de patience et de créativité.

Les personnes âgées peuvent consommer des quantités excessives de médicaments inadéquats. Le nombre des effets nocifs augmente proportionnellement au nombre de médicaments sur ordonnance et en vente libre que le patient absorbe. Les modifications physiologiques et physiopathologiques liées au vieillissement peuvent altérer le métabolisme et l'excrétion de nombreux médicaments. Par conséquent, les médicaments peuvent modifier l'apport alimentaire à cause des effets secondaires qu'ils provoquent, par exemple, nausées, vomissements ou anorexie. Ils peuvent également altérer le métabolisme des éléments nutritifs en modifiant leur répartition, leur utilisation et leur stockage. Les troubles touchant n'importe quelle partie de l'appareil gastro-intestinal peuvent modifier les besoins nutritionnels et l'état de santé des patients de tous les âges. Toutefois, ils semblent affecter plus rapidement et plus fréquemment les personnes âgées.

De plus, chez les personnes âgées, les troubles de la nutrition sont souvent le résultat d'une maladie infectieuse comme une pneumonie, une infection des voies urinaires et le zona. À l'instar de la malnutrition, les maladies chroniques et aiguës peuvent affecter le métabolisme et l'utilisation des éléments nutritifs. Il faut, par conséquent, tout mettre en œuvre pour prévenir les infections par des antibiotiques et des vaccins.

Même la personne âgée en bonne santé est exposée à des troubles nutritionnels si elle a des difficultés financières et si elle vit seule. De plus, la diminution des activités physiques avec l'âge, sans modification de l'apport en glucides, expose la personne âgée à l'obésité.

## RÉSUMÉ

Pour effectuer l'examen physique, l'infirmière doit utiliser ses sens, soit le toucher, la vue, l'ouïe et l'odorat. Elle doit également connaître les techniques de communication afin de pouvoir obtenir les données lui permettant de planifier ses interventions. Grâce à la pratique, elle pourra améliorer sa capacité d'observer les écarts subtils de la normale et les modifications des valeurs initiales.

Le bilan nutritionnel du patient peut renseigner sur ses habitudes alimentaires et sur sa connaissance des principes d'une bonne alimentation. Ce bilan permet à l'infirmière de reconnaître les patients qui se nourrissent mal et qui sont exposés à des complications à cause d'une alimentation inadéquate, et d'intervenir avant que les complications ne se manifestent.

## *Bibliographie*

### *Ouvrages*

Bates B. A Guide to Physical Examination and History Taking, 5th ed. Philadelphia, JB Lippincott, 1991.

Bernstein L and Bernstein RS. Interviewing: A Guide for Health Professionals, 4th ed. New York, Appleton and Lange, 1985.

Bowers AC and Thompson JM. Clinical Manual of Health Assessment. St Louis, CV Mosby, 1988.

DeGowin E and DeGowin R. Bedside Diagnostic Examination, 5th ed. New York, Macmillan, 1987.

Dudek SG. Nutrition Handbook for Nursing Practice. Philadelphia, JB Lippincott, 1987.

Gordon M. Manual of Nursing Diagnosis 1988–1989. St Louis, CV Mosby, 1989.

Gordon M. Nursing Diagnosis: Process and Application. New York, McGraw-Hill, 1987.

Guzzetta CE et al. Clinical Assessment Tools for Use with Nursing Diagnosis. St Louis, CV Mosby, 1989.

Hagopian GA, Hymovich DP, and Lynaugh JE. Clinical Assessment: A Guide for Study and Practice. Philadelphia, JB Lippincott, 1987.

Lohr KN and Mock GA (eds). Advances in Assessment of Health Status. Washington, DC, National Academy Press, 1989.

Malasanos L, Barkauskas V, and Stoltengerg-Allen K. Health Assessment, 4th ed. St Louis, CV Mosby, 1989.

Murray RB and Zentner JP. Nursing Assessment and Health Promotion Strategies Through the Life Span. East Norwalk, CT, Appleton and Lange, 1989.

National Research Council. Recommended Dietary Allowances, 10th ed. Washington, DC, National Academy Press, 1989.

Seidel H et al. Mosby's Guide to Physical Examination. St Louis, CV Mosby, 1990.

U.S. Department of Health and Human Services. Public Health Service. Surgeon General's Report on Nutrition and Health. Washington, DC, U.S. Government Printing Office, 1988.

### *Revues*

#### *Généralités*

Applegate WB, Blass JP, and Williams TF. Instruments for the functional assessment of older patients. N Engl J Med 1990 Apr 26; 322(17): 1207–1214.

Barry PP and Ibarra M. Multidimensional assessment of the elderly. Hosp Pract [Off] 1990 Apr 15; 25(4):117–121, 124, 127–128.

Barry PP. Primary care evaluation of the elderly for elective surgery. Geriatrics 1987 Apr; 42(4):77–85.

Becker KL and Stevens SA. Performing in-depth abdominal assessment. Nursing 1988 Jun; 18(6):59–64.

Becker KL and Stevens SA. Get in touch and in tune with cardiac assessment, Part 1. Nursing 1988 Mar; 18(3):51–55.

Brady PF. Labeling of confusion in the elderly. J Gerontol Nurs 1987 Jun; 13(6):29–32.

Brown MD. Functional assessment of the elderly. J Gerontol Nurs 1988 May; 14(5):13–17.

Buchanan BF. Functional assessment: Measurement with the Barthel Index and PULSES Profile. Home Healthcare Nurse 1986 Nov/Dec; 4(6): 11, 14–17.

Daly MP. The medical evaluation of the elderly preoperative patient. Med Clin North Am 1989 Jun; 16(2):361–376.

Engstrom JL. Assessment of the reliability of physical measures. Res Nurs Health 1988 Dec; 11(6):383–389.

Heath JM. Comprehensive functional assessment of the elderly. Med Clin North Am 1989 Jun; 16(2):305–327.

Henderson ML. Altered presentations. Assessing the elderly, system by system, Part 2. Am J Nurs 1985 Oct; 85(10):1104–1106.

Hoeman SP. Cultural assessment in rehabilitation nursing practice. Nurs Clin North Am 1989 Mar; 24(1):277–287.

Holloran EJ. Computerized nurse assessmentes. Nurs Health Care 1988 Nov/Dec; 9(9):497–499.

Jess LW. Investigating impaired mental status—An assessment guide you can use. Nursing 1988 Jun; 18(6):42–49.

Kallman H and May HJ. Mental status assessment in the elderly. Med Clin North Am 1989 Jun; 16(2):329–347.

Linderborn KM. The need to assess dementia. J Gerontol Nurs 1988 Jan; 14(1):35–39.

McConnell EA. Getting the feel of lymph node assessment. Nursing 1988 Aug; 18(8):55–57.

McEwan RT. Issues in evaluation: Evaluating assessments of elderly people using a combination of methods. J Adv Nurs 1989 Feb; 14(2):103–110.

Miracle VA. Get in touch and in tune with cardiac assessment, Part 2. Nursing 1988 Apr; 18(4):41–47.

Moreland BJ. A nursing form for gynecology patient assessment. Oncol Nurs Forum 1987 Mar/Apr; 14(2):19–23.

Morrison EG. Nursing assessment: What do nurses want to know? West J Nurs Res 1989 Aug; 11(4):469–476.

Murray JL. Health maintenance. Med Clin North Am 1989 Jun; 16(2):289–303.

National Institutes of Health. National Institutes of Health Consensus Development Conference Statement: Geriatric assessment methods for clinical decision-making. J Am Geriatr Soc 1988 Apr; 36(4):342–347.

Nesbitt B. Nursing diagnosis in age-related changes. J Gerontol Nurs 1988 Jul; 14(7):7–12.

Ramsdell JW et al. The yield of a home visit in the assessment of geriatric patients. J Am Geriatr Soc 1989 Jan; 37(1):17–24.

Runciman P. Health assessment of the elderly at home: The case for shared learning. J Adv Nurs 1989 Feb; 14(2):111–119.

Santo-Novak DA. Seven keys to assessing the elderly. Nursing 1988 Aug; 18(8):60–63.

Smith CE. Assessing bowel sounds—More than just listening. Nursing 1988 Feb; 18(2):42–43.

Stark JL. A quick guide to urinary tract assessment. Nursing 1988 Jul; 18(7): 56–58.

Stevens SA and Becker KL. How to perform picture-perfect respiratory assessment. Nursing 1988 Jan; 18(1):57–63.

Stevens SA and Becker KL. A simple, step-by-step approach to neurological assessment, Part 1. Nursing 1988 Sep; 18(9):53–61.

Stevens SA and Becker KL. A simple, step-by-step approach to neurological assessment, Part 2. Nursing 1988 Oct; 18(10):51–58.

Tompkins ES. In support of the discipline of nursing: A nursing assessment. Nursing Connections 1989 Fall; 2(3):21–29.

Utley R. Mid-arm circumference. Estimating patients' weight. Dimens Crit Care Nurs 1990 Mar/Apr; 9(2):75–81.

#### *Bilan nutritionnel*

Berger S. The implementation of dietary guidelines—Ways and difficulties. Am J Clin Nutr 1987 May; 45(Suppl 5):1383–1389.

Cashman MD and Wightkin WT. Geriatric malnutrition: Recognition and prevention. Compr Ther 1987 Mar; 13(3):45–51.

Collinsworth R and Boyle K. Nutritional assessment of the elderly. J Gerontol Nurs 1989 Dec; 15(12):17–21.

Curtas S, Chapman G, and Maguid MM. Evaluation of nutritional status. Nurs Clin North Am 1989 Jun; 24(2):301–313.

Fahey PJ, Boltri JM, and Monk JS. Key issues in nutrition. Supplementation through adulthood and old age. Postgrad Med 1987 May 1; 81(6): 12–125, 128.

Nelson RC and Franzi LR. Nutrition and aging. Med Clin North Am 1989 Nov; 73(6):1531–1550.

Nixon DW. Nutrition and cancer: American Cancer Society guidelines, programs, and initiatives. CA 1990 Mar/Apr; 40(2):71–75.

Schlundt DG. Accuracy and reliability of nutrient intake estimates. J Nutr 1988 Dec; 118(2):1432–1435.

Simopoulos AP. Nutrition and fitness. J Am Med Assoc 1989 May 19; 261(19):2862–2863.

Suter PM and Russel RM. Vitamin requirements of the elderly. Am J Clin Nutr 1987 Mar; 45(3):501–512.

U.S. Department of Health and Human Services. Diet, nutrition, and cancer prevention: The good news. (NIH Publication No. 87-2878.) National Institutes of Health, 1986.

Zheng JJ and Rosenberg IH. What is the nutritional status of the elderly? Geriatrics 1989 Jun; 44(6):57-58, 60, 63-64.

*Inscription des données*

Amino PA. Perioperative nursing documentation. Developing the record and using care plans. AORN J 1987 Jul; 46(1):73-86.

Bergerson SR. More about charting with a jury in mind. Nursing 1988 Apr; 18(2):51-55.

Cline A. Streamlined documentation through exceptional charting. Nurs Manage 1989 Feb; 20(2):62-64.

Eggland ET. Charting: Document your care daily and fully. Nursing 1988 Nov; 18(11):76-84.

Haller KB. Systematic documentation of practice. MCN 1987 Mar/Apr; 12(2):152.

Herth KA. The root of it all. Genograms as a nursing assessment tool. J Gerontol Nurs 1989 Dec; 15(12):32-37.

Morrisey-Ross M. Documentation. If you haven't written it, you haven't done it. Nurs Clin North Am 1988 Jun; 23(2):363-371.

# APPENDICE
# ANALYSES DE LABORATOIRE: INTERVALLES DE RÉFÉRENCE* ET INTERPRÉTATION DES RÉSULTATS

## SYMBOLES

### ANCIENNES UNITÉS

kg = kilogramme
g = gramme
mg = milligramme
$\mu$g = microgramme
$\mu\mu$g = micromicrogramme
ng = nanogramme
pg = picogramme
mL = millilitre
mm³ = millimètre cube
fL = femtolitre

mmol = millimole
nmol = nanomole
mOsm = milliosmole
mm = millimètre
$\mu$m = micron ou micromètre
mm Hg = millimètre de mercure
U = unité
mU = milliunité
$\mu$U = micro-unité
mEq = milliéquivalent
IU = unité internationale
mIu = milliunité internationale

### UNITÉS SI

g = gramme
L = litre
mol = mole
mmol = millimole
$\mu$mol = micromole
nmol = nanomole
pmol = picomole
d = jour

---

* Les valeurs varient selon la méthode d'analyse utilisée.

*Hématologie*

| | Intervalles de référence | | |
|---|---|---|---|
| Composant | Anciennes unités | Unités SI | Interprétation clinique |
| *HÉMOSTASE* | | | |
| Consommation de prothrombine | > 20 s | | Altérée dans les déficiences en facteurs VIII, IX et X |
| Facteur V (proaccélérine) | 60 à 140 % | | |
| Facteur VIII (facteur antihémophilique) | 50 à 200 % | | Déficient dans l'hémophilie A |
| Facteur IX (composant de thromboplastine plasmatique) | 75 à 125 % | | Déficient dans l'hémophilie B |
| Facteur X (facteur Stuart) | 60 à 140 % | | |
| Fibrinogène | 200 à 400 mg / 100 mL | 2 à 4 g / L | Élevé dans la grossesse, les infections avec leucocytose et le syndrome néphrotique |
| | | | Abaissé dans les maladies du foie grave et dans le décollement placentaire |
| Produits de dégradation de la fibrine | < 10 mg / L | < 10 mg / L | Élevés dans la coagulation intravasculaire disséminée |
| Stabilité du caillot de fibrine | Absence de lyse après 24 heures d'incubation | | Présence de lyse dans les hémorragies massives, certaines interventions chirurgicales majeures et les réactions transfusionnelles |
| Temps de céphaline activée | 20 à 45 s | | Allongé dans les déficiences en fibrinogène et en facteurs II, V, VIII, IX, X, XI et XII; allongé dans le traitement à l'héparine |
| Temps de prothrombine | 9 à 12 s | | Allongé dans les déficiences en facteurs I, II, V, VII et X, dans les troubles de l'absorption des lipides, dans les maladies du foie graves et dans le traitement aux coumarines |
| Temps de saignement | 2 à 8 min | 2 à 8 min | Allongé dans les thrombopénies et les anomalies de la fonction plaquettaire; allongé par la prise d'aspirine |
| *HÉMATOLOGIE GÉNÉRALE* | | | |
| Fragilité globulaire | Augmentée quand on observe une hémolyse dans le NaCl à plus de 0,5 % Diminuée quand l'hémolyse est incomplète dans le NaCl à 0,3 % | | Augmentée dans la sphérocytose congénitale, dans les anémies hémolytiques idiopathiques acquises, dans l'anémie hémolytique iso-immune et dans l'incompatibilité ABO chez le nouveau-né Diminuée dans la drépanocytose et dans la thalassémie |
| Hématocrite | Hommes: 42 à 50 % Femmes: 40 à 48 % | 0,42 à 0,50 0,40 à 0,48 | Abaissé dans les anémies graves, l'anémie de la grossesse et les pertes de sang massives Élevé dans les polyglobulies et dans la déshydratation ou l'hémoconcentration associée au choc |

## *Hématologie* (suite)

| Composant | Intervalles de référence | | Interprétation clinique |
|---|---|---|---|
| | *Anciennes unités* | *Unités SI* | |
| Hémoglobine | Hommes: 13 à 18 g/100 mL<br>Femmes: 12 à 16 g/100 mL | 130 à 180 g/L<br>120 à 160 g/L | Abaissée dans les anémies, dans la grossesse, dans les hémorragies graves et dans les excès de volume liquidien<br>Élevée dans les polyglobulies, les broncho-pneumopathies chroniques obstructives, dans l'hypoxie due à l'insuffisance cardiaque et chez les personnes qui vivent en haute altitude |
| Hémoglobine $A_2$ | 1,5 à 3,5 % de l'hémoglobine totale | 0,015 à 0,035 | Élevée dans certains types de thalassémie |
| Hémoglobine F | <2 % de l'hémoglobine totale | <0,02 | Élevée chez les bébés et les enfants atteints de thalassémie et dans plusieurs anémies |
| Indices globulaires:<br>volume globulaire moyen (VGM) | 80 à 94 ($\mu m^3$) | 80 à 94 fl | Élevé dans les anémies macrocytaires; abaissé dans les anémies microcytaires |
| teneur globulaire moyenne en hémoglobine (TGMH) | 27 à 32 $\mu\mu g$/globule | 27 à 32 pg | Élevé dans l'anémie macrocytaire; abaissé dans l'anémie microcytaire |
| concentration globulaire moyenne en hémoglobine (CGMH) | 33 à 38 % | 0,33 à 0,38 | Abaissée dans l'anémie hypochrome grave |
| Numération des érythrocytes | Hommes:<br>4 600 000 à 6 200 000/$mm^3$<br>Femmes:<br>4 200 000 à 5 400 000/$mm^3$ | 4,6 à 6,2 × $10^{12}$/L<br><br>4,2 à 5,4 × $10^{12}$/L | Élevée dans la diarrhée grave avec déshydratation, dans la polyglobulie, dans les intoxications aiguës et dans la fibrose pulmonaire<br>Abaissée dans les anémies, dans les leucémies et dans les hémorragies |
| Numération leucocytaire<br>neutrophiles<br>éosinophiles<br>basophiles<br>lymphocytes<br>monocytes | 5000 à 10 000/$mm^3$<br>60 à 70 %<br>1 à 4 %<br>0 à 1 %<br>20 à 30 %<br>2 à 6 % | 5 à 10 × $10^9$/L<br>0,6 à 0,7<br>0,01 à 0,04<br>0 à 0,01<br>0,2 à 0,3<br>0,02 à 0,06 | Élevée dans les infections aiguës (la proportion des neutrophiles est augmentée dans les infections bactériennes et celle des lymphocytes dans les infections virales)<br>Élevée dans les leucémies aiguës, après la menstruation et après une intervention chirurgicale ou un traumatisme<br>Abaissée dans l'anémie aplasique, dans l'agranulocytose et par certains agents toxiques, comme les antinéoplasiques<br>La proportion des éosinophiles est augmentée dans les atteintes diffuses du collagène, dans les allergies et dans les parasitoses intestinales |
| Numération plaquettaire | 100 000 à 400 000/$mm^3$ | 100 à 400 × $10^9$/L | Élevée dans certains cancers, dans les affections myéloprolifératives, dans la polyarthrite rhumatoïde et dans la période postopératoire; on diagnostique un cancer chez environ 50 % des personnes qui présentent une élévation non expliquée du nombre des plaquettes<br>Abaissée dans le purpura thrombopénique, dans les leucémies aiguës, dans l'anémie aplasique, dans les infections, dans les réactions médicamenteuses et au cours de la chimiothérapie |

## *Hématologie*   (suite)

| Composant | Intervalles de référence | | Interprétation clinique |
|---|---|---|---|
| | *Anciennes unités* | *Unités SI* | |
| Phosphatase alcaline leucocytaire | Score de 40 à 140 | | Élevée dans la polyglobulie essentielle, dans la myélofibrose et dans les infections<br>Abaissée dans la leucémie granulocytaire chronique, dans l'hémoglobinurie paroxystique nocturne, dans l'aplasie médullaire et dans certaines infections virales, dont la mononucléose infectieuse |
| Réticulocytes | 0,5 à 1,5 % | 0,005 à 0,015 | Élevés dans les troubles qui stimulent l'activité médullaire (infections, pertes de sang, etc.), après un traitement au fer dans l'anémie ferriprive et dans la polyglobulie essentielle<br>Abaissés dans les troubles qui inhibent l'activité médullaire, dans la leucémie aiguë et dans les anémies graves au stade avancé |
| Taux de sédimentation (méthode par centrifugation) | 41 à 54 % | 0,41 à 0,54 % | Même interprétation que pour la vitesse de sédimentation |
| Vitesse de sédimentation (méthode Westergreen) | Hommes de moins de 50 ans:<br> <15 mm/h<br>Hommes de plus de 50 ans:<br> <20 mm/h<br>Femmes de moins de 50 ans:<br> 20 mm/h<br>Femmes de plus de 50 ans:<br> <30 mm/h | <15 mm/h<br><20 mm/h<br><20 mm/h<br><30 mm/h | Élevée quand il y a destruction des tissus d'origine inflammatoire ou dégénérative; élevée pendant la menstruation et la grossesse et dans les affections fébriles aiguës |

## *Biochimie (sang)*

| Composant ou épreuve | Intervalles de référence (adultes) | | Interprétation clinique | |
|---|---|---|---|---|
| | *Anciennes unités* | *Unités SI* | *Élevé* | *Abaissé* |
| Acétoacétate | 0,2 à 1,0 mg/100 mL | 19,6 à 98 $\mu$mol/L | Acidose diabétique<br>Jeûne | |
| Acétone | 0,3 à 2,0 mg/100 mL | 51,6 à 344,0 $\mu$mol/L | Toxémie gravidique<br>Régime pauvre en glucides<br>Régime riche en lipides | |
| Acide ascorbique (vitamine C) | 0,4 à 1,5 mg/100 mL | 23 à 85 $\mu$mol/L | Larges doses d'acide ascorbique | |
| Acide folique | 4 à 16 ng/mL | 9,1 à 36,3 nmol/L | Anémie mégaloblastique de la petite enfance et de la grossesse<br>Carence en acide folique<br>Maladies du foie<br>Malabsorption<br>Anémie hémolytique grave | |

*Biochimie (sang)* (suite)

| Composant ou épreuve | Intervalles de référence (adultes) | | Interprétation clinique | |
| --- | --- | --- | --- | --- |
| | Anciennes unités | Unités SI | Élevé | Abaissé |
| Acide lactique | Sang veineux :<br>    5 à 20 mg/100 mL<br>Sang artériel<br>    3 à 7 mg/100 mL | 0,6 à 2,2 mmol/L<br><br>0,3 à 0,8 mmol/l | Augmentation de l'activité musculaire<br>Insuffisance cardiaque<br>Hémorragie<br>Choc<br>Certaines acidoses métaboliques<br>Certaines infections fébriles<br>Maladie du foie grave | |
| Acide pyruvique | 0,3 à 0,7 mg/100 mL | 34 à 80 µmol/L | Diabète<br>Carence en thiamine<br>Infection en phase aiguë (probablement à cause d'une augmentation de la glycogénolyse et de la glycolyse) | |
| Acide urique | 2,5 à 8 mg/100 mL | 120 à 420 µmol/L | Goutte<br>Leucémies aiguës<br>Lymphomes traités par chimiothérapie<br>Toxémie gravidique | Xanthinurie<br>Défaut de réabsorption tubulaire |
| Adrénocorticotrophine (ACTH) | 20 à 100 pg/mL | 4 à 22 pmol/mL | Syndrome de Cushing dépendant de l'ACTH<br>Syndrome d'ACTH ectopique<br>Insuffisance surrénalienne (primaire) | Tumeur corticosurrénalienne<br>Insuffisance surrénalienne secondaire d'un hypopituitarisme |
| Alanine aminotransférase (ALT) | 10 à 40 U/mL | 5 à 20 U/L | Même que pour l'AST, mais augmentation plus marquée dans les maladies du foie | |
| Aldolase | 0 à 6 U/L à 37 °C (unités Sibley-Lehninger | 0 à 6 U/L | Nécrose hépatique<br>Leucémie granulocytaire<br>Infarctus du myocarde<br>Maladies des muscles squelettiques | |
| Aldostérone | Couché :<br>    3 à 10 ng/100 mL<br>Debout :<br>    5 à 30 ng/100 mL<br>Veine surrénale :<br>    200 à 400 ng/100 mL | 0,08 à 0,30 nmol/L<br><br>0,14 à 0,90 nmol/L<br><br>5,5 à 22,2 nmol/L | Hyperaldostéronisme primaire et secondaire | Maladie d'Addison |
| Alpha-1-antitrypsine | 200 à 400 mg/100 mL | 2 à 4 g/L | | Certaines formes de maladies chroniques des poumons et du foie chez les jeunes adultes |
| Alpha-1-fœtoprotéine | 0 à 20 ng/mL | 0 à 20 µg/L | Hépatocarcinome<br>Cancer métastatique du foie<br>Cancer des testicules et des ovaires à cellules germinales<br>Anomalie de la moelle épinière par défaut de soudure chez le fœtus — valeurs élevées chez la mère | |

## Biochimie (sang) (suite)

| Composant ou épreuve | Intervalles de référence (adultes) | | Interprétation clinique | |
|---|---|---|---|---|
| | *Anciennes unités* | *Unités SI* | *Élevé* | *Abaissé* |
| Alpha-hydroxybutyrique déshydrogénase | <140 U/mL | <140 U/L | Infarctus du myocarde Leucémie granulocytaire Anémies hémolytiques Dystrophie musculaire | |
| Ammoniac | 40 à 80 µg/100 mL (varie considérablement selon la méthode de dosage utilisée) | 22,2 à 44,3 µmol/L | Maladies du foie graves Décompensation hépatique | |
| Amylase | 60 à 160 U/100 mL (unités Somogyi) | 111 à 296 U/L | Pancréatite aiguë Oreillons Ulcère duodénal Cancer de la tête du pancréas Pseudokyste pancréatique (élévation prolongée) Prise de médicaments qui contractent les sphincters des canaux pancréatiques: morphine, codéine, cholinergiques | Pancréatite chronique Fibrose et atrophie du pancréas Cirrhose Grossesse (2e et 3e trimestres) |
| Antigène carcino-embryonnaire | 0 à 2,5 ng/mL | 0 à 2,5 µg/L | La présence de cet antigène est fréquente chez les personnes atteintes de cancers du côlon, du rectum, du pancréas et de l'estomac, ce qui porte à croire que son dosage pourrait être utile pour suivre l'évolution de ces cancers. | |
| Arsenic | 6 à 20 µg/100 mL | 0,78 à 2,6 µmol/L | Intoxication accidentelle ou intentionnelle Exposition dans le milieu de travail | |
| Aspartate aminotransférase (AST) | 7 à 40 U/mL | 4 à 20 U/L | Infarctus du myocarde Maladies des muscles squelettiques Maladies du foie | |
| Bilirubine | Totale: 0,1 à 1,2 mg/100 mL Directe: 0,1 à 0,2 mg/100 mL Indirecte: 0,1 à 1,0 mg/100 mL | 1,7 à 20,5 µmol/L 1,7 à 3,4 µmol/L 1,7 à 17,1 µmol/L | Anémie hémolytique (indirecte) Obstruction et maladies des voies biliaires Hépatite Anémie pernicieuse Maladie hémolytique du nouveau-né | |
| Calcitonine | Non mesurable (pg/mL) | Non mesurable (ng/L) | Cancer médullaire de la thyroïde Certaines tumeurs non thyroïdiennes Syndrome de Zollinger-Ellison | |

## Biochimie (sang) (suite)

| Composant ou épreuve | Intervalles de référence (adultes) | | Interprétation clinique | |
|---|---|---|---|---|
| | Anciennes unités | Unités SI | Élevé | Abaissé |
| Calcium | 8,5 à 10,5 mg / 100 mL | 2,2 à 2,56 mmol / L | Tumeur ou hyperplasie des parathyroïdes<br>Hypervitaminose D<br>Myélome multiple<br>Néphrite avec urémie<br>Tumeurs malignes<br>Sarcoïdose<br>Hyperthyroïdie<br>Immobilisation des os<br>Apport excessif de calcium (syndrome du lait et des alcalins) | Hypoparathyroïdie<br>Diarrhée<br>Maladie cœliaque<br>Carence en vitamine D<br>Pancréatite aiguë<br>Néphrose<br>Après une parathyroï-dectomie |
| Catécholamines | Adrénaline:<br>&lt;90 pg / mL<br>Noradrénaline:<br>100 à 550 pg / mL<br>Dopamine:<br>&lt;130 pg / mL | <br>&lt;490 pmol / L<br><br>590 à 3240 pmol / L<br><br>&lt;850 pmol / L | Phéochromocytome | |
| Céruloplasmine | 30 à 80 mg / 100 mL | 300 à 800 mg / L | | Maladie de Wilson (dégénérescence hépatolenticulaire) |
| Chlorure | 95 à 105 mEq / L | 95 à 105 mmol / L | Néphrose<br>Néphrite<br>Obstruction urinaire<br>Décompensation cardiaque<br>Anémie | Diabète<br>Diarrhée<br>Vomissements<br>Pneumonie<br>Intoxication par un métal lourd<br>Syndrome de Cushing<br>Brûlures<br>Obstruction intestinale<br>Fièvre |
| Cholestérol | 150 à 200 mg / 100 mL | 3,9 à 5,2 mmol / L | Hyperlipidémie<br>Ictère obstructif<br>Diabète<br>Hypothyroïdie | Anémie pernicieuse<br>Anémie hémolytique<br>Hyperthyroïdie<br>Infection grave<br>Maladies débilitantes au stade terminal |
| Cholestérol, esters | 60 à 70 % du cholestérol total | En fraction du cholestérol total: 0,6 à 0,7 | | Maladies du foie |

### Cholestérol LDL

| Âge | mg / 100 mL | mmol / L | Interprétation clinique |
|---|---|---|---|
| 1 à 19 | 50 à 170 | 1,30 à 4,40 | Les personnes qui ont un taux élevé de cholestérol LDL présentent un risque élevé de maladie cardiaque. |
| 20 à 29 | 60 à 170 | 1,55 à 4,40 | |
| 30 à 39 | 70 à 190 | 1,8 à 4,9 | |
| 40 à 49 | 80 à 190 | 2,1 à 4,9 | |
| 50 à 59 | 20 à 210 | 2,1 à 5,4 | |

### Cholestérol HDL

| Âge (ans) | Hommes (mg/100 mL) | Femmes (mg/100 mL) | Hommes (mmol/L) | Femmes (mmol/L) |
|---|---|---|---|---|
| 0 à 19 | 30 à 65 | 30 à 70 | 0,78 à 1,68 | 0,78 à 1,81 |
| 20 à 29 | 35 à 70 | 35 à 75 | 0,91 à 1,81 | 0,91 à 1,94 |
| 30 à 39 | 30 à 65 | 35 à 80 | 0,78 à 1,68 | 0,91 à 2,07 |
| 40 à 49 | 30 à 65 | 40 à 85 | 0,78 à 1,68 | 1,04 à 2,2 |
| 50 à 59 | 30 à 65 | 35 à 85 | 0,78 à 1,68 | 0,91 à 2,2 |
| 60 à 69 | 30 à 65 | 35 à 85 | 0,78 à 1,68 | 0,91 à 2,2 |

Les personnes ayant un taux abaissé de cholestérol HDL présentent un risque élevé de maladie cardiaque.

## Biochimie (sang)   (suite)

| Composant ou épreuve | Intervalles de référence (adultes) | | Interprétation clinique | |
| --- | --- | --- | --- | --- |
| | Anciennes unités | Unités SI | Élevé | Abaissé |
| Cholinestérase | 620 à 1370 U/L à 25 °C | 620 à 1370 U/L | Néphrose Exercice | Intoxication par un gaz neuroplégique Intoxication par les organophosphates |
| Clairance de la créatinine | 100 à 150 mL/min | 1,7 à 2,5 mL/s | | |
| Complément, $C_3$ | 70 à 160 mg/100 mL | 0,7 à 1,6 g/L | Certaines maladies inflammatoires | Glomérulonéphrite aiguë Lupus érythémateux disséminé avec atteinte rénale |
| Complément, $C_4$ | 20 à 40 mg/100 mL | 0,2 à 0,4 g/L | Certaines maladies inflammatoires | Souvent dans les maladies immunitaires, surtout le lupus érythémateux disséminé Œdème de Quincke familial |
| Cortisol | 8 h: 4 à 19 $\mu$g/100 mL 16 h: 2 à 15 $\mu$g/100 mL | 110 à 520 nmol/L 50 à 410 nmol/L | Stress dû à une maladie infectieuse, à des brûlures, etc. Grossesse Syndrome de Cushing Pancréatite Toxémie gravidique | Maladie d'Addison Hypoactivité de l'hypophyse antérieure |
| $CO_2$ (sang veineux) | Adultes: 24 à 32 mEq/L Bébés: 18 à 24 mEq/L | 24 à 32 mmol/L 18 à 24 mmol/L | Tétanie Maladies respiratoires Obstructions intestinales Vomissements | Acidose Néphrite Toxémie gravidique Diarrhée Anesthésie |
| Créatine | Hommes: 0,17 à 0,50 mg/100 mL Femmes: 0,35 à 0,93 mg/100 mL | 10 à 40 $\mu$mol/L 30 à 70 $\mu$mol/L | Grossesse Nécrose ou atrophie des muscles squelettiques | État d'inanition Hyperthyroïdie |
| Créatine phosphokinase | Hommes: 50 à 325 mU/mL Femmes: 50 à 250 mU/mL | 50 à 325 U/L 50 à 250 U/L | Infarctus du myocarde Myopathies Injections intramusculaires Syndrome d'écrasement Hypothyroïdie Délirium tremens Myopathie alcoolique Accident vasculaire cérébral | |
| Créatine phosphokinase, iso-enzymes | Présence de la fraction MM (muscles squelettiques) Absence de la fraction MB (muscle cardiaque) | | Présence de la fraction MB dans l'infarctus du myocarde et l'ischémie | |
| Créatinine | 0,7 à 1,4 mg/100 mL | 62 à 124 $\mu$mol/L | Néphrite Insuffisance rénale chronique | Maladies rénales |
| Cryoglobulines | Négatif | | Myélome multiple Leucémie lymphoïde chronique Lymphosarcome Lupus érythémateux disséminé Polyarthrite rhumatoïde Endocardite infectieuse subaiguë Certains cancers Sclérodermie | |
| Cuivre | 70 à 165 $\mu$g/100 mL | 11,0 à 26 $\mu$mol/L | Cirrhose Grossesse | Maladie de Wilson |

## Biochimie (sang) (suite)

| Composant ou épreuve | Intervalles de référence (adultes) | | Interprétation clinique | |
|---|---|---|---|---|
| | Anciennes unités | Unités SI | Élevé | Abaissé |
| 11-Désoxycortisol | 0 à 2 μg/100 mL | 0 à 60 nmol/L | Forme hypertensive de l'hyperplasie surrénalienne virilisante due à un déficit en 11-B-hydroxylase) | |
| Dibucaïne number (pourcentage d'inhibition par la dibucaïne de la pseudocholinestérase) | Normale: 70 à 85 % d'inhibition<br>Hétérozygotes: 50 à 65 % d'inhibition<br>Homozygotes: 16 à 25 % d'inhibition | | | Traduit une activité anormale de la pseudocholinestérase pouvant provoquer une apnée prolongée à la succinyldicholine, un myorelaxant administré pendant l'anesthésie |
| Dihydrotestostérone | Hommes: 50 à 210 ng/100 mL<br>Femmes: non mesurable | 1,72 à 7,22 nmol/L | | Syndrome de féminisation testiculaire |
| Épreuve d'absorption du D-xylose | 30 à 50 mg/100 mL (après 2 heures) | 2 à 3,5 mmol/L | | Syndrome de malabsorption |
| Électrophorèse des protéines (acétate de cellulose)<br>Albumine<br>Globulines:<br>Alpha 1<br>Alpha 2<br>Bêta<br>Gamma | 3,5 à 5,0 g/100 mL<br><br>0,2 à 0,4 g/100 mL<br>0,6 à 1,0 g/100 mL<br>0,6 à 1,2 g/100 mL<br>0,7 à 1,5 g/100 mL | 35 à 50 g/L<br><br>2 à 4 g/L<br>6 à 10 g/L<br>6 à 12 g/L<br>7 à 15 g/L | | |
| Estradiol | Femmes:<br>Phase folliculaire:<br>10 à 90 pg/mL<br>Milieu du cycle:<br>100 à 550 pg/mL<br>Phase lutéale:<br>50 à 240 pg/mL<br>Hommes:<br>15 à 40 pg/mL | <br><br>37 à 370 pmol/L<br><br>367 à 1835 pmol/L<br><br>184 à 881 pmol/L<br><br>55 à 150 pmol/L | Grossesse | Insuffisance ovarienne |
| Estriol | Femmes non enceintes:<br><0,5 ng/mL | <1,75 nmol/L | Grossesse | Insuffisance ovarienne |
| Estrogènes | Femmes:<br>Jours du cycle:<br>1 à 10:<br>61 à 394 pg/mL<br>11 à 20:<br>122 à 437 pg/mL<br>21 à 30:<br>156 à 350 pg/mL<br>Hommes:<br>40 à 115 pg/mL | <br><br><br>61 à 394 ng/L<br><br>122 à 437 ng/L<br><br>156 à 350 ng/L<br><br>40 à 115 ng/L | Grossesse | Détresse fœtale<br>Insuffisance ovarienne |
| Estrone | Femmes:<br>Jours du cycle:<br>1 à 10: 4,3 à 18 ng/100 mL<br>11 à 20: 7,5 à 19,6 ng/100 mL<br>21 à 30: 13 à 20 ng/100 mL<br>Hommes:<br>2,5 à 7,5 ng/100 mL | <br><br>15,9 à 66,6 pmol/L<br><br>27,8 à 72,5 pmol/L<br><br>48,1 à 74,0 pmol/L<br><br>9,3 à 27,8 pmol/L | Grossesse | Insuffisance ovarienne |

## Biochimie (sang)  (suite)

| Composant ou épreuve | Intervalles de référence (adultes) | | Interprétation clinique | |
|---|---|---|---|---|
| | Anciennes unités | Unités SI | Élevé | Abaissé |
| Fer | 65 à 170 μg/100 mL | 11 à 30 μmol/L | Anémie pernicieuse<br>Anémie aplasique<br>Anémie hémolytique<br>Hépatite<br>Hémochromatose | Anémie ferriprive |
| Fer, capacité de fixation | 250 à 420 μg/100 mL | 45 à 82 μmol/L | Anémie ferriprive<br>Hémorragie aiguë ou chronique<br>Hépatite | Infections chroniques<br>Cirrhose |
| Ferritine | Hommes:<br>10 à 270 ng/mL<br>Femmes:<br>5 à 100 ng/mL | 10 à 270 μg/L<br><br>5 à 100 μg/L | Néphrite<br>Hémochromatose<br>Certains cancers<br>Leucémie myéloblastique aiguë<br>Myélome multiple | Carence en fer |
| Galactose | < 5 mg/100 mL | < 0,3 mmol/L | | Galactosémie |
| Gamma-glutamyl-transpeptidase | 0 à 30 U/L à 30 °C | 0 à 30 U/L | Maladies hépatobiliaires<br>Alcoolisme anictérique<br>Lésions dues à des médicaments<br>Infarctus du myocarde<br>Infarctus rénal | |
| Gastrine | À jeun:<br>50 à 155 pg/mL<br>Postprandial:<br>80 à 170 pg/mL | 50 à 155 ng/L<br><br>80 à 170 ng/L | Syndrome de Zollinger-Ellison<br>Ulcère duodénal<br>Anémie pernicieuse | |
| Gaz carbonique: pression partielle (PaCO₂) | 35 à 45 mm Hg | 4,7 à 6,0 kPa | Acidose respiratoire<br>Alcalose métabolique | Alcalose respiratoire<br>Acidose métabolique |
| Gaz du sang artériel:<br>Oxygène<br>Pression partielle (PaO₂)<br>Saturation (SaO₂) | 95 à 100 mm Hg<br><br><br>94 à 100 % | 12,6 à 13,3 kPa<br><br><br>0,94 à 1,0 | Polyglobulie<br>Anhydrémie | Anémie<br>Décompensation cardiaque<br>Bronchopneumopathies chroniques obstructives |
| Globuline de liaison de la thyroxine (TBG) | 10 à 26 μg/100 mL | 100 à 260 μg/L | Hypothyroïdie<br>Grossesse<br>Œstrogénothérapie<br>Prise de contraceptifs oraux | Prise d'androgènes et de stéroïdes anabolisants<br>Syndrome néphrotique<br>Hypoprotéinémie grave<br>Maladies hépatiques |
| Glucose | À jeun:<br>60 à 110 mg/100 mL<br>Postprandial:<br>65 à 140 mg/100 mL | 3,3 à 6,0 mmol/L<br><br>3,6 à 7,7 mmol/L | Diabète<br>Néphrite<br>Hyperthyroïdie<br>Hyperpituitarisme au premier stade<br>Lésions cérébrales<br>Infections<br>Grossesse<br>Urémie | Hyperinsulinisme<br>Hypothyroïdie<br>Hyperpituitarisme au stade avancé<br>Vomissements graves<br>Maladie d'Addison<br>Atteinte hépatique grave |
| Glucose-6-phosphate déshydrogénase (globules rouges) | 1,86 à 2,5 IU/mL de GR | 1860 à 2500 U/L | | Anémie hémolytique médicamenteuse<br>Maladie hémolytique du nouveau-né |

*Biochimie (sang)* (suite)

| Composant ou épreuve | Intervalles de référence (adultes) | | Interprétation clinique | |
|---|---|---|---|---|
| | Anciennes unités | Unités SI | Élevé | Abaissé |
| Glycoprotéines(alpha-1-acide) | 40 à 110 mg/100 mL | 400 à 1100 mg/L | Cancer<br>Tuberculose<br>Diabète compliqué d'une maladie vasculaire dégénérative<br>Grossesse<br>Polyarthrite rhumatoïde<br>Rhumatisme articulaire aigu<br>Hépatite<br>Lupus érythémateux | |
| Gonadotrophine chorionique (B-HCG) | 0 à 5 IU/L | 0 à 5 IU/L | Grossesse<br>Mole hydatiforme<br>Choriocarcinome | |
| Haptoglobine | 50 à 250 mg/100 mL | 0,5 à 2,5 g/L | Grossesse<br>Œstrogénothérapie<br>Infections chroniques<br>Différents troubles inflammatoires | Anémie hémolytique<br>Réaction transfusion-nelle hémolytique |
| Hémoglobine A1 (hémoglobine glycosylée) | 4,4 à 8,2 % | | Diabète mal équilibré | |
| Hémoglobine plasmatique | 0,5 à 5,0 mg/100 mL | 5 à 50 mg/L | Réactions transfusionnelles<br>Hémoglobinurie paroxystique nocturne<br>Hémolyse intravasculaire | |
| Hexosaminidase A | Normale:<br>49 à 68 %<br>Maladie de Tay-Sachs:<br>Hétérozygotes:<br>26 à 45 %<br>Homozygotes:<br>0 à 4 %<br>Diabète:<br>39 à 59 % | 0,49 à 0,68<br><br><br><br>0,26 à 0,45<br><br>0 à 0,04<br><br>0,39 à 0,59 | | Maladie de Tay-Sachs |
| Hexosaminidase totale | Normale: 333 à 375 nmol/mL/h<br>Maladie de Tay-Sachs:<br>Hétérozygotes: 288 à 644 nmol/mL/h<br>Homozygotes:<br>284 à 1232 nmol/mL/h<br>Diabète: 567 à 3560 nmol/mL/h | 333 à 375 $\mu$mol/L/h<br><br><br>288 à 644 $\mu$mol/L/h<br><br><br>284 à 1232 $\mu$mol/L/h<br>567 à 3560 $\mu$mol/L/h | Diabète<br>Maladie de Tay-Sachs | |
| Hormone de croissance | <10 ng/mL | <10 mg/L | Acromégalie | Nanisme |
| Hormone folliculostimulante (FSH) | Phase folliculaire:<br>5 à 20 mlu/L<br>Milieu du cycle:<br>12 à 30 mlu/L<br>Phase lutéale:<br>5 à 15 mlu/L<br>Après la ménopause:<br>40 à 200 mlu/L | 5 à 20 IU/L<br><br>12 à 30 IU/L<br><br>5 à 15 IU/L<br><br>40 à 200 IU/L | Ménopause<br>Insuffisance ovarienne primaire | Insuffisance hypophysaire |

## *Biochimie (sang)* (suite)

| Composant ou épreuve | Intervalles de référence (adultes) | | Interprétation clinique | |
|---|---|---|---|---|
| | Anciennes unités | Unités SI | Élevé | Abaissé |
| Hormone lutéinisante | Hommes :<br>　3 à 25 mIu/mL<br>Femmes :<br>　2 à 20 mIu/mL<br>Pic de production :<br>　30 à 140 mIu/mL | 3 à 25 IU/L<br><br>2 à 20 IU/L<br><br>30 à 140 IU/L | Tumeur hypophysaire<br>Insuffisance ovarienne | Insuffisance<br>　hypophysaire |
| Hormone parathyroïdienne | 160 à 350 pg/mL | 160 à 350 ng/L | Hyperparathyroïdie | |
| 17-hydroxyprogestérone | Hommes :<br>　0,4 à 4 ng/mL<br>Femmes :<br>　0,1 à 3,3 ng/mL<br>Enfants :<br>　0,1 à 0,5 ng/mL | 1,2 à 12 nmol/L<br><br>0,3 à 10 nmol/L<br><br>0,3 à 1,5 nmol/L | Hyperplasie congénitale des<br>　surrénales<br>Grossesse<br>Certains cas d'adénome<br>　surrénalien ou ovarien | |
| Hyperglycémie provoquée | Limite supérieure de la<br>　normale :<br>À jeun :<br>　125 mg/100 mL<br>1 heure :<br>　190 mg/100 mL<br>2 heures :<br>　140 mg/100 mL<br>3 heures :<br>　125 mg/100 mL | <br><br><br>6,9 mmol/L<br><br>10,5 mmol/L<br><br>7,7 mmol/L<br><br>6,9 mmol/L | (Courbe plate ou inversée)<br>Hyperinsulinisme<br>Insuffisance surrénalienne<br>　(maladie d'Addison)<br>Hypoactivité de l'hypophyse<br>　antérieure<br>Hypothyroïdie<br>Maladie cœliaque | (Courbe élevée)<br>Diabète<br>Hyperthyroïdie<br>Tumeur ou hyperplasie<br>　des surrénales<br>Anémie grave<br>Certaines maladies du<br>　système nerveux<br>　central |
| Immunoglobuline A | 50 à 300 mg/100 mL | 0,5 à 3 g/L | Myélome à IgA<br>Syndrome de Wiskott-Aldrich<br>Maladies auto-immunitaires<br>Cirrhose | Ataxie-télangiectasies<br>Agammaglobulinémie<br>Hypogammaglobuli-<br>　némie transitoire<br>Dysgammaglobulinémie<br>Entéropathies avec<br>　pertes de protéines |
| Immunoglobuline D | 0 à 30 mg/100 mL | 0 à 300 mg/L | Myélome à IgD<br>Certaines infections<br>　chroniques | |
| Immunoglobuline E | 20 à 740 ng/mL | 20 à 740 µg/L | Allergies et infections<br>　parasitaires | |
| Immunoglobuline G | 635 à 1400 mg/100 mL | 6,35 à 14 g/L | Myélome à IgG<br>Après une hyperimmunisation<br>Maladies auto-immunitaires<br>Infections chroniques | Hypogammaglobuliné-<br>　mies congénitales et<br>　acquises<br>Myélome à IgA<br>Macroglobulinémie de<br>　Waldenström<br>Certains syndromes de<br>　malabsorption<br>Grave perte de protéines |
| Immunoglobuline M | 40 à 280 mg/100 mL | 0,4 à 2,8 g/L | Macroglobulinémie de<br>　Waldenström<br>Infections parasitaires<br>Hépatite | Agammaglobulinémie<br>Certains myélomes à<br>　IgG et à IgA<br>Leucémie lymphoïde<br>　chronique |
| Insuline | 5 à 25 µU/mL | 35 à 145 pmol/L | Insulinome<br>Acromégalie | Diabète |
| Isocitrate-déshydrogénase | 50 à 180 U | 0,83 à 3 U/L | Hépatite et cirrhose<br>Ictère obstructif<br>Cancer métastatique du foie<br>Anémie mégaloblastique | |
| Lactate-déshydrogénase (LDH) | 100 à 225 mU/L | 100 à 225 U/L | Anémie pernicieuse non<br>　traitée<br>Infarctus du myocarde<br>Infarctus pulmonaire<br>Maladies du foie | |

## Biochimie (sang) (suite)

| Composant ou épreuve | Intervalles de référence (adultes) | | Interprétation clinique | |
|---|---|---|---|---|
| | Anciennes unités | Unités SI | Élevé | Abaissé |
| Lactate-déshydrogénase, iso-enzymes | | | LDH-1 et LDH-2: | |
| LDH-1 | 20 à 35 % | 0,2 à 0,35 | Infarctus du myocarde | |
| | | | Anémie mégaloblastique | |
| LDH-2 | 25 à 40 % | 0,25 à 0,4 | Anémie hémolytique | |
| | | | LDH-4 et LDH-5: | |
| LDH-3 | 20 à 30 % | 0,2 à 0,3 | Infarctus pulmonaire | |
| | | | Insuffisance cardiaque | |
| LDH-4 | 0 à 20 % | 0 à 0,2 | Maladies du foie | |
| LDH-5 | 0 à 25 % | 0 à 0,25 | | |
| Leucine aminopeptidase | 80 à 200 U/L | 19,2 à 48 U/L | Maladies du foie et des voies biliaires | |
| | | | Maladies du pancréas | |
| | | | Cancers métastatiques du foie et du pancréas | |
| | | | Obstruction des voies biliaires | |
| Lipase | 0,2 à 1,5 U/mL | 55 à 417 U/L | Pancréatite aiguë et chronique | |
| | | | Obstruction des voies biliaires | |
| | | | Cirrhose | |
| | | | Hépatite | |
| | | | Ulcère gastroduodénal | |
| Lipides totaux | 400 à 1000 mg/100 mL | 4 à 10 g/L | Hypothyroïdie | Hyperthyroïdie |
| | | | Diabète | |
| | | | Néphrose | |
| | | | Glomérulonéphrite | |
| | | | Hyperlipoprotéinémies | |

## Caractéristiques des différents types d'hyperlipoprotéinémies

| Type | Fréquence | Aspect du sérum | Triglycérides | Cholestérol | Électrophorèse des lipoprotéines | | | | Causes |
|---|---|---|---|---|---|---|---|---|---|
| | | | | | Bêta | Pré-bêta | Alpha | Chylomicrons | |
| I | Très rare | Lactescent | Très élevés | Normal à modérément élevé | Faible | Faible | Faible | Très forte | Dysglobulinémie |
| II | Fréquent | Limpide | Normaux à légèrement élevés | Légèrement élevé à très élevé | Forte | Absente à forte | Modérée | Faible | Hypothyroïdie, myélomes, syndrome hépatique et apport alimentaire élevé en cholestérol |
| III | Rare | Limpide ou lactescent | Élevés | Élevé | Large bande, forte | Chevauche la bande bêta | Modérée | Faible | |
| IV | Très fréquent | Limpide ou lactescent | Légèrement élevés ou très élevés | Normal à légèrement élevé | Faible à modérée | Modérée à forte | Faible à modérée | Faible | Hypothyroïdie, diabète, pancréatite, glycogénoses, syndrome néphrotique myélomes, grossesse et prise de contraceptifs oraux |
| V | Rare | Limpide ou lactescent | Très élevés | Élevé | Faible | Modérée | Faible | Forte | Diabète, pancréatite, alcoolisme |

Les types I et II sont provoqués par les lipides, les types III et IV par les glucides et le type V par les lipides et les glucides.

## Biochimie (sang)  (suite)

| Composant ou épreuve | Intervalles de référence (adultes) | | Interprétation clinique | |
|---|---|---|---|---|
| | Anciennes unités | Unités SI | Élevé | Abaissé |
| Lithium | 0,5 à 1,5 mEq/L | 0,5 à 1,5 mmol/L | | |
| Lysozyme (muramidase) | 2,8 à 8 $\mu$g/mL | 2,8 à 8 mg/L | Leucémie monocytaire aiguë Inflammations et infections | Leucémie lymphoïde aiguë |
| Magnésium | 1,3 à 2,4 mEq/L | 0,7 à 1,2 mmol/L | Consommation exagérée d'antiacides contenant du magnésium | Alcoolisme chronique Maladie rénale grave Diarrhée Retard de croissance |
| Manganèse | 0,04 à 1,4 $\mu$g/100 mL | 73 à 255 nmol/L | | |
| Mercure | <10 $\mu$g/100 mL | <50 nmol/L | Intoxication au mercure | |
| Myoglobine | <85 ng/mL | <85 $\mu$g/L | Infarctus du myocarde Nécrose musculaire | |
| 5'nucléotidase | 3,2 à 11,6 IU/L | 3,2 à 11,6 IU/L | Maladies hépatobiliaires | |
| Osmolalité | 280 à 300 mOsm/kg | 280 à 300 mmol/L | Déséquilibre hydro-électrolytique | Sécrétion inadéquate d'hormone antidiu-rétique |
| Peptide C | 1,5 à 10 ng/mL | 1,5 à 10 $\mu$g/L | Insulinome | Diabète |
| pH | 7,35 à 7,45 | 7,35 à 7,45 | Vomissements Hyperhypnée Fièvre Obstruction intestinale | Urémie Acidose diabétique Hémorragie Néphrite |
| Phénylalanine | Première semaine de vie: 1,2 à 3,5 mg/100 mL Après: 0,7 à 3,5 mg/100 mL | 0,07 à 0,21 mmol/L  0,04 à 0,21 mmol/L | Phénylcétonurie | |
| Phosphatase acide prostatique | 0 à 3 U | 0 à 5,5 U/L | Cancer de la prostate | |
| Phosphatase acide totale | 0 à 11 U/L | 0 à 11 U/L | Cancer de la prostate Maladie de Paget au stade avancé Hyperparathyroïdie Maladie de Gaucher | |
| Phosphatase alcaline | 30 à 120 U/L | 30 à 120 U/L | Augmentation de l'activité ostéoblastique Rachitisme Hyperparathyroïdie Maladies du foie | |
| Phosphohexose isomérase | 20 à 90 IU/L | 20 à 90 IU/L | Cancers Maladies du cœur, du foie et des muscles squelettiques | |
| Phospholipides | 125 à 300 mg/100 mL | 1,25 à 3,0 g/L | Diabète Néphrite | |
| Phosphore inorganique | 2,5 à 4,5 mg/100 mL | 0,8 à 1,45 mmol/L | Néphrite chronique Hypoparathyroïdie | Hyperparathyroïdie Carence en vitamine D |
| Plomb | <40 $\mu$g/100 mL | <2 $\mu$mol/L | Intoxication au plomb | |
| Potassium | 3,8 à 5,0 mEq/L | 3,8 à 5,0 mmol/L | Maladie d'Addison Oligurie Anurie Hémolyse, nécrose tissulaire | Acidose diabétique Diarrhée Vomissements |

*Biochimie (sang)* (suite)

| Composant ou épreuve | Intervalles de référence (adultes) | | Interprétation clinique | |
| --- | --- | --- | --- | --- |
| | Anciennes unités | Unités SI | Élevé | Abaissé |
| Progestérone | Phase folliculaire: <br> <2 ng/mL <br> Phase lutéale: <br> 2 à 20 ng/mL <br> Fin du cycle <br> <1 ng/mL <br> Grossesse 20e semaine: <br> jusqu'à 50 ng/mL | <6 nmol/L <br><br> 6 à 64 nmol/L <br><br> <3 nmol/L <br><br> jusqu'à 160 nmol/L | Utile dans l'évaluation des troubles menstruels et de l'infertilité, de même que de la fonction placentaire dans les grossesses avec complications (toxémie gravidique, diabète, menace d'avortement) | |
| Prolactine | 0 à 20 ng/mL | 0 à 20 ug/L | Grossesse <br> Troubles fonctionnels ou structurels de l'hypothalamus <br> Section de la tige pituitaire <br> Tumeurs hypophysaires | |
| Protéines: <br>   Totales <br>   Albumine <br>   Globulines | 6 à 8 g/100 mL <br> 3,5 à 5 g/100 mL <br> 1,5 à 3 g/100 mL | 60 à 80 g/L <br> 35 à 50 g/L <br> 15 à 30 g/L | Hémoconcentration <br> Choc <br> Myélome multiple (fraction globulines) <br> Infections chroniques (fraction globulines) <br> Maladies du foie (fraction globulines) | Malnutrition <br> Hémorragie <br> Brûlures <br> Protéinurie |
| Protoporphyrine | 15 à 100 µg/100 mL | 0,27 à 1,8 µmol/L | Intoxication au plomb <br> Protoporphyrie érythropoïétique | |
| Pyridoxine | 3,6 à 18 ng/mL | | | Dépression <br> Neuropathies périphériques <br> Anémie <br> Convulsions néonatales <br> Réaction à certains médicaments |
| Régime normal en sodium <br> Régime réduit en sodium <br> Rénine | 1,1 à 4,1 ng/mL/h <br> 6,2 à 12,4 ng/mL/h | 0,3 à 1,14 ng•L$^{-1}$•s$^{-1}$ <br> 1,72 à 3,44 ng•L$^{-1}$•s$^{-1}$ | Hypertension rénovasculaire <br> Hypertension maligne <br> Maladie d'Addison non traitée <br> Néphropathie avec perte de sel <br> Régime pauvre en sel <br> Traitement aux diurétiques <br> Hémorragie | Aldostéronisme primaire <br> Augmentation de l'apport en sel <br> Corticothérapie avec rétention de sel <br> Traitement à l'hormone antidiurétique <br> Transfusion sanguine |
| Sodium | 135 à 145 mEq/L | 135 à 145 mmol/L | Hémoconcentration <br> Néphrite <br> Obstruction du pylore | Hémodilution <br> Maladie d'Addison <br> Myxœdème |
| Sulfate inorganique | 0,5 à 1,5 mg/100 mL | 0,05 à 0,15 mmol/L | Néphrite <br> Rétention d'azote | |
| Testostérone | Femmes: <br> 25 à 100 ng/100 mL <br> Hommes: <br> 300 à 800 ng/100 mL | 0,9 à 3,5 nmol/L <br><br> 10,5 à 28 nmol/L | Femmes: <br> Polykystose ovarienne <br> Tumeurs virilisantes | Hommes: <br> Orchidectomie <br> Œstrogénothérapie <br> Syndrome de Klinefelter <br> Hypopituitarisme <br> Hypogonadisme <br> Cirrhose |

## Biochimie (sang)  (suite)

| Composant ou épreuve | Intervalles de référence (adultes) | | Interprétation clinique | |
| | Anciennes unités | Unités SI | Élevé | Abaissé |
| --- | --- | --- | --- | --- |
| Thyrotrophine (TSH) | | 2 à 11 mU/L | Hypothyroïdie | Hyperthyroïdie |
| Thyroxine libre | 1,0 à 2,2 ng/100 mL | 13 à 30 pmol/L | | |
| Thyroxine ($T_4$) | 4,5 à 11,5 $\mu$g/100 mL | 58 à 150 nmol/L | Hyperthyroïdie<br>Thyroïdite<br>Prise de contraceptifs oraux (à cause de l'augmentation du taux des protéines de liaison de la thyroxine)<br>Grossesse | Hypothyroïdie<br>Prise d'androgènes et de stéroïdes anabolisants (à cause de la baisse du taux des protéines de liaison de la thyroxine)<br>Hypoprotéinémie<br>Syndrome néphrotique |
| Transferrine | 230 à 320 mg/100 mL | 2,3 à 3,2 g/L | Grossesse<br>Anémie ferriprive due à une hémorragie<br>Hépatite aiguë<br>Polyglobulie<br>Prise de contraceptifs oraux | Anémie pernicieuse en rémission<br>Thalassémie et drépanocytose<br>Chromatose<br>Cancer et autres maladies du foie |
| Triglycérides | 10 à 150 mg/100 mL | 0,10 1,65 mmol/L | Voir le tableau des hyperlipoprotéinémies | |
| Triiodothyronine ($T_3$), captation | 25 à 35 % | 0,25 à 0,35 | Hyperthyroïdie<br>Déficit en TBG<br>Prise d'androgènes et de stéroïdes anabolisants | Hypothyroïdie<br>Grossesse<br>Excès de TBG<br>Prise d'œstrogènes |
| Triiodothyronine totale | 75 à 220 ng/100 mL | 1,15 à 3,1 nmol/L | Grossesse<br>Hyperthyroïdie | Hypothyroïdie |
| Tryptophane | 1,4 à 3,0 mg/100 mL | 68 à 147 nmol/L | | Malabsorption du tryptophane |
| Tyrosine | 0,5 à 4 mg/100 mL | 28 à 220 mmol/L | Tyrosinose | |
| Urée, azote | 10 à 20 mg/100 mL | 3,6 à 7,2 mmol/L | Glomérulonéphrite aiguë<br>Obstruction urinaire<br>Intoxication au mercure<br>Syndrome néphrotique | Insuffisance hépatique grave<br>Grossesse |
| Vitamine A | 50 à 220 $\mu$g/100 mL | 1,75 à 7,7 $\mu$mol/L | Hypervitaminose A | Carence en vitamine A<br>Maladie cœliaque<br>Ictère obstructif<br>Giardiase |
| Vitamine $B_1$ (thiamine) | 1,6 à 4,0 $\mu$g/100 mL | 47 à 135 nmol/L | | Anorexie<br>Béribéri<br>Polyneuropathies<br>Myocardiopathies |
| Vitamine $B_6$ (pyridoxal) | 3,6 à 18 ng/mL | 14,6 à 72,8 nmol/L | | Alcoolisme chronique<br>Malnutrition<br>Urémie<br>Convulsions néonatales<br>Malabsorption |

## *Biochimie (sang)* (suite)

| Composant ou épreuve | Intervalles de référence (adultes) | | Interprétation clinique | |
| | Anciennes unités | Unités SI | Élevé | Abaissé |
| --- | --- | --- | --- | --- |
| Vitamine $B_{12}$ | 130 à 785 pg/mL | 100 à 580 pmol/L | Lésions des cellules hépatiques<br>Maladies myéloprolifératives (les taux les plus élevés s'observent dans la leucémie myéloïde) | Végétarisme strict<br>Alcoolisme<br>Anémie pernicieuse<br>Gastrectomie totale ou partielle<br>Résection de l'iléon<br>Maladie cœliaque<br>Infection par le Diphyllobothrium latum |
| Vitamine E | 0,5 à 2 mg/100 mL | 11,6 à 46,4 $\mu$mol/L | | Carence en vitamine E |
| Zinc | 55 à 150 $\mu$g/100 mL | 7,6 à 23 $\mu$mol/L | | |

## *Biochimie (urines)*

| Composant ou épreuve | Intervalles de référence (adultes) | | Interprétation clinique | |
| | Anciennes unités | Unités SI | Élevé | Abaissé |
| --- | --- | --- | --- | --- |
| Acétone et acétoacétate | Négatif | | Diabète mal équilibré<br>État d'inanition | |
| Acide delta aminolévulinique | 0 à 0,54 mg/100 mL | 0 à 40 $\mu$mol/L | Intoxication au plomb<br>Porphyrie hépatique<br>Hépatite<br>Cancer du foie | |
| Acide homogentisique | 0 | | Alcaptonurie<br>Ochronose | |
| Acide homovanillique | <15 mg/24 h | <82 $\mu$mol/d | Neuroblastome | |
| Acide 5-hydroxyindole-acétique | 0 | | Carcinomes | |
| Acide phénylpyruvique | 0 | | Phénylcétonurie | |
| Acide urique | 250 à 750 mg/24 h | 1,48 à 4,43 mmol/d | Goutte | Néphrite |
| Acide vanillylmandélique | <6,8 mg/24 h | <35 $\mu$mol/d | Phéochromocytome<br>Neuroblastome<br>Certains aliments (café, thé, bananes) et certains médicaments dont l'aspirine | |
| Acidité titrable | 20 à 40 mEq/24 h | 20 à 40 mmol/d | Acidose métabolique | Alcalose métabolique |
| Aldostérone | Régime normal en sel:<br>4 à 20 $\mu$g/24 h | 11,1 à 55,5 nmol/d | Aldostéronisme secondaire<br>Déficit en sel<br>Surcharge en potassium<br>Administration d'ACTH à fortes doses<br>Insuffisance cardiaque<br>Cirrhose avec ascite<br>Néphrose<br>Grossesse | |

*Biochimie (urines)*

| Composant ou épreuve | Intervalles de référence (adultes) | | Interprétation clinique | |
|---|---|---|---|---|
| | Anciennes unités | Unités SI | Élevé | Abaissé |
| Amylase | 35 à 260 unités excrétées à l'heure | 6,5 à 48,1 U/h | Pancréatite aiguë | |
| Arylsulfatase A | >2,4 U/mL | | | Leucodystrophie métachromatique |
| Azote d'aminoacide | 50 à 200 mg/24 h | 3,6 à 14,3 mmol/d | Leucémies Diabète Phénylcétonurie et autres maladies métaboliques | |
| Calcium | <150 mg/24 h | <3,75 mmol/d | Hyperparathyroïdie Intoxication à la vitamine D Syndrome de Fanconi | Hypoparathyroïdie Carence en vitamine D |
| Catécholamines | Totales: 0 à 275 μg/24 h Épinéphrine: 10 à 40 % Norépinéprhine: 60 à 90 % | 0 à 1625 nmol/d 0,1 à 0,4 0,6 à 0,9 | Phéochromocytome Neuroblastome | |
| 17-cétostéroïdes | Hommes: 10 à 22 mg/24 h Femmes: 6 à 16 mg/24 h | 35 à 76 μmol/d 21 à 55 μmol/d | Carcinome des testicules à cellules interstitielles Hirsutisme (occasionnellement) Hyperplasie surrénalienne Syndrome de Cushing Cancer virilisant des surrénales Arrhénoblastome | Thyrotoxicose Hypogonadisme chez la femme Diabète Hypertension Maladies débilitantes Eunochoïdisme Maladie d'Addison Panhypopituitarisme Myxœdème Néphrose |
| Clairance de la créatinine | 100 à 150 mL/min | 1,7 à 2,5 mL/s | | Maladies rénales |
| Cortisol, libre | 20 à 90 μg/24 h | 55 à 248 nmol/d | Syndrome de Cushing | |
| Créatine | Hommes: 0 à 40 mg/24 h Femmes: 0 à 80 mg/24 h | 0 à 300 μmol/d 0 à 600 μmol/d | Dystrophie musculaire Fièvre Cancer du foie Grossesse Hyperthyroïdie Myosite | |
| Créatinine | 0,8 à 2 g/24 h | 7 à 17,6 mmol/d | Fièvre typhoïde Salmonellose Tétanos | Atrophie musculaire Anémie Insuffisance rénale avancée Leucémie |
| Cuivre | 20 à 70 μg/24 h | 0,32 à 1,12 μmol/d | Maladie de Wilson Cirrhose Néphrose | |
| Cystine et cystéine | 10 à 100 mg/24 h | 40 à 420 μmol/d | Cystinurie | |
| 11-désoxycortisol | 20 à 100 μg/24 h | 0,6 à 2,9 μmol/d | Forme hypertensive de l'hyperplasie surrénalienne virilisante due à un déficit en 11-bêta-hyroxylase | |
| Épreuve d'absorption du D-Xylose | 16 à 33 % du D-xylose ingéré | 0,16 à 0,33 | | Syndrome de malabsorption |

## Biochimie (urines) (suite)

| Composant ou épreuve | Intervalles de référence (adultes) | | Interprétation clinique | |
|---|---|---|---|---|
| | Anciennes unités | Unités SI | Élevé | Abaissé |
| Estriol (placentaire) | *Semaines de grossesse* | *µg/24 h* | *nmol/d* | Détresse fœtale Prééclampsie Insuffisance placentaire Diabète mal équilibré |
| | 12 | <1 | <3,5 | |
| | 16 | 2 à 7 | 7 à 24,5 | |
| | 20 | 4 à 9 | 14 à 32 | |
| | 24 | 6 à 13 | 21 à 45,5 | |
| | 28 | 8 à 22 | 28 à 77 | |
| | 32 | 12 à 43 | 42 à 150 | |
| | 36 | 14 à 45 | 49 à 158 | |
| | 40 | 19 à 46 | 66,5 à 160 | |
| Estriol (femmes non enceintes) | Femmes: Début de la menstruation: 4 à 25 µg/24 h Pic ovulation 28 à 99 µg/24 h Pic lutéal 22 à 105 µg/24 h Après la ménopause: 1,4 à 19,6 µg/24 h Hommes: 5 à 18 µg/24 h | 15 à 85 nmol/d 95 à 345 nmol/d 75 à 365 nmol/d 5 à 70 nmol/d 15 à 60 nmol/d | Hypersécrétion d'œstrogènes due à un cancer des gonades ou des surrénales | Aménorrhée primaire ou secondaire |
| Étiocholanolone | Hommes: 1,9 à 6 mg/24 h Femmes: 0,5 à 4 mg/24 h | 6,5 à 20,6 µmol/d 1,7 à 13,8 µmol/d | Syndrome génitosurrénal Hirsutisme idiopathique | |
| 17-hydroxycorticostéroïdes | 2 à 10 mg/24 h | 5,5 à 27,5 µmol/d | Maladie de Cushing | Maladie d'Addison Hypofonctionnement de l'hypophyse antérieure |
| Glucose | Négatif | | Diabète Troubles hypophysaires Hypertension intracrânienne Lésion du 4ᵉ ventricule | |
| Gonadotrophine chorionique | Négatif en l'absence de grossesse | | Grossesse Chorioépithéliome Môle hydatiforme | |
| Hémoglobine et myoglobine | Négatif | | Brûlures étendues Transfusion de sang incompatible Graves blessures par écrasement (myoglobine) | |
| Hormone folliculostimulante (FSH) | Femmes: Phase folliculaire: 5 à 20 IU/24 h Phase lutéale: 5 à 15 IU/24 h Milieu du cycle: 15 à 60 IU/24 h Après la ménopause: 50 à 100 IU/24 h Hommes: 5 à 25 IU/24 h | 5 à 20 IU/d 5 à 15 IU/d 15 à 60 IU/d 50 à 100 IU/d 5 à 25 IU/d | Ménopause et insuffisance ovarienne primaire | Insuffisance hypophysaire |

## Biochimie (urines) (suite)

| Composant ou épreuve | Intervalles de référence (adultes) | | Interprétation clinique | |
|---|---|---|---|---|
| | Anciennes unités | Unités SI | Élevé | Abaissé |
| Hormone lutéinisante | Hommes:<br>5 à 18 IU/24 h<br>Femmes:<br>Phase folliculaire:<br>2 à 25 IU/24 h<br>Pic ovulation:<br>30 à 95 IU/24 h<br>Phase lutéale:<br>2 à 20 IU/24 h<br>Après la ménopause:<br>40 à 110 IU/24 h | 5 à 18 IU/d<br><br><br>2 à 25 IU/d<br><br>30 à 95 IU/d<br><br>2 à 20 IU/d<br><br>40 à 110 IU/d | Tumeur hypophysaire<br>Insuffisance ovarienne | Insuffisance<br>hypophysaire |
| Hydroxyproline | 15 à 43 mg/24 h | 0,11 à 0,33 $\mu$mol/d | Maladie de Paget<br>Dysplasie fibreuse<br>Ostéomalacie<br>Cancer des os<br>Hyperparathyroïdie | |
| Métanéphrines | 0 à 2 mg/24 h | 0 à 11,0 $\mu$mol/d | Phéochromocytome; dans quelques cas de phéochromocytome, les métanéprhines sont élevées, mais les catécholamines et l'acide vanillylmandélique sont normaux. | |
| Mucopolysaccharides | 0 | | Maladie de Hurler<br>Syndrome de Marfan<br>Maladie de Morquio | |
| Osmolalité | Hommes:<br>390 à 1090 mOsm/kg<br>Femmes:<br>300 à 1090 mOsm/kg | 390 à 1090 mmol/kg<br><br>300 à 1090 mmol/kg | Utile dans l'étude de l'équilibre hydroélectrolytique | |
| Oxalate | < 40 mg/24 h | < 450 $\mu$mol/d | Oxalose | |
| Phosphore inorganique | 0,8 à 1,3 g/24 h | 26 à 42 mmol/d | Hyperparathyroïdie<br>Intoxication à la vitamine D<br>Maladie de Paget<br>Cancer métastatique des os | Hypoparathyroïdie<br>Carence en vitamine D |
| Plomb | < 150 $\mu$g/24 h | < 0,6 $\mu$mol/d | Intoxication au plomb | |
| Porphobilinogène | 0 à 2,0 mg/24 h | 0 à 8,8 $\mu$mol/d | Intoxication au plomb chronique<br>Porphyrie aiguë<br>Maladie du foie | |
| Porphyrines | Coproporphyrine:<br>45 à 180 $\mu$g/24 h<br>Uroporphyrine:<br>5 à 20 $\mu$g/24 h | 68 à 276 nmol/d<br><br>6 à 24 nmol/d | Porphyrie hépatique<br>Porphyrie érythropoïétique<br>Porphyrie cutanée tardive<br>Intoxication au plomb (coproporphyrine seulement) | |
| Potassium | 40 à 65 mEq/24 h | 40 à 65 mmol/d | Hémolyse | |

## *Biochimie (urines)* (suite)

| Composant ou épreuve | Intervalles de référence (adultes) | | Interprétation clinique | |
|---|---|---|---|---|
| | Anciennes unités | Unités SI | Élevé | Abaissé |
| Prégnandiol | Femmes: <br> Phase proliférative: <br> 0,5 à 1,5 mg/24 h <br> Phase lutéale: <br> 2 à 7 mg/24 h <br> Après la ménopause: <br> 0,2 à 1 mg/24 h <br> Grossesse: | 1,6 à 4,8 $\mu$mol/d <br><br> 6 à 22 $\mu$mol/d <br><br> 0,6 à 3,1 $\mu$mol/d | Kystes du corps jaune <br> Rétention placentaire <br> Certaines tumeurs corticosur-rénaliennes | Insuffisance placentaire <br> Menace d'avortement <br> Mort intra-utérine |

| Semaines de gestation | mg/24 h | $\mu$mol/d |
|---|---|---|
| 10 à 12 | 5 à 15 | 15,6 à 47,0 |
| 12 à 18 | 5 à 25 | 15,6 à 78,0 |
| 18 à 24 | 15 à 33 | 47,0 à 103,0 |
| 24 à 28 | 20 à 42 | 62,4 à 131,0 |
| 28 à 32 | 27 à 47 | 84,2 à 146,6 |

| Composant ou épreuve | Anciennes unités | Unités SI | Élevé | Abaissé |
|---|---|---|---|---|
| | Hommes: <br> 0,1 à 2 mg/24 h | 0,3 à 6,2 $\mu$mol/d | | |
| Prégnantriol | 0,4 à 2,4 mg/24 h | 1,2 à 7,1 $\mu$mol/d | Hyperplasie surrénalienne congénitale androgénique | |
| Protéines | <100 mg/24 h | <0,10 g/d | Néphrite <br> Insuffisance cardiaque <br> Intoxication au mercure <br> Fièvre <br> Hématurie | |
| Protéines de Bence-Jones | Absence | | Myélome multiple | |
| Sodium | 130 à 200 mEq/24 h | 130 à 200 mmol/d | Utile dans l'étude de l'équi-libre hydroélectrolytique | |
| Urée | 12 à 20 g/24 h | 450 à 700 mmol/d | Augmentation du catabolisme des protéines | Altération de la fonc-tion rénale |
| Urobilinogène | 0 à 4 mg/24 h | 0 à 6,8 $\mu$mol/d | Maladies du foie et des voies biliaires <br> Anémies hémolytiques | Obstruction des voies biliaires <br> Diarrhée <br> Insuffisance rénale |
| Zinc | 0,15 à 1,2 mg/24 h | 2,3 à 18,4 $\mu$mol/d | | |

## *Liquide céphalorachidien*

| Composant ou épreuve | Intervalles de référence (adultes) | | Interprétation clinique | |
|---|---|---|---|---|
| | Anciennes unités | Unités SI | Élevé | Abaissé |
| Acide lactique | <24 mg/100 mL | <2,7 mmol/L | Méningite bactérienne <br> Hypocapnie <br> Hydrocéphalie <br> Abcès cervical <br> Ischémie cérébrale | |
| Albumine | 15 à 30 mg/100 mL | 150 à 300 g/L | Certains troubles neurolo-giques <br> Lésion du plexus choroïde ou obstruction de l'écoulement du liquide céphalorachidien <br> Altération de la barrière hémato-encéphalique | |

*Liquide céphalorachidien*

| Composant ou épreuve | Intervalles de référence (adultes) | | Interprétation clinique | |
| --- | --- | --- | --- | --- |
| | Anciennes unités | Unités SI | Élevé | Abaissé |
| Chlorure | 100 à 130 mEq/L | 100 à 130 mmol/L | Urémie | Méningite aiguë généralisée<br>Méningite tuberculeuse |
| Électrophorèse des protéines<br>(acétate de cellulose) | | | Augmentation de la fraction albumine seulement: lésion du plexus choroïde ou obstruction de l'écoulement du liquide céphalorachidien. Augmentation de la fraction gamma-globuline avec fraction albumine normale: sclérose en plaques, neurosyphilis, panencéphalite sclérosante subaiguë et infections chroniques du SNC. Fraction gamma-globuline élevée avec fraction albumine élevée: altération grave de la barrière hémato-encéphalique. | |
| Préalbumine | 3 à 7 % | 0,03 à 0,07 | | |
| Albumine | 56 à 74 % | 0,56 à 0,74 | | |
| Globulines: | | | | |
| Alpha$_1$ | 2 à 6,5 % | 0,02 à 0,065 | | |
| Alpha$^2$ | 3 à 12 % | 0,03 à 0,12 | | |
| Bêta | 8 à 18,5 % | 0,08 à 0,18 | | |
| Gamma | 4 à 14 % | 0,04 à 0,14 | | |
| Glucose | 50 à 75 mg/100 mL | 2,7 à 4,1 mmol/L | Diabète<br>Coma diabétique<br>Encéphalite épidémique<br>Urémie | Méningite aiguë<br>Méningite tuberculeuse<br>Choc insulinique |
| Glutamine | 6 à 15 mg/100 mL | 0,4 à 1,0 mmol/L | Encéphalopathies hépatiques, dont le syndrome de Reye<br>Coma hépatique<br>Cirrhose | |
| IgG | 0 à 6,6 mg/100 mL | 0 à 6,6 g/L | Altération de la barrière hémato-encéphalique<br>Sclérose en plaques<br>Neurosyphilis<br>Panencéphalite sclérosante subaiguë<br>Infections chroniques du SNC | |
| Lactate déshydrogénase | 1/10 du taux sérique | 0,1 | Maladies du SNC | |
| Numération globulaire | 0 à 5/mm$^3$ | 0 à 5 × 10$^6$/L | Méningite bactérienne<br>Méningite virale<br>Neurosyphilis<br>Poliomyélite<br>Encéphalite léthargique | |
| Protéines | | | | |
| lombaires | 15 à 45 mg/100 mL | 15 à 45 g/L | Méningite aiguë | |
| sous-occipitales | 15 à 25 mg/100 mL | 15 à 25 g/L | Méningite tuberculeuse | |
| ventriculaires | 5 à 15 mg/100 mL | 5 à 15 g/L | Neurosyphilis<br>Poliomyélite<br>Syndrome de Guillain-Barré | |

## Liquide gastrique

| Composant ou épreuve | Intervalles de référence (adultes) | | Interprétation clinique | |
| | Anciennes unités | Unités SI | Élevé | Abaissé |
| --- | --- | --- | --- | --- |
| Acidité maximum | 5 à 50 mEq/h | 5 à 40 mmol/h | Syndrome de Zollinger-Ellison | Gastrite atrophique chronique |
| Débit acide basal | 0 à 6 mEq/h | 0 à 6 mmol/h | Ulcère gastroduodénal | Cancer de l'estomac |
| pH | <2 | <2 | | Anémie pernicieuse |

## Concentrations thérapeutiques de différents médicaments

| Médicament | Anciennes unités | Unités SI |
| --- | --- | --- |
| Acétaminophène | 10 à 20 $\mu$g/mL | 10 à 20 mg/L |
| Aminophylline (théophylline) | 10 à 20 $\mu$g/mL | 10 à 20 mg/L |
| Bromure | 5 à 50 mg/100 mL | 50 à 500 mg/L |
| Chlordiazépoxide | 1 à 3 $\mu$g/mL | 1 à 3 mg/L |
| Diazépam | 0,5 à 2,5 $\mu$g/100 mL | 5 à 25 $\mu$g/L |
| Digitoxine | 5 à 30 ng/mL | 5 à 30 $\mu$g/L |
| Digoxine | 0,5 à 2 ng/mL | 0,5 à 2 $\mu$g/L |
| Gentamicine | 4 à 10 $\mu$g/mL | 4 à 10 mg/L |
| Phénobarbital | 15 à 40 $\mu$g/mL | 15 à 40 mg/L |
| Phénytoïne | 10 à 20 $\mu$g/mL | 10 à 20 mg/L |
| Primidone | 5 à 12 $\mu$g/mL | 5 à 12 mg/L |
| Quinidine | 0,2 à 0,5 mg/100 mL | 2 à 5 mg/L |
| Salicylates | 2 à 25 mg/100 mL | 20 à 250 mg/L |
| Sulfamides: | | |
|   Sulfadiazine | 8 à 15 mg/100 mL | 80 à 150 mg/L |
|   Sulfaguanidine | 3 à 5 mg/100 mL | 30 à 50 mg/L |
|   Sulfamérazine | 10 à 15 mg/100 mL | 100 à 150 mg/L |
|   Sufanilamide | 10 à 15 mg/100 mL | 100 à 150 mg/L |

## Concentrations toxiques de différentes substances

| Substance | Anciennes unités | Unités SI |
| --- | --- | --- |
| Éthanol | Intoxication marquée: 0,3 à 0,4 % Stupeur: 0,4 à 0,5 % | |
| Méthanol | Concentration potentiellement fatale: >10 mg/100 mL | >100 mg/L |
| Monoxyde de carbone | >20 % de saturation | |
| Salicylates | >30 mg/100 mL | 300 mg/L |